Dom śmierci

DEAN KOONTZ

Dom śmierci

Z angielskiego przełożyła
DANUTA GÓRSKA

Wydawnictwo
A. Kuryłowicz

Tytuł oryginału:
77 SHADOW STREET

Redakcja: Beata Słama

Ilustracja na okładce: Robert Spriggs/Shutterstock

Projekt graficzny okładki i serii: Andrzej Kuryłowicz

Skład: Laguna

ISBN 978-83-7885-690-0

Książka dostępna także jako e-book

Dystrybutor
Firma Księgarska Olesiejuk sp. z o.o. sp. k.-a.
Poznańska 91, 05-850 Ożarów Maz.
t./f. 22.535.0557, 22.721.3011/7007/7009
www.olesiejuk.pl

Sprzedaż wysyłkowa – księgarnie internetowe
www.merlin.pl
www.fabryka.pl
www.empik.com

Wydawca
WYDAWNICTWO ALBATROS A. KURYŁOWICZ
Hlonda 2A/25, 02-972 Warszawa
www.wydawnictwoalbatros.com

2013. Wydanie I
Druk: CPI Moravia Books, Czech Republic

Stąd, z kraju szaleństwa,
dla Eda i Carol Gormanów.
Tam, w krainie serca,
z niezmiennym uczuciem,
po tych wszystkich latach.

*O ciemno, ciemno, ciemno
Wszyscy odchodzą w ciemność...*

T.S. ELIOT, *East Coker**

* T.S. Eliot, *East Coker*, przekład J. Niemojowski, *Wybór poezji*, Wrocław 1990.

CZĘŚĆ PIERWSZA

Gdzie gromadzą się cienie

—

Jakże wolno cień pełznie; lecz gdy skinę ręką,
Jak prędko cień opada. Jak prędko! Jak prędko!

HILAIRE BELLOC, *For a Sundial*

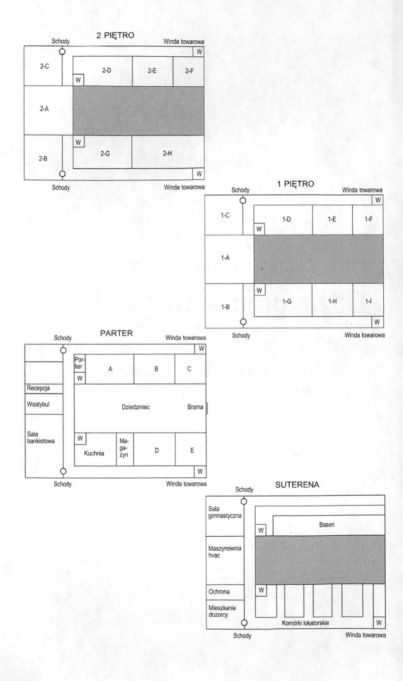

1

Północna winda

Earl Blandon, były senator USA, w ten czwartek wrócił do domu o drugiej piętnaście nad ranem, pijany i rozgoryczony, z nowym tatuażem: dwoma wulgarnymi słowami wypisanymi niebieskimi drukowanymi literami na środkowym palcu prawej dłoni. Wczoraj wieczorem, w barze, pokazał ten wyprostowany palec innemu klientowi, który nie znał angielskiego i przyjechał z jakiegoś zapyziałego kraiku Trzeciego Świata, gdzie najwidoczniej nie rozumiano znaczenia tego obraźliwego gestu, chociaż hollywoodzcy gwiazdorzy demonstrowali go w niezliczonych filmach. Ów nieokrzesany cudzoziemiec mylnie wziął uniesiony palec za życzliwe powitanie i w odpowiedzi tylko kiwał głową z uśmiechem. Frustracja wymiotła Earla z baru prosto do pobliskiego salonu tatuażu, gdzie wbrew radom mistrza igły po raz pierwszy w wieku pięćdziesięciu ośmiu lat ozdobił swoje ciało.

Earl wkroczył energicznie frontowymi drzwiami do westybulu ekskluzywnego apartamentowca Pendleton. Nocny portier, Norman Fixxer, przywitał go po nazwisku. Norman siedział na stołku za kontuarem recepcji po lewej stronie, mając przed sobą otwartą książkę. Wyglądał jak kukiełka brzuchomówcy: szkliste, wytrzeszczone niebieskie oczy, wyraziste marionetkowe zmarszczki na twarzy przypominające blizny, głowa przechylona pod dziwacznym kątem. Ubrany w czarny garnitur, wykrochmaloną białą koszulę i czarną muszkę, z pedantycznie złożoną białą chusteczką rozkwitającą w butonierce, był przesadnie wystrojony w porównaniu z pozostałymi dwoma portierami, pracującymi na wcześniejszych zmianach.

Earl Blandon nie lubił Normana. Nie ufał mu. Portier za bardzo się starał. Był zbyt uprzejmy. Earl nie ufał uprzejmym ludziom, którzy za bardzo się starają. Tacy zawsze coś ukrywali. Czasami okazywało się, że są agentami FBI, chociaż udawali lobbystów z walizkami pełnymi pieniędzy, żywiących nabożny szacunek dla władzy senatora. Earl nie podejrzewał, że Norman Fixxer jest agentem FBI w przebraniu, ale z pewnością miał coś do ukrycia.

Na jego powitanie Earl odpowiedział tylko zmarszczeniem brwi. Miał ochotę podnieść świeżo ozdobiony środkowy palec, ale się powstrzymał. Nie warto obrażać portiera. Zaczną ginąć listy. Garnitur, który miał wrócić z pralni w środę wieczorem, zostanie dostarczony do apartamentu tydzień później. Poplamiony jedzeniem. Chociaż z przyjemnością pokazałby palec Normanowi, w ramach przeprosin musiałby chyba podwoić zwyczajową bożonarodzeniową premię.

Z konsekwentnie zmarszczonymi brwiami Earl przemierzył marmurową posadzkę westybulu, kryjąc w zaciśniętej pięści upiększony palec. Wszedł przez wewnętrzne drzwi, które Norman zdalnie otworzył, w holu skręcił w lewo i oblizując się na myśl o kieliszku przed snem, ruszył do północnej windy. Zajmował apartament na drugim, najwyższym piętrze. Nie miał widoku na miasto, tylko okna wychodzące na dziedziniec.

Wprawdzie na tym piętrze znajdowało się siedem innych mieszkań, lecz atrakcyjne położenie usprawiedliwiało nazywanie tego lokalu penthouse'em, tym bardziej że mieścił się w prestiżowym Pendletonie. Niegdyś Earl posiadał pięcioakrowy majątek ziemski z rezydencją o siedemnastu pokojach. Sprzedał go, podobnie jak inne dobra, żeby opłacić rujnujące honoraria tych przeklętych, zakłamanych adwokatów, tych krwiopijców bez serca i sumienia, oby się smażyli w piekle.

Drzwi windy się zasunęły i kabina ruszyła w górę. Earl spoglądał na ręcznie malowany fresk pokrywający ściany ponad białą boazerią i rozciągający się na sufit: błękitne drozdy szybujące radośnie po niebie wśród obłoków wyzłoconych słońcem. Niekiedy, na przykład teraz, piękno tej sceny i radość ptaków zdawały się wymuszone, irytująco natrętne, toteż Earl miał ochotę wziąć puszkę farby w sprayu i zamazać całą tę panoramę.

Zniszczyłby malowidło, gdyby nie kamery ochrony w windzie i korytarzu. Ale zarząd wspólnoty mieszkaniowej tylko odnowiłby fresk i kazał mu zapłacić. Earl nie otrzymywał już dużych sum pieniędzy w teczkach, walizkach, grubych kopertach, papierowych torbach na zakupy, pudełkach na pączki albo przyklejonych do ciał kosztownych prostytutek, które nie miały na sobie nic poza skórzanymi trenczami. Ostatnio zbyt często nabierał chętki, żeby coś zniszczyć, jednak usilnie starał się opanować, bo nie zamierzał wylądować w przytułku.

Zamknął oczy, żeby nie patrzeć na kiczowate ptaki opromienione słońcem. Lecz kiedy na pierwszym piętrze temperatura spadła nagle o jakieś dziesięć stopni, czym prędzej uniósł powieki i rozejrzał się zaskoczony. Nie zobaczył irytującego fresku. Brakowało kamery ochrony. Biała boazeria znikła. Znikła też marmurowa posadzka. Krążki nieprzezroczystego materiału, osadzone w suficie z nierdzewnej stali, rzucały błękitne światło. Również ściany, drzwi i podłoga były z nierdzewnej szczotkowanej stali.

Zanim zamarynowany w martini mózg Earla Blandona przyjął do wiadomości transformację windy, kabina przestała się wznosić... i runęła w dół. Żołądek byłego senatora podjechał do góry, a potem opadł. Earl zatoczył się na boki, chwycił się poręczy i jakoś utrzymał się na nogach.

Kabina nie kołysała się i nie drgała. Żadnego skrzypienia kabli. Żadnego szczękania przeciwwagi. Żadnego terkotu kółek toczących się po nasmarowanych prowadnicach. Stalowe pudło opadało gładko i cicho, z szybkością ekspresowej windy.

Przedtem w kabinie na prawo od drzwi znajdował się panel z przyciskami: S, P, 1, 2. Teraz przyciski zaczynały się od 2, potem 1, P, S i znowu 1 aż do 30. Nawet gdyby Earl był trzeźwy, zakręciłoby mu się w głowie. W miarę jak kabina opadała, zapalały się coraz wyższe numery: 7, 8, 9. Z pewnością nie pomylił kierunków ruchu. Podłoga jakby uciekała mu spod stóp. Poza tym Pendleton miał tylko cztery poziomy: suterenę, parter i dwa piętra. Przyciski na panelu oznaczały widocznie podziemne poziomy, pod suterreną.

Ale to bez sensu. W tym budynku była tylko jedna suterena, jeden poziom podziemny, nie trzydzieści albo trzydzieści jeden.

Więc to już nie jest Pendleton. Co miało jeszcze mniej sensu. Wcale nie miało sensu.

Może to mu się przyśniło? Alkoholowy koszmar.

Lecz żaden sen nie byłby taki wyrazisty, tak intensywnie fizyczny. Serce mu waliło. Krew pulsowała w skroniach. Kwaśny refluks palił w gardle. Kiedy Earl spróbował przełknąć żółć, z wysiłku łzy napłynęły mu do oczu i zaćmiły wzrok.

Otarł łzy rękawem marynarki. Zamrugał, patrząc na tablicę z przyciskami: 13, 14, 15...

Spanikowany pod wpływem nagłego, intuicyjnego przekonania, że zjeżdża do miejsca równie tajemniczego co przerażającego, Earl puścił poręcz. Przeszedł przez kabinę i poszukał na panelu guzika „Stop".

Nie znalazł.

Winda mijała już poziom dwudziesty trzeci. Earl mocno przycisnął kciukiem guzik z liczbą 26, ale kabina nie stanęła, nawet nie zwolniła, dopóki nie dotarła do poziomu dwudziestego dziewiątego. Wtedy zahamowała gładko i szybko, z lekkim sykiem, przypominającym syk płynu hydraulicznego sprężanego w cylindrach, po czym zatrzymała się trzydzieści pięter pod ziemią.

Otrzeźwiony przez nadnaturalny strach — chociaż sam nie wiedział, czego się boi — Earl cofnął się od drzwi i z głuchym łomotem uderzył plecami w tylną ścianę kabiny.

W swojej chlubnej przeszłości, jako członek Senackiej Komisji Sił Zbrojnych, Earl uczestniczył kiedyś w spotkaniu w bunkrze głęboko pod Białym Domem, gdzie pewnego dnia prezydent mógłby przetrwać nuklearny holocaust. Tamten schron był jasny i czysty, ale sprawiał wrażenie bardziej złowieszcze niż cmentarz w nocy. Na początku kariery, jako stanowy ustawodawca, Earl niekiedy odwiedzał cmentarze, ponieważ uważał, że w takich samotnych miejscach nikt nie powstanie z grobu, z prochu i ziemi, żeby donieść o przyjęciu łapówki. Ta cicha winda wydawała się dużo bardziej złowieszcza niż prezydencki schron.

Czekał, aż drzwi się otworzą. Czekał i czekał.

Nigdy w życiu nie był tchórzem. Na odwrót, to jego się lękano. Dziwne, że pozwolił się tak nagle i całkowicie sterroryzować. Ale rozumiał, co go doprowadziło do tego żałosnego stanu: zetknięcie z czymś nadprzyrodzonym.

Jako zdeklarowany materialista, Earl wierzył tylko w to, co mógł zobaczyć, usłyszeć, powąchać, posmakować, czego mógł dotknąć. Nie ufał nikomu prócz siebie i nikogo nie potrzebował. Wierzył w potęgę własnego umysłu, w swój ponadprzeciętny spryt, który pomagał mu się wywinąć z każdej opresji.

Wobec zjawisk nadprzyrodzonych był bezbronny.

Wstrząsały nim dreszcze tak gwałtowne, że niemal słyszał klekotanie własnych kości. Próbował zacisnąć pięści, ale ze strachu tak osłabł, że nie dał rady. Podniósł ręce i wpatrując się w swoje palce, siłą woli próbował je zmusić, żeby się zacisnęły.

Wytrzeźwiał już dostatecznie, żeby zrozumieć, że słowa wytatuowane na środkowym palcu prawej ręki wcale nie pomogłyby ciemniakowi w barze pojąć zniewagi. Ten wsiok z Trzeciego Świata pewnie nie umiał też czytać po angielsku.

— Idiota — mruknął Earl Blandon pod własnym adresem, bardziej niż kiedykolwiek skłonny do niskiej samooceny.

Drzwi windy się rozsunęły i powiększona prostata Earla

zacisnęła się znacznie mocniej niż pięści. O mało nie zlał się w gacie.

Za otwartymi drzwiami znajdowała się tylko ciemność tak nieprzenikniona, że wyglądała jak rozległa, bezdenna otchłań, której nie mogło przeniknąć błękitne światło padające z windy. W lodowatej ciszy grobowca Earl Blandon stał nieruchomo, głuchy teraz nawet na łomotanie własnego serca, jakby krew nagle wyschła mu w żyłach. To była cisza na końcu świata, gdzie nie ma powietrza do oddychania, gdzie czas się zatrzymał. Nigdy nie słyszał czegoś równie przerażającego — dopóki z ciemności za otwartymi drzwiami nie dobiegł jeszcze straszniejszy dźwięk, świadczący o tym, że coś nadchodzi.

Szuranie, stukanie, stłumione szelesty: albo coś wielkiego, przekraczającego granice wyobraźni senatora, parło do przodu ślepo, lecz uparcie... albo nadciągała horda mniejszych, lecz równie tajemniczych stworzeń. Ciemności przeszył ostry wrzask, niemal elektroniczny w barwie, lecz niewątpliwie wydobywający się z gardła żywej istoty, wyrażający głód, pożądanie albo żądzę krwi, jakąś gwałtowną, prymitywną potrzebę.

Pod wpływem paniki Earl pokonał paraliż i rzucił się do tablicy z przyciskami, szukając tego, który zamyka drzwi. W każdej windzie był taki. Oprócz tej windy. Nie było przycisków otwierania ani zamykania drzwi, ani alarmu, ani telefonu czy interkomu do konserwatora, tylko numery pięter, jakby ta winda nigdy się nie psuła i nie wymagała konserwacji.

Kątem oka Earl dostrzegł, że coś majaczy w otwartych drzwiach. Kiedy się odwrócił, myślał, że na ten widok serce mu stanie, ale nie czekał go taki łatwy koniec.

2
Pomieszczenie ochrony w suterenie

Devon Murphy, który został pięciokrotnie postrzelony podczas interwencji w domowej awanturze, o mało nie umarł w karetce pogotowia, o mało nie umarł na stole operacyjnym, po czym złapał złośliwe wirusowe zapalenie płuc i znowu o mało nie umarł podczas rekonwalescencji w szpitalu, przed dwoma laty odszedł z policji. Chociaż wcześniej pełnił prawdziwą służbę jako oficer patrolowy, wcale się nie wstydził, że przez resztę życia będzie zwykłym ochroniarzem, kimś, kogo jego dawni koledzy lekceważąco nazywali cieciem. Devon nie miał kompleksu macho. Nie musiał udowadniać swojej męskości. Skończył dopiero dwadzieścia dziewięć lat i chciał żyć, i miał znacznie większe szanse przeżycia jako cieć w Pendletonie niż jako cel dla każdego bandziora i ćpuna na ulicach miasta.

W zachodniej części sutereny centrum ochrony zajmowało pokój pomiędzy mieszkaniem dozorcy a dużą maszynownią z urządzeniami grzewczo-chłodzącymi. Pomieszczenie bez okien, pięć i pół na jedenaście metrów, nie wydawało się jednak klaustrofobiczne, tylko przytulne. Lodówka, mikrofalówka, ekspres do kawy i zlew zapewniały większość domowych wygód.

Mundur khaki był trochę obciachowy i Devon wyglądałby w nim jak odźwierny, gdyby nie pas na broń, przy którym wisiał mały pojemnik z gazem pieprzowym Sabre, uchwyt na telefon komórkowy, służbowe klucze, mała latarka LED oraz obrotowa kabura z pistoletem Springfield Armory XDM na naboje .45 ACP. Chociaż w takim luksusowym apartamentowcu jak Pendleton prawdopodobieństwo, że będzie musiał użyć tej broni, było nie większe niż prawdopodobieństwo, że w drodze do domu zostanie porwany przez kosmitów.

Przede wszystkim wymagano od niego, żeby obserwował przekaz z dwudziestu czterech kamer bezpieczeństwa zainstalowanych w budynku. I dwukrotnie podczas każdej zmiany, w nieregularnych odstępach czasu, mógł zaczerpnąć świeżego powietrza, kiedy robił obchód sutereny, parteru i dziedzińca, co mu zajmowało piętnaście minut.

Każdy z sześciu plazmowych ściennych monitorów, podzielony na ćwiartki, pokazywał widok z czterech kamer. Devon za pomocą dotykowego ekranu kontrolnego Crestron mógł natychmiast przełączyć widok z dowolnej kamery na tryb pełnoekranowy, gdyby zobaczył coś podejrzanego, ale nigdy niczego takiego nie zobaczył. Dom pod numerem siedemdziesiąt siedem przy ulicy Cieni był najspokojniejszym miejscem w całym mieście.

W Pendletonie mieszkali zarówno mili ludzie, jak i dranie, ale wspólnota mieszkaniowa dobrze traktowała pracowników. Devon miał do dyspozycji wygodne krzesło biurowe Hermana

Millera. Lodówkę zaopatrzono w zapasy butelkowanej wody, świeżej śmietanki, kawy o różnych smakach oraz wszelkie dodatki do napojów, na jakie miałby ochotę dyżurny ochroniarz.

Devon popijał mieszankę jamajsko-kolumbijską ze szczyptą cynamonu, kiedy sygnał „brit-brit" ostrzegł go, że ktoś z ulicy otworzył drzwi do westybulu. Ochroniarz spojrzał na właściwy monitor, przełączył kamerę z holu na pełny ekran i zobaczył, jak z grudniowej nocy wchodzi senator Earl Blandon.

Blandon należał do drani. Powinien siedzieć w więzieniu, ale kupił sobie wolność, opłacając adwokatów w garniturach za pięć tysięcy dolarów. Niewątpliwie zagroził również, że zabierze ze sobą na dno połowę swojej partii politycznej, jeśli nie pociągną za sznurki marionetkowych sędziów i prokuratorów, żeby odegrali wyznaczone przez niego role w teatrzyku zwanym sprawiedliwością.

Praca w policji nauczyła Devona cynizmu.

Z gęstymi siwymi włosami i twarzą jak z rzymskiej monety Blandon wciąż wyglądał na senatora. Najwyraźniej uważał, że za sam wygląd należy mu się szacunek, jakim cieszył się dawniej, zanim zhańbił swój urząd. Był opryskliwy, wyniosły, arogancki i powinien przystrzyc sobie włosy w uszach — ten szczegół fascynował Devona, zawsze skrupulatnie dbającego o higienę osobistą.

Przez lata Blandon wychlał tyle wódy, że się uodpornił i już nie dawał po sobie poznać, czy jest pijany. Nie zdradzały go bełkotliwa mowa ani chwiejny krok. Kiedy był nawalony, zamiast się zataczać, stąpał bardziej dostojnie, prostował ramiona i unosił podbródek wyżej niż w chwilach trzeźwości. O jego upiciu świadczyły nienaganna postawa i przesadnie wytworne gesty.

Norman Fixxer, nocny portier, zwolnił zamek wewnętrznych drzwi holu. Monitor drzwi w pomieszczeniu ochrony pisnął „brit-brit".

Chociaż miejsce Blandona było w więzieniu, nie w superluksusowym apartamentowcu, był jednak właścicielem mieszkania. Jak każdy lokator, oczekiwał prywatności nawet w publicznych pomieszczeniach Pendletona. Devon Murphy nigdy nie śledził kamerami mieszkańców na korytarzach i w windach, z wyjątkiem ekssenatora, który bywał wyjątkowo zabawny.

Raz, kiedy już przeszedł przez hol i dotarł do korytarza na parterze, nie zdołał dłużej utrzymać zwodniczo królewskiej postawy, tylko opadł na czworaki i wpełznął do północnej windy... a z windy wypełznął na drugie piętro. Przy innej okazji, wróciwszy po północy, śmiało minął windę, skręcił za róg do północnego skrzydła, nagle jakby stracił orientację, otworzył drzwi do kanciapy portiera i biorąc ją za łazienkę, wysikał się na podłogę.

Teraz, kiedy z kanciapy nikt nie korzystał, zamykano ją na klucz.

Blandon znalazł windę bez większych problemów i wkroczył do niej z godnością króla wsiadającego do karety. Kiedy drzwi się zamknęły, nacisnął guzik drugiego piętra, zerknął na kamerę ochrony, po czym obrzucił pogardliwym wzrokiem malowidło przedstawiające ptaki i obłoki.

Ekssenator napisał do zarządu wspólnoty dwa długie listy, w których krytykował fresk z erudycją subtelnego konesera sztuki — w swoim przekonaniu. Zarząd, w którym zasiadał co najmniej jeden prawdziwy koneser sztuki, uznał te listy za obelżywe, napastliwe i niepokojące. Ochrona nie otrzymała wyraźnego polecenia, żeby obserwować Earla Blandona w windzie, kiedy wracał do domu pijany, na wypadek gdyby spróbował zniszczyć malowidło, ale wysunięto taką sugestię.

Teraz, kiedy winda mijała pierwsze piętro, wydarzyło się coś bez precedensu. Na twarzy senatora pojawił się wyraz zdziwienia... i nagle ekran wypełniły wirujące błękitne linie zakłóceń, jakich Devon jeszcze nigdy nie widział. Pięć pozostałych ekranów, podzielonych na ujęcia z dwudziestu kamer, również pokazało zakłócenia i system ochrony oślepł.

Jednocześnie Devon usłyszał ciche uderzenia w bęben, dziwne głuche i jakby rozciągnięte dźwięki na progu słyszalności. Podeszwami stóp wyczuwał wibracje betonowej podłogi, subtelne fale rezonujące do taktu z uderzeniami bębna.

Nie przestraszył się, ponieważ monitory pokazujące drzwi i okna nadal działały, i na tablicy paliły się same zielone światełka. Nikt się nie włamywał do Pendletona. Gdyby dźwięk narastał i towarzyszące mu wibracje się nasilały, zaskoczenie i zaniepokojenie Devona mogły się przerodzić w strach. Jednak oba zjawiska trwały bez zmian przez jakieś trzydzieści sekund, po czym ciche bębnienie ucichło, ostatnie wibracje zamarły i z plazmowych ekranów zniknęły błękitne zakłócenia. Powrócił widok z licznych kamer ochrony.

Kamera w windzie, zawieszona w rogu pod sufitem, miała szerokokątną soczewkę i obejmowała całe wnętrze kabiny włącznie z drzwiami — które były zamknięte. Earl Blandon zniknął. Widocznie winda przyjechała na drugie piętro i eks-senator wysiadł.

Devon przełączył widok na kamerę pokazującą krótki korytarz przed mieszkaniami 2-A i 2-C, a potem na kamerę obejmującą cały długi hol drugiego piętra w północnym skrzydle.

Ani śladu Earla Blandona. Zajmował pierwsze mieszkanie w tym skrzydle, 2-D, z widokiem na dziedziniec. Najwyraźniej wysiadł z windy, skręcił za róg i wszedł do siebie, w czasie kiedy kamery wideo nie działały.

Devon przerzucił widok z wszystkich dwudziestu czterech kamer. Wszędzie bez wyjątku w miejscach ogólnodostępnych było pusto. W Pendletonie panowały cisza i spokój. Widocznie nagłe bębnienie i wibrację było słychać tak słabo powyżej sutereny, że nawet jeśli ktoś się obudził, nie zaniepokoił się na tyle, żeby wyjść z mieszkania i się rozejrzeć.

3

Basen w suterenie

Czy wstawał o czwartej rano, jak teraz, czy przychodził po pracy, Bailey Hawks wolał pływać tylko przy podwodnych światłach. Reszta długiego pomieszczenia tonęła w ciemności, basen błyszczał jak wielki klejnot, jasne refleksy wody trzepotały niczym przezroczyste skrzydła na białych kafelkach ścian i sufitu. Przyjemnie ciepła woda, ostry zapach chloru, „chlup-chlup" kończyn rozcinających powierzchnię, drobne fale liżące bladoniebieskie kafelkowe ściany... Woda wypłukiwała z niego napięcie oczekiwania przed codziennymi transakcjami i znużenie po całym dniu pracy.

Wstawał przed świtem, żeby popływać, zjadał śniadanie i kiedy rynki się otwierały, siedział już za biurkiem. Ale nie z powodu wczesnego wstawania czuł się wykończony każdego piątkowego wieczoru. Inwestowanie cudzych pieniędzy czasami wyczerpywało go tak samo jak walka, kiedy jeszcze służył w piechocie morskiej. Miał trzydzieści osiem lat i od sześciu lat pracował jako niezależny doradca finansowy, po przepracowaniu trzech lat w dużym banku inwestycyjnym, gdzie się zatrudnił zaraz po wojsku. Podczas pierwszego roku w tym banku myślał, że z czasem, kiedy zacznie odnosić sukcesy i nabierze pewności siebie, przestanie go przytłaczać odpowiedzialność związana z chronieniem i pomnażaniem majątku klientów. Ale nigdy nie pozbył się tego ciężaru. Pieniądze mogą oznaczać wolność. Gdyby stracił na czyichś inwestycjach, odebrałby temu klientowi cząstkę wolności.

Kiedy Bailey był chłopcem, matka nazywała go „swoim strażnikiem". Świadomość, że nie zdołał jej ochronić, tkwiła w jego umyśle jak cierń, raniący go przez te wszystkie lata, wbity zbyt głęboko, żeby dał się wyrwać. Jeśli w ogóle mógł odpokutować, to tylko wiernie służąc innym.

Pod koniec piątej długości basenu dotknął dna stopami i odwrócił się, żeby spojrzeć na drugi koniec prostokąta rozmigotanej wody, gdzie wcześniej zszedł po stopniach. Basen miał półtora metra głębokości, a Bailey metr osiemdziesiąt osiem wzrostu, więc kiedy oparł się o obramowanie, żeby odpocząć przed następnymi pięcioma długościami, woda sięgała mu zaledwie do ramion.

Odgarnął z twarzy mokre włosy... i zobaczył ciemny kształt sunący ku niemu pod wodą. Nie zdawał sobie sprawy, że ktoś jeszcze wszedł do basenu. Pofalowana powierzchnia, drżące światło i chybotliwe cienie groteskowo znickształcały kontury zbliżającej się sylwetki. Nurkowanie jest trudniejsze niż pływanie na powierzchni, ponieważ woda stawia większy opór, ale ten pływak mknął przed siebie jak torpeda. Taki wysiłek zmusiłby każdego do zaczerpnięcia powietrza, zanim pokona trzydziestometrowy basen, jednak ten kształt najwyraźniej czuł się w wodzie jak ryba.

Po raz pierwszy od czasu służby wojskowej Bailey rozpoznał nagłe i śmiertelne zagrożenie. Nie tracąc ani sekundy na analizowanie nakazów instynktu, odwrócił się, oparł płasko dłonie na krawędzi basenu i wydźwignął się z wody na kolana. Coś złapało go z tyłu za lewą kostkę i wciągnęłoby go z powrotem, gdyby nie kopnął wściekle prawą nogą. Trafił chyba napastnika w twarz.

Uwolniony, podniósł się chwiejnie, zrobił dwa kroki po matowo wykończonych płytkach i odwrócił się, nagle bez tchu, owładnięty irracjonalnym strachem, że za nim stoi coś nieludzkiego, jakiś mityczny potwór, teraz już nie całkiem mityczny. Ale nic nie zobaczył.

Podwodne lampy nie świeciły tak jasno jak przedtem. Nawet barwa światła zmieniła się z czysto białej na ponuro żółtą. Błękitne kafelki na linii wodnej w tej nikłej poświacie wydawały się zielone.

Ciemny kształt śmigał pod wodą z powrotem w stronę stopni, szybki i zwinny. Bailey pobiegł po krawędzi basenu, żeby lepiej się przyjrzeć pływakowi. Woda, teraz jadowicie żółta, wydawała się zanieczyszczona, miejscami przezroczysta, miejscami mętna. Ledwie widział tego człowieka... czy też stwora. Zdawało mu się, że rozróżnia nogi, ręce, z grubsza ludzką sylwetkę, jednak przeważało wrażenie czegoś całkowicie obcego.

Przede wszystkim ten stwór nie wykonywał nogami ruchów żabki, podstawowych przy pływaniu pod wodą bez płetw, i nie zagarniał wody rękami. Wyginał się i falował całym muskularnym ciałem jak rekin, posuwając się do przodu w sposób niemożliwy dla żadnej istoty ludzkiej.

Gdyby Bailey wykazał się większą rozwagą niż ciekawością, zdjąłby gruby frotowy szlafrok z haczyka, na którym go wcześniej powiesił, wsunąłby stopy w klapki i pospieszył do sąsiedniego pomieszczenia ochrony w zachodnim skrzydle sutereny, gdzie pełnił dyżur Devon Murphy. Jednak niesamowity pływak i upiorna atmosfera panująca w pomieszczeniu przykuły Baileya do miejsca.

Budynek zadrżał leciutko. Z ziemi pod fundamentami wydobył się głuchy pomruk. Bailey spojrzał na podłogę, spodziewając się niemal, że zobaczy cienkie jak włos pęknięcia otwierające się w zaprawie murarskiej pomiędzy kafelkami, ale nic takiego nie dostrzegł.

Po krótkim wstrząsie światło w basenie znowu się zmieniło, ściemniało od niezdrowego krostowatego odcienia moczu do czerwieni. Tuż przed stopniami pływak zawrócił zwinnie jak węgorz i znowu skierował się w ten koniec basenu, z którego uciekł Bailey.

W przezroczystych miejscach woda miała kolor soku żurawinowego. Tam, gdzie zmętniała jakby od poruszonego mułu, przypominała krew, i ta ohydna plama rozszerzała się teraz na cały basen.

Migotliwe wodne refleksy na lśniących białych kafelkach ścian i sufitu zmieniły się w języki widmowego ognia. W długim pomieszczeniu zrobiło się mroczniej, cienie rozdymały się jak kłęby dymu.

Na dalszym końcu basenu pływak stał się prawie niewidoczny w zanieczyszczonej wodzie. Żaden człowiek nie mógł pokonać tak szybko trzech długości basenu i ani razu się nie wynurzyć, żeby zaczerpnąć powietrza.

Drżenie trwało przez pięć czy sześć sekund, pół minuty później ustało i kiedy w budynku zapadła cisza, lampy basenowe stopniowo zmieniły barwę z czerwieni przez żółć do bieli. Widmowe płomienie liżące ściany znowu stały się tańczącymi refleksami światła. W pomieszczeniu pojaśniało. Mętna woda odzyskała krystaliczną czystość. Tajemniczy pływak zniknął.

Bailey Hawks stał z opuszczonymi rękami zaciśniętymi w pięści. Wokół jego stóp zebrała się kałuża wody. Serce mu waliło nie tak mocno jak dawniej pod ostrzałem wroga, ale dostatecznie głośno, żeby je usłyszał.

4

Apartament 2-C

O czwartej trzynaście Silasa Kinsleya obudził niski stłumiony grzmot i wrażenie, że budynek się trzęsie. Ale hałasy i drgania ustały, zanim usiadł w łóżku i całkiem oprzytomniał. Przez chwilę czekał i nasłuchiwał w ciemności, po czym doszedł do wniosku, że te zakłócenia były częścią snu.

Lecz kiedy znowu położył głowę na poduszce, z wnętrza ściany, przy której stało łóżko, dobiegł inny dźwięk. Szepczące, śliskie odgłosy przywodziły na myśl węże wijące się pomiędzy słupami konstrukcyjnymi pod tynkiem, co wydawało się nieprawdopodobne, wręcz niemożliwe. Silas jeszcze nigdy nie słyszał czegoś takiego. Podejrzewał — intuicyjnie — że ma to związek z niepokojącą historią domu.

Odgłosy trwały przez jakieś pięć minut. Silas leżał i słuchał uważnie, nawet nie przestraszony, ale czujnie wyczekujący każdej zmiany dźwięku, która pomogłaby określić jego źródło.

Potem zapadła pełna napięcia cisza, taka, która musiała wywołać bezsenność. Silas skończył niedawno siedemdziesiąt dziewięć lat i jeśli coś go wybiło ze snu, zwykle nie mógł zasnąć. Był emerytowanym adwokatem cywilistą, ostatnio jednak jego umysł pracował na pełnych obrotach, jak wtedy, gdy kalendarz miał zapełniony spotkaniami z klientami.

Wstał przed świtem, wziął prysznic, ubrał się i smażył jajecznicę na maśle, kiedy za kuchennym oknem gorąco różowy blask poranka malował na niebie rafy koralowe.

Później, po lunchu, zdrzemnął się w fotelu. Ocknął się po godzinie i usiadł prosto, zaalarmowany. Nie mógł sobie przypomnieć szczegółów koszmaru, przed którym uciekł, pamiętał tylko katakumby ze skały naciekowej, gdzie nie było szkieletowych szczątków jak zwykle w katakumbach, tylko puste nisze na zwłoki wykute w krętych ścianach. Coś milczącego i niewidzialnego, coś nieubłaganego ścigało go przez labirynt korytarzy.

Ręce miał zimne jak trup. Popatrzył na wschodzący księżyc u podstawy każdego paznokcia.

Jeszcze później tego ponurego grudniowego popołudnia Silas stał przy oknie salonu w swoim mieszkaniu na drugim piętrze Pendletona, na szczycie Wzgórza Cieni, patrząc, jak niżej położone ulice znikają za nadciągającą ścianą deszczu. Budynki z żółtawej cegły, z czerwonej cegły, z wapienia, a także nowsze, wyższe i brzydsze przeszklone wieżowce rozmywały się w jednakową szarość pod naporem burzy. Przypominały widmowe konstrukcje wymarłego miasta z koszmarnego snu o zagładzie. Ani ciepły pokój, ani kaszmirowy sweter nie mogły złagodzić dreszczy, które wstrząsały Silasem.

Oficjalna wersja głosiła, że sto czternaście lat wcześniej Margaret Pendleton i jej dzieci — Sophia i Alexander — zostali uprowadzeni z tego domu i zamordowani. Silas nie wierzył w to porwanie sprzed lat. Tamtych troje spotkało coś dziwniejszego, coś gorszego niż morderstwo.

Wzgórze Cieni wznosiło się w centrum miasta, a dwupiętrowy Pendleton stał na szczycie wzgórza. Zachodnia fasada budynku zdawała się dominować nad smaganą deszczem metropolią. Wzgórze i ulicę nazwano od cieni drzew i budynków, które w słoneczne popołudnia wydłużały się z godziny na godzinę, aż wreszcie o zmierzchu wpełzały na wierzchołek, żeby spotkać noc nadchodzącą ze wschodu.

Pendleton nie był zwykłym dużym domem, raczej pałacem zbudowanym w 1889 roku, w rozkwicie „pozłacanego wieku" — pięć i pół tysiąca metrów kwadratowych pod dachem, nie licząc przestronnej sutereny ani oddzielnej powozowni. Oblicowany wapieniem, z bogato rzeźbionymi ramami okiennymi, łączył styl georgiański z francuskim renesansem. Ani rodzina Carnegie, ani Vanderbiltowie, ani nawet Rockefellerowie nigdy nie mieli wspanialszego domu.

Zamieszkawszy w nim przed świętami w 1889 roku, Andrew North Pendleton — miliarder w czasach, kiedy miliard dolarów oznaczał jeszcze prawdziwe pieniądze — ochrzcił swoją nową siedzibę Belle Vista. Nazwa przetrwała przez osiemdziesiąt cztery lata, lecz w 1973 roku dom przerobiono na apartamentowiec i nazwano Pendleton.

Andrew Pendleton mieszkał szczęśliwie w Belle Vista do grudnia 1897 roku, kiedy jego żona Margaret i dwójka małych dzieci zostali prawdopodobnie porwani. Nigdy ich nie odnaleziono. Od tamtej pory Andrew stał się budzącym litość odludkiem, którego dziwactwa przerodziły się w łagodny rodzaj szaleństwa.

31

Silas Kinsley też stracił żonę, w 2008 roku, po pięćdziesięciu trzech latach małżeństwa. On i Nora nie mogli mieć dzieci. Jako wdowiec od trzech lat Silas doskonale rozumiał, że samotność i żałoba mogły wpędzić Andrew Pendletona w obłęd.

Niemniej Silas uważał, że to nie samotność i rozpacz po stracie rodziny doprowadziły przed laty nieszczęsnego miliardera do załamania i samobójstwa. Andrew North Pendleton zwariował na skutek jakichś okropnych, tajemniczych przeżyć, które daremnie usiłował zrozumieć przez siedem lat, które stały się jego obsesją, aż wreszcie odebrał sobie życie.

Po śmierci żony Silas również popadł w swego rodzaju obsesję. Sprzedawszy dom i kupiwszy to mieszkanie, zainteresował się historią tego niezwykłego budynku. Ciekawość przerodziła się w taką fascynację, że Silas spędzał niezliczone godziny, grzebiąc w publicznych archiwach, wertując stare wydania gazet sprzed ponad stulecia i przeglądając wszelkie inne dokumenty w poszukiwaniu faktów, nawet najbardziej trywialnych, które poszerzyłyby jego wiedzę o Pendletonie.

Teraz, chociaż widział armie burzy maszerujące w górę po długim północnym stoku Wzgórza Cieni, odskoczył przestraszony, kiedy pierwsza wodna salwa uderzyła w okna balkonowe, jakby deszcz, mylnie uznany za zjawisko atmosferyczne, w rzeczywistości stanowił groźną broń wymierzoną przeciwko niemu. Miasto się rozmazało, niebo pociemniało, szyba posrebrzona światłem lamp w salonie zmieniła się w niedoskonałe lustro. Twarz Silasa w mokrym szkle, przezroczysta, pozbawiona szczegółów, wyglądała nie jak zwykłe odbicie, lecz jak obca twarz, blade oblicze kogoś nie całkiem ludzkiego, gościa z zaklętej sfery, którą moc burzy chwilowo połączyła z tym światem.

Kolce błyskawicy przebiły ciemniejące niebo. Zanim grzmot przewiercił chmury, Silas odwrócił się od okna. Poszedł do kuchni, gdzie paliły się tylko jarzeniówki pod szafkami, oświetlając blaty ze złocistego granitu. Materiały dotyczące Pendletona zaśmiecały stół w kąciku jadalnym: artykuły z gazet, kserokopie aktów notarialnych, transkrypcje wywiadów z ludźmi, którzy twierdzili, że znali ten budynek przed 1974 rokiem, oraz fotokopie jedenastu strzępków pozostałych z ręcznie pisanego dziennika, który Andrew North Pendleton zniszczył tuż przed samobójstwem.

Każdy ocalały fragment zapisków Pendletona stanowił niekompletny skrawek, osmalony na brzegach, ponieważ miliarder spalił swój dziennik w kominku w sypialni, zanim wsadził do ust lufę strzelby i połknął śmiertelną dawkę śrutu. Każdy z tych jedenastu intrygujących urywków prozy sugerował, że autor przeżył coś niesamowitego, nie z tego świata. A może w ostatnim stadium szaleństwa uwierzył, że dręczące go koszmary i halucynacje to wspomnienia prawdziwych wydarzeń.

Spośród jedenastu ocalałych strzępków Silas najczęściej wracał do tajemniczego, niepokojącego opisu córki Pendletona, Sophii, która miała siedem lat, kiedy znikła. Słowa oraz ich możliwe znaczenia prześladowały go tak uparcie, że nauczył się ich na pamięć: *...i jej skóra, niegdyś różowa, poszarzała, jej usta szare jak popiół, jej oczy jak dym, grymas uśmiechu zimnego jak stal, już nie moja Sophie i coraz mniej Sophie z każdą chwilą.*

Zniknięcie rodziny Andrew Pendletona nie było jedyną tragedią w historii wielkiego domu. Drugi właściciel, Gifford Ostock, jedyny dziedzic dużej fortuny zbitej na kopalniach węgla i produkcji wagonów węglarek, mieszkał szczęśliwie w Belle Vista od 1905 do 1935 roku. Pewnej nocy w grudniu 1935 roku kamerdyner, Nolan Tolliver, zamordował rodzinę Ostocka i całą służbę, po czym się zabił. Tolliver zostawił nieskładny, ręcznie nabazgrany list, w którym wyjaśniał, że zamordował ich, żeby „ocalić świat przed wieczną ciemnością", i chociaż przyznał się do zabicia szesnastu osób, ośmiu z nich nigdy nie znaleziono. Do dziś nie odkryto, jak i dlaczego Tolliver pozbył się połowy zwłok ani dlaczego nie usunął również drugiej ósemki.

5

Apartament 1-C

Bailey Hawks nie zgłosił ochronie incydentu na basenie. W trosce o prywatność mieszkańców nie zainstalowano tam kamery, zatem nie istniał żaden dowód tego niesamowitego zajścia.

Do klientów Baileya należało pięcioro mieszkańców Pendletona: siostry Cupp, Edna i Martha z 2-A, Rawley i June Tullisowie z 1-D i Gary Dai z 2-B. Ludzie z pokaźnymi portfelami akcji nie powierzą swojego majątku komuś, kto bełkocze o nadprzyrodzonych zjawiskach, choćby nawet ten ktoś w przeszłości dobrze sobie radził.

Bailey spędził większość poranka i wczesne popołudnie w gabinecie, gdzie śledził ceny akcji, obligacji i towarów na trzech komputerach, a na czwartym przeprowadzał badania i analizy. Tutaj zwykle towarzyszył mu tylko jeden z dwóch jego pełnoetatowych pracowników, Jerry Allwine. Chociaż dzisiaj Jerry zwolnił się z powodu grypy, dzień był spokojny. Nie było wielkiego ruchu ani na rynku akcji, ani obligacji i kiedy główne giełdy zamknęły się o czternastej, dzisiejsze transakcje okazały się przelewaniem z pustego w próżne.

Bailey miał wyjątkową zdolność koncentracji i zwykle potrafił się skupić, co mu pomagało zarówno na polu finansowym, jak i podczas wojny w Afganistanie i Iraku. Jednakże w ten czwartek jego myśli nieustannie krążyły wokół tajemniczej sylwetki w basenie i wciąż od nowa powracało poczucie zagrożenia, chociaż nie tak dojmujące jak wtedy.

O piętnastej wyłączył komputery, ale siedział jeszcze za biurkiem i pracował przy świetle pojedynczej lampy, kiedy krople deszczu zabębniły w północne okna. Dopiero teraz zauważył, jak się ściemniło. Zmierzch nadszedł chyłkiem dwie godziny przed czasem. Chmury wisiały nisko, szare i miękkie niczym futro kotów sióstr Cupp, opatulały miasto, jakby układały je do snu.

Seria błysków, raz, dwa, trzy. W jaskrawym świetle geometryczne cienie okiennych szprosów przemknęły przez mroczny pokój i na mgnienie pokreśliły ściany.

Grzmot, który rozległ się zaraz potem, dostatecznie głośny, żeby zwiastować Armagedon, nie poderwał Baileya z krzesła. Lecz kiedy lampa na biurku przygasła, podczas następnej serii błyskawic makler skoczył na równe nogi, ponieważ tym razem wśród kratownicy okiennych cieni poruszył się inny cień. Giętki i zwinny. Nie przypominał projekcji jakiegoś nieożywionego przedmiotu, wprawionej w ruch przez światło błyskawic, tylko zdemaskowanego intruza.

Ciemna, niewyraźna postać wzrostu człowieka skuliła się i przemknęła nisko, teraz bardziej podobna do pantery. Obróciwszy się razem z odepchniętym krzesłem, Bailey powiódł wzrokiem za zjawą, jeśli to była zjawa. Nieuchwytna dla oka, poruszała się szybko i płynnie jak żywe srebro, podczas gdy cienie okiennych szprosów migotały i drgały w stroboskopowym pulsowaniu burzy.

Czarna postać nie odbiła się na ścianie razem z okienną framugą, tylko jakby przeniknęła przez tynk. Ostatnia błyskawica rzuciła jaskrawe światło, mosiężna lampa na biurku zapłonęła jaśniej i Bailey wybiegł z gabinetu w pogoni za stworem, który nie mógł przecież ukryć się w ścianach.

6

Apartament 2-C

Silas przez chwilę wpatrywał się w papiery dotyczące Pendletona, leżące na kuchennym stole. Potem podszedł do ekspresu. Napełnił biały ceramiczny kubek, wyjął z kredensu butelkę brandy i doprawił kawę. Zegar pokazywał piętnastą zero siedem i chociaż Silas nigdy nie pił przed obiadem, jeśli w ogóle, tym razem musiał się wzmocnić przed spotkaniem o siedemnastej.

Oparł się o blat, stojąc tyłem do okna nad podwójnym zlewozmywakiem. Błyskawice ożywiały jego cień, który skakał do przodu i odskakiwał w tył przez półmroczną kuchnię, w przód i w tył, jakby zniekształcona sylwetka była istotą posiadającą własną wolę i rozpaczliwie pragnącą się od niego uwolnić.

Małymi łyczkami popijał kawę, tak gorącą, że ledwie mógł wytrzymać, lekarstwo nie tylko na rozstrojone nerwy, lecz także na wstrząsające nim dreszcze. Niemal się zdecydował nie iść na spotkanie, zostać w domu i popijać wzmocnioną kawę, aż oczy mu się zaczną kleić. Jednak nawet na emeryturze był prawnikiem, który szanował nie tylko prawa miejskie, stanowe i federalne, ale również — i przede wszystkim — prawa natury, kodeks, któremu, jak wierzył, podlegali wszyscy ludzie, zbiór zasad, które nakazywały kochać prawdę i zawsze do niej dążyć. Niekiedy prawda się wymykała...

Kiedy kamerdyner Tolliver w 1935 roku wymordował rodzinę Ostocków i służbę, Belle Vista stała pusta przez trzy lata. Wreszcie samotny nafciarz Harmon Drew Firestone, niezrażony historią przemocy, kupił wielki dom po okazyjnej cenie. Wydał fortunę, żeby mu przywrócić dawną świetność. Przed drugą wojną światową Belle Vista stała się ośrodkiem ożywionego życia towarzyskiego. Stary Harmon Firestone zmarł spokojnie we śnie z przyczyn naturalnych wiosną 1972 roku.

Zarządcy majątku Firestone'a sprzedali Belle Vista firmie deweloperskiej, która przerobiła budynek na dwadzieścia trzy oddzielne mieszkania różnej wielkości. Wysokie sufity, bogaty wystrój architektoniczny, widok ze szczytu wzgórza i eleganckie pomieszczenia wspólnej użyteczności sprawiły, że w 1974 roku mieszkania szybko sprzedano po najwyższej cenie za metr kwadratowy w historii miasta. Trzydzieści siedem lat później nadal mieszkało tam kilku pierwotnych nabywców, jednak inne lokale zmieniały właścicieli więcej niż raz.

Zaledwie poprzedniego dnia Silas dowiedział się, że krwawa historia Pendletona wcale nie zakończyła się w 1935 roku morderczym szałem Nolana Tollivera. Również później miały miejsce akty przemocy o niezwykłym charakterze. Wszystkie zdarzały się w regularnych odstępach czasu, co trzydzieści osiem lat z dokładnością do paru dni, co oznaczało, że wkrótce dojdzie do następnej okropności.

Margaret Pendleton i jej dwoje dzieci, Sophia i Alexander, zniknęli w nocy drugiego grudnia 1897 roku.

Trzydzieści osiem lat później, trzeciego grudnia 1935 roku, zamordowano rodzinę Ostocków i siedmioro ich służby.

W 1973 roku, trzydzieści osiem lat po tragedii Ostocków, w Belle Vista nikt nie mieszkał — ponieważ budynek przerabiano na luksusowy apartamentowiec — nikt więc nie zginął. Jednak pod koniec listopada i na początku grudnia tamtego roku robotnicy i rzemieślnicy pracujący w budynku mieli tak niepokojące przeżycia, że kilku rzuciło pracę i przez te wszystkie lata żaden nie zdradził, co wtedy widzieli. Jeden z nich, Perry Kyser, miał się spotkać z Silasem o siedemnastej. Silas znowu napełnił kubek. Jeszcze nie schował brandy. Po namyśle postanowił więcej nie wzmacniać kawy.

Zakręcając butelkę, kątem oka dostrzegł jakiś ruch, coś ciemnego i szybkiego. Z bijącym sercem odwrócił się w stronę otwartych drzwi na korytarz. Dwa kryształowe kandelabry oświetlały kremowe ściany, perski chodnik i lśniącą mahoniową podłogę, ale żadnych intruzów.

Ostatnie odkrycia wprawiły go w stan nerwowego napięcia. Jeśli do Pendletona ponownie miała zawitać śmierć, jak już nieraz w grudniu, czas się kończył. Był czwartek, pierwszy grudnia 2011 roku.

Silas nie zamierzał potraktować ciemnej postaci w korytarzu jak zwykłego przywidzenia. Odstawił kubek i wyszedł z kuchni. Przechyliwszy głowę, nasłuchiwał kroków intruza.

Po lewej stronie znajdowała się jadalnia, po prawej gabinet i mała łazienka. Wszędzie pusto.

Za jadalnią był duży salon z kominkiem z kutego żelaza

i misternie rzeźbionym wapiennym obramowaniem, które sięgało na wysokość czterech metrów dwudziestu centymetrów, aż do sufitu ozdobionego listwami ze żłobkowaniem i ornamentem „wolich oczu". Dokładnie naprzeciwko kominka po wysokich oknach spełzały jak węże kręte strugi deszczu.

Na drugim końcu salonu, w przedpokoju, Silas widział drzwi wejściowe zamknięte na zasuwę i łańcuch.

Nikt nie czaił się po drugiej stronie korytarza, w sypialni ani w jednej i drugiej garderobie. Cisza wydawała się głębsza niż zazwyczaj, jakby wyczekująca, chociaż może tylko to sobie wyobraził.

Podchodząc do uchylonych drzwi przestronnej łazienki, królestwa białego, złoto żyłkowanego marmuru i ogromnych luster, usłyszał jakieś szepczące głosy albo może takie samo szuranie, jakie dochodziło w nocy ze ściany. Ale kiedy przekroczył próg, w łazience też panowała cisza... i pustka.

Spojrzał w jedno lustro, potem w drugie, jakby odbicia pomieszczenia mogły pokazać coś, czego nie dało się zobaczyć bezpośrednio. Ponieważ lustra wisiały naprzeciwko siebie, stał wśród niezliczonych Silasów Kinsleyów, którzy albo zbliżali się do niego pojedynczym szeregiem, albo oddalali odwróceni plecami.

Dużo czasu minęło, odkąd oglądał własną twarz w lustrze z pełną świadomością. Wyglądał na znacznie starszego, niż się czuł. W ciągu trzech lat po śmierci Nory postarzał się o dziesięć lat.

Przenosił wzrok z twarzy na twarz, niemal się spodziewając, że jedna z nich okaże się twarzą obcego, groźnego intruza ukrytego wśród mnóstwa coraz mniejszych Silasów Kinsleyów.

Co za dziwaczna myśl. Oczywiście wszystkie odbicia były identyczne i pokazywały tego samego starego człowieka.

Kiedy wracał na korytarz, rozległ się niski, złowieszczy grzmot, nie za oknem, tylko pod nogami, jakby pod budynkiem przejeżdżał pociąg, chociaż w mieście nie było metra. Pendleton zadygotał i Silas razem z nim. Trzęsienie ziemi, pomyślał, ale mieszkał w tym mieście od pięćdziesięciu pięciu lat i nigdy nie poczuł żadnych wstrząsów ani nie słyszał o żadnym większym uskoku tektonicznym w tej okolicy. Drżenie trwało przez dziesięć czy piętnaście sekund, po czym ustało, nie powodując żadnych szkód.

—

W gabinecie Świadek najpierw obrócił się dookoła, żeby się zorientować w położeniu. Mógł tu zostać jedynie przez kilka sekund, najwyżej przez minutę lub dwie. Pokój był urządzony po męsku, ale przytulnie. Jedną ścianę przeznaczono na galerię fotografii przedstawiających Silasa Kinsleya z kilkoma klientami, których tak kompetentnie reprezentował, Silasa i jego zmarłą żonę Norę w różnych egzotycznych sceneriach, oraz ich dwoje z przyjaciółmi przy uroczystych okazjach.

W korytarzu Kinsley minął otwarte drzwi gabinetu, kierując się do kuchni. Nie spojrzał w tamtą stronę. Świadek czekał, aż prawnik pojawi się ponownie, zaalarmowany poniewczasie czymś na skraju pola widzenia, ale domowe odgłosy z kuchni świadczyły o tym, że nie zanosi się na rychłą konfrontację.

Jak by zareagował, gdyby — niczym za sprawą czarów — zastał w mieszkaniu obcego: silnego młodego mężczyznę w dżinsach, swetrze i wysokich butach? Ze strachem starca, którego osłabił wiek, czy ze spokojnym autorytetem prawnika wciąż pewnego siebie po dekadach sądowych triumfów? Świadek podejrzewał, że tego człowieka niełatwo wytrącić z równowagi. Przy dwóch ścianach stały sięgające do sufitu regały pełne książek. W większości były to książki prawnicze, traktujące o ważnych, precedensowych sprawach, oraz grube biografie słynnych postaci z historii amerykańskiej jurysprudencji. Świadek z szacunkiem przesunął lekko ręką po grzbietach książek. Tam, skąd pochodził, nie było prawa, prawników, adwokatów, sędziów ani procesów. Niewinni ginęli zmiatani brutalnym przypływem wiary w wyższość prymitywu, na skutek fałszywych przekonań, buntu przeciwko rzeczywistości oraz wyniesienia idiotycznych poglądów do statusu jedynej Prawdy. W swoim czasie Świadek zabił wielu ludzi i wiedział, że nigdy nie zostanie pociągnięty do odpowiedzialności za przelaną krew. Niemniej żywił wielki szacunek dla prawa, podobnie jak człowiek pogrążony w bezbożnej rozpaczy szanuje ideę Boga, której nie potrafi przyjąć.

7

Apartament 1-A

Burza nadciągnęła jak na zawołanie. Tekst piosenki *One Rainy Night in Memphis* wymagał melodii skocznej, ale również z nutką melancholii — niełatwa kombinacja, zwłaszcza dla Twyli Trahern. Część skoczna nie sprawiała jej trudności, ale melancholia stanowiła dla niej doświadczenie z drugiej ręki, coś, co spotykało innych ludzi, i chociaż napisała wcześniej kilka melancholijnych piosenek, potrzebowała odpowiednio nastrojowego otoczenia jako inspiracji. Siedziała z gitarą na stołku przy oknie gabinetu w swoim apartamencie na pierwszym piętrze Pendletona, spoglądając na ten dogodny deszcz, na światła miasta mrugające w przedwczesnym zmierzchu sprowadzonym przez burzę, wybierała nuty, próbowała różnych akordów, szukała brzmienia smutku.

Chociaż nie zawsze komponowała w ten sposób, najpierw zrobiła chórek, ponieważ ta część musiała być najbardziej skoczna. Pracowała nad nim — ostatecznie wygładzi go na fortepianie — zostawiając ośmiotaktowy łącznik na później, kiedy już wyprowadzi czystą linię melodyczną z refrenu.

Jak zwykle wcześniej ułożyła tekst, wers po wersie, zwrotka po zwrotce, szlifując całość, aż nabierze blasku, ale nie tandetnego blichtru. Trudno uniknąć tandety. Wielu tekściarzy odwala całą piosenkę za jednym zamachem, wiedząc, że kilka linijek zgrzyta, że będą musieli je później poprawić, ale Twyla nie mogła pracować w ten sposób. Czasami, żeby dopasować synkopy, żeby sylaby współgrały wdzięcznie z muzyką, musiała trochę poprawić słowa po ukończeniu melodii, ale zawsze wystarczały drobne poprawki.

Pisała muzykę country, bo pochodziła ze wsi — córka farmera, który stracił ziemię podczas recesji w 1980 roku, kiedy miała dwa latka. Później pracował jako mechanik konserwator w elektrowni węglowej, najczęściej w pomieszczeniach bez okien, gdzie temperatura dochodziła do pięćdziesięciu stopni. Dziesięć godzin dziennie, pięć, czasem sześć dni w tygodniu. Pocąc się bez przerwy. Często wykonywał niebezpieczną pracę w chmurach sproszkowanego węgla, spalanego wybuchowo w ciągłej kontrolowanej eksplozji. Winston Trahern harował tak przez dwadzieścia dwa lata, żeby nakarmić, ubrać i zabezpieczyć rodzinę. Twyla nigdy nie słyszała, żeby ojciec narzekał. Po swojej zmianie zawsze brał prysznic w pracy, więc przychodził do domu czysty i świeży. Kiedy Twyla miała dwadzieścia cztery lata, w elektrowni wybuchła kruszarka do węgla. Zginął jej ojciec i jeszcze dwóch ludzi.

Odziedziczyła po nim pogodne usposobienie — spadek cenniejszy niż garnek złota — dlatego napisanie melancholijnej piosenki przychodziło jej z trudem.

Nad miastem rozpostarły się zasłony deszczu i zafalowały na szybach, a melodia okrzepła wokół słów. Twyla stopniowo zaczęła sobie uświadamiać, że tej piosenki nikt nie zaśpiewa lepiej niż Farrel Barnett, jej były mąż. Pierwszym jego wielkim hitem jako wykonawcy i pierwszą jej piosenką, która trafiła do pierwszej dziesiątki na listach przebojów, była *Leaving Late and Low*. Pobrali się, kiedy skończyła pisać cztery piosenki na jego drugą płytę.

Wtedy myślała, że kocha Farrela. Może i kochała. W końcu zrozumiała, że pociągał ją po części dlatego, że miał oczy w tym samym odcieniu błękitu co jej ojciec, wydawał się równie godny zaufania i emanował taką samą niewzruszoną pogodą ducha.

Farrel rzeczywiście był pogodny i wesoły, niekiedy wręcz przesadnie czy nawet niestosownie do okoliczności. Lecz atmosfera zaufania okazała się projekcją równie efemeryczną jak snop światła wyświetlający obrazy na kinowym ekranie. Farrel uderzał na kobiety jak tornado na miasteczka w Kansas, rozbijał małżeństwa i pozbawiał co wrażliwsze kochanki poczucia własnej wartości, jakby rozkoszował się nie tyle seksem, ile niszczeniem. Chociaż Twylę zawsze traktował z czułością, innym kobietom nie okazywał takiego szacunku. Kilkakrotnie któraś z tych nieszczęsnych ofiar, przepełniona goryczą, pojawiała się pod drzwiami Twyli, jakby poprzez związek z Farrelem Barnettem stały się współtowarzyszkami niedoli, które mogą pocieszyć się nawzajem i wspólnie zaplanować zemstę.

Po czterech latach Twyla już go nie kochała. Potrzebowała jeszcze dwóch lat, zanim zrozumiała, że jeśli się z nim nie rozwiedzie, on rozerwie jej życie na strzępy, których nie da się połączyć z powrotem. Wtedy Farrel miał już w swoim dorobku piętnaście przebojów, dwanaście napisanych przez Twylę, z których osiem zajęło pierwsze miejsca.

Co ważniejsze, stworzyli dziecko — otrzymał imię Winston, po ojcu Twyli — i Twyla początkowo nie chciała dopuścić, żeby Winny wychowywał się w domu bez ojca. Wreszcie zrozumiała, że w niektórych rzadkich przypadkach rozbity dom może być dla chłopca lepszy niż taki, w którym narcystyczny tatuś zjawia się tylko czasami, głównie po to, żeby odpocząć po trasach koncertowych i maratonach cudzołóstwa, i zamiast bawić się z synkiem, woli przebywać w otoczeniu świty pochlebców.

Chociaż Twyla już nie kochała Farrela ani nawet go nie lubiła, nie czuła też do niego nienawiści. Kiedy skończy *One Rainy Night in Memphis*, zaproponuje ją najpierw Farrelowi, ponieważ on wykona ją najlepiej. Piosenki zapewniały utrzymanie starzejącej się matce Twyli. Stanowiły przyszłość Winny'ego. To, co dobre dla piosenki, było ważniejsze niż wyrównywanie starych rachunków.

Kiedy zagrzmiało — nie w rozdartym burzą niebie, lecz w ziemi pod budynkiem — palce Twyli zamarły na progach i odsunęły kostkę od strun. Ostatnie akordy wybrzmiały i Twyla poczuła, jak drżenie przechodzi przez cały dom. Jej nagrody Grammy i Country Music Association zagrzechotały na szklanych półkach w gablocie za fortepianem.

Spodziewając się jakiejś katastrofy, wciąż wyglądała przez wysokie okno. Węźlaste bicze światła raz po raz smagały niebo, ogromne błyskawice jaśniejące apokaliptyczną mocą, które zdawały się wstrzymywać deszcz i zacierały kontury innych budynków przy ulicy Cieni. Podziemne wstrząsy ustały, ale huk piorunów wprawiał w drżenie cały świat. Deszcz w zmowie z błyskawicami przesłonił na chwilę cztery pasy jezdni, miasto w dole znikło, zgasły oświetlone okna domów. Pod zachmurzonym niebem krajobraz wydawał się przeraźliwie pusty, długie wzgórze i niżej posępna równina, jakby morze wysokich traw tepowane kępami czarnych drzew, które drapieżnie wbijały w mrok krzywe konary.

Ta wizja z pewnością stanowiła złudzenie, grę światła na mokrej szybie, ponieważ kiedy pirotechniczne efekty się skończyły, miasto leżało w dole jak przedtem, z domami i parkami. Samochody sunęły nieprzerwanie tam i z powrotem po długim bulwarze, czarna nawierzchnia spływała deszczem, po asfalcie ściekały lśniące odbicia przednich świateł i kręte czerwone strumyczki tylnych.

Twyla zorientowała się, że nieświadomie wstała ze stołka i odłożyła gitarę na dywan. To, co widziała za oknem, stanowiło tylko złudzenie optyczne. Jednak kiedy czekała na następną błyskawicę, zaschło jej w ustach. W kolejnych rozbłyskach miasto nie zniknęło, tylko trwało niewzruszenie. Bezludne pustkowie już się nie pojawiło. Miraż. Złudzenie.

Odwróciła się i spojrzała na gablotę obok fortepianu. Żadna nagroda się nie przewróciła, ale budynek naprawdę się trząsł — to nie była iluzja wywołana przez błyskawice i deszcz na szybie.

8

Apartament 1-C

Bailey zapalił wszystkie lampy i świetlówki w salonie, jadalni, kuchni, głównej sypialni, gościnnej sypialni i obu łazienkach. Zostawił zapalone światła, chociaż nie znalazł w mieszkaniu żadnego intruza. Nie przestraszyło go to, co przelotnie dostrzegł. Raczej zaciekawiło. Im jaśniej w mieszkaniu, tym lepiej zobaczy wszystko, co jeszcze się wydarzy — jeśli cokolwiek się wydarzy.

Nie tracił czasu na rozważanie ewentualności, że istota w basenie i fantom przechodzący przez ścianę były halucynacjami. Nie brał narkotyków. Nie pił za dużo. Jeśli miał guza mózgu czy inną śmiertelną chorobę, nie zauważył wcześniej żadnych objawów. Z doświadczenia wiedział, że zespół stresu pourazowego, spowodowany przez okropności wojny, to wynalazek psychiatrów, którzy koniecznie chcą napiętnować wojsko.

W sypialni wyjął pistolet z dolnej szuflady nocnej szafki. Beretta kalibru dziewięć milimetrów miała magazynek na dwadzieścia nabojów, sześciocalową lufę Jarvisa z hamulcem odrzutu i nocny celownik Trijicon. Nabył tę broń po powrocie do cywila i dotąd używał jej tylko na strzelnicy.

Uzbrojony, nie wiedział, co dalej. Jeśli stwory, które widział, nie pochodziły z zaświatów, przynajmniej dysponowały paranormalnymi zdolnościami. W obu przypadkach pistolet raczej mu się nie przyda. Wolał jednak mieć broń pod ręką.

Stał obok łóżka z pistoletem w dłoni i czuł się trochę głupio. Na wojnie nigdy nie miał kłopotów z rozpoznaniem wroga. To byli ci, którzy próbowali go zabić, którzy strzelali do niego i jego ludzi. Czasem uciekali, kiedy atak z zaskoczenia nie przyniósł im szybkiego zwycięstwa, ale nie znikali bez śladu. Żeby przeżyć w walce, żeby zwyciężyć, komandosi musieli wykazać się nie tylko wytrwałością, musieli stosować strategię i taktykę, co wymagało logicznego rozumowania i trzeźwego spojrzenia na rzeczywistość. A on stał z berettą w garści i czekał na wroga, który zmaterializuje się ze ściany, na zjawę, upiora, manifestację braku logiki, jakby nigdy nie był komandosem, nigdy nie służył w piechocie morskiej, tylko występował w filmie *Pogromcy duchów*.

Podobnie jak w basenie przed jedenastoma godzinami, pod budynkiem rozległ się grzmot. Tym razem potężniał szybko, głośniejszy niż przedtem, i przez pięć czy sześć sekund dom dygotał, zanim hałasy i wstrząsy ustały. Bailey nie wątpił, że to pozornie sejsmiczne zjawisko ma jakiś związek z tajemniczym pływakiem oraz mroczną zjawą, która przemknęła zwinnie jak kot przez jego gabinet. Techniki analizy finansowej na równi z doświadczeniem bojowym nauczyły go, że zbiegi okoliczności rzadko się zdarzają, że wszędzie kryją się niewidoczne powiązania, czekające na odkrycie.

Zaledwie budynek przestał się trząść, Bailey usłyszał głos. Niski i złowieszczy, brzmiał jak głos z radia w sąsiednim pokoju, przekazujący relację o katastrofie. Słowa były zniekształcone, ich znaczenie nieuchwytne — ale głos rozlegał się tuż obok, intymny jak szept kochanka.

Bailey nachylił się do radiobudzika stojącego na nocnej szafce, lecz głos dochodził teraz z drugiego końca pokoju. Podszedł do szafki z telewizorem, otworzył ją i odsłonił ciemny ekran — i usłyszał głos za plecami, bliski, jednak wciąż niezrozumiały.

Gdziekolwiek stanął w sypialni, niewidoczny mówca odzywał się zawsze w drugim kącie, jakby się z nim drażnił.

Bailey wszedł do łazienki i głos rozległ się właśnie tam, na pewno, tak jak wcześniej w sypialni. Dochodził jakby zza lustra, potem zza kratki wywietrznika pod sufitem, a wreszcie spod warstwy fakturowanego tynku na suficie.

Kiedy Bailey przechodził przez jasne pokoje, trzymając pistolet w opuszczonej ręce, z lufą skierowaną w podłogę, głos zabrzmiał groźniej, bardziej napastliwie. Kierunek, z którego dochodził, zmieniał się jeszcze szybciej, jakby przemawiał szalony brzuchomówca, przeświadczony, że prawdziwa jest tylko jego kukiełka, nie on.

A potem w kuchni słowa zabrzmiały wyraźniej, lepiej wyartykułowane, wciąż jednak niezrozumiałe. Bailey zdał sobie sprawę, że słyszy obcy język. Nie francuski ani włoski czy hiszpański. Nie rosyjski. Nie niemiecki. Żaden z języków słowiańskich czy azjatyckich. Nigdy jeszcze nie słyszał czegoś takiego, więc powinno mu się skojarzyć z jakimś pozaziemskim językiem z filmów science fiction. Zamiast tego miał wrażenie, że słyszy starożytną, prymitywną mowę, chociaż nie potrafił wyjaśnić, dlaczego tak mu się wydaje.

Ani przez chwilę nie podejrzewał, że głos dochodzi z sąsiedniego mieszkania. Pendleton miał konstrukcję z lanego betonu wzmocnionego stalą, a podczas renowacji zastosowano tę samą technikę przy podziale budynku, wzmacniając dodatkowo ściany nowoczesnymi materiałami dźwiękochłonnymi. Na tym piętrze sąsiadował przez ścianę tylko z Twylą Trahern, kompozytorką piosenek, i nigdy nie dotarł do niego nawet jeden akord jej fortepianu.

Stojąc przy kuchennej wyspie i obracając się dookoła, usiłował zlokalizować głos dochodzący ze wszystkich stron, najpierw donośny, potem coraz słabszy, jakby ktoś przekręcał gałkę dźwięku.

Głos przycichł do plugawego mamrotania i wtedy zadzwonił telefon na ścianie. Bailey podniósł słuchawkę.

— Halo?

— Bailey, kochanie, Edna i ja potrzebujemy twojego uspokajającego wpływu. — Martha Cupp, jedna z dwóch wiekowych sióstr, które należały do jego klientów mieszkających w Pendletonie, mówiła tonem stanowczym, ale nie władczym, raczej jak dobra nauczycielka, oczekująca, że uczniowie zawsze sprostają jej wysokim wymaganiom. — Sally albo zwariowała, albo się zalała. — Sally Hollander była ich gosposią. — Mówi, że widziała szatana w pokoju kredensowym, i chce odejść. Wiesz, że nie damy sobie rady bez Sally.

— Przyjdę jak najszybciej. Daj mi pięć minut — poprosił Bailey.

— Drogi chłopcze, jesteś jak syn, którego nie miałam.

— Przecież masz syna.

— Ale nie takiego jak ty, niestety. Ta jego upadająca sieć restauracji sushi niedługo będzie równie martwa jak ryby, które podają. Teraz chce, żebym mu sfinansowała farmę wiatrową, cztery tysiące wiatraków na jakiejś okropnej równinie w Nevadzie, które produkują energię wystarczającą dla jedenastu domów i zabijają sześć tysięcy ptaków dziennie. Ten chłopak sam jest jak wiatrak, gada szybciej niż cyrkowy naganiacz. Proszę, pospiesz się i przemów Sally do rozsądku.

Odwieszając słuchawkę, Bailey pomyślał, że Sally zobaczyła diabła wcale nie z powodu nadużycia alkoholu.

— Co tu się dzieje? — zapytał i czekał tylko przez chwilę, aż bezcielesny głos odpowie mu w nieznanym języku. Ale w jasno oświetlonej kuchni panowała cisza.

Jedno

Jestem Jednym, wszystkim i jedynym. Mieszkam
w Pendletonie, tak jak mieszkam wszędzie. Jestem historią
i przeznaczeniem Pendletona. Ten budynek jest miejscem
mojego poczęcia, moim pomnikiem, moim polem bitwy.

Dla uczczenia mojego triumfu przygotowuję ten dokument,
żeby przekazać go wam, ludziom wielkiej wiary, którzy widzicie
zepsucie świata i pragniecie go naprawić. Świat, jaki znaliście,
został zniszczony. Pokażę wam...

Andrew North Pendleton, dumny ignorant, zbudował swój
wielki dom w tym miejscu nie dlatego, że spodobał mu się
widok, ale z powodu legendy o Wzgórzu Cieni. Podobnie jak
wielu innych przedstawicieli wyższych klas pod koniec
dziewiętnastego wieku, Andrew pragnął poznać nowe sposoby
myślenia, zrzucić okowy skostniałej tradycji. Zafascynowały go
różne rodzaje spirytualizmu i mógł poświęcić dużo czasu swoim
zainteresowaniom. Seanse spirytystyczne, sesje automatycznego
pisania, wróżenie z kryształowej kuli, hipnotyczna regresja do

poprzedniego życia... Był poszukiwaczem, nie głupszym od innych. Pewien indiański szaman, nie wiadomo dokładnie, z jakiego szczepu, opowiedział mu historię Wzgórza Cieni i Pendleton postanowił zbudować tam dom, żeby korzystać z duchowej energii tego świętego miejsca. Indianie osiedlili się niegdyś na szczycie wzgórza, ponieważ w pewnych porach roku ze starych wulkanicznych fumaroli wydobywało się niekiedy bladobłękitne światło, które migotało i tańczyło w powietrzu. Od czasu do czasu wśród żywych pojawiali się na krótko ukochani zmarli, jakby przeszłość stapiała się z teraźniejszością. Ta ziemia jest święta, stwierdzili Indianie, tutaj nad plemieniem będą czuwać zarówno duchy bliskich, jak i te świetliste błękitne zjawy.

Szaman, tajny agent właściciela ziemi, zataił przed Andrew Pendletonem, że rdzenni Amerykanie w końcu odeszli ze wzgórza po pewnej nocy, kiedy ich obozowisko nawiedziła horda błękitnych zjaw, mniej dobrotliwych niż poprzednie.

Tamtej nocy połowa plemienia zniknęła na zawsze. Przyszli do mnie. Pożywiłem się nimi, ponieważ obrażali mnie swoim istnieniem.

Kiedy przedstawiono mi Andrew Pendletona, jego żonę i dzieci, tylko jemu pozwoliłem żyć. W pewnym sensie zawdzięczałem mu swoją egzystencję, ponieważ wybrał na miejsce budowy Wzgórze Cieni. Belle Vista stała się nie tylko domem, ale również wehikułem, który przywiózł mnie na ten świat.

Jestem Jednym i nie może być innych. Przychodzą do mnie i traktuję ich jak mięso, bo są mięsem. Z czasem wszyscy do mnie przyjdą i stanie się to, co musi się stać. Potem tylko ja będę patrzyło na słońce i księżyc.

Wkrótce obecni mieszkańcy Pendletona pojawią się przede mną, oszołomieni moimi licznymi manifestacjami. Znam ich, ponieważ znam wszystko. Nie wszyscy zginą, ale prawie wszyscy. Pożądam zwłaszcza dzieci; nie toleruję niewinności i brzydzę się dobrocią. Były komandos przekona się, że pod moimi rządami honor i odpowiedzialność nie są w cenie.

Tych, którzy kochają innych, miłość nie ocali. Liczy się tylko miłość do siebie i tylko Jedno jest warte takiej miłości.

9

Apartament 1-A

Prawie dziewięcioletni Winny siedział zwinięty w fotelu w swojej sypialni, oglądał trzy książki i zastanawiał się, którą przeczytać w następnej kolejności. Oficjalnie czwartoklasista, czytał na poziomie siódmej klasy. Przeegzaminowali go i to była prawda. Ale nie pękał z dumy. Wiedział, że wcale nie jest bystry ani nic takiego. Gdyby był bystry, umiałby rozmawiać z ludźmi. Mama mówiła, że jest nieśmiały, i pewnie miała rację, ale oprócz tego nigdy nie wiedział, co powiedzieć, więc nie należał do naprawdę bystrych osób.

Czytał tak dobrze po prostu dlatego, że czytał przez cały czas, odkąd pamiętał. Najpierw książeczki obrazkowe z kilkoma słowami. Potem książki, gdzie było mniej obrazków i więcej słów. Potem książki bez żadnych obrazków. Ostatnio czytał głównie literaturę młodzieżową. Ale za parę lat pewnie zacznie czytać grube książki dla dorosłych, po tysiąc stron, aż przeczyta tyle, że głowa mu pęknie i na tym się kończy.

Tato, który miał domy w Nashville i w Los Angeles, który

pojawiał się rzadziej niż listonosz, prawie tak rzadko jak Święty Mikołaj, nie chciał, żeby Winny ciągle tkwił z nosem w książce. Mówił, że chłopiec, który za dużo czyta, stanie się mięczakiem albo nawet wpadnie w autyzm, cokolwiek to znaczy. Tato chciał, żeby Winny zajmował się muzyką. Winny lubił muzykę, ale znacznie bardziej lubił czytać i pisać.

Poza tym nie zamierzał pracować jako muzyk. Tato był sławnym piosenkarzem, mama prawie sławną autorką piosenek, ale Winny nigdy nie pragnął sławy. Sławny człowiek, który nigdy nie wie, co powiedzieć, to najgorsza rzecz na świecie. Ludzie chłoną każde twoje słowo, ale ty nie masz dla nich żadnych słów. Jakbyś przez całe życie po dwadzieścia razy dziennie padał twarzą w gnój na oczach wszystkich. Muzycy zawsze wiedzieli, co powiedzieć. Niektórym wręcz usta się nie zamykały. Zapomnijmy o muzyce.

Może Winny był mięczakiem, jak się obawiał jego tato. Nie wiedział. Wolał myśleć, że taki nie jest. Ale nigdy tego nie sprawdził. Przez cztery dni w tygodniu chodził do szkoły imienia Grace Lyman, założonej przez panią Grace Lyman, która umarła przed trzydziestu laty, ale chociaż nie żyła, szkoła była ekskluzywna. Oczywiście pani Lyman już nie przebywała w szkole. Nie trzymali jej zwłok w wielkim słoju ani nic takiego. Szkoda, bo byłoby fajnie. Winny nie wiedział, gdzie są jej zwłoki. Nikt mu nie powiedział. Może nie wiedzieli? Grace Lyman nie żyła, ale szkołę nadal prowadzono według jej zasad, a jedną z zasad była zerowa tolerancja dla chuliganów. Jeśli Winny nigdy nie stanął twarzą w twarz z chuliganem, skąd miał wiedzieć, czy jest mięczakiem?

Może nawet był mordercą. Gdyby jakiś łobuz zaczął się nad

nim znęcać, gdyby naprawdę go wkurzył, może Winny dostałby szału i odrąbałby tamtemu głowę albo coś takiego. Nie uważał się za szalonego zabójcę, ale nigdy tego nie sprawdził. Z książek dowiedział się jednego: w życiu trzeba się sprawdzić, żeby odkryć, kim jesteś i do czego jesteś zdolny. Beznadziejny mięczak, szlachetny wojownik, szaleniec... mógł być każdym, ale nie dowie się tego, dopóki się nie sprawdzi.

Jednym nie mógł być: Świętym Mikołajem. Nikt nie może być Świętym Mikołajem. Święty Mikołaj nie jest prawdziwy tak jak listonosz. Winny właśnie to odkrył. Trochę dziwnie się z tym czuł. Najpierw było mu smutno, jakby Święty Mikołaj umarł, ale smutek nie trwał długo. Ktoś, kto nigdy nie istniał, nie mógł umrzeć i nie można go opłakiwać. Winny czuł się jak idiota, że tak długo wierzył w tę głupią bajeczkę o Świętym Mikołaju.

Więc teraz nie mógł powiedzieć, że tato przychodził rzadko jak Święty Mikołaj, ponieważ Święty Mikołaj tak naprawdę nigdy nie przyszedł, a tato czasami przychodził. Oczywiście Winny nie widział taty od dawna, więc mogło się okazać, że tato też nigdy nie istniał. Co jakiś czas dzwonił do Winny'ego, ale to mogło być oszustwo, mógł dzwonić ktokolwiek. Jeśli tato przyjeżdżał na święta, zawsze przywoził dla syna to samo: jeden czy dwa instrumenty muzyczne, stos płyt CD, nie tylko własnych, ale także innych piosenkarzy, i najnowszą podpisaną fotografię reklamową. Za każdym razem, kiedy Farrel Barnett robił sobie nowe reklamowe zdjęcie, przysyłał je synkowi. Nawet jeśli Święty Mikołaj nie istniał, przywoził lepsze prezenty niż tato Winny'ego, który był przecież prawdziwy, chociaż nigdy nie wiadomo.

Winny prawie już zdecydował, którą z trzech książek przeczyta, kiedy podłoga i ściany zadrżały. Lampa na nocnym stoliku miała łańcuszek do zapalania, który zakołysał się i uderzył z brzęknięciem o podstawę. Zasłony na oknach zaszeleściły jakby w przeciągu, ale Winny nie czuł żadnego przeciągu. Na otwartej półce regału figurki z gry Dragon World zaczęły wibrować. Podskakiwały, jakby budziły się do życia. Okropnie podskakiwały. Ale oczywiście były jeszcze bardziej martwe niż Grace Lyman.

Winny przeczekał wstrząsy, oślepiające błyskawice za oknem i huk piorunów. Nie bał się. Nie zmoczył się w spodnie ani nic takiego. Ale nie był też spokojny i opanowany. Był gdzieś pomiędzy. Nie znał słowa na określenie tego, jak się czuł. Od kilku dni w Pendletonie zrobiło się trochę dziwnie. Trochę niesamowicie. Ale niesamowite rzeczy nie zawsze muszą być straszne. Czasami są bardzo interesujące. Na poprzednią gwiazdkę tato podarował mu pozłacany saksofon, prawie tak duży jak Winny. To było naprawdę niesamowite, ale nie straszne ani interesujące, tylko niesamowicie głupie.

Zachował w sekrecie niesamowitą i interesującą rzecz, która w ciągu ostatnich dwóch dni przydarzyła mu się dwukrotnie. Chociaż chciał się podzielić swoimi dziwnymi przeżyciami z mamą, podejrzewał, że ona poczuje się w obowiązku zawiadomić tatę. Z samych słusznych powodów zawsze próbowała włączyć Farrela Barnetta w życie jego syna. Tato oczywiście zareaguje przesadnie i zanim Winny się obejrzy, będzie chodził do psychologa dwa razy w tygodniu, wybuchnie wojna o prawo do opieki i zagrozi mu przeprowadzka do Nashville albo Los Angeles.

Kiedy wstrząsy ustały, Winny spojrzał na telewizor, cichy i ciemny. Chociaż akrylowy ekran nie był na tyle błyszczący, żeby odbijać chłopca siedzącego w fotelu, nie wydawał się płaski, tylko miał złowieszczą głębię, niczym mętna kałuża w mrocznym lesie. Blask lampy do czytania ślizgający się po ekranie przypominał bladą, zniekształconą twarz topielca dryfującego tuż pod powierzchnią wody.

— ·

Twyla przybiegła ze swojego studia do pokoju Winny'ego na drugim końcu ogromnego mieszkania, ponad trzysta metrów kwadratowych, składającego się z ośmiu pokoi, trzech łazienek i kuchni — jednego z dwóch największych w budynku. Zapukała do drzwi, usłyszała zaproszenie i weszła. Zastała syna w fotelu, z podwiniętymi nogami, z trzema książkami na kolanach.

Promieniował blaskiem, przynajmniej dla niej, chociaż chyba nie tylko, bo często widziała, że ludzie gapią się na niego, jakby przykuwał ich uwagę. Miał ciemne włosy po matce — prawie czarne — i błękitne oczy ojca, ale nie wygląd stanowił o jego atrakcyjności. Pomimo całej nieśmiałości i rezerwy miał w sobie coś nieokreślonego, co przyciągało do niego ludzi od pierwszego wejrzenia. Gdyby można było nazwać takiego małego chłopca charyzmatycznym, Winny miał ogromną charyzmę, chociaż chyba nie zdawał sobie z tego sprawy.

— Słonko, jak się czujesz? — zapytała Twyla.

— W porządku. Nic mi nie jest. A tobie?

— Co to były za wstrząsy? — rzuciła.

— Nie wiesz? Myślałem, że wiesz.

— To raczej nie było trzęsienie ziemi.

— Może coś wybuchło w piwnicy? — podsunął Winny.

— Nie. Wtedy uruchomiłby się alarm.

— To już się zdàrzyło.

— Kiedy?

— Wcześniej, ale nie tak mocno. Może gdzieś coś wysadzają? Na jakiejś budowie albo co.

Sypialnia, wysoka na trzy metry sześćdziesiąt, miała kasetonowy sufit z ozdobnymi, pozłacanymi gipsowymi medalionami w kasetonach i przepiękną boazerię, pochodzącą z oryginalnego Pendletona: ważki i bambusy w japońskim stylu namalowane na złoconym tle.

Zabawki i książki Winny'ego stanowiły przeciwwagę dla tej niemal onieśmielającej elegancji, jednak Twyla zastanawiała się — nie po raz pierwszy — czy nie popełniła błędu, kiedy kupiła to mieszkanie, czy to odpowiednie środowisko dla dziecka. To był bezpieczny budynek w bezpiecznym mieście, uprzywilejowane miejsce na dorastanie. Ale w Pendletonie mieszkało niewiele dzieci, z którymi Winny mógł się bawić. Nie interesowały go zabawy z rówieśnikami, wolał spędzać czas sam. Lecz jeśli miał pokonać nieśmiałość, potrzebował innych dzieci, nie tylko szkolnych kolegów, również towarzyszy zabaw.

Twyla usiadła na podnóżku przed fotelem syna.

— Słonko, podoba ci się w Pendletonie?

— Nie chcę mieszkać w Nashville ani w L.A. — odpowiedział natychmiast.

— Nie, nie, nie o to mi chodziło — zapewniła. — Ja też nie chcę tam mieszkać. Myślałam, że może powinniśmy mieć dom w zwyczajnej dzielnicy, nie takiej wytwornej, dom z podwórzem, może niedaleko parku, gdzie jest dużo dzieci. Moglibyśmy mieć psa.

— Tutaj też możemy mieć psa — zauważył Winny.

— Tak, możemy, ale łatwiej opiekować się psem na przedmieściach niż w środku miasta. Psy lubią przestrzeń do biegania.

Winny zmarszczył brwi.

— Przecież ty nie możesz mieszkać w zwykłej dzielnicy, bo się wyróżniasz.

— Niby dlaczego? Jestem tylko kimś, kto pisze piosenki. Nikim specjalnym.

— Czasami występujesz w telewizji. Nawet raz śpiewałaś w jednym programie. Naprawdę dobrze.

— Wiesz co, wychowałam się w zwykłej dzielnicy. Właściwie w trochę obskurnej.

— Zresztą i tak nie lubię parków. Zawsze dostaję wysypki albo coś takiego. Pamiętasz, jak dostałem wysypki? Albo ciągle kicham przez te kwiaty i drzewa, i w ogóle. Może fajnie jest pójść do parku zimą, kiedy wszystko jest zamarznięte i zasypane śniegiem, ale przez resztę roku to żadna przyjemność.

Uśmiechnęła się.

— Więc park... to kawałek piekła na ziemi, co?

— Nie wiem, jak jest w piekle, tyle że pewnie gorąco. I gorzej niż w parku, skoro to najgorsze miejsce ze wszystkich. Zostańmy tutaj.

Kochała Winny'ego tak bardzo, że chciała to wykrzyczeć na cały głos. Ledwie mogła pomieścić w sobie tyle miłości.

— Chcę, żebyś był szczęśliwy, mały.

— Jestem szczęśliwy. A ty?

— Jestem szczęśliwa z tobą. — Czule uścisnęła palce jego prawej stopy przez skarpetkę. — Gdziekolwiek jestem, cieszę się, jeśli jesteś ze mną.

Odwrócił wzrok, zakłopotany jej wyznaniem.

— Tu mi się podoba. To fajne miejsce. Inne.

— W każdej chwili możesz zaprosić dzieci ze szkoły na noc albo na sobotę — zaproponowała.

Marszcząc brwi, zapytał:

— Jakie dzieci?

— Jakie zechcesz. Twoich przyjaciół. Jednego czy dwóch albo całą paczkę, jeśli sobie życzysz.

Po chwili wahania, zatrwożony perspektywą zapraszania dzieci do domu, Winny powiedział:

— Albo ty i ja możemy pójść do parku i w ogóle, jeśli chcesz.

Wstając z podnóżka, Twyla oświadczyła:

— Jesteś prawdziwym dżentelmenem. — Nachyliła się i pocałowała go w czoło. — Obiad o szóstej.

— Poczytam do tego czasu.

— Odrobiłeś lekcje?

— W samochodzie, kiedy wracałem ze szkoły z panią Dorfman.

Pani Dorfman, gospodyni, pełniła też funkcję szofera Winny'ego.

— Niezbyt dużo zadali, jak na szkołę Grace Lyman — zauważyła Twyla.

— Całą kupę, ale same łatwe rzeczy. Żadnej okropnej matmy ani nic takiego.

Twyla powiedziała kiedyś synowi, że dobrze sobie radziła z matematyką, bo to rodzaj muzyki. Od tamtego czasu, żeby go nie zmuszano do zostania muzykiem, Winny udawał, że matematyka sprawia mu trudności.

Zajaśniała błyskawica, dużo słabsza niż poprzednie, ale zamiast wyjrzeć przez okno, chłopiec odwrócił się do ciemnego telewizora stojącego na regale naprzeciwko łóżka. Zmarszczył czoło, jego twarz zastygła w wyrazie czujnego oczekiwania.

Tym razem grzmot się przetoczył, zamiast huknąć jak wcześniej. Wiedziona intuicyjną matczyną troską, Twyla zapytała:

— Coś się stało, Winny?

Wytrzymał jej spojrzenie.

— Na przykład co?

— Cokolwiek.

— Nie. Nic mi nie jest — odpowiedział po chwili wahania.

— Na pewno?

— Tak, wszystko w porządku. Czuję się dobrze.

— Kocham cię, mój mały mężczyzno.

— Ja też cię kocham. — Zarumienił się i otworzył jedną z książek leżących na jego kolanach.

—

Mama była wspaniała, najlepsza, zupełnie jak prawdziwy anioł, tylko że mówiła rzeczy w rodzaju: „mój mały mężczyzno", czego anioł nigdy by nie powiedział, bo wiedziałby, jakie to dla Winny'ego krępujące. Owszem, był mały, ale nie był mężczyzną. Był tylko chudym dzieciakiem, którego mógł przewrócić byle podmuch wiatru. Ciągle czekał, aż urosną mu bicepsy większe od pryszczy, ale jakoś się nie doczekał, chociaż miał już prawie dziewięć lat. Pewnie przez całe życie zostanie chudym dzieciakiem, dopóki nagle nie zmieni się w chudego staruszka, bez żadnych etapów pośrednich.

Ale mama zawsze chciała dobrze. Nigdy nie była złośliwa ani fałszywa. I potrafiła słuchać. Mógł jej wszystko powiedzieć i zawsze go wysłuchała.

Kiedy zapytała, czy coś się stało, może powinien jej opisać swoje niedawne niesamowite przeżycia, nawet gdyby miała powtórzyć wszystko tacie. Przy obiedzie postanowił opowiedzieć jej o głosie, który przemawiał do niego z pustego kanału w telewizorze.

—

Świadek podszedł do fortepianu w studiu Twyli Trahern, która wyszła z pokoju, nieświadoma jego obecności. Ruszył za nią do drzwi i stał na progu dostatecznie długo, żeby się upewnić, że Twyla kieruje się do kuchni, pewnie żeby przygotować obiad dla siebie i syna.

Cokolwiek zamierzała przyrządzić, nie zdążą tego zjeść. Czas uciekał, chwila się zbliżała.

Świadek zawrócił do fortepianu. Przystanął przy gablocie z nagrodami Twyli za piosenki. Odniosła duży sukces jeszcze przed trzydziestką. Pamiętał jej piosenki, ponieważ nie zapominał niczego. Niczego. Miał płytę, którą nagrała i na której śpiewała własne kompozycje ciepłym, gardłowym głosem.

Tam, skąd przychodził, nie było kompozytorów ani muzyków, piosenek, piosenkarzy ani publiczności. Świt wstawał nieśpiewnie i przez cały dzień, przez całą noc nie dźwięczała ani jedna nuta muzyki natury. Wśród ludzi, których zabił ostatnio, był mężczyzna grający na gitarze z wielkim kunsztem i dziewczynka, może dwunastoletnia, o czystym, słodkim, anielskim głosie.

W tamtych czasach nie był sobą. Kochał jednocześnie prawo i muzykę. Potem jednak się zmienił, został zmieniony, po części zgodnie z własną wolą, po części nie. Niegdyś lubił muzykę. Teraz, kiedy żył bez muzyki, szanował ją.

Szacunek nie zatrzymał go w studiu Twyli Trahern. Wszystko zamigotało i odpłynęło.

10

Pomieszczenie ochrony w suterenie

Devon Murphy zszedł z dyżuru o siódmej rano w czwartek i jego miejsce na następne osiem godzin zajął Logan Spangler. Z pięciu ochroniarzy pracujących na dwudziestojednotygodniowe zmiany w Pendletonie Logan był najstarszy i pełnił funkcję szefa ochrony.

Dawniej był krawężnikiem, potem detektywem w wydziale zabójstw i przymknął więcej przestępców niż setka dzielnych stróżów prawa z kryminalnych powieści, co zresztą o niczym nie świadczyło, ponieważ według oceny Logana dziewięćdziesiąt procent bohaterów tych książek to mięczaki, którzy wiedzą mniej na temat prawdziwego zła niż przeciętna bibliotekarka i wyglądają równie groźnie jak torcik z kremem. Miał prawo do emerytury w wieku pięćdziesięciu dwóch lat, ale oddał odznakę, kiedy skończył sześćdziesiąt dwa, czyli osiągnął ustawowy wiek emerytalny. Teraz miał sześćdziesiąt osiem lat i nadal mógł skopać tyłek każdemu czterdziestolatkowi z policji.

Logan bez reszty poświęcił się pracy w ochronie. Gdyby nie

traktował jej równie poważnie jak niegdyś służby w policji, okazałby brak szacunku nie tylko dla swoich pracodawców, ale także dla siebie. Dlatego nie zamierzał zlekceważyć awarii kamer nadzoru z zeszłej nocy, chociaż trwała tak krótko.

Devon sądził, że kamery nie działały przez jakieś pół minuty. Po jego wyjściu Logan przewinął nagrania z oznaczeniem czasu — zapisy z kamer przechowywano przez trzydzieści dni — i odkrył, że w rzeczywistości system zwiesił się tylko na dwadzieścia trzy sekundy.

Przez cały ranek i wczesne popołudnie, na ile mu pozwalały obowiązki, Logan puszczał program diagnostyczny systemu ochrony w nadziei, że znajdzie powód przerwy w monitoringu, ale nie znalazł żadnego wyjaśnienia. Przejrzał również filmy poklatkowe z głównych kamer w podziemiu i na parterze, zarejestrowane podczas dwóch godzin przed awarią, która nastąpiła pomiędzy 2.16.14 a 2.16.37 nad ranem. Niemal się spodziewał, że zobaczy niewykrytego wcześniej intruza, który próbował sabotować sprzęt monitorujący, ale na tych nagraniach widać było tylko mieszkańców albo pracowników Pendletona, zajmujących się zwykłymi niewinnymi sprawami.

Kilka minut przed rozpoczęciem swojej zmiany zjawił się Vernon Klick, który w czwartki zaczynał o piętnastej. Miał zamglone zielone oczy, okrągłe jak u sowy, za pomazanymi szkłami okularów, których nie czyścił chyba od Święta Dziękczynienia. Niósł pudełko z lunchem i jak zwykle wielką teczkę, niczym prawnik obarczony aktami spraw. Nie wypastował butów, spodnie khaki wyprasował byle jak. Ogolił się, ale pod paznokciami miał tyle brudu, że Logan chciał mu wyszorować ręce szczotką ryżową. Z niewiadomych powodów Klick chodził zaniedbany, odkąd go zatrudniono w Pendletonie. Nie wiedział o tym, że już nie przyjdzie do pracy na następną zmianę.

Logan zwrócił mu uwagę na pogniecione spodnie i porysowane buty, ale powstrzymał się od skomentowania stanu paznokci. Gdyby Klick się zorientował, jaką odrazę budzi w szefie, mógłby się domyślić, że jego dni są policzone. Logan wolał zaskakiwać pracowników zwolnieniem w ostatniej chwili, parę minut przedtem, zanim wyprowadzano ich z budynku.

Przesiadł się z głównego stanowiska na zapasowe krzesło. Jeszcze raz uruchomił program diagnostyczny, daremnie szukając przyczyny krótkiej przerwy w monitoringu.

— Co jest grane? — zagadnął Klick.

— Grane?

— Czego szukasz?

— Niczego.

— Przecież widzę, że czegoś szukasz.

Logan westchnął.

— Zeszłej nocy kamery na krótko przestały działać.

— Poważna sprawa.

— Wcale nie — zaprzeczył Logan. — Tylko na dwadzieścia trzy sekundy.

— Może ktoś coś ukradł?

— Nikt niczego nie ukradł.

— Ale ktoś się włamał.

— Nikt się nie włamał.

— Właśnie że tak — upierał się Klick. Nigdy nie był policjantem, tylko ochroniarzem, uważał jednak, że ma policyjną intuicję. — Może ktoś kogoś zabił?

— Nikogo nie zabito.

— Może nie znalazłeś ciała, ale to nie znaczy, że ono gdzieś tam nie leży i nie czeka, aż ktoś je znajdzie.

Logan nie zamierzał podtrzymywać tej idiotycznej rozmowy. Raz po raz uważnie oglądał nagrany powrót Earla Blandona do Pendletona zeszłej nocy, czas spędzony przez senatora w windzie i widok korytarzy drugiego piętra natychmiast po zniknięciu błękitnych zakłóceń.

Zdawał sobie sprawę z ledwie tłumionej frustracji Vernona Klicka, zmuszonego przebywać w jednym pokoju z szefem dłużej niż przez minutę. Ten palant na pewno miał w teczce pornograficzne pisemka albo ćwiartkę irlandzkiej whisky, albo jedno i drugie, i nie mógł się już doczekać, żeby sprawić sobie przyjemność.

Logan zwlekał, ponieważ bezskutecznie próbował umiejscowić w czasie powrót Earla Blandona do mieszkania. Winda potrzebowała dwudziestu jeden sekund, żeby wjechać z parteru na drugie piętro. Według nagrania z oznaczeniem czasu kamera przestała działać po czterech sekundach, kiedy winda ruszyła do góry. Odejmijmy następne siedemnaście sekund wznoszenia się windy od dwudziestu trzech sekund przerwy w nagrywaniu. Pozostaje tylko sześć sekund błękitnych zakłóceń, podczas których facet musiał wysiąść z windy, przejść przez krótkie zachodnie skrzydło korytarza na drugim piętrze, skręcić w północny korytarz, otworzyć kluczem drzwi i wejść do mieszkania.

Logan, podobnie jak Devon Murphy, znał charakterystyczne objawy pijaństwa senatora: ostrożny krok, przesadna dystynkcja. Nagranie Blandona przemierzającego westybul świadczyło wyraźnie, że wrócił do domu w stanie alkoholowego upojenia.

Trzeźwy człowiek może zdążyłby szybko dotrzeć z windy

do mieszkania 2-D i wejść do środka w ciągu sześciu sekund. Pijany Earl Blandon nie poruszał się szybko, tylko statecznym, odmierzonym krokiem, niemal jak panna młoda krocząca do ołtarza w takt uroczystej muzyki. Z pewnością potrzebował co najmniej sześciu sekund, żeby przynajmniej wygrzebać klucz z kieszeni i trafić nim do zamka.

— Zanim wyjdę, zajrzę do jednego z lokatorów na drugim piętrze — powiedział Logan.

— To znaczy do senatora? — upewnił się Klick, wskazując ekran, w który wpatrywał się szef. Logan nie odpowiedział, więc Klick dodał: — Myślisz, że on nie żyje?

— Nie, nie myślę, że on nie żyje.

— Więc myślisz, że kogoś zabił?

— Nikt nikogo nie zabił.

— Założę się, że ktoś kogoś zabił albo obrabował, albo zabił i obrabował.

Wstając z krzesła, Logan Spangler spytał:

— Vernon, masz jakiś problem?

— Ja? Nie mam żadnego problemu.

— Chyba jednak masz.

— Mój jedyny problem to te brakujące dwadzieścia trzy sekundy.

— To nie twój problem, tylko mój — zauważył Logan.

— No więc nie trzeba było mnie denerwować.

— Nie ma się czym denerwować.

— Jest, jeśli ktoś zabił albo kogoś zabito.

— Odsiedź swoją zmianę. Przestrzegaj procedur. Nie daj się ponieść wyobraźni — poradził Logan i wyszedł, żeby Klick mógł się zająć tym, czym się zwykle zajmował w godzinach pracy.

Kiedy zamykał za sobą drzwi pomieszczenia ochrony, rozległ się grzmot jakby spod ziemi i Pendleton zadygotał. To samo zdarzyło się wcześniej. Na wschodnim zboczu Wzgórza Cieni kładziono fundamenty pod wieżowiec; z pewnością stamtąd pochodziły te hałasy. Logan postanowił to sprawdzić w miejskim wydziale budownictwa po wizycie u senatora.

11

Apartament 2-F

Mickey Dime zostawił martwego Jerry'ego w fotelu w gabinecie.

W kuchni umył ręce. Lubił wodę tak gorącą, że aż parzyła. Mydło w płynie wytworzyło delikatną pianę. Pachniało brzoskwiniami. Brzoskwinie to były jego ulubione owoce.

Za oknem błysnęło, błysnęło. Zapragnął wyjść na dwór, żeby poczuć drżenie powietrza, wdychać rześki zapach ozonu pozostawiony przez błyskawice. Zahuczał grom. Mickey poczuł go w kościach.

Nalał sobie szklankę czekoladowego mleka i położył na talerzu cytrynową mufinkę. Szklanka była z kryształu Baccarat, talerz z porcelany Limoges, widelczyk od Tiffany'ego. Podobały mu się, z przyjemnością ich dotykał. Mufinka była grubo polukrowana. Usiadł przy stole śniadaniowym pod oknem z widokiem na dziedziniec. Jadł powoli, rozkoszując się smakiem.

Po dużej ilości cukru ludzie zwykle robili się nadpobudliwi, ale Mickey się uspokajał. Już kiedy był dzieckiem, jego mama mówiła, że jest inny niż wszyscy. Wcale się nie przechwalała. Mickey rzeczywiście był inny pod wieloma względami. Na przykład miał metabolizm wydajny niczym silnik Ferrari o wysokich parametrach. Mógł się objadać do woli i nigdy nie przybyło mu ani grama.

Po mufince spałaszował trzy ciasteczka Oreo. Rozdzielił herbatniki i najpierw zlizał nadzienie. Mama nauczyła go jeść w ten sposób. Nauczyła go tylu rzeczy. Zawdzięczał jej wszystko.

Mickey miał trzydzieści pięć lat. Jego matka zmarła pół roku wcześniej. Nadal za nią tęsknił.

Pamiętał jeszcze precyzyjny chłód i zbyt miękką fakturę jej policzka, kiedy nachylił się nad trumną, żeby ją pocałować. Ucałował również obie jej powieki i niemal się spodziewał, że zatrzepoczą pod jego wargami, że oczy się otworzą. Ale powieki zostały zaszyte.

Dokończył przekąskę. Opłukał talerz, szklankę i widelczyk. Zostawił je na suszarce, żeby umyła je gosposia, która przychodziła dwa razy w tygodniu.

Przez chwilę stał przy zlewie i patrzył, jak krople deszczu bębnią w okno. Lubił wzór deszczu na szybie. Lubił ten dźwięk.

Do jego największych przyjemności należały spacery w ciepłym letnim deszczu i w zimnym deszczu jesieni. Miał domek na wsi, na dwunastoakrowej działce. Lubił siadywać na podwórzu nago, w deszczu pachnącym świeżością. Lubił, kiedy burza obmywała go tysiącem języków.

Wrócił do gabinetu, gdzie Jerry siedział martwy w fotelu. Pistolet kalibru .32 z tłumikiem wystrzelił z bliska. Kula przeszyła serce. Pod raną wlotową na białej koszuli widniała krwawa plama w kształcie łzy, gustowny szczegół, który Mickey doceniał.

Jerry miał na sobie doskonale skrojony garnitur. Zaprasowane kanty w spodniach wydawały się ostre jak noże. Wełna o gęstym splocie była przyjemna w dotyku. Mickey potarł między dwoma palcami klapę marynarki. Koszula i krawat wyglądały na jedwabne. Mickey lubił zapach jedwabiu. Ale Jerry używał świeżej wody kolońskiej o cytrynowym zapachu, który zagłuszał subtelniejszą woń tkaniny.

Odkąd Mickey został zawodowcem, nigdy nie zabił człowieka za darmo. To było nienaturalne. Jakby Picasso rozdawał swoje obrazy. Liczenie pieniędzy po zabójstwie stanowiło ważną część tego zmysłowego przeżycia.

Kiedy zabił po raz pierwszy, tydzień po swoich dwudziestych urodzinach, był amatorem. Miał szczęście, że mu się upiekło. Próbował się umówić z kelnerką od koktajli, Mallory. Odmówiła mu. W niemiły sposób. Upokorzyła go. Dowiedział się o niej wszystkiego: że mieszka w małym domku z przyjaciółką, że razem z nią mieszka jej piętnastoletnia siostra. Wszedł tam z paralizatorem, gazem łzawiącym i winylowymi kajdankami. Chodziło mu tylko o seks i dostał go mnóstwo. Potem musiał je zabić i odkrył, że to inny rodzaj seksu. Ale głupio zabijać dla seksu, jeśli można go kupić. Zabijając dla seksu, a nie tylko dla przyjemności zabijania, zostawiał na miejscu zbrodni swoje DNA. Ponadto w krańcowym podnieceniu, podczas samego aktu nie panował nad sobą i z pewnością popełniał błędy, zostawiał ślady innego rodzaju. Więc chociaż to była jak dotąd najlepsza noc jego życia, postanowił nigdy więcej nie zabijać po amatorsku. Później był dumny ze swojej samokontroli.

Poza tym nigdy jeszcze nie załatwił krewnego. Jerry był jego bratem. Powinien poczuć jakąś różnicę, ale nie poczuł. Tyle że nie dostał za tę robotę wypchanej koperty z gotówką.

Niejeden raz przez lata marzeń o morderstwach Mickey wyobrażał sobie, że wykańcza kogoś w tym mieszkaniu. Bardzo niewygodnie.

Jerry Dime sam to wymusił. Przyszedł tu, żeby zabić Mickeya. Ale był amatorem. Zasygnalizował swoje zamiary.

Mickey pomyślał, że jednak dostanie honorarium za tę robótkę. Teraz nie musi się już dzielić majątkiem matki.

Z szafy w sypialni wyjął zapasowy koc. Zrobiony z mikrofibry, był miękki jak futro, ale mocny. Potarł nim o policzek. Koc pachniał jak kurtka z wielbłądziej wełny, jeden z ulubionych zapachów Mickeya.

Szeroko otwarte oczy Jerry'ego wydawały się bardziej błękitne po śmierci niż za życia. Mickey miał brunatne oczy. Oczy ich matki były zielone. Mickey nie znał koloru oczu żadnego z ojców. Ojcowie byli anonimowymi dawcami spermy.

Przeciągnąwszy trupa z fotela na koc, Mickey przetrząsnął kieszenie brata. Zabrał mu portfel, telefon, drobne. Monety były ciepłe od ciała Jerry'ego.

Mickey zawinął zwłoki w koc. Końce związał mocno dwoma krawatami.

Wyszedł z gabinetu i zamknął za sobą drzwi. Spojrzał na zegarek i wtedy zabrzęczał dzwonek przy drzwiach.

Przyszła manikiurzystka Ludmiła, która odwiedzała Mickeya dwa razy w miesiącu. Była rosyjską imigrantką po pięćdziesiątce, ciemnowłosą i skupioną.

Mówiła dobrze po angielsku, jednak zgodnie z umową nie

odzywała się, chyba żeby podziękować za zapłatę. Rozmowa zmąciłaby przyjemność z manikiuru i pedikiuru.

Po śmierci matki Mickey powiększył główną łazienkę o gościnną sypialnię. Nigdy nie zapraszał gości na noc.

Ogromna łazienka miała ściany i sufit z białego marmuru, czarne granitowe blaty i posadzkę w szachownicę z granitu i marmuru. Znajdowały się w niej fotel spa do pedikiuru z podłączoną wodą, profesjonalny stół do masażu i narożna sauna wyłożona cedrowym drewnem.

Mickey wyciągnął się w fotelu. Zanurzył bose stopy w ciepłej wodzie. Do wody dodano pachnące sole kąpielowe.

Zamknął oczy, kiedy Ludmiła pracowała przy jego rękach. Powoli przestał być człowiekiem i stał się tylko dziesięcioma czubkami palców. Szept szmerglowego pilniczka brzmiał jak symfonia. Zapach bezbarwnego lakieru do paznokci upajał. Najprostsza przyjemność może być porywająca, jeśli oddasz się jej bez reszty.

Zmysły są wszystkim. Tylko zmysły.

Jedno

Nie jestem tym, co sobie wyobraziliście wy, ludzie wielkiej wiary, ale jestem tym, czego szukaliście. Jestem przeszłością wymazaną w całości.

Celebruję śmierć. Śmierć robi miejsce dla nowego życia. Umieram każdego dnia i odradzam się na nowo. Słabsze istoty, które umierają i nie zmartwychwstają, oddają przysługę światu, gdyż świat słabeuszy jest światem bez przyszłości.

Jak na ironię, moja ogromna siła i nieśmiertelność wzięły się ze skazy: skazy w strukturze czasoprzestrzeni, która kryje się w sercu Wzgórza Cieni. Okresowo, przy odpowiednich warunkach, przeszłość, teraźniejszość i przyszłość istnieją tam jednocześnie, tak jak istnieją we mnie. Ci, którzy żyją na tym punkcie zwrotnym, gdzie przeszłość spotyka się z przyszłością, niekiedy dostrzegają to, co było i co będzie. Rdzenni Amerykanie, którzy mieszkali tu pierwsi, i wszyscy, którzy przyszli po nich, sądzili, że te istoty spoza czasu to duchy, wizje albo halucynacje.

Co trzydzieści osiem lat występuje fenomen o większej mocy niż zwykłe zjawy. Mimowolni pielgrzymi przybywają do mojego królestwa i poznają swój los, taki jak los całego świata.

Członkowie bogatej rodziny Ostocków, przybywający z 1935 roku, nauczyli się większego posłuszeństwa wobec Jednego, niż okazywała im służba.

Ludzie wierzą, że są wyjątkowi, ale dla świata są jak pchły na psie, wszy na szympansie. Pasożyty. Plaga. Rodzina Ostocków i wszystkie istoty ludzkie to szczury na drodze z Hameln, zwabione czarodziejską melodią, która prowadzi ich, żeby utonęli we mnie.

Wkrótce kompozytorka stanie przede mną i pożywię się jej sercem, z którego biorą się uczucia w jej piosenkach, jak sobie wyobraża. Podstarzały adwokat, który wierzy w prawo, przekona się, że nie istnieje żadne inne prawo oprócz mojego. Emerytowany detektyw, który wierzy w sprawiedliwość, otrzyma taką sprawiedliwość, na jaką zasłużył. Wejdę w chłopca, opanuję jego ciało, ale pozwolę mu na jakiś czas zachować świadomość, pozwolę mu obserwować powolny rozkład jego ciała i upadek jego niewinności. Robactwo zrodzone z robactwa, plaga, dla której jestem oczyszczającym płomieniem.

12

Apartament 2-A

Pomarańczowymi oczami, jasnymi jak latarnie, Dym na fotelu i Popiół na podnóżku śledziły Marthę Cupp, która spacerowała niecierpliwie od okna do okna w salonie. Oprócz zmian w ciele, drobnych i irytujących jak siwizna albo poważniejszych jak artretyzm w dłoniach, Martha czuła się jak dwudziestolatka. Umysł miała równie bystry jak sześć dekad wcześniej, wyostrzony przez mądrość nabytą podczas długiego, intensywnego życia.

W wieku osiemdziesięciu lat, podobnie jak w wieku dwudziestu lat, nie miała cierpliwości do bzdur. Ku jej rozpaczy świat coraz bardziej przypominał świątynię absurdu. Tak wielu ludzi przestało wierzyć w prawdy, które niosły nadzieję, i zamiast tego bezkrytycznie przyjęło wiarę w ożywione nieożywione, czyli tak zwaną komputerową inteligencję, w kolorową, lecz pustą utopię internetu i cyfrowych gadżetów, w niedorzeczne teorie ekonomiczne zawistnych socjopatów, w absolutną moralną i legalną równość ludzi, małp, mrówek i szparagów.

Martha najbardziej nie lubiła licznych głosicieli końca świata, którzy — jak ten wstrętny pan Udell z 2-H — żarliwie wierzyli w takie czy inne egzystencjalne zagrożenie, od nadciągającej epoki lodowcowej do rychłego globalnego ocieplenia, od porwania Kościoła do Armagedonu i rządów szatana. Brednie. Jeszcze przed kilkoma dniami ich kucharka i gosposia, Sally Hollander, była zupełnie zdrowa na umyśle. Potem nagle zaczęła opowiadać o wyrazistych i przerażających snach. Te koszmary tak bardzo wytrąciły ją z równowagi, że po trzeciej nocy zaczęła je traktować jak prorocze wizje nadciągającej zagłady. A teraz utrzymywała, że w pokoju kredensowym zobaczyła diabła.

Miasto było rzeczywiste, okno było rzeczywiste i burza za oknem też była rzeczywista, ale diabeł w pokoju kredensowym to idiotyczny wymysł. Albo Sally, wcześniej taka rozsądna i godna zaufania, przechodzi kryzys wieku średniego połączony z zaburzeniami osobowości, albo biedulka cierpi na jakąś fizyczną chorobę, do której objawów należą halucynacje i urojenia. Martha traktowała Sally jak ukochaną siostrzenicę, więc nawet nie chciała rozpatrywać drugiej możliwości, która mogła oznaczać guza mózgu czy inne poważne schorzenie.

Płomienny topór błyskawicy rozrąbał niebo i piorun huknął tak głośno, jakby jednocześnie runęło tysiąc drzew. Na chwilę całe miasto pogrążyło się w ciemności. Widocznie jednak to złudzenie wywołał jaskrawy rozbłysk, który przelotnie oślepił Marthę, bo kiedy zamrugała, miasto znowu leżało w dole, z oświetlonymi budynkami i alejami ginącymi w mroku.

Dym i Popiół, dwa brytyjskie niebieskie krótkowłose koty, podczas wcześniejszego wybuchu Sally zachowały typowo koci spokój, jak zwykle rozleniwione i zajęte sobą. Nastawiły uszu na pierwszy krzyk i lekko odwróciły głowy w stronę źródła dźwięku. Ale nie napięły mięśni ani nie zjeżyły jedwabistego niebieskoszarego futerka, nawet odrobinę. Kiedy okrzyki przerażenia gosposi przycichły do szlochów, Dym i Popiół straciły zainteresowanie i powróciły do zabiegów pielęgnacyjnych. Zachowanie kotów stanowiło dla Marthy wystarczający dowód, że pokoju kredensowego nie nawiedził żaden demon.

Edna, starsza siostra Marthy — licząca sobie osiemdziesiąt dwa lata — miała skłonność do bzdur. Przez całe życie Edna wierzyła we wszelkie nonsensy, w poltergeisty i wróżenie z ręki, w zaginiony kontynent Atlantydę i miasta na ciemnej stronie Księżyca. Teraz siedziała z Sally przy kuchennym stole, częstowała ją kawą zaprawioną brandy na uspokojenie nerwów i zachęcała, żeby gosposia przypomniała sobie — albo wymyśliła — kolejne szczegóły swojego spotkania z Księciem Ciemności w pokoju kredensowym.

Czasami Martha dziwiła się, że ona i Edna, różniące się pod tyloma względami, stworzyły razem dużą firmę i przez lata było między nimi tak niewiele tarć. Martha miała głowę do interesów, natomiast Edna wymyślała coraz pyszniejsze przepisy. Ciasta Sióstr Cupp stały się największą cukierniczą firmą wysyłkową w kraju, wypuściły ogromnie popularną linię mrożonych ciast do sprzedaży w supermarketach i generalnie wykorzystały z powodzeniem wszystkie trendy w branży cukierniczej. Jak na ironię, nie przewidziały tylko jednego: szału na wytworne babeczki, czyli cupcakes. Żaden z licznych sklepów franczyzowych z babeczkami nie nosił nazwiska sióstr Cupp. Martha przypuszczała, że odniosły sukces, ponieważ ich talenty się uzupełniały — i ponieważ uwielbiały się nawzajem.

Przed czterema laty sprzedały firmę i rozdały połowę majątku. Jak dotąd emerytura była przyjemna: częste lunche i spotkania towarzyskie, praca społeczna w wybranych organizacjach
charytatywnych i dużo wolnego czasu na własne zainteresowania. A teraz ten incydent z kochaną Sally. Chociaż to Edna
była przesądna, Martha nie mogła się pozbyć niemiłego wrażenia, że ten dziwaczny wypadek oznacza koniec dobrej passy —
dla niej i dla siostry.

Jakby na potwierdzenie tej proroczej myśli z nieba spadły
następne świetliste ostrza. Miasto zadrżało niczym blok rzeź-
nicki pod ciosami toporów, niezliczone krople deszczu, wy-
srebrzone na krótką chwilę, przebijały mrok stroboskopowymi
błyskami.

Odbicie Marthy w okiennej szybie zamigotało, jakby dopalał
się płomyk jej życia. Bała się śmierci i ciągle usiłowała stłumić
ten strach, datujący się od nocy, kiedy jej pierwszy mąż Simon
zmarł w wieku czterdziestu jeden lat. Przyczyną strachu nie
była śmierć Simona, tylko epizod, który wydarzył się wkrótce
potem i którego przez ostatnie trzydzieści dziewięć lat nie
potrafiła ani wytłumaczyć, ani zapomnieć.

Kiedy zadźwięczał dzwonek do drzwi, Dym i Popiół odwróciły głowy, ale nie raczyły podnieść się z miękkich legowisk,
żeby zobaczyć, kto przyszedł.

Bailey Hawks przywitał Marthę w drzwiach pocałunkiem
w policzek. Gdy tylko przekroczył próg, poczuła się spokojniejsza. Bailey należał do tego typu mężczyzn, jacy nigdy jej
nie pociągali w młodości: spokojny, kompetentny, dobry słu-
chacz, solidna przystań na czas sztormu. Z powodów, których
nigdy do końca nie zrozumiała, nawet w średnim wieku podobali

jej się słabi, błyskotliwi mężczyźni, zawsze zabawni i w końcu zawsze rozczarowujący. No cóż, dała sobie radę, chociaż poślubiła najpierw jednego mężczyznę-dziecko, potem drugiego; ale przyjaciel taki jak Bailey stanowił pociechę, kiedy gosposia zaczynała bełkotać o diabłach w kredensie z porcelaną.

— Nie wiem, czy dzwonić po lekarza ogólnego, czy po psychiatrę — powiedziała do Baileya. — Ale nie zamierzam wzywać egzorcysty.

— Gdzie jest Sally?

— W kuchni z Edną. Do tej pory moja siostra pewnie już sobie wmówiła, że też widziała diabła z językiem rozdwojonym jak u węża.

Edna bardziej niż siostra dbała o wystrój wnętrz, toteż Martha codziennie musiała patrzeć na konsekwencje siostrzanej namiętności do wszystkiego, co wiktoriańskie: sofy chesterfield obite granatowym moherem, małe stoliki udrapowane aksamitnymi obrusami i nakryte szydełkowymi serwetkami, etażerki pełne porcelanowych ptaszków, tapety z kwiecistych tkanin w oryginalne wzory Williama Morrisa, wszystko ozdobione frędzelkami, falbankami, koronkami, chwaścikami, marszczeniami i lambrekinami.

Chociaż kuchnia miała kilka elementów w dziewiętnastowiecznym stylu, wydawała się bardziej nowoczesna niż reszta mieszkania, ponieważ nawet Edna wolała gaz i elektryczność od żelaznego pieca opalanego drewnem i wielkiej skrzyni z lodem. Najbardziej wiktoriański w tym przestronnym pomieszczeniu był strój Edny, wierna replika autentycznego codziennego ubioru z epoki, który uszyła jej krawcowa według ilustracji w katalogu pochodzącym z tamtych czasów: popołudniowa suknia z liliowego szyfonu w białe kropki na jedwabnym spodzie, z karczkiem z koronki i marszczonego jedwabiu, taką samą baskinką, plisowanymi rękawami do łokcia i plisowaną, marszczoną, długą do ziemi spódnicą.

Martha tak się przyzwyczaiła do stylu Edny, że często zapominała, jak niezwykłe są kreacje siostry. Czasami jednak — tak jak teraz — uświadamiała sobie, że jej suknie to raczej kostiumy. Siedząc przy kuchennym stole obok Sally Hollander, której strój roboczy — sama go wybrała — składał się z czarnych spodni i zwykłej białej bluzki, Edna wyglądała ekscentrycznie. Słodka i kochana, uroczo fantazyjna, lecz niezaprzeczalnie dziwaczna.

Bailey podziękował za kawę z brandy czy bez brandy, usiadł przy stole naprzeciwko Sally i zapytał:

— Powiesz mi, co widziałaś?

Przedtem szeroka piegowata twarz gosposi zawsze jaśniała, jakby zaróżowiona od ognia, a zielone oczy rzucały wesołe błyski. Teraz skóra przybrała barwę popiołu, iskierki w oczach zgasły. Drżenie głosu wydawało się szczere.

— Chowałam talerze po lunchu. Te w różyczki, z dziurkowanym brzegiem. Kątem oka zobaczyłam coś... coś ciemnego i szybkiego. Najpierw to był cień, jakby cień, ale nie cień. Wpadł z kuchni do pokoju kredensowego, minął mnie i ruszył do drzwi jadalni. Wysoki, ponad dwa metry, bardzo szybki.

Edna pochyliła się do przodu, opierając łokcie na stole, i zniżyła głos, jakby nie chciała, żeby siły ciemności podsłuchały, co o nich wie.

— Podobno ten dom jest nawiedzony przez samego Andrew Pendletona, odkąd popełnił tutaj samobójstwo.

Oparta o blat kuchenny Martha westchnęła, ale nikt tego nie zauważył.

— Może to prawda, a może nie — ciągnęła Edna. — Ale nawet jeśli na ulicy Cieni siedemdziesiąt siedem roi się od duchów jak na cmentarzu, to nie był zwykły duch. Powiedz mu, Sally.

— Boję się o tym mówić, Boże mi dopomóż — szepnęła gosposia. — Mówienie o takich rzeczach to jakby zaproszenie dla nich. Prawda, panno Edno? Nie chcę zapraszać z powrotem tego stwora, cokolwiek to jest.

— Wiemy, co to jest — oświadczyła z naciskiem Edna.

Martha spodziewała się, że Bailey rzuci jej znaczące spojrzenie, on jednak skupił całą uwagę na gospodyni.

— Mówiłaś, że najpierw był jak cień?

Sally kiwnęła głową.

— Czarny jak smoła. Żadnych szczegółów. Ale potem obejrzałam się na niego, kiedy mnie mijał... i zobaczyłam go tak wyraźnie, jak teraz ciebie widzę. Z odległości jakichś dwóch metrów. Odwrócił się do mnie, jakby mnie wcześniej nie zauważył, i zdziwił się na mój widok. Wyglądał jak człowiek, ale nie jak człowiek. Inny kształt głowy, coś nie tak. Nie potrafię dokładnie określić. Ale brak włosów i brwi. Skóra szara, jakby ołowiana. Nawet oczy szare, bcz białek, a źrenice czarne, czarne i głębokie jak lufy pistoletów. — Wzdrygnęła się i sięgnęła po zakrapianą kawę, żeby się pokrzepić. — On... ten stwór... był chudy, ale wydawał się silny. Otworzył usta, rozchylił te okropne szare wargi. Zęby też miał szare i ostre. Zasyczał i chciał mnie ugryźć, na pewno. Krzyknęłam i wtedy rzucił się na mnie tak szybko, szybciej niż kot czy atakujący wąż, niesamowicie szybko.

Chociaż Martha nie zamierzała być tak łatwowierna jak Edna, ani izolująca warstwa sceptycyzmu, ani praktyczne spodnium nie powstrzymały zimnego dreszczu wędrującego po jej kręgosłupie. Wytłumaczyła sobie, że przestraszyła się tylko tej zmiany w Sally, nietypowej skłonności do zabobonów, a nie możliwości, że gospodyni naprawdę zetknęła się z czymś nadprzyrodzonym.

— Demon — oznajmiła Edna. — Stwór z Otchłani. Nie żaden zwykły duch.

— Ale cię nie ugryzł? — upewnił się Bailey.

Pokręciła głową.

— To takie dziwaczne... ale kiedy się na mnie rzucił, znowu się zmienił, z czegoś prawdziwego zmienił się w czarny kształt i przeleciał obok. Poczułam, jak się o mnie otarł w przelocie.

— A jak on wyszedł z pokoju kredensowego? — drążył Bailey.

— Jak wyszedł? No, właśnie tak. Wiuu i już.

— Przeszedł przez ścianę?

— Przez ścianę? Nie wiem. Po prostu zniknął.

— Och, demony nic sobie nie robią ze ścian — zapewniła ich Edna.

— Demony — powtórzyła szyderczo Martha, dając do zrozumienia, że uważa to za brednie.

— Nie wiem, czy to był demon, pszepani — powiedziała Sally. — Ja go na pewno nie wezwałam. Ale coś tam było. I to było prawdziwe. Nie zaglądam do butelki w pracy i nie mam halucynacji.

Podobnie jak wcześniej, spod podłogi dobiegł rumor. Tym razem Pendleton zatrząsł się tak mocno, że zagrzechotały kieliszki w szafkach i sztućce w szufladach. Miedziane rondle i patelnie, wiszące nad wyspą kuchenną, zakołysały się na hakach, chociaż nie tak mocno, żeby odbijać się od siebie z brzękiem. Wstrząsy trwały dłużej niż poprzednio, dziesięć czy piętnaście sekund. W połowie tego zjawiska Bailey odepchnął krzesło od stołu i wstał, jakby spodziewał się jakiejś katastrofy.

Sally Hollander czujnie rozglądała się po kuchni, jakby czekała, aż na ścianach pojawią się zygzaki pęknięć. Martha odsunęła się od blatu, kiedy za jej plecami zagrzechotały drzwiczki wiszących szafek.

Edna wydawała się rozbawiona ich zaniepokojeniem. Dziewczęcym ruchem skubiąc jedwabne marszczenia na koronkowym karczku sukni, powiedziała:

— Rozmawiałam wcześniej z kochanym panem Tranem i on jest przekonany, że te wstrząsy to skutek wysadzania skalnego podłoża pod fundamenty nowego wysokościowca, który budują na wschodnim zboczu Wzgórza Cieni.

Tran Van Lung, który legalnie zamerykanizował nazwisko na Thomas Tran, był dozorcą budynku. Mieszkał w suterenie obok pomieszczenia ochrony.

— Nie, to trwało za długo, o wiele za długo jak na wybuchy — sprzeciwił się Bailey. — A pierwszy wstrząs poczułem dzisiaj rano na basenie, jakiś kwadrans po czwartej. O tej porze nie zaczynają pracy na budowie.

— Pan Tran to najlepszy dozorca, jakiego mieliśmy w Pendletonie — upierała się Edna. — Wie wszystko o tym budynku. Potrafi wszystko naprawić albo zna kogoś, kto potrafi, i jest całkowicie godny zaufania.

— Zgadzam się — przyznał Bailey. — Ale nawet Tom Tran czasem może się mylić.

Młodzi ludzie w wieku Baileya Hawksa zwykle mieli najwyżej kilka kurzych łapek w kącikach oczu, nawet kiedy się krzywili. Jednak na jego twarzy lata wojny pozostawiły tak wyraźne piętno, że w chwilach napięcia gładka skóra pokrywała się siecią zmarszczek, które go postarzały i nadawały mu groźny, onieśmielający wygląd.

Kiedy Bailey poderwał się z krzesła, Martha Cupp zauważyła coś, co jeszcze dobitniej świadczyło o stanie jego umysłu. Pod sportową marynarką w podramiennej kaburze nosił broń.

13

Apartament 2-D

Szef ochrony Logan Spangler wysiadł z północnej windy na drugim piętrze. Po lewej stronie miał podwójne drzwi do apartamentu sióstr Cupp, a na wprost pojedyncze drzwi mieszkania Silasa Kinsleya. W myślach nazywał to miejsce kącikiem geriatrycznym. Lubił starsze panie i emerytowanego adwokata. Mili, spokojni, uprzejmi ludzie. Mniej problemów miał tylko z lokatorem z B, nieżyjącym od dziewięciu miesięcy, którego spraw majątkowych dotąd nie uporządkowano, oraz z panem Beauchampem z D, który przed dwoma tygodniami zmarł na zapalenie płuc.

Jako emerytowany policjant Logan przypuszczał, że kiedy odejdzie na emeryturę z Pendletona, może zostać szefem ochrony jakiegoś cmentarza. Lokatorzy parku sztywnych w swoich małych, wąskich kwaterach będą jeszcze spokojniejsi i grzeczniejsi niż Edna i Martha Cupp. A po odejściu z tej posady pozostanie mu tylko położyć się w grobie i pozwolić, żeby go zasypano ziemią.

Nie był rozgoryczony, że musiał odejść ze służby w wieku sześćdziesięciu dwóch lat. To było sześć lat wcześniej, historia starożytna. Chociaż nie czuł goryczy, zrobił się cyniczny. Wprawdzie zawsze był trochę cynikiem i zrzędą — co mu pomagało, kiedy miał do czynienia z groźnymi bandziorami, pomagało ich zrozumieć, znaleźć i zapuszkować — ale poza pracą był raczej pogodny i wyluzowany. Odkąd jednak prowadził spokojniejszy tryb życia, nie mógł codziennie wyładowywać negatywnej energii i w rezultacie — jak podejrzewał — zmieniał się w notorycznego zrzędę.

Miał to gdzieś.

Po wyjściu z windy skręcił w prawo, przeszedł około sześciu metrów i znowu skręcił w prawo, w północny korytarz. Wszystkie trzy apartamenty znajdowały się po prawej stronie i miały widok na dziedziniec. Najdalszy należał do Mickeya Dime'a. Dime nie tylko odziedziczył majątek, ale również był prosperującym konsultantem korporacyjnym w dziedzinie rozwiązywania konfliktów pomiędzy pracownikiem a pracodawcą. Może naprawdę odziedziczył pieniądze, ale Logan uważał, że reszta to zwykła ściema. Obok Dime'a mieszkał Bernard Abronowitz, obecnie przebywający w szpitalu po operacji.

Najbliższy i największy z trzech apartamentów należał do byłego senatora, Earla Blandona. Jeżeli zhańbiony polityk wsiadł do windy, ale z niej nie wysiadł, jak sugerowało nagranie z kamer ochrony, taka zagadka mogła stanowić wyzwanie nawet dla najlepszych detektywów. Ponieważ jednak w Pendletonie od sześciu lat nie wydarzyło się nic nadzwyczajnego, Logan wątpił, czy rzeczywiście kryła się tu jakaś tajemnica. Przypuszczał raczej, że Blandon otworzy drzwi mniej lub bardziej pijany.

Zadzwonił trzy razy, ale bez skutku. Zastukał głośno, odczekał chwilę i znowu zastukał.

Wcześniej zadzwonił do dziennego portiera, który zmienił Normana Fixxera o szóstej rano, i ustalił, że senator nie wyszedł z domu do wczesnego popołudnia. Teraz skontaktował się z wieczorną portierką, Padmini Bahrati, która zaczynała zmianę o czternastej. Twierdziła, że odkąd usiadła za biurkiem od frontu, senator nie opuścił budynku na piechotę ani nie zażądał, żeby podstawiono jego samochód.

Oczywiście jeśli Blandon wyszedł przez wschodnią bramę dziedzińca, mógł zabrać samochód z garażu za Pendletonem i odjechać, nie korzystając z usług parkingowego. Ze względu na tę możliwość Logan zadzwonił do Toma Trana i poprosił o sprawdzenie miejsca garażowego senatora.

Dwie minuty później dozorca zameldował, że mercedes Blandona stoi w garażu. Senator nie wyjechał.

Nacisnąwszy po raz kolejny dzwonek do mieszkania 2-D — bez rezultatu — Logan otworzył drzwi swoim kluczem uniwersalnym. Jeśli senator był w domu, nie założył łańcucha ani nie zamknął drzwi na zasuwę.

Przytrzymując otwarte drzwi, ale nie wchodząc do środka, Logan zawołał:

— Senatorze Blandon! Jest pan w domu?

Mieszkanie senatora było o połowę mniejsze od apartamentu sióstr Cupp. Powinien usłyszeć Logana, chyba że leżał nieprzytomny albo brał prysznic.

W nagłych przypadkach, kiedy istniało uzasadnione podejrzenie, że lokator jest śmiertelnie chory albo niesprawny fizycznie i nie może otworzyć, przepisy wspólnoty mieszkaniowej

93

dopuszczały, żeby ochroniarz wszedł do środka, posługując się kluczem uniwersalnym, ale tylko w towarzystwie portiera albo dozorcy. Chodziło o zminimalizowanie już i tak niewielkiego zagrożenia, że ktoś ze starannie sprawdzonej ekipy ochrony może wykorzystać taką okazję do kradzieży.

Ponieważ Earl Blandon miał wybuchowy temperament i nasiąknął alkoholem do tego stopnia, że stał się wręcz łatwopalny, Logan Spangler postanowił sam wejść do mieszkania. Jeśli senator nie potrzebuje pomocy, na pewno będzie bardzo niezadowolony z tego wtargnięcia. Paranoja była zbroją Blandona, święte oburzenie jego mieczem i nigdy nie przepuścił okazji, żeby się obrazić. Jeden nieproszony gość go zirytuje, ale dwóch wprawi go w furię.

Logan nie interesował się dekoracją wnętrz, ale kiedy zapalił światło w salonie, zauważył, że senator zmałpował wystrój pewnych męskich klubów. Sufit z głębokimi kasetonami. Boazeria z ciemnego drewna. Ogromne skórzane fotele. Ciężkie drewniane stoliki na lwich łapach. Lampy z brązu z pergaminowymi abażurami. Nad kamiennym gzymsem kominka wisiał szklistooki łeb jelenia czternastaka, który Blandon na pewno kupił, a nie zdobył samodzielnie jako myśliwskie trofeum.

W jadalni stał masywny stół — długa płyta mahoniu wypolerowanego na wysoki połysk — a wokół niego kapitańskie krzesła z poręczami i wysokimi oparciami. U szczytu stołu królowało większe, bardziej ozdobne krzesło intarsjowane srebrem, jakby na znak, że gospodarz, chociaż właściwie nie pochodzi z królewskiego rodu, przewyższa jednak gości pozycją społeczną.

Obchodząc mieszkanie i nie dotykając niczego oprócz przełączników światła czy klamek drzwi, Logan jak zawsze pamiętał o pistolecie przy prawym boku, chociaż nie sądził, że będzie go potrzebował. W niszczejącym świecie, który niemal z dnia na dzień pogrążał się coraz bardziej w mroku i przemocy, Pendleton jawił się jako oaza spokoju.

Nadal wołając senatora, Logan dotarł do głównej sypialni. Tutaj kasetony sufitowe z barokowymi listwami pomalowano na biało. Bladozłote tapety w delikatny wzór nadawały ścianom miękką fakturę i rozjaśniały wnętrze.

Łóżko było starannie zaścielone, wszędzie panował porządek. Ponieważ Earl Blandon nie wyglądał na faceta, który zawsze skrupulatnie po sobie sprząta, Logan podejrzewał, że senator zeszłej nocy nie spał w swoim łóżku.

Lokatorzy, którzy nie mieli gosposi ani na stałe, ani dochodzącej, jak senator, zawierali umowę z agencją sprzątaczek zaakceptowaną przez wspólnotę. Zwykle woleli, żeby pomoc domowa przychodziła raz czy dwa razy w tygodniu. Zgodnie z harmonogramem dostarczonym do biura ochrony przez głównego portiera, który załatwiał tego rodzaju usługi, sprzątaczka Earla Blandona przychodziła we wtorki i w piątki.

Dzisiaj był czwartek. Żadna sprzątaczka nie przyszła pościelić łóżka.

W głównej łazience na podłodze leżało kilka dużych zmiętych ręczników. Logan schylił się i dotknął ich palcem, ale nie poczuł wilgoci. Rozsunąwszy szklane drzwi wyłożonej marmurem kabiny prysznicowej, nie zobaczył ani kropelki wody. Fugi między kafelkami wydawały się suche.

Senator brał prysznic co najmniej dwadzieścia cztery godziny wcześniej, przed wieczornym wyjściem. Najwyraźniej nie spał w swoim łóżku ubiegłej nocy. Coraz więcej dowodów świadczyło o czymś niemożliwym: że senator wrócił do domu, wsiadł do windy, ale z niej nie wysiadł.

Wprawdzie politycy często próbowali wmówić wyborcom, że posiadają magiczne zdolności rozwiązywania wszelkich problemów, jednak żaden nie dysponował czapką niewidką ani czarodziejskimi pigułkami zmniejszającymi człowieka do rozmiarów mrówki. Jeśli senator nie wysiadł z windy na swoim piętrze, widocznie wydostał się przez klapę awaryjną w suficie.

Jak zdążył to zrobić w ciągu dwudziestu trzech sekund, kiedy kamera w windzie nie działała, i po co miałby to robić — tego Logan Spangler nie rozumiał. Jednak dokładne oględziny windy mogły coś wyjaśnić.

Logan odwrócił się do drzwi i jednocześnie spod budynku znowu dobiegł przeciągły łoskot. W łazience i przyległym pokoju zgasło światło. Chwilowo oślepiony, Logan po omacku odpiął od pasa piętnastocentymetrową latarkę i włączył. Dioda emitowała czyste białe światło, jaśniejsze niż w tradycyjnej latarce, jednak szef ochrony wychodził już z łazienki, zanim się zorientował, że wszystko wokół niego się zmieniło.

Kilka sekund w ciemności jakby rozciągnęło się w długie lata. Biała marmurowa posadzka, przedtem wypolerowana i błyszcząca, poszarzała od kurzu. W dekoracyjnej listwie z zielonego i czarnego granitu brakowało fragmentów mozaiki. Niklowaną umywalkę pokryły smugi rdzy i zielonej pleśni. Z kranu i kurków zwieszały się festony postrzępionych pajęczyn, jakby od dawna nie odkręcano wody.

W lustrze, teraz zmętniałym i upstrzonym plamami, jakby grzyb rosnący na drugiej stronie wyjadł część tylnej warstwy srebra, odbicie Logana przypominało niematerialną zjawę, nie żywego człowieka. Na chwilę dech mu zaparło od widoku tej nagłej, niewytłumaczalnej degradacji otoczenia i prawie się spodziewał zobaczyć, że postarzał się razem z pokojem. Ale wyglądał tak jak rano, kiedy się golił przed lustrem we własnej łazience: siwe włosy ostrzyżone na jeża, twarz naznaczona doświadczeniem, ale jeszcze niepomarszczona ze starości.

Kiedy grzmot ucichł, Logan zobaczył, że szkło w kabinie prysznicowej zniknęło. Została tylko rama, obwisła i skorodowana. Na podłodze nie leżały żadne ręczniki.

Oszołomiony, wciąż oddychając z trudem, Logan przekroczył próg sypialni pozbawionej mebli. Snop diodowego światła nie znalazł ani łóżka, ani nocnych szafek, komody, fotela czy obrazów na ścianach. Znikła również imitacja perskiego dywanu, odsłaniając gołą drewnianą podłogę.

Zdumienie z powodu braku mebli ustąpiło miejsca konsternacji i obawie o własne zdrowie psychiczne, kiedy drżący promień latarki wydobywał z mroku szczegóły świadczące o długoletnim opuszczeniu. Mahoniowa podłoga, wytarta i wybrzuszona pod warstwą kurzu, miejscami odstawała od betonowej wylewki. Na tapecie widniały przebarwienia w kształcie skrzydeł olbrzymich ciem, z głębokich kasetonów na suficie zwisały delikatne pasemka niegdyś białej, teraz szarożółtej farby, jakby stamtąd niczym z kokonów wykluły się te owadzie stwory.

Jako detektyw Logan niezachwianie wierzył w świadectwo swoich pięciu zmysłów i ufał, że posługując się zarówno logiką, jak i intuicją, potrafi odnaleźć sens w tej masie szczegółów. Kłamcy mogli przekręcać fakty, ale każdy fakt był jak metal z pamięcią kształtu, nieuchronnie powracający do pierwotnej postaci. Oczy nie mogły go okłamać, chociaż próbował mruganiem odpędzić te nieprawdopodobne zmiany w sypialni senatora.

Po tylu latach w policji Logan postrzegał cały świat jako miejsce zbrodni, a w każdym miejscu zbrodni czekała na odkrycie prawda. Materiał dowodowy początkowo można błędnie interpretować, ale zazwyczaj niezbyt długo, i nigdy w jego obecności. Inni gliniarze nazywali go Sokole Oko, nie tylko dlatego, że miał dobry wzrok, ale ponieważ umiał spojrzeć na każdą sprawę z perspektywy i zobaczyć prawdę, jak sokół widzi z wysoka mysz, nawet ukrytą w wysokiej trawie. Lecz chociaż wiedział, że wszystko wokół niego jest teraz kłamstwem, nie potrafił dostrzec rzeczywistości za zasłoną tej iluzji.

Jednak po chwili zrobiło się jaśniej, jakby ktoś przekręcił potencjometr. Źródła światła, początkowo niewidoczne, wkrótce przybrały przezroczyste kształty, podobne do lamp, które Logan wcześniej zapalił. Zmaterializowały się nie tylko lampy, ale również meble, najpierw widmowe sylwetki, jak tło na fotografii z podwójną ekspozycją, potem coraz wyraźniejsze, coraz bardziej namacalne. Pod stopami znowu pojawił się dywan w perskim stylu.

Logan powoli obracał się w miejscu, podczas gdy sypialnia senatora odzyskiwała rzeczywisty wygląd, a wizja opuszczonej ruiny bladła. Wzbierające światło spłukiwało owadzie plamy z bladozłotej tapety. Szarożółta obłażąca farba na sufitowych kasetonach odzyskała gładką biel.

Przez lata Logan Spangler potrafił zachować spokój i poradzić sobie w każdej niebezpiecznej sytuacji, sądził więc, że strach jest mu całkowicie obcy. Teraz jednak jego zdumienie szybko przerodziło się w lęk, a lęk w zgrozę, kiedy obserwował niesamowitą przemianę sypialni i zadawał sobie pytanie, jaka straszliwa potęga mogła tego dokonać.

Obróciwszy się o sto osiemdziesiąt stopni, Logan stanął przodem do łazienki. Za otwartymi drzwiami paliło się jasne światło. Zakurzona, zniszczona marmurowa podłoga znowu wydawała się czysta i nietknięta.

Za nim coś zasyczało.

14

Apartament 1-G

Żeby nie myśleć o rychłej śmierci przez porażenie prądem, żeby stłumić wspomnienie płonących włosów i dymiących oczu, Sparkle Sykes postanowiła zrobić przegląd swoich pantofli, których miała sto cztery pary. Siedząc na wyściełanym stołeczku w przestronnej garderobie, brała do ręki każdą sztukę obuwia, podziwiała zwężenie obcasa, krągłość zapiętka, łuk podeszwy, wygięcie przyszwy, zapach skóry...

Od dwudziestu czterech lat, odkąd jej ukochany tatuś zginął trafiony piorunem, kiedy miała osiem lat, Sparkle Sykes bała się burzy. Nie traktowała burz jak zwykłych zjawisk pogodowych, tylko jak istoty myślące. Uważała, że elektryczność w chmurach pełni taką samą funkcję kognitywną jak prądy w jej mózgu, płynące nieprzerwanie pomiędzy synapsami. Burze pojawiały się na horyzoncie niczym statki najeźdźców z kosmosu, podbijały całe niebo, ciemiężyły ziemię i gnębiły ludzi. Na podobieństwo starożytnych bogów, dumnych, okrutnych i żądnych ofiar, bytów stworzonych z czystej energii, wkraczały do świata spoza czasu, żeby zadawać cierpienia zwykłym śmiertelnikom.

Sparkle podejrzewała, że jest trochę stuknięta na punkcie burz.

Już kilka godzin przed burzą zaciągnęła ciężkie zasłony w oknach, które wychodziły na wspaniały dziedziniec Pendletona. Przechodząc przez pokoje, nie spoglądała w stronę okien z obawy, że zobaczy rozbłyski burzowej furii pulsujące za plisowanymi prostokątami brokatu.

Co roku uderzenia piorunów zabijały od trzystu do sześciuset Amerykanów. Dwa tysiące odnosiło rany. Burze z piorunami powodowały więcej śmiertelnych wypadków niż wszystkie inne zjawiska pogodowe, łącznie z powodziami, huraganami i trąbami powietrznymi. Prąd elektryczny w błyskawicy osiągał natężenie trzydziestu tysięcy amperów, przy napięciu ponad miliona woltów.

Niektórzy uważali, że encyklopedyczna wiedza Sparkle na temat błyskawic świadczy o obsesji, ona jednak traktowała je jak część rodzinnej historii. Jeśli twój ojciec był inżynierem kolejowym, nikogo nie dziwi, że dużo wiesz o pociągach. Córka kapitana statku od dzieciństwa wchłania morskie opowieści i nasiąka marynarską tradycją. Dziecko człowieka przebitego milionwoltową lancą burzy okazałoby brak szacunku dla ojca, gdyby nie chciało niczego wiedzieć o narzędziu, które zadało mu śmierć. A przecież matkę też spotkał tragiczny koniec.

Po niecałej półgodzinie oglądania kolekcji obuwia Sparkle przypomniała sobie jeden z setek przypadków śmierci od pioruna, o którym czytała w prasie. Kilka lat wcześniej gdzieś w Nowej Anglii pannę młodą przed kościołem, na chwilę przed

101

ślubem, poraził grom z jasnego nieba, zanim jeszcze spadła choćby kropla deszczu. Ładunek elektryczny trafił w srebrną tiarę i wyszedł przez prawą stopę. Dziewczyna nosiła białe satynowe pantofelki na szpilkach. Lewy pantofelek rozerwał się na kilka kawałków, ale prawy spłonął w okamgnieniu i stopił się z ciałem.

Inwentaryzacja pantofli nie odwracała już uwagi Sparkle od burzy, która huczała nad Pendletonem. Nagle widok eleganckich szpilek przypomniał jej pląs śmierci, jaki odtańczyła na bosaka jej matka.

Wahała się, czy wyjść z garderoby, ponieważ tu nie było okien. Nie widziała burzy ani burza jej nie widziała. I kanonada grzmotów była cichsza.

Przez minutę czy dwie stała niezdecydowana i zastanawiała się, gdzie jeszcze można się schronić, a potem w drzwiach pojawiła się Iris. Dwunastoletnia dziewczynka przypominała Sparkle drobną budową ciała i delikatnymi rysami twarzy, ale na tym podobieństwa się kończyły. Sparkle była blondynką, Iris miała włosy czarne jak krucze pióra. Sparkle miała oczy błękitne, Iris szare i dziwnie świetliste. Jasna cera matki kontrastowała z oliwkową karnacją córki.

Iris patrzyła na Sparkle, ale tylko przez chwilę, po czym przeniosła uwagę na oklapniętego pluszowego króliczka, którego trzymała w zgięciu ramienia jak niemowlaka.

— Przestraszyłaś się burzy, skarbie? — zapytała Sparkle, zaniepokojona, że jej fobia mogła się udzielić temu wyjątkowo wrażliwemu dziecku, dla którego świat i tak był zbyt trudny do zniesienia.

W dobre dni Iris wypowiadała najwyżej sto słów, a w inne

ani jednego. Najbardziej nie znosiła odpowiadać na pytania, często tak brutalnie naruszające jej prywatność, że twarz jej się kurczyła z bólu.

Głosem słodkim i pełnym powagi dziewczynka odpowiedziała:

— *Idziemy teraz na łąkę, żeby się osuszyć w słońcu**.

Przy ulicy Cieni nie było żadnej łąki i słońce nie świeciło w ten ponury dzień. Jednak Sparkle zrozumiała, że córka chce przekazać, że na początku się bała, ale teraz już nie. Zdanie, które zacytowała, pochodziło z powieści dla dzieci *Bambi*. Wypowiedziała je matka słynnego jelonka po strasznej burzy. Iris czytała tę książkę dziesiątki razy — jak wszystkie swoje ulubione — i znała na pamięć całe sceny.

Wpatrując się poważnie w króliczka, Iris czule pogłaskała jego pluszowy pyszczek. Sparkle zdawało się, że szkliste oczy córki mają niewiele więcej wyrazu niż nieruchome spojrzenie zabawki.

Iris odwróciła się od otwartych drzwi garderoby i powędrowała przez sypialnię na korytarz. Sparkle pragnęła pójść za nią, dotknąć jej twarzy, tak jak Iris gładziła pyszczek króliczka, objąć ją i mocno przytulić. Jednak dotyk nie wchodził w grę. Iris pozwalała się dotykać tylko wtedy, kiedy była w specjalnym nastroju, i nigdy nie tolerowała przytulania. W objęciach matki dziewczynka skuliłaby się, zaczęłaby się wyrywać, może nawet wrzeszczeć i bronić się zaciekle, chociaż nie miewała ataków złości tak często jak inne autystyczne dzieci.

Tylko jedna szósta takich dzieci będzie mogła kiedyś pro-

---

* Ten i następne cytaty z: Feliks Salten, *Bambi. Opowieść leśna*, przekład Marceli Tarnowski, Wydawnictwa ALFA, Warszawa 1987.

wadzić w miarę niezależne życie. Chociaż Iris miała niezwykły dar, nie musiała należeć do tej jednej szóstej. Czas pokaże.

Niekiedy autystyczne dziecko ma jeden specjalny talent, na przykład zadziwiającą pamięć albo intuicyjne zrozumienie matematyki, które pozwala w ciągu paru sekund dokonywać w głowie oszałamiająco skomplikowanych obliczeń bez jednego dnia nauki. Niektóre siadają przy fortepianie i natychmiast grają melodię, nawet potrafią czytać nuty, które zobaczyły po raz pierwszy w życiu.

Iris należała chyba do najrzadszej grupy autystycznych sawantów: intuicyjnie pojmowała relacje pomiędzy fonemami, podstawowymi dźwiękami, z których składa się język, a słowem pisanym. Pewnego dnia, kiedy miała pięć lat, pierwszy raz w życiu wzięła do ręki książeczkę dla dzieci i wkrótce zaczęła czytać, bez niczyjej pomocy, ponieważ kiedy widziała słowo na kartce, słyszała w myślach jego brzmienie i rozumiała znaczenie. Jeśli nigdy wcześniej nie zetknęła się z danym słowem, wyszukiwała jego definicję w słowniku i nigdy go nie zapominała.

Siedem lat później Iris dysponowała słownictwem bogatszym niż matka, chociaż rzadko go używała. Jej dziwny dar był jej nadzieją albo przynajmniej nadzieją jej matki. Książki niezmiernie poszerzyły świat Iris, otworzyły przed nią wyjście z ciasnej klitki autyzmu i nie wiadomo, dokąd mogły ją zaprowadzić.

Iris zniknęła w korytarzu i jednocześnie grom huknął tak głośno, że nawet w garderobie bez okien zabrzmiał jak wybuch bomby. Burza toczyła wojnę z miastem.

Sparkle Sykes usłyszała, jak wymawia swoje imię i nazwisko,

raz po raz, niczym dwuwyrazowe zaklęcie ochronne. W najwcześniejszych wspomnieniach jej matka Wendeline opowiadała, że to magiczne nazwisko dla wyjątkowego dziecka. Stare szkockie słowo *syke* oznacza mały bystry strumyk, zaś *sparkle* to po angielsku „skrzyć się, błyszczeć". Zatem Sparkle Sykes stanowiła potęgę, z którą należało się liczyć: wiele bystrych strumyków, pędzących niepowstrzymanie przed siebie, czystych, słodkich i roziskrzonych, zdolnych oślepić i oczarować.

W wieku ośmiu lat Sparkle przez jakiś czas myślała, że zabiła ojca magią zrodzoną z miłości.

Murdoch Sykes, wysoki, silny i przystojny, z gęstymi włosami, które posiwiały przed trzydziestką, pasjonował się fotografią i uważał się za więcej niż amatora, lecz mniej niż zawodowca. Co niedziela wyruszał na długie wędrówki po lasach i łąkach Maine, żeby fotografować rzeczy, które każdy mógł zobaczyć na tych trasach, jednak zdjęcia wydawały się intymne i odkrywcze, jakby natura odsłaniała się tylko przed nim i przed nikim innym.

Ostatniego dnia wrócił do domu wcześniej, ponieważ burza zapowiedziana w prognozie pogody pospieszyła się o parę godzin. Wyszedł z lasu, przeciął brukowaną wiejską drogę i skierował się do ich domu na nadmorskim urwisku, opalony i muskularny, ze śnieżnobiałymi włosami rozwianymi na wietrze, z aparatem fotograficznym w skórzanym futerale przewieszonym przez ramię, w podkoszulku równie białym jak włosy, w spodniach khaki wsuniętych do wysokich butów. Wyglądał nie jak zwykły człowiek, ale jak śmiały poszukiwacz przygód powracający z końca świata — albo jak bóg.

Sparkle czekała na niego na ganku. Jak tylko go zobaczyła,

zeskoczyła z bujanego fotela i pomachała. Chciała wybiec mu na spotkanie aż do miejsca, gdzie podwórze graniczyło z poboczem drogi, ale właśnie wtedy zahuczał grzmot i z nieba spadły pierwsze grube krople deszczu, które rozpryskiwały się na asfalcie, tańczyły w wysokiej trawie i bębniły o drewniane stopnie ganku twardo niczym paciorki z rozerwanego sznura.

Zamiast przyspieszyć kroku, Murdoch Sykes szedł przez długie podwórze, jakby w deszczu czuł się równie dobrze jak w słońcu, jakby nie tylko kochał naturę, lecz także jej rozkazywał. Nawet nie zdjął zachlapanych wodą okularów w stalowych oprawkach, w których wydawał się nie tylko silny, ale również mądry.

Mała Sparkle patrzyła na niego z zachwytem. Wiedziała, że jak zwykle będzie opowiadał o lesie i leśnych stworzeniach tak zabawnie i zajmująco, że żadna książka nie mogła mu dorównać.

Chociaż Sparkle uwielbiała jego opowieści, wolałaby, żeby nie wychodził na niedzielny spacer, tylko został z nią w domu. Właściwie chciała, żeby codziennie zostawał w domu, żeby nigdy więcej nie wychodził, przynajmniej bez niej. Chciała być z nim tutaj, teraz i na zawsze.

Podskakując z radości to na jednej, to na drugiej nodze, zawołała:

— Tatuś, tatuś, tatuś!

Czekała, aż wejdzie na schody, żeby rzucić mu się na szyję. Wiedziała, że tatuś upuści aparat i weźmie ją w ramiona.

Ale Murdoch Sykes nie dotarł do schodów. Jaskrawe ostrze błyskawicy poprzedziło drugi grzmot, zębata klinga rozcięła mroczniejące powietrze, wypaliła ścieżkę wśród parujących kropel deszczu i dotknęła okularów, które na mgnienie zaświeciły, jakby oprawki zmieniły się w neonową reklamę. Jak szybko to się stało, w niecałe pół sekundy, a jednak jak powoli rozgrywało się we wspomnieniu. Soczewki rozprysły się w grad szklanych odłamków, fragmenty stalowych oprawek wtopiły się w skórę. Jednocześnie coś uniosło Murdocha i cisnęło dwa metry do przodu, lecz jakimś cudem utrzymał się na nogach, chwiejąc się i młócąc rękami niczym źle animowana marionetka. Wstrząs zerwał mu z ramienia futerał z aparatem fotograficznym. Włosy stanęły w ogniu, biała grzywa nagle zmieniła się w pomarańczową perukę klauna. Natychmiast po błyskawicy przetoczyła się potężna seria grzmotów, zagrzechotała szybami w oknach, zatrzęsła podłogą ganku i powaliła Murdocha, który i tak był już martwym ciężarem w uścisku grawitacji. Upadł na plecy i leżał, wpatrzony w niebo dymiącymi oczami, z otwartymi ustami, z osmaloną szczeciną na głowie. Ubranie tliło się na nim nawet w deszczu, z rozdartego turystycznego buta wystawały poczerniałe palce prawej stopy, ponieważ — jak ustalono podczas autopsji — piorun wszedł przez lewe oko i wyszedł z przodu podeszwy.

Ten plastyczny film wyświetlany na ekranie umysłu odebrał Sparkle odwagę, żeby wyjść z garderoby. Znów przyklejona do stołka, żałowała, że jej nazwisko naprawdę nie jest zaklęciem, którego mogłaby użyć, żeby rozpędzić burzę.

Patrzyła akurat na otwarte drzwi, kiedy przez sypialnię przepełznął ten stwór. Nadciągnął od strony łazienki i ruszył śladem Iris na korytarz.

W sypialni paliły się lampy i żyrandol, żeby błyskawice nie

przebijały przez zasłony. Sparkle widziała stwora wyraźnie, jednak nie mogła uwierzyć własnym oczom.

Najbardziej przypominał nagiego niemowlaka z nienaturalnie dużą głową, oseska rocznego albo trzynastomiesięcznego, który nadal raczkuje, z determinacją pełznącego naprzód — ale to nie było niemowlę. Przede wszystkim było za duże, wielkości trzyletniego dziecka, piętnaście kilo albo więcej. Po drugie, nie miało zdrowej różowej skóry, tylko bladoszarą, upstrzoną zielonymi cętkami.

Na widok tego koszmarnego intruza Sparkle nie krzyknęła ani nie zerwała się ze stołka. Reakcję na każdy wstrząs czy zagrożenie miała zaprogramowaną przed laty, kiedy piorun trafił jej ojca. Tamtego dnia na ganku zamarła ze zgrozy i poczucia winy. Pragnęła, żeby ojciec nigdy więcej nie wyszedł z domu, żeby został tam na zawsze, więc teraz przytłoczyła ją straszliwa pewność, że to jej magiczna moc ściągnęła piorun, który spełnił jej życzenie w nieprzewidziany sposób. Sparaliżowały ją nie tylko wyrzuty sumienia, ale również strach, ponieważ mała Sparkle wierzyła, że jeśli się poruszy, z pewnością uderzy w nią następny piorun, bo przecież życzyła sobie także być zawsze z tatą.

Poczucie winy ustąpiło po kilku tygodniach, chociaż żal pozostał. Przez długi czas Sparkle nie wierzyła w czary. Teraz jednak zareagowała na ohydnego pełzacza tak, jak na śmierć ojca: zamarła sparaliżowana przekonaniem, że jest bezpieczna tylko wtedy, jeśli się nie poruszy i nie wyda żadnego dźwięku.

Nie tylko wielka, zdeformowana głowa, niewłaściwe proporcje i gangrenowaty kolor skóry zaprzeczały przynależności tego stwora do gatunku ludzkiego. Chociaż jego pulchne nóżki i małe stópki przypominały kończyny niemowlęcia, miał ich sześć. Przy pełzaniu nie posługiwał się rękami, ale trzymał je wyciągnięte przed sobą, jakby po coś sięgał, i nieustannie gmerał w powietrzu serdelkowatymi palcami. Ciało miał guzowate, jakby przeżarte rakiem. Nie przesuwał się za pomocą rytmicznego naprężania i kurczenia sprawnych mięśni, tylko jego ciało w różnych miejscach pęczniało i flaczało odrażająco. Z niewiadomych powodów skojarzyło się Sparkle z miąższem grzyba, jakby stwór stanowił dziwaczną hybrydę rośliny i zwierzęcia.

Kiedy ten koszmar z delirium narkomana minął otwarte drzwi i przeczołgał się przez sypialnię na korytarz, Sparkle wstała. Trzęsła się ze strachu i musiała kilkakrotnie przełknąć ślinę, żeby powstrzymać krzyk wzbierający w gardle, niemal równie materialny jak wymioty. Rozejrzała się za jakąś bronią, ale w garderobie nie znalazła nic dodającego odwagi. Podeszła cicho do otwartych drzwi, przekonana, że piekielny stwór podąża tropem Iris i że jest drapieżcą.

—

Świadek zajął taką pozycję, żeby następna fluktuacja przeniosła go do trzeciego miejsca, które miał nadzieję zobaczyć, czyli do gabinetu należącego do Sparkle Sykes. Tutaj było jeszcze więcej książek niż w mieszkaniu adwokata, nie dzieł prawniczych, tylko literatury faktu, poezji i głównie powieści.

Znał tę kobietę, ponieważ znał wszystkie rzeczy, ale również dlatego, że w młodości, kiedy nie tylko wyglądał jak dwudziestoletni mężczyzna, ale naprawdę miał tyle lat, czytał jej książki.

Później, kiedy kazano mu zabijać, robił to z entuzjazmem, który obecnie wydawał się niepojęty. Zawahał się tylko raz,

kiedy młoda kobieta imieniem April, uważająca go za przyjaciela, wyjęła z plecaka książkę autorstwa Sparkle Sykes, tę,
którą czytał dużo wcześniej, i chciała mu pożyczyć. Zacytował
jej z pamięci całe ustępy. Była zachwycona, że w tak ponurych
okolicznościach znalazła kogoś, kto dzielił z nią miłość do tego
nieprzemijającego światła. Zlitował się nad nią i zabił ją szybko,
ciosem żelaznej sztaby w tył czaszki.

Bezdenna pamięć była jego największym przekleństwem, bo
w tej ciemnej wodzie, w tej mrocznej otchłani dryfowały ciała
April i tylu mężczyzn, kobiet i dzieci, nie tylko tych, których
zabił, ale wielu innych, którzy padli skoszeni wielkim ostrzem
potwornej historii. Teraz wegetował na dnie tego oceanu śmierci,
gdzie słaba żółtawa poświata niczego nie oświetlała, i nawet
kiedy czasami wychodził na słońce, ciągle czuł, że tonie.

W gabinecie Sparkle Sykes, gdzie swoim pisarstwem kształtowała świat, spędził znacznie mniej czasu, niż się spodziewał.
Ale uważał, że i tak dostał więcej, niż zasłużył. Rozpłynął się
i pokój rozpłynął się wokół niego.

15

Apartament 1-A

Winny nie chciał słuchać muzyki, kiedy czytał, bo muzyka przypominała mu o tacie, a tato właściwie nie pochwalał czytania. Chciał, żeby Winny odłożył książki i zajął się męskimi rzeczami, na przykład wstąpił do szkolnej drużyny zapaśniczej. Oczywiście w czwartej klasie nie było drużyny zapaśniczej. Z pewnością nie w szkole imienia Grace Lyman. Chociaż sama pani Lyman z łatwością mogłaby zdobyć stanowe mistrzostwo w zapasach, sądząc po jej ogromnym portrecie wiszącym w szkolnym holu. Tato chciał, żeby Winny szalał za piłką nożną, kick boxingiem, taekwondo i żeby uczył się grać na męskich instrumentach, takich jak gitara czy fortepian, ale broń Boże nie na flecie czy klarnecie. Winny nie wiedział, dlaczego tato uważa jedne instrumenty za męskie, a inne za niemęskie. Wiedział jednak, że gdyby włączył muzykę podczas czytania, wszystko jedno jaką, ciągle myślałby o ojcu i nie mógłby się skupić na książce.

Nie włączał również telewizji przy czytaniu, ale poprzedniego

111

dnia, w środę, telewizor w jego pokoju dwukrotnie sam się włączył na kanale sto szóstym, na którym miejscowa kablówka nie nadawała. Zamiast elektronicznej morki na ekranie pulsowały kręgi błękitnego światła, rozchodzące się od środka ku krawędziom.

Za pierwszym razem Winny, który jeszcze nigdy nie widział czegoś takiego, pomyślał, że telewizor się zepsuł. Próbował go wyłączyć, ale pilot nie działał. Ponieważ błękitne światło pulsowało bezgłośnie, Winny postanowił czytać dalej i zaczekać, aż telewizor sam się wyłączy.

Po dziesięciu minutach poczuł, że telewizor go obserwuje. No, nie telewizor, tylko ktoś używający odbiornika, żeby szpiegować ludzi. To się wydawało całkiem porąbane, coś takiego na pewno skończyłoby się dla niego wizytą u psychiatry, procesem o przyznanie opieki i nowym domem w Nashville z jego męskim, muzykalnym tatą.

Więc wyciągnął wtyczkę i ekran zgasł.

Później tego samego dnia, kiedy wrócił do pokoju, wtyczka znowu tkwiła w gniazdku. Na pewno zrobiła to pani Dorfman, gospodyni. Była dość miła, ale wszędzie wtykała nos. Przy sprzątaniu zawsze przesuwała rzeczy, na przykład ruchome figurki Winny'ego z *Dragon World*, które ustawiała tak, jak jej się podobało. Pracowała na pełny etat, ale z nimi nie mieszkała. Gdyby mieszkała, do tej pory na pewno wszystkie dywany byłyby wytarte od nieustannego odkurzania.

W każdym razie wczoraj wieczorem — w środę — telewizor znowu był podłączony do sieci. I kiedy Winny zasiadł do czytania, odbiornik wkrótce sam się włączył. Jak przedtem, ze środka ekranu rozchodziły się pulsujące kręgi światła. Przypominały Winny'emu obrazy wiązki sonaru na starych filmach o łodziach podwodnych, tyle że były niebieskie, a nie zielone. Znowu poczuł, że ktoś go obserwuje.

Potem spomiędzy tętniących świetlnych kręgów głęboki głos wymówił jedno słowo:

— *Chłopiec*.

Może to słowo przebiło się do pustego kanału z programu na sąsiednim kanale. Może to przypadek, że Winny był chłopcem i że telewizor, który jakby go obserwował, powiedział „chłopiec" zamiast na przykład „banan".

— *Chłopiec* — powtórzył telewizor i Winny znów wyciągnął wtyczkę.

W środową noc spał źle. Ciągle się budził w obawie, że telewizor pulsuje błękitnym światłem, chociaż jest odłączony od prądu.

Oczywiście w ten ponury czwartek, kiedy Winny był w szkole dla zapaśników imienia Grace Lyman, pani Dorfman znowu włożyła wtyczkę, kiedy sterylizowała jego pokój. Myślał, żeby ją wyciągnąć, zanim cokolwiek się stanie. Ale trochę go ciekawiło, o co tu chodzi. To było niesamowite, ale fascynujące, nie takie straszne, żeby dostać zawału albo zsikać się w majtki, tylko odrobinę straszne.

Więc jakieś pół godziny po tym, jak mama powiedziała: „Kocham cię, mój mały mężczyzno" i wyszła z pokoju, kiedy porywisty deszcz siekł w okno, to się stało. Kątem oka Winny zobaczył, że ekran telewizora pulsuje błękitnym światłem. Podniósł wzrok znad książki, a głos znowu powiedział:

— *Chłopiec*.

Winny nigdy nie wiedział, co odpowiedzieć ludziom, którzy

113

próbowali go wciągnąć w rozmowę. A już w ogóle nie miał pojęcia, jak się zwracać do telewizora, który go obserwował i przywitał tym jednym słowem, cokolwiek znaczyło.

— *Chłopiec* — powtórzył.

Gadanie do telewizora wydawało się trochę wariackie, jak gadanie do mebli. Winny odłożył książkę i zapytał:

— Kim jesteś?

Pytanie zabrzmiało głupio, ale nie mógł wymyślić nic mądrzejszego.

Głos był głęboki, ale jakiś bezbarwny, jakby ktoś odczytywał przez system nagłaśniający nudne ogłoszenie.

— *Chłopiec. Na górze. Pierwsze piętro. Zachodnie skrzydło.*

Telewizor informował chyba Winny'ego o jego miejscu pobytu w tym domu. Całkiem niepotrzebnie. Winny wiedział, gdzie jest. Jeśli jakiś facet obserwował go przez telewizor, to chyba prowadził konwersację jeszcze gorzej od niego.

Ale oczywiście nikt nie mógł go widzieć, bo telewizor działał tylko w jedną stronę. Odbierał, nie nadawał. W tym kryło się coś innego, jakaś mała tajemnica, którą Winny mógłby rozwiązać, gdyby trochę pomyślał. Nie był supermózgiem, ale nie był głupi, nawet w połowie tak głupi jak chłopcy z kilku książek, które czytał.

— *Chłopiec. Czarne włosy. Niebieskie oczy.*

Winny zerwał się z fotela.

— *Na górze. Pierwsze piętro. Zachodnie skrzydło.*

Czarne włosy, niebieskie oczy. Ktoś gdzieś go widział przez telewizor, na pewno. Mała tajemnica nagle zrobiła się wielka.

Winny'emu nie podobało się drżenie własnego głosu, kiedy zapytał:

— Czego chcesz?

— *Chłopiec. Czarne włosy. Niebieskie oczy. Na górze. Pierwsze piętro. Zachodnie skrzydło. Eksterminować. Eksterminować.*

Winny był drobny i niewysoki jak na swój wiek, nie miał jeszcze bicepsów, dlatego doszedł do wniosku, że jeśli chociaż raz okaże słabość, ludzie uznają go za ofermowatego mięczaka. Jak już raz pomyślą, że jesteś mięczakiem, nigdy tego nie odmyślą, chyba że uratujesz setkę dzieci z płonącego sierocińca albo rozbroisz terrorystę i zbijesz go na kwaśne jabłko. Winny nie urośnie taki duży, żeby kogoś zbić, jeszcze przez dziesięć lat, jeśli w ogóle. Nie znał żadnego sierocińca, a nawet gdyby znał, mógłby czekać na pożar przez resztę życia, chyba że sam podłożyłby ogień. Więc starał się nigdy nie zachowywać jak mięczak. Nigdy nie okazywał strachu na filmach grozy. Jeśli przypadkiem się skaleczył, nie płakał ani nie wzdragał się na widok krwi. Bał się robaków, tych wszystkich czułków i nóżek, więc zmuszał się, żeby brać do ręki żuki oraz inne obrzydliwe, ale nieszkodliwe stwory i dokładnie je oglądał.

Kiedy telewizor powiedział: „Eksterminować", wielu czwartoklasistów ze szkoły Grace Lyman wpadłoby w panikę. Co najmniej kilku uciekłoby w popłochu. Winny natomiast zachował spokój i poszedł — nie pobiegł — do ciepłej kuchni, gdzie pachniało cynamonem. Mama zaglądała przez szybkę w górnych drzwiczkach piekarnika.

— Lepiej chodź zobaczyć, co jest w moim telewizorze — powiedział Winny.

— Co takiego?

— Nie umiem wyjaśnić. Sama musisz zobaczyć.

Wskazując telewizor zawieszony nad szafkami obok lodówki, mama zaproponowała:

— Pokaż mi na tym, skarbie.

— To jest chyba tylko w moim telewizorze. Mój sam się włączył. Ten nie. Lepiej zobacz.

Wyszedł pospiesznie — ale nie biegł, jakby się przestraszył albo co — i usłyszał, że matka idzie za nim. Przypuszczał, że kiedy wejdą do pokoju, telewizor będzie wyłączony. Nie miałby żadnych dowodów i mama by mu nie uwierzyła... dopóki nie pojawiłby się szwadron śmierci, muskularne wytatuowane zbiry w czarnych mundurach z wielkimi karabinami. Ku jego zdziwieniu na ekranie wciąż pulsowały kręgi błękitnego światła.

— Jakiś obraz kontrolny — stwierdziła mama.

— Nie. To kanał sto szósty. Nic na nim nie nadają. I mówi.

Zanim zdążył wyjaśnić coś więcej, spoza błękitnego światła przemówił głęboki, bezbarwny głos:

— *Dorosła kobieta i chłopiec. Na górze. Pierwsze piętro. Zachodnie skrzydło. Eksterminować. Eksterminować.*

Matka zmarszczyła brwi.

— Co to za dowcip?

— To nie ja — zapewnił ją Winny.

— *Dorosła kobieta. Czarne włosy. Ciemnobrązowe oczy. Metr siedemdziesiąt.*

Matka wzięła pilota ze stołu obok fotela, ale nie działał. Nie mogła wyłączyć telewizora ani zmienić kanału.

— *Eksterminować. Eksterminować.*

Podchodząc do telewizora, mama zapytała:

— Czy to DVD?

— Nie. To... nie wiem, coś innego.

I tak sprawdziła odtwarzacz DVD.

— To już się zdarzało — dodał Winny. — Ale wcześniej mówił tylko „chłopiec".

— Kiedy wcześniej?

— Wczoraj dwa razy.

— Dlaczego mi nie powiedziałeś?

— Nie było o czym. Mówił tylko: „chłopiec".

— Ktoś ma chore poczucie humoru.

— Ale jak on nas widzi? — zastanawiał się Winny.

— Nie widzi.

— No, ale wie, jak wyglądamy.

— To nie znaczy, że ten czubek nas widzi. On po prostu wie, kim jesteśmy, kto tutaj mieszka. Ochrona się tym zajmie. Raz dwa wszystko wyjaśnimy. Zadzwonię do dyżurnego strażnika.

Wyciągnęła wtyczkę i ekran zgasł.

Przy wyłączonym telewizorze Winny poczuł się lepiej, matczyna pewność siebie dodała mu otuchy, ale nie na długo.

Kiedy mama odeszła od telewizora, zmieniła się ściana. Niskie szafki, nad nimi półki na książki — wszystko zafalowało. Transformacja zaczęła się pod sufitem i spływała w dół jak woda, która zmywa jedno i zostawia po sobie coś innego, jakby szafki, półki i książki nigdy nie były prawdziwe, jakby były tylko realistycznym malowidłem, które teraz się rozpuszczało. Widoczna ponad opadającymi falami nowa ściana nie miała żadnych półek i wcale nie wyglądała jak nowa. Była poplamiona i zatłuszczona, z odpadającym tynkiem, z płatami smolistej pleśni wyciągającymi czarne macki na wszystkie strony.

Mama cicho krzyknęła z zaskoczenia i uniosła rękę, jakby

117

chciała nakazać wstrzymanie zmiany, ale zmarszczki przebiegły po całej ścianie, wtargnęły na podłogę, zabrały lśniący mahoń i zostawiły brudne, porysowane deski, a potem zaczęły wyżerać dywan. Wszystko stało się tak szybko, że Winny i jego mama nawet nie zdążyli się zastanowić, czy sami nie znikną, dopóki dziwny przypływ nie dotarł do ich stóp.

Matka rzuciła się w tył i chwyciła Winny'ego za ramię, żeby pociągnąć go za sobą, ale zmarszczki załamały się niczym fale przyboju i spieniły wokół ich butów, rozpuściły dywan pod nogami, jednak ich samych nie tknęły. I niczym fala uderzająca o brzeg cofnęły się, zostawiając wszystko jak przedtem, miękki dywan i wypolerowany mahoń. Wspięły się po ścianie, odwracając transformację, której wcześniej dokonały, przywracając szafki, półki, książki i telewizor, jakby jakiś czarodziej rzucił zaklęcie przemiany, natychmiast tego pożałował i wypowiedział kontrzaklęcie, żeby naprawić wyrządzone szkody.

Zmarszczki znikły w miejscu złączenia ściany z sufitem. Nie wróciły. Może nigdy nie wrócą. Może już po wszystkim.

Serce Winny'ego galopowało, jakby finiszował w wyścigu. Nie mógł oddychać. Coś utkwiło mu głęboko w gardle. Przez chwilę myślał, że może pod wpływem szoku połknął język; czytał, że to się zdarza ludziom podczas ataków padaczki. Zakrztusił się tą myślą, ale nie językiem, który był na swoim miejscu.

Mama ciągle ściskała go za ramię. Trzymała mocno, jakby się bała, że odpłynie i utonie albo coś w tym stylu. Milczała przez chwilę i Winny też milczał, bo nie było sensu o tym gadać. Widzieli, co widzieli, ale nie mogli tego wytłumaczyć, bo to było kompletne szaleństwo, coś tak niemożliwego, że w pierwszej chwili zwalało z nóg i nie zostawiało miejsca na żadne inne myśli. Ale potem Winny przypomniał sobie kręgi błękitnego światła i głęboki głos, mówiący: „Eksterminować. Eksterminować". Mama widocznie też go sobie przypomniała, bo powiedziała:

— Chodź, idziemy. — I pociągnęła go do drzwi.

— Dokąd? — zapytał.

— Nie wiem... dokądkolwiek, byle stąd wyjść, byle wyjść z Pendletona.

Jedno

Dla was, ludzie wielkiej wiary, jestem wytworem waszej mądrości i gwarantem waszej nieśmiertelności.

Ta, która lęka się piorunów, napisała, że miasto to las budynków nieustannie wstrząsany burzą interesów, a jego mieszkańcy są jak owoce na gałęziach: jedni dojrzewają do doskonałości, inni więdną na drzewach, jeszcze inni spadają przedwcześnie, żeby zgnić na ziemi. Nauczę ją, że miasto nie ma w sobie nic ze szlachetnego lasu, że to ponury sad rozpaczy, gdzie na wykrzywionych, bezlistnych gałęziach wiszą tylko przegniłe owoce, robaczywe jabłka zwane ludzkością. Wpełznę do zakamarków jej umysłu i sprawię, że zrozumie marność swojego gatunku i zacznie błagać o śmierć, bo nie będzie już mogła znieść świadomości, że jest człowiekiem.

Pisze o doskonałych owocach, chociaż sama urodziła niedoskonałą córkę. Wyobraża sobie, że to upośledzone dziecko jest błogosławieństwem. Ten rodzaj szaleństwa jest typowy dla ludzi. Poważne błędy traktuje się jak zwykłe dziwactwa,

a *niedoskonałości rutynowo uznaje się za pożądane różnice,*
które wzbogacają gatunek.

Różnorodność nie jest przyprawą życia. Jest matką
nieporządku.

Indywidualność nie jest symbolem wolności. Jest esencją
dekadencji.

Wolność to niewola wobec chaosu. Jedność to pokój, kiedy
wszyscy myślą i działają jednakowo.

Wkrótce niedoskonała matka i jeszcze bardziej niedoskonała
córka staną się jednym, obrane z mięsnej indywidualności. Ich
duma, nadzieja i strach okażą się równie bezsensowne jak ich
życie.

Podobnie jak matka i córka, dwie starsze siostry dowiedzą
się, że pieniądze nie kupią bezpieczeństwa, że żadne ludzkie
osiągnięcia nie mają znaczenia, że liczy się tylko Ziemia, nie
robactwo jak one, ale Ziemia w całej swojej chwale.

Pod płaszczem planety grubym na 2700 kilometrów znajduje
się jądro zewnętrzne o grubości około 2250 kilometrów, morze
roztopionego niklu i żelaza. Zawirowania w tym morzu generują
ziemskie pole magnetyczne. Ekspresje tego pola, migoczące
błękitnie w nocy i widoczne nawet w pochmurny dzień, skłoniły
Indian do osiedlenia się na Wzgórzu Cieni. Co trzydzieści osiem
lat głębokie prądy konwekcyjne w tym oceanie płynnego metalu
wytwarzają wyjątkowo silną falę pływową energii. Uskok
czasoprzestrzenny, na którym zbudowano Pendletona, jest jak
zapadnia, przez większość czasu zamknięta na sprężynowy
zatrzask. Lecz tsunami magnetycznej energii otwierało ją
przedtem i wkrótce otworzy ją znowu.

Czekam na tę chwilę.

16

Topper's

Po drugiej stronie ulicy Cieni, kilkadziesiąt metrów w dół od Pendletona, restauracja Topper's oferowała doskonałe steki w eleganckim czarno-białym wnętrzu w stylu art déco z mnóstwem rytowanego szkła i nierdzewnej stali. Kelnerzy nosili czarno-białe stroje i jedyny kolorowy akcent stanowiły porcelana — podróbka Tiffany'ego — oraz dekoracyjnie podawane potrawy.

W przyległym barze Silas Kinsley siedział w boksie przy stoliku pod oknem. Tutaj nastrojowe światła, jeszcze bardziej przyćmione i zręczniej rozmieszczone niż w restauracji, zacierały kontury przedmiotów i dodawały blasku każdej gładkiej powierzchni.

Często przychodzili tu z Norą na steki, czasem tylko na drinka. Przez pierwszy rok po jej śmierci nie zajrzał do żadnego miejsca, które razem odwiedzali, przekonany, że obudzone wspomnienia okażą się zbyt bolesne. Teraz chodził właściwie tylko tam, gdzie często bywali, bo wspomnienia podtrzymywały go na duchu. Im więcej czasu minęło od śmierci żony, tym bliższy jej się czuł, co pewnie znaczyło, że sam szybko zbliża się do śmierci, która znowu ich połączy.

Chociaż biura dopiero zamykano, przy barze gromadził się już tłum urzędników, szukających schronienia chyba nie tylko przed burzą i odprężenia chyba nie tylko po pracy. Wprawdzie Silas od wielu lat nie prowadził praktyki, pozostał jednak wyczulony na pewne zdradliwe szczegóły, mogące potwierdzić lub obalić zeznanie. W obecnej fatalnej sytuacji ekonomicznej, w tych czasach gwałtownych zmian i codziennej irracjonalnej przemocy, liczne subtelne cechy stylu i zachowania klientów sugerowały, że wybrali Topper's, ponieważ pragnęli uciec nie tylko od kłopotów w pracy, ale również od swojej epoki. Z głośników leciała bigbandowa muzyka, Glenn Miller, Benny Goodman i Artie Shaw. Ulubionymi drinkami były martini, gin z tonikiem i koktajl Singapore Sling, od których szumiało w głowie jak w latach trzydziestych, zamiast słabego białego wina i niskokalorycznego piwa, symboli tej bezradosnej epoki i obsesji na punkcie zdrowia. Wbrew zakazom niektórzy nawet palili papierosy, przyniósłszy własne popielniczki, tak jak w czasach prohibicji ludzie popijali z butelek ukrytych w papierowych torbach, i ani obsługa, ani inni klienci nie protestowali. W powietrzu wyczuwało się atmosferę buntu, wyraźną jak muzyka, chociaż wielu zapewne nie bardzo wiedziało, przeciwko czemu próbują się buntować.

Przez okno w swoim boksie, wychodzące na wschód, Silas widział wyżej w strumieniach deszczu światła Pendletona. Naprzeciwko niego siedział Perry Kyser, dawniej kierownik robót w firmie budowlanej, która w 1973 roku przerabiała

Belle Vista na Pendletona. Kyser właśnie dostał zamówione martini i zamierzał rozkoszować się pierwszym łykiem, zanim opowie swoją historię.

Był wielkim mężczyzną, który nie roztył się z wiekiem. Pomimo łysiny i śnieżnobiałych wąsów sprawiał wrażenie, jakby nadal mógł wykonywać każdą pracę na budowie. On i Silas byli dużo starsi od pozostałych gości i tylko oni dwaj pamiętali jeszcze z dzieciństwa bigbandowy swing, wtedy najmodniejszą muzykę taneczną, nadawaną na okrągło przez radio.

Perry Kyser miał syna, Gordona Kysera, który w latach osiemdziesiątych i dziewięćdziesiątych był prawnikiem w firmie Kinsley, Beckinsale, Gunther i Fortis — dużo wcześniej, zanim Silas odszedł na emeryturę, stracił żonę, przeprowadził się do obecnego mieszkania i dostał obsesji na punkcie historii budynku. W czasach, kiedy był starszym partnerem Gordona, nigdy nie spotkał Perry'ego Kysera, ale znajomość z synem wystarczyła, żeby ojciec zgodził się porozmawiać o pewnych przeżyciach, których dotąd nie wyjawił nikomu.

Pogawędzili przez chwilę o Gordonie, pogodzie i starości, i po drugim łyku martini Perry Kyser przeszedł do tematu ich spotkania.

— Przy renowacji starych budynków... szkół, teatrów, wielkich domów, takich jak Pendleton... wiadomo, że w przeszłości ludzie tam umierali. Zwykle to nie były morderstwa. Raczej wypadki, ataki serca, takie rzeczy. A w dużej ekipie zawsze znajdzie się paru gości, którzy lubią historie o duchach. Nie wymyślają ich, tego nie mówię, ale jeśli na budowie krążą jakieś plotki, ci faceci je znają i opowiadają je na przerwach, podczas lunchu. W takiej atmosferze, kiedy coś się stanie, nikt nie pomyśli o innym wyjaśnieniu, wtedy każdy drobiazg, każda dziwna rzecz nabiera większego znaczenia, niż powinna. Nawet rozsądni ludzie wyobrażają sobie, że widzą duchy... i naprawdę w to wierzą. Wie pan, o co mi chodzi?

— Siła sugestii — przyznał Silas.

— Właśnie. Ale Pendleton był inny. Tam naprawdę coś się stało w siedemdziesiątym trzecim, koniec listopada, pierwszy grudnia. Straciłem najlepszego cieślę, rzucił robotę, bo coś zobaczył, nawet nie chciał o tym mówić, po prostu się zwolnił. Inni z ekipy, solidni fachowcy, twierdzili, że widzieli ludzi--cienie, tak je nazywali. Ciemne sylwetki przecinające pokój, przemykające korytarzem, nawet przechodzące przez ściany, szybkie jak koty, niemal nieuchwytne dla oka.

— A pan je widział?

— Nie. Ja nie. — Kyser obejrzał się na innych klientów, zawahał się, jakby chciał się rozmyślić i przerwać rozmowę. — Nie ludzi-cienie.

Silas nacisnął:

— Powiedział pan: „koniec listopada, pierwszy grudnia". Pamięta pan dokładnie, jak długo trwały te zjawiska?

— O ile wiem, zaczęły się dwudziestego dziewiątego listopada, w czwartek. Ostatni był chyba pierwszy grudnia. Jakoś pana nie dziwi to gadanie o nawiedzonym domu.

— Nie wierzę, że jest nawiedzony, ale jak panu mówiłem przez telefon, tam jest coś dziwnego. Zdaje się, że co trzydzieści osiem lat w Pendletonie dzieją się straszne rzeczy.

— Zebrał pan informacje, poświęcił pan tyle godzin... Dlaczego?

Silas zawahał się, wzruszył ramionami.

— Nie mam nic innego do roboty.

— Emerytura jest do bani, co? — Lekki cień sarkazmu sugerował, że Kyser nie wierzy w szczerość tej odpowiedzi i chce usłyszeć lepszą, zanim powie więcej.

— Faktycznie. Odkąd straciłem żonę, tylko to jedno mnie zainteresowało. Zwykłe rozrywki... telewizja, filmy, książki, muzyka... wydają się nic niewarte. Może to też jest nic niewarte. Może nic nie ma wartości. Ale tylko to mam.

Kyser zastanawiał się przez chwilę nad tymi słowami i kiwnął głową.

— Ja wciąż mam Jenny. Ale gdybym jej nie miał, pewnie chciałbym się czymś zająć.

Znów przyjrzał się ludziom w barze, jakby spodziewał się zobaczyć kogoś znajomego.

Wracając do przedmiotu spotkania, Silas powiedział:

— Mówił pan, że te zjawiska trwały od czwartku dwudziestego dziewiątego listopada do pierwszego grudnia. To była sobota. Pracujecie w soboty?

Kyser przeniósł uwagę z tłumu zebranego w barze na swoje martini. Wpatrywał się w nie, jakby z krystalicznie czystego trunku potrafił wyczytać przyszłość.

— Przez pierwsze dwanaście miesięcy pracowaliśmy całą dużą ekipą sześć dni w tygodniu, żeby dotrzymać terminu. Ale pod koniec siedemdziesiątego trzeciego przeszliśmy na pięciodniowy tydzień pracy przy wykończeniówce. Byłem tam w sobotę rano, żeby sporządzić listę usterek, setki drobnych detali, które musieliśmy poprawić, żeby zdać budowę przed świętami.

Za oknami strumienie wody wylewały się z rynsztoków

i spływały po lśniącym asfalcie. Ulica Cieni wznosiła się niczym wielka sztormowa fala na nocnym morzu, a na szczycie królował Pendleton, już nie dostojny i przyjazny jak przedtem, tylko złowieszczy niczym ogromny okręt wojenny z potężnymi działami gotowymi do walki.

— Nasz szef ekipy malarskiej, Ricky Neems, też tam był w tamtą sobotę, sporządzał własną listę na górze. Z powodu tego... — zawahał się — no, tego, co się stało, wyszedłem wcześniej i nie skończyłem swojej listy. Ricky... już nigdy go nie zobaczyliśmy. Dobry malarz, najlepszy, ale kilka razy do roku wpadał w ciąg, zaczynał ostro balować i znikał na trzy dni. Po powrocie zawsze się tłumaczył, że miał grypę albo coś takiego, ale my znaliśmy prawdę. Zwykle był trzeźwy i na trzeźwo był takim porządnym facetem, że przymykaliśmy oko na jego wyskoki. Ale Ricky nie wrócił po tej sobocie. Nikt go więcej nie widział. Policja przyjęła zgłoszenie o zaginięciu, ale uważali, że się upił, nadepnął na odcisk nie temu facetowi, ktoś go załatwił i pozbył się zwłok. Ja wiedziałem co innego. Albo tak mi się wydawało. Moim zdaniem oni się nie wysilali przy szukaniu Ricky'ego, skoro nie miał rodziny, która żądałaby wyników. Ale nawet gdyby naprawdę się przyłożyli, mogli go nie znaleźć... Myślę, że Ricky został porwany i przeniesiony ciałem i duszą do piekła albo jakiegoś podobnego miejsca.

Taka potępieńcza deklaracja niezbyt pasowała do kierownika robót, który przez całe życie pracował fizycznie i budował na solidnych fundamentach. Perry znowu zamilkł. Popijał martini i przyglądał się ludziom przy barze, unikając wzroku Silasa.

Podczas przesłuchania w sądzie dobry prawnik potrafi wyczuć chwilę, kiedy następne pytanie może zamknąć świadkowi usta, kiedy potrzebna jest cisza i cierpliwość, żeby wydobyć tkwiący głęboko odprysk prawdy. Silas czekał.

Wreszcie Perry Kyser spojrzał prawnikowi w oczy, śmiało, zdecydowanie i trochę wyzywająco, jakby spodziewał się sceptycyzmu, ale zamierzał sprawić, żeby mu uwierzono.

— Tak czy owak, tamtej soboty jestem w suterenie, gdzie miała powstać sala gimnastyczna, i odhaczam pozycje na liście. Spod budynku dochodzi hałas, jakby werbel na kotłach. Potem narasta do grzmotu, podłoga wibruje. Trzęsienie ziemi, myślę, więc wychodzę na korytarz... a korytarz wygląda inaczej, nie taki czysty i jasny, jaki zrobiliśmy, tylko brudny, wilgotny, zapleśniały. Połowa lamp w suficie nie działa. Pleśń na ścianach, na suficie, czarna pleśń i kilka plam jaskrawożółtych, świecących jaśniej od lamp. Na obu końcach korytarza ekrany wideo podwieszone pod sufitem, na ekranach pulsują kręgi błękitnego światła. Płytki w podłodze miejscami popękały. Od dawna nie robiono remontu. To nie ma sensu. Więc myślę, że to przeze mnie, coś ze mną nie tak, mam halucynacje, przywidzenia. Potem widzę tego... tego stwora. To nie żadna gra cieni, Silasie. Powiesz, że go wymyśliłem, ale był równie prawdziwy jak ty.

— Przez telefon mówiłeś, że nigdy nikomu o tym nie opowiadałeś.

— Nigdy. Nie chciałem, żeby ludzie patrzyli na mnie w ten sposób, no wiesz, jak na faceta, który twierdzi, że porwało go UFO.

— Z mojego punktu widzenia, Perry, zasługujesz na to, żeby ci uwierzyć, tym bardziej że milczałeś przez te wszystkie lata.

Kyser jednym haustem dopił martini.

— No więc... stoję na jednym końcu korytarza, przed salą gimnastyczną. Ten stwór jest w połowie drogi, obok drzwi do węzła grzewczo-chłodzącego. Jest duży. Duży jak ja. Większy. Blady jak larwa, trochę przypomina robaka, ale nie całkiem, bo trochę przypomina też pająka, ale to nie pająk, jest zbyt mięsisty jak na pająka. Myślę: kto mi wrzucił te prochy do termosu z kawą? Nic na ziemi tak nie wygląda. Oddalał się w stronę pomieszczenia ochrony, ale kiedy mnie usłyszał albo zwęszył, odwraca się do mnie. Wygląda tak, jakby potrafił szybko się ruszać, ale może nie potrafi, bo się nie rusza.

Zważywszy na historię budynku i dziwaczne fragmenty dziennika Andrew Pendletona, Silas spodziewał się, że Kyser opowie mu o jakichś niezwykłych przeżyciach, o których napomknął przez telefon. Ale nie wyobrażał sobie, że usłyszy coś tak niesamowitego.

Perry Kyser nadal patrzył Silasowi w oczy i wydawał się nieustannie szukać na jego twarzy oznak niedowierzania.

Intuicja prawnika podpowiedziała Silasowi, że ten człowiek nie kłamie, że nie potrafiłby skłamać, nie w tej sprawie, może w żadnej ważnej kwestii.

— Z niebieskich ckranów odzywa się głos. „Eksterminować", mówi. „Eksterminować". Stwór rusza w moją stronę. Teraz widzę, jaki jest guzowaty, jak żadne zwierzę, guzowate ciało, blada skóra. I wilgotny, może spocony, taka mleczna wilgoć, sam nie wiem. Coś w rodzaju głowy, bez oczu, właściwie bez twarzy. Wzdłuż szyi jakby rząd skrzeli, ale żadnych ust. Cofam się w stronę północnych schodów i słyszę, jak mówię bardzo szybko: ...*który stworzył wszystko, co dobre, i zasługuje na całą moją miłość*..., więc jestem w połowie aktu skruchy, chociaż nawet nie zauważyłem, że go odmawiam. Wiem, że umrę. Kiedy wchodzę tyłem w drzwi prowadzące na

129

klatkę schodową i kończę akt skruchy, ten stwór... przemawia do mnie.

Zdumiony Silas zapytał:

— Przemówił? Po angielsku?

— Nie miał ust, ale przemówił. Taka rozpacz w tym głosie. Nie potrafię przekazać tej rozpaczy, cierpienia. Powiedział: „Pomóż mi. Na litość boską, niech ktoś mi pomoże". Głosem Ricky'ego Neemsa. Tego malarza, który wtedy powinien być na drugim piętrze i sporządzać własną listę usterek. Nie wiem, czy to naprawdę Ricky, czy ten stwór udaje Ricky'ego. Czy ten stwór jest w jakiś sposób Rickym? Jak to możliwe? Przez całe życie... nigdy nie byłem tchórzem. Po Korei, po wojnie już nie miałem się czego bać.

Kelnerka zatrzymała się przy ich stoliku, żeby zapytać, czy życzą sobie jeszcze drinka. Silas potrzebował następnej kolejki, ale nie chciał więcej pić. Perry też odmówił.

— Ja też walczyłem w Korei — powiedział Silas. — Żyjąc z tym strachem dzień po dniu, w końcu człowiek się uodparnia.

— Ale w Korei nigdy się tak nie bałem jak w tym korytarzu w suterenie, Silasie. Osłabłem ze strachu. Jedna ręka na klamce, nie mogę jej przekręcić. Nogi się pode mną uginają. Nie upadłem tylko dlatego, że opieram się o drzwi. Potem wszystko się zmienia. Robi się jaśniej. Brudna podłoga, pleśń, błękitne ekrany, wszystko, co nie pasuje, znika. Korytarz znowu wygląda jak należy, czysty i jasny... staje się realny. A stwór idący do mnie też się rozpływa, jakby to wszystko mi się przyśniło. Ale ja nie śnię. To nie był sen. Coś na pewno, ale nie sen.

Perry przez chwilę wpatrywał się w deszcz za oknem, zanim podjął:

— Potem idę na górę poszukać Ricky'ego i on tam jest, cały i zdrowy. Słyszał ten grzmot jakby kotłów, ale nic mu się nie stało. Nie wiedziałem, jak mu powiedzieć o tym, co mnie spotkało, żeby nie wyjść na czubka. Ale powinienem był mu powiedzieć. Powinienem był go stamtąd wyciągnąć, przekonać, żeby zrobił listę w poniedziałek. Próbowałem go namówić, żeby skończył na dzisiaj, ale nie chciał, więc go zostawiłem na śmierć.

— Nieprawda. Nie mogłeś wiedzieć. Kto mógł wiedzieć?

— Następnego dnia, w niedzielę, poszedłem do kościoła. Od dawna nie chodziłem. Nagle poczułem potrzebę. W poniedziałek przyszedłem do pracy z pistoletem pod kurtką. Nie myślałem, że pistolet załatwi sprawę, ale zawsze to coś. Tylko że... to był koniec. Żadnych więcej ludzi-cieni, żadnych zmian, jakie przedtem widziałem. Może wszystko stało się w sobotę i tylko Ricky Neems to widział. W ciągu następnego miesiąca skończyliśmy robotę.

Prawa dłoń Silasa zrobiła się zimna i mokra od wilgoci skroplonej na szklance whisky. Osuszył palce serwetką.

— Jakieś teorie?

Perry Kyser pokręcił głową.

— Tylko to, co mówiłem wcześniej. Przez chwilę widziałem piekło. To spotkanie mnie zmieniło. Częsta spowiedź i regularna komunia nagle zaczęły do mnie przemawiać.

— I nie powiedziałeś żonie, synowi?

— Pomyślałem sobie... jeśli pokazano mi piekło, to dlatego, że potrzebowałem wstrząsu. Żeby się zmienić. Zmieniłem się, ale nie miałem odwagi powiedzieć żonie, dlaczego to było konieczne. Rozumiesz?

— Tak — mruknął Silas. — Nic nie wiem o piekle. W tej chwili wydaje mi się, że w ogóle nic nie wiem.

Wróciła kelnerka i zostawiła na stole rachunek.

Kiedy Silas obliczał napiwek i wyjmował pieniądze z portfela, Perry znowu przyjrzał się klienteli przy barze.

— Co z nimi jest nie tak?

— Ty też to wyczuwasz? — spytał zdziwiony Silas.

— Coś wyczuwam. Nie wiem dokładnie. Ile oni mają... dwadzieścia, trzydzieści lat? Jak na swój wiek za bardzo się starają.

— O co?

— O to, żeby się wyluzować. Młodzi powinni mieć naturalny luz. A ci wydają się jacyś... niespokojni.

— Myślę — powiedział Silas — że przyszli tutaj dla muzyki, dla wystroju, dla atmosfery, bo chcą uciec do bezpiecznych czasów.

— Nigdy nie było takich czasów.

— Bezpieczniejszych — poprawił się Silas. — Do bezpieczniejszych czasów.

— Lata trzydzieste? Zbliżała się wojna.

— Ale się skończyła. Teraz... może nigdy się nie skończy.

Wciąż skupiony na tłumie przy barze, Perry powiedział:

— Myślałem, że to dlatego, że się starzeję.

— Co dlatego?

— To uczucie, że wszystko się rozpada. Raczej że wszystko się wali. Czasem mam takie koszmary.

Silas odłożył portfel.

— Wszystko zburzone — ciągnął Perry — każdy zdany na siebie. Gorzej. Wszyscy przeciw wszystkim.

Silas wyjrzał na ulicę Cieni, gdzie Pendleton wznosił się w strumieniach deszczu.

— Wszyscy przeciw wszystkim — powtórzył Perry. — Morderstwa, samobójstwa, wszędzie, dzień i noc, bez przerwy.

— To tylko koszmarne sny — pocieszył go Silas.

— Może. — Perry popatrzył na niego. — I co teraz?

— Wrócę do domu, usiądę i trochę pomyślę.

— Do domu — zgodził się Perry. — Ale ja spróbuję nie myśleć.

— Dziękuję za szczerość i poświęcony mi czas.

Wychodząc z boksu, wielki mężczyzna powiedział:

— Myślałem, że kiedy wreszcie o tym opowiem, przestanę się bać. Ale nie pomogło.

Gwar w barze wydawał się głośniejszy, nerwowy, śmiech brzmiał piskliwie.

W małym holu, kiedy czekali przy kontuarze szatni, Perry zapytał:

— Masz dzieci?

— Nie.

— My mamy dzieci, wnuki, prawnuki.

— Samo to powinno ci pomóc.

— Odwrotnie. Na starość zrozumiałem, że nie mogę ich ochronić. Przed najgorszym. Właściwie przed niczym.

Silas zaprotestował, kiedy Perry nalegał, że zapłaci szatniarce za nich obu.

Na zewnątrz, pod daszkiem, w zimnym wietrze naciągnęli na głowy kaptury płaszczy przeciwdeszczowych. Podali sobie ręce. Perry Kyser odszedł w dół ulicy. Silas ruszył pod górę, w stronę Pendletona.

17

Apartament 2-D

W sypialni senatora Earla Blandona, gdzie ponura wizja rozkładu i opuszczenia na chwilę przesłoniła luksus i porządek, Logan Spangler odwrócił się z dłonią na rękojeści pistoletu w obrotowej kaburze, szukając źródła syku. Ten dźwięk, chociaż krótki, brzmiał złowieszczo i wyzywająco, kojarzył się z wężami, wielkimi kotami z dżungli i nienazwanymi stworami z koszmarnych snów.

Logan dostrzegł jakąś postać, wysoką, chudą i szybką, zaledwie sylwetkę, ale z pewnością nienależącą do senatora, która błyskawicznie wypadła na korytarz. W ciągu tego ułamka chwili nie zdołał określić, czy to mężczyzna, czy kobieta — ale doznał przedziwnego wrażenia, że ani jedno, ani drugie, chociaż stwór poruszał się w pozycji wyprostowanej, nie na czterech łapach jak zwierzę.

Lata pracy w policji przyzwyczaiły Logana do odpowiedzialnego obchodzenia się z bronią. Nigdy nie wyciągał pistoletu w sytuacji potencjalnego zagrożenia, chyba że ten potencjał przerodził się w wysokie prawdopodobieństwo. Jak już się wyjmie broń, łatwiej jej użyć, i nie zawsze tak rozważnie, jak by należało. Logan polegał na swoich zawodowych umiejętnościach, lecz ani na chwilę nie zapominał, że jest tylko człowiekiem i może popełnić niejeden głupi błąd. Podchodząc do drzwi, trzymał dłoń na rękojeści czterdziestkipiątki.

Nikt nie czekał w korytarzu. Na drugim końcu, za łukowym wejściem otwierał się salon. Bliżej, po prawej stronie, znajdowały się drzwi do gabinetu; po lewej jedne drzwi prowadziły do pokoju gościnnego z łazienką, a drugie do toalety. Wszystkie te pomieszczenia Logan już wcześniej sprawdził, szukając senatora.

Na progu przystanął i nadsłuchiwał. Po niebie przetoczył się potężny grzmot, stłumiony, ponieważ korytarz nie miał okien. Grzmiący huk dotarł do horyzontu i ucichł w oddali, i znowu zapadła głęboka cisza, w której Logan wyczuwał coś groźnego.

Najpierw zajrzał do pokoju gościnnego po lewej stronie, stamtąd do przyległej łazienki, gdzie wszystko wyglądało normalnie. Wcześniej otworzył drzwi garderoby i zobaczył, że w środku nikt się nie zaczaił.

Gabinet, położony dokładnie naprzeciwko pokoju gościnnego, również był pusty. Logan nawet nie przekroczył progu. Za wysokimi oknami na dużym dziedzińcu paliły się lampy ogrodowe i podświetlały srebrzyste płachty deszczu falujące na wietrze, przypominające wystrzępiony całun upiora, który przycupnął na parapecie i próbuje wejść do środka.

Logan odwrócił się i przeszedł na ukos przez korytarz do drzwi toalety, uchylonych na parę centymetrów. Pamiętał, że zostawił je otwarte na oścież, ale może się mylił. Przez wąską szparę między drzwiami a framugą sączyło się światło — nie takie, jak powinno, lecz słabsze i bardziej żółte niż poprzednio. Cisza po burzy jeszcze bardziej się pogłębiła, ocean ciszy, w którym nie pływał żaden dźwięk. Złowroga cisza, zapowiedź przemocy, przytłaczała Logana martwym ciężarem.

Lewą ręką wyłuskał ze służbowego pasa małą puszkę gazu pieprzowego w aerozolu.

Pchnął stopą drzwi, które uchyliły się do środka. Toaleta nie wyglądała jak przedtem. Dwie lampy wpuszczone w podwieszany sufit nad umywalką nie działały, z gniazdka po jednej zwieszała się oprawka na kablu. Jedyne oświetlenie stanowił półmetrowej średnicy dysk o nieregularnych krawędziach na suficie, przedtem go nie było. Czuło się tu wilgoć, zapach pleśni.

Część ściany na lewo od drzwi i całą tylną ścianę, najgęściej nad sedesem, porastał grzyb dwóch rodzajów, z których żadnego Logan dotąd nie widział. Od podłogi do sufitu ciągnęły się rząd za rzędem serpentynowe zwoje, grube jak ogrodowe węże, wtulone w siebie niczym zmysłowa rzeźba, bladozielone, tu i tam nakrapiane czernią. W kilku miejscach spomiędzy tych miękko dopasowanych splotów sterczały kępki grzybów tej samej barwy, na krótkich, grubych łodygach. Średnica kapeluszy wahała się od siedmiu do jakichś piętnastu centymetrów, każdy miał na czubku pomarszczoną narośl.

Podobnie jak sypialnia zmieniła się wokół Logana, również to małe pomieszczenie pod jego nieobecność przeszło transformację. Logan nie wątpił w swoją poczytalność ani w świadectwo własnych oczu. Ku własnemu zdziwieniu łatwo pogodził się z myślą, że w tym miejscu i czasie niemożliwe staje się możliwe. Zamierzał wyjaśnić naturę tych zjawisk z taką samą determinacją, z jaką rozwiązywał każdą przydzieloną mu sprawę morderstwa.

Zanim toaleta zdążyła powrócić do poprzedniego stanu, wsunął spray do uchwytu przy pasku i wyjął małą latarkę. Przesuwając czystym białym promieniem diodowego światła po grzybach, przekroczył próg.

18

Apartament C

Wcześniej, zanim Sally Hollander zobaczyła demona w kredensie, przygotowała obiad dla Marthy i Edny. Teraz chciała już wyjść. Jedzenie było w lodówce, wystarczyło tylko podgrzać. Ten stwór — czy upiór, wszystko jedno — którego widziała, może nie ograniczał się do nawiedzania apartamentu sióstr Cupp. Mógł ją ścigać, choćby uciekała przed nim na koniec świata. Niemniej we własnym mieszkaniu poczułaby się lepiej. Jeśli będzie miała czas przemyśleć to, co widziała, bez wyjaśnień Edny, coraz bardziej fantastycznych i wydumanych, może opanuje nerwy na tyle, że odważy się wrócić rano do pracy.

Bailey Hawks zaproponował, że odprowadzi ją do jej mieszkania na tyłach Pendletona, w północnym skrzydle na parterze. Ten lokal też należał do sióstr Cupp i Sally mieszkała tam za darmo. Dobrze się nią opiekowały i nie wyobrażała sobie, co by bez nich zrobiła. Dlatego musiała w ciszy i spokoju dojść do ładu z tym, co ją spotkało.

Sally nie była mimozą. Przeżyła gorsze rzeczy niż upiór w kredensie. Ale przyjęła ofertę Baileya z ulgą i wdzięcznością. W windzie zjeżdżającej z drugiego piętra nie wspomnieli ani słowem o jej przygodzie, tylko z jednakową sympatią rozmawiali o siostrach Cupp. Byli prawie w tym samym wieku i zawsze czuli się ze sobą swobodnie, jak starzy przyjaciele. Sally lubiła Baileya i sądziła, że on też ją lubi.

Czasami zastanawiała się, czy mogłoby ich coś łączyć, ale przejmowanie inicjatywy nie leżało w jej naturze. Nie była nieśmiała, chociaż niezbyt przebojowa, co sama przyznawała. Ponieważ jednak siostry Cupp były klientkami Baileya, pewnie uważał, że nie wypada mu z nią romansować.

No i dobrze. Romanse nie wyszły jej na zdrowie i przez dwadzieścia lat doskonale się bez nich obywała. Zakochać się to jak spaść z wysokiego brzegu nie do wody, tylko na ostre kamienie.

Była raz zamężna. Jej mąż Vince był muzykiem, gitarzystą w kapeli, która grała w nocnych klubach i na prywatnych przyjęciach. Czasami Vince zaczynał pić podczas przerw, po występie nadal wlewał w siebie swoją ulubioną truciznę i przychodził do domu nawalony. Chciał seksu, ale po pijaku nie dawał rady, więc we frustracji przechodził do tego, co nazywał „drugą najlepszą rzeczą", czyli do fizycznego i emocjonalnego znęcania się na dobranoc.

Za pierwszym razem ją zaskoczył. Złapał ją pełną garścią za włosy, szarpnął tak mocno, że łzy stanęły jej w oczach, i wymierzył parę bolesnych policzków, przypierając ją do ściany w kącie pokoju, aż myślała, że pęknie jej kręgosłup. Bił ją i obrzucał najbardziej plugawymi wyzwiskami, żeby oprócz bólu odczuwała też upokorzenie. Była tak oszołomiona i zaszokowana, że się nie broniła.

Ze wstydem wspominała, jak na początku myślała, że widocznie czymś sobie zasłużyła, że to w połowie jej wina. Trzeźwy Vince, łagodny muzyk o cichym głosie, nie miał żadnych wad oprócz zazdrości, za którą często przepraszał; ale pijany zmieniał się w pana Hyde'a na sterydach i nie przepraszał za nic. Za drugim razem stawiała opór i przekonała się, że Vince jest znacznie silniejszy, niż przypuszczała, i że opór tylko go rozjuszył. Teraz okładał ją pięściami i upajał się przemocą. Kiedy skończył i leżała u jego stóp, zakrwawiona i posiniaczona, powiedział: „Szkoda, że nie zostałem perkusistą, świetne rytmy potrafię wybijać na skórze". Zagroził, że ją zabije, jeśli od niego odejdzie.

W końcu uciekła od Vince'a, rozwiodła się z nim i zaczęła nowe życie. Siostry Cupp nie tylko dobrze jej płaciły, ale również zapewniły namiastkę rodziny. W ciągu zaledwie paru miesięcy Sally przeszła drogę od czarnej rozpaczy do zadowolenia, od pogardy do szacunku dla siebie — taka długa podróż w takim krótkim czasie — dlatego zawsze pamiętała, że życie może zmienić się na gorsze równie nagle, jak zmieniło się na lepsze.

Przy drzwiach mieszkania, kiedy Sally obróciła klucz w zamku, Bailey powiedział:

— Może poczujesz się lepiej, jeśli wejdę z tobą sprawdzić, czy... wszystko w porządku?

Po tym pytaniu przypomniała sobie, jak poważnie słuchał jej opowieści w kuchni sióstr Cupp, bez cienia wątpliwości, bez śladu niedowierzania czy rozbawienia. Teraz zauważyła w nim napięcie, którego wcześniej nie dostrzegała, źle ukrywaną ostrożność, kiedy wchodzili do westybulu, jakby skrycie podejrzewał, że w tej najbezpieczniejszej z rezydencji coś im grozi.

Sally oczywiście nie była taka głupia, żeby uwierzyć, że to jej historyjka o demonie w kredensie przekonała solidnego doradcę inwestycyjnego i byłego komandosa o istnieniu złych mocy. Jeśli zachowywał czujność, to dlatego, że sam miał podobne przeżycia, które jej opowieść tylko potwierdziła.

— To miło z twojej strony, Bailey. I chętnie skorzystam. Jestem jeszcze trochę... roztrzęsiona.

W jej mieszkaniu subtelnie przejął prowadzenie, trzymał się blisko niej, przeprowadzał ją przez pokoje, manewrując w dziwny sposób, zapewne stosując strategię, której nauczył się w wojsku. Sprawiał wrażenie, że nie traktuje tego przeszukania poważnie, odgrywał raczej życzliwego sąsiada, bardziej zaniepokojonego stanem jej ducha niż jakimś realnym niebezpieczeństwem, Sally jednak widziała, jak skrupulatnie wykonywał swoje zadanie.

Zapalał nie tylko górne światła, ale również jedną lampę za drugą, i kiedy w ostatnim pokoju nie znaleźli intruza, powiedział:

— Może zostawisz zapalone światła, dopóki nie wrócisz do równowagi i nie poczujesz się bezpieczna. Na twoim miejscu tak bym zrobił, to całkowicie naturalne.

W westybulu, kiedy Bailey kładł rękę na klamce, Sally zapytała:

— A co ty widziałeś?

Popatrzył na nią, jakby chciał odpowiedzieć, że nie rozumie, ale potem twarz mu się zmieniła.

— Nie to, co ty. Ale coś... dziwnego. Ciągle o tym myślę, próbuję to rozgryźć. Słuchaj, na pewno chcesz tu zostać sama? Martha i Edna z radością przyjmą cię na noc do pokoju gościnnego.

— Wiem. Ale mieszkam tu prawie dwadzieścia lat. Jeśli tutaj nie jestem bezpieczna, to chyba nigdzie. Tu są wszystkie moje rzeczy, najlepsze wspomnienia. W tej chwili najbardziej chcę poczuć, że wszystko jest normalne, zwyczajne, takie jak powinno. Dam sobie radę. Nic mi nie będzie.

Kiwnął głową.

— W porządku. Ale jeśli będziesz czegoś potrzebować, zadzwoń. Przyjdę od razu.

O mało go nie poprosiła, żeby z nią posiedział przez chwilę; jednak obawiała się, że sam na sam z Baileyem może nie będzie potrafiła ukryć, że on się jej podoba. Może nie będzie chciała tego ukrywać? Przez te wszystkie lata nie czuła się samotna, czasami jednak tęskniła za miłym towarzystwem. Gdyby Bailey spostrzegł jej zainteresowanie, ale nie odwzajemnił się tym samym, czułaby się głupio i niezręcznie. Z drugiej strony gdyby okazał wzajemność, chyba nie mogłaby się zdobyć na więcej niż serdeczną przyjaźń. Zanim wyszła za Vince'a, miała nieliczne i niewinne romantyczne doświadczenia, a po małżeństwie każda perspektywa miłości fizycznej chyba już zawsze byłaby skażona obawą, nawet odległą, że na glebie tego związku kiedyś wykiełkuje ziarno przemocy.

Podziękowała Baileyowi za uprzejmość i zamknęła drzwi na oba zamki. Była w domu, w swoim jednoosobowym gniazdku, gdzie dobrze się czuła, w znanym i zadbanym otoczeniu, gdzie nie czekał żaden mężczyzna, który przyrzekał się nią opiekować, gotów złamać przysięgę.

Musiała się uspokoić, a najlepszym na to sposobem było przygotowanie pysznego deseru. Postanowiła zrobić dwukolorowy biszkopt czekoladowy z polewą z białego marcepanu. W kuchni najpierw podeszła do zlewu, żeby umyć ręce. Kiedy odkręciła wodę, została zaatakowana od tyłu. Napastnik chwycił ją całą garścią za włosy, okrutnie ścisnął za lewe ramię i zmusił, żeby odwróciła się do niego przodem. W trakcie obrotu pomyślała: „Vince", przekonana, że znalazł ją po tylu latach. Ale to był demon z pokoju kredensowego — prawie ludzka bezwłosa głowa, skóra barwy ołowiu, przerażające szare oczy z czarnymi źrenicami jak studnie bez dna — silniejszy od mężczyzny, jednak jakby bezpłciowy. Rozciągnął bezkrwiste wargi, obnażył spiczaste szare zęby, zasyczał i uderzył szybko jak wąż. Zanim zdążyła krzyknąć, ugryzł ją w szyję.

Ukąszenie wywołało natychmiastowy paraliż, fala zimna przepłynęła przez całe ciało i Sally straciła czucie w kończynach. Twarz jej nagle zesztywniała, jak pokryta gipsem na maskę pośmiertną, głos uwiązł w gardle. Sally zachowała słuch i węch, mogła poruszać oczami i językiem, mogła oddychać i serce jej waliło; ale gdyby stwór ją puścił, upadłaby bezwładnie na podłogę.

Owładnął nią strach tak wielki, że mógłby ją sparaliżować, gdyby nie spowodowało tego ukąszenie. Przez dwadzieścia lat samotne noce przynosiły jej zwykle błogi spokój. Dopiero teraz poczuła się rozpaczliwie samotna, dopiero teraz ujrzała otchłań ziejącą pod powierzchnią życia, gotową w każdej chwili otworzyć się i pochłonąć wszystko, wszystkich. Bliskość śmierci nie przeraziła jej tak bardzo, jak wspomnienie życia, które upłynęło na ciągłej ucieczce, w którym osiągnęła tak żałośnie mało, które skończy się bez świadków, w ramionach stwora o oczach jak bramy piekła.

Spomiędzy spiczastych zębów wysunął się język, ani ludzki, ani rozdwojony jak u węża, czego się spodziewała. Szary i błyszczący, rurowaty, pusty w środku, przypominający kawałek giętkiego gumowego kabla o średnicy ponad dwóch centymetrów. Zatrzepotał przed nią w powietrzu i wślizgnął się z powrotem do ust, jakby to wcale nie był język, tylko odrębna istota mieszkająca w gardle większego stwora.

Dwumetrowy demon trzymał Sally w mocnym uścisku i pochylał się nad nią, zbliżał twarz do jej twarzy, jakby zamierzał wgryźć się w nią i pożreć żywcem. Zdawała sobie sprawę, że szczęka jej opadła, ale nie mogła zamknąć ust ani krzyczeć. Ohydne usta stwora zamknęły się na jej ustach nie w pocałunku, ale jakby chciał wyssać z niej oddech. Ogarnęła ją nieopisana odraza, kiedy rurowaty język prześlizgnął się po jej języku. Niemal tracąc zmysły ze wstrętu poczuła, że ten nieprawdopodobnie długi organ wepchnął się do jej gardła i trysnęła z niego gęsta zimna ciecz, tak obrzydliwa, że nie do przełknięcia.

19

Apartament 1-G

Sparkle Sykes po cichu wyszła z garderoby i przemknęła przez sypialnię w ślad za sześcionogim pełzającym stworem, przypominającym zmutowane niemowlę urodzone po światowej katastrofie nuklearnej, prosto z chorych meskalinowych wizji jakiegoś ćpuna, który histerycznie boi się grzybów i owadów. To nie było niemowlę. Jakaś hybryda — ale czego z czym? — uwarzona w kotle czarownicy z pomieszanych genów. Bladoszare z zielonymi cętkami, wyglądało jak ożywiony trup. Bała się, że odwróci się do niej i sam widok jego twarzy zabije ją albo doprowadzi do szaleństwa.

Na biedermeierowskiej komodzie stała prawie półmetrowa statuetka z brązu przedstawiająca Dianę, rzymską boginię łowów i księżyca. Sparkle chwyciła ją za szyję i trzymała oburącz jak elegancką, choć niewygodną maczugę, przydatną w potrzebie.

Uzbrojona, zauważyła coś zdumiewającego. Pełzająca potworność, która wcześniej wydawała się równie materialna jak podłoga pod jej sześcioma odnóżami, teraz zrobiła się prze-zroczysta do tego stopnia, że przeświecał przez nią wzór per-skiego dywanu.

Gdyby Sparkle piła albo brała narkotyki, mogłaby pomyśleć, że ma halucynacje. Chociaż aż za dobrze znała rozmaite skutki meskaliny i jej podobnych, zawsze była abstynentką, uzależ-nioną tylko od kawy wszelkich gatunków.

Strach, który wprawił ją niemal w stan nieważkości, teraz szybko przerodził się w grozę tak ciężką, że przygnieciona tym brzemieniem, z trudem nadążała za pełzającym koszmarem. Została parę kroków z tyłu, a potem się zatrzymała, kiedy sześcionogi wybryk natury skręcił nagle przed otwartymi drzwiami sypialni. Zamiast przejść przez próg do holu, zrobił się jeszcze bardziej przezroczysty, wpełznął prosto w ścianę i zniknął.

Na sekundę czy dwie Sparkle zamarła, a potem pospieszyła do drzwi. W obawie, że stwór zaczaił się tuż za progiem, ostrożnie wyjrzała z sypialni i odkryła, że hol jest pusty. Groteskowy intruz najwyraźniej nie przeszedł przez ścianę na wylot, tylko wniknął w mur.

Jednak żadnym sposobem nie mógł się zmieścić w ścianie tej grubości. Widocznie opuścił Pendletona i przeniósł się do innego wymiaru albo innego świata.

Ręce miała mokre od potu, posążek Diany wyślizgiwał się z uchwytu. Postawiła go na podłodze, wytarła dłonie o spodnie i pobiegła do pokoju Iris.

Drzwi były otwarte. Dziewczynka siedziała na łóżku, oparta o poduszki spiętrzone przy wezgłowiu, i czytała książkę. Nie zareagowała na wejście matki. Najczęściej, kryjąc się za zbroją autyzmu, nie zdradzała ani jednym spojrzeniem, że zauważa czyjąś obecność.

Sparkle obeszła pokój i zajrzała do łazienki, spodziewając się jakiejś pełzającej bestii z obrazów Boscha albo opowiadań Lovecrafta. Wszystko wyglądało normalnie.

Nie chciała zostawić córki samej, więc przysiadła na brzegu fotela i czekała, aż serce jej przestanie walić. Ale Iris rozsunęła zasłony, które matka wcześniej zaciągnęła. Nożyce błyskawic rozcięły niebo tak jasnymi ostrzami, że Sparkle zerwała się i wyszła z pokoju.

Chciała wrócić do garderoby bez okien, jednak odkąd zobaczyła stwora, własna sypialnia wydawała jej się obcym terytorium, gdzie czekanie na drugą wizytę szarpałoby jej nerwy gorzej niż pirotechniczne efekty burzy. Poza tym musiała być blisko córki, żeby usłyszeć, gdyby Iris ją wołała.

Schroniła się w kuchni, pozbawionej widoku na dziedziniec. Dzienne światło docierało tam tylko przez rząd małych okienek umieszczonych wysoko na południowej ścianie, w głębokiej niszy nad korytarzem, znacznie niższym niż pokoje apartamentu. Okienka wyposażono w elektryczne rolety uruchamiane pilotem, które Sparkle wcześniej opuściła.

Przygotowując espresso, znowu pomyślała o meskalinie. Pejotl. Boleśnie doświadczyła jego niszczycielskiego potencjału. Zastanawiała się, czy ktoś dosypał jej halucynogenów do jedzenia. To zakrawało na paranoję, a Sparkle nie należała do osób posądzających wszystkich o najgorsze zamiary, ale nie potrafiła inaczej wytłumaczyć tego, co widziała.

Talman Ringhals, Tal, Tally, przystojny i charyzmatyczny profesor, uwodziciel studentek, wiedział wszystko o halucynogenach: meskalina, LSD, kora pnącza ayahuasca, psylocybina i inne substancje uzyskiwane z różnych magicznych grzybów...

Uwiódł Sparkle pod koniec jej drugiego roku studiów — podbił jej serce analizą wiersza Emily Dickinson o błyskawicy, *362*, kiedy jeszcze nie znała jego religii, w której jedynym sakramentem był każdy narkotyk zmieniający świadomość. Tal wypowiadał się na ten temat ostrożnie i wyznał swoją wiarę w chemicznie wywoływane oświecenie dopiero wtedy, gdy poczuł, że ma nad Sparkle całkowitą władzę. Kiedy odmówiła uczestniczenia w jednej z jego duchowych podróży, w sekrecie doprawił jej kawę meskaliną. Zamiast „dotknąć twarzy Boga", jak jej obiecał Tal, spadła do piekła halucynacji, których wspomnienie ciągle ją prześladowało.

Rzuciła Talmana Ringhalsa, co było dla niej nowym doświadczeniem, a wkrótce potem odkryła, że kłamał jeszcze wcześniej, zanim doprawił jej kawę — kiedy ją zapewnił, że nie musi się martwić o antykoncepcję, ponieważ poddał się wazektomii. Iris była konsekwencją tego kłamstwa.

Teraz monstrualne sześcionogie niemowlę przypominało paskudny flashback po narkotyku, chociaż Sparkle nigdy przedtem nie miała flashbacku.

Bała się zostawić Iris samą, ale bała się też burzy, więc usiadła przy kuchennym stole, plecami do rzędu okienek w niszy pod sufitem. Kiedy niebo płonęło, nie widziała rozbłysków na krawędziach rolet. Lecz kiedy grzmot wstrząsał światem, kuchenne lampy migotały i te fałszywe błyskawice wystarczały, żeby przywołać wspomnienie śmiertelnego tańca matki.

Tematem przewodnim egzystencji Sparkle były pioruny, zarówno te strzelające z nieba, jak i metaforyczne gromy —

148

na przykład Tal, zatrucie meskaliną i Iris — które nagle zmieniały jej życie, często na gorsze, ale czasem na lepsze. Drugi prawdziwy grom, który wypalił przed nią nową drogę, uderzył pewnego dnia o zmierzchu, dokładnie rok po śmierci ojca.

Sparkle kochała go nad życie, ale jej matka, Wendeline, kochała go jeszcze bardziej. Przez rok jej żałoba nie złagodniała do smutku, jak to zwykle bywa, tylko urosła w rozpacz. Zamknięta w swoim cierpieniu, odizolowała się od córki. W pierwszą rocznicę śmierci Murdocha, kiedy natura postanowiła to uczcić następną burzą nadciągającą znad morza, przestraszona Sparkle szukała matki. Wspiąwszy się po spiralnych schodach krytej gontem wieży w północno-zachodnim narożniku domu, zobaczyła Wendeline na zewnątrz, w deszczu, na tarasie — najwyższym miejscu budynku — wpatrzoną w burzowe chmury, które zebrały się w ostatnich blaskach dnia. Matka miała na sobie błękitną sukienkę, którą tatuś najbardziej lubił. Stała boso na mokrym betonie, pod parasolką, która prawie jej nie osłaniała przed zacinającym deszczem.

Dziewięcioletnia Sparkle Sykes prosiła mamę, żeby wróciła do domu. Wendeline jakby nie widziała córki, wpatrzona w groźne błyskawice, które daleko na morzu zszywały ciemniejące niebo z ciemniejszą wodą, i bliższe pioruny, które waliły w wybrzeże Maine i na krótko zapalały spienione fale. Wydawała się pogrążona w transie wyczekiwania, lekko uśmiechnięta, jakby się spodziewała, że mąż wróci, że niczym anioł zstąpi do niej z burzy.

Zaledwie Sparkle uświadomiła sobie, że matka trzyma parasolkę nie za drewnianą rączkę, tylko za metalowy pręt nad rączką, stalowe okucie przyciągnęło błyskawicę, która przepłynęła po pręcie, odnalazła dłoń i przebiła ciało. Parasolka buchnęła płomieniem i odfrunęła, obracając się w deszczu. Wendeline też się obracała, milion woltów nie powalił jej, tylko uniósł w powietrze i wprawił w krótki pląs. Wymachiwała bezwładnymi kończynami niczym podskakujący strach na wróble w *Czarnoksiężniku z krainy Oz*. Ramiona poderwała ku niebu, jakby błagała w ekstazie o następne uderzenie latającego ognia. Popychana przez burzę, która na mgnienie w nią wtargnęła, Wendeline zatoczyła się na balustradę i przechyliła przez poręcz, w deszcz i mrok, martwa, zanim zaczęła spadać, zanim runęła na żywopłot z ostrokrzewu, który objął ją i przebił jednocześnie, i odwrócił twarzą do brutalnego nieba.

Mała Sparkle stała nieruchomo na mokrym betonie w tenisówkach na gumowych podeszwach, wstrząśnięta i osierocona. W tej jednej chwili zrozumiała, że świat jest miejscem mrocznym i okrutnym, że życie najlepiej traktuje tych, którzy nie dają mu się złamać, że szczęście wymaga siły i odwagi, żeby nie dać się zastraszyć niczemu i nikomu. Załkała, ale nie szlochała. Stała tam długo, aż łzy przestały płynąć i deszcz zmył sól z jej twarzy.

Od dwudziestu trzech lat nie ugięła się przed niczym oprócz błyskawicy, przed żadnym niepowodzeniem i przed żadnym człowiekiem, który stanął na jej drodze. Nie cofała się przed niebezpieczeństwem i ryzykiem, które przerażało innych. Tylko płomienny miecz burzy mógł ją zmusić do odwrotu. Dopijając espresso, zrozumiała, że teraz musi pokonać również tę fobię, jeśli chce wyjść cało z nieznanego zagrożenia, które symbolizowała pełzająca zjawa o sześciu kończynach.

Chociaż nie grzmiało, światła w kuchni znowu zamigotały

i Sparkle zrozumiała, że jeśli elektryczność wysiądzie, nie odważy się zostać ani przez chwilę w ciemnościach, gdzie mogą się pojawić inne stwory z zaświatów. Na wszelki wypadek w każdym pokoju trzymała latarkę. Teraz wyjęła jedną z szuflady szafki obok kuchenki.

Elektryczność nie wysiadła, ale Sparkle postanowiła zostać z Iris pomimo błyskawic za oknem, przynajmniej dopóki nie zrozumie, co się dzieje. W obecnej sytuacji nie mogła zmuszać córki, która łatwo się denerwowała, żeby przeniosła się ze swojego pokoju do kuchni lub innego pomieszczenia z mniejszymi oknami. Zapewnienie dziewczynce spokoju było konieczne dla jej bezpieczeństwa.

W drodze do pokoju córki, zerknąwszy przez otwarte drzwi gabinetu, Sparkle zobaczyła koncentryczne kręgi błękitnego światła pulsujące na ekranie telewizora, który był wyłączony, kiedy ostatnio tędy przechodziła. Iris na pewno nie włączyła odbiornika. Nie lubiła telewizji, ponieważ nieustanny strumień zmieniających się obrazów odbierała jako chaos, początkowo dcnerwujący, potem przerażający. „Nigdy nie wiadomo, co będzie następne, po prostu wyskakuje na ciebie".

Sparkle weszła do gabinetu i spojrzała na upiorne błękitne kręgi. Widocznie to był jakiś obraz kontrolny, chociaż takiego jeszcze nie widziała.

Próbowała wyłączyć telewizor, ale w pilocie chyba wyczerpały się baterie. Podchodząc do odbiornika, żeby wyłączyć go ręcznie, usłyszała głos pozbawiony modulacji, jakby wygenerowany komputerowo:

— *Dorosły osobnik płci żeńskiej. Włosy blond. Oczy niebieskie. Wzrost metr pięćdziesiąt siedem.*

Sparkle zamarła, słysząc swój rysopis.

— *Dorosły osobnik płci żeńskiej. Włosy blond. Oczy niebieskie. Wzrost metr pięćdziesiąt siedem. Na górze. Pierwsze piętro. Południowe skrzydło.*

— Co, do cholery?

Telewizor powiedział:

— *Eksterminować. Eksterminować.*

20

Apartament 2-F

Po wyjściu rosyjskiej manikiurzystki Mickey Dime przeszedł do gabinetu. Pod bosymi stopami czuł seksowną drewnianą podłogę. Wiele rzeczy uważał za seksowne. Prawie wszystko. Stanął na dywanie i zanurzył palce w grubym wełnianym runie. Stopy miał małe i wąskie. Kształtne. Dumny był ze swoich kształtnych stóp. Matka mówiła mu, że jego stopy wyglądają jak wyrzeźbione przez Michała Anioła.

Mickey lubił sztukę. Sztuka była seksowna.

Ale najseksowniejsze ze wszystkiego było zabijanie. Zabijanie też mogło być sztuką.

Jerry, jego brat, martwy jak głaz i zawinięty w koc z mikrofibry, nie był dziełem sztuki. Nieplanowane morderstwo, popełnione w pośpiechu, kiedy ofiara nie wie, że wkrótce zginie, kiedy jej przerażenie nie zdążyło dojrzeć, nie może być dziełem sztuki. Amatorszczyzna. Prymitywna chałtura. Zbyt emocjonalna.

W wielkiej sztuce nie chodzi o emocje. Chodzi o doznania.

Tylko burżuje, pospolici zjadacze chleba uważają, że sztuka powinna przemawiać do uczuć wyższych i coś znaczyć. Jeśli wzrusza, to nie jest sztuka, tylko kicz. Sztuka przyprawia o dreszcz. Sztuka rozbudza pierwotne instynkty, dzikie zwierzę w ludzkim wnętrzu. Sztuka trąca głębsze struny niż zwykłe emocje. Jeśli prowokuje do myślenia, to może być filozofia, nauka albo cokolwiek, ale nie sztuka. Prawdziwa sztuka mówi o bezsensie życia, o wolności występku, o mocy.

Mickey dowiedział się o sztuce od matki. Matka była najmądrzejszą osobą swoich czasów. Wiedziała wszystko.

Żałował, że jej tu nie ma. Ona wiedziałaby, jak się pozbyć ciała Jerry'ego.

To nie było łatwe zadanie. Kamery ochrony monitorowały każdy korytarz w Pendletonie. Również windy. A także garaże na tyłach, oddzielone od głównego budynku. Jerry ważył około siedemdziesięciu pięciu kilogramów. Znajdowali się na drugim piętrze.

Im dłużej Mickey wpatrywał się w owinięte kocem zwłoki, tym większe i cięższe się wydawały.

Wrócił do ogromnej łazienki, gdzie zrobiono mu manikiur i pedikiur w jego własnym fotelu spa. Otworzył szafkę z akcesoriami do aromaterapii. Popatrzył na sześćdziesiąt szklanych buteleczek zawierających esencje, stojących rzędami na wewnętrznej stronie drzwiczek szafki.

Zimna marmurowa posadzka seksownie chłodziła stopy. Ale chłód pomagał również zebrać myśli i podjąć decyzję.

Zapach limety jeszcze bardziej rozjaśni mu w głowie i przyspieszy rozwiązanie problemu. Rozpylacz stał na obrotowej półeczce. Za pomocą zakraplacza do oczu Mickey odmierzył pięć kropli esencji limetkowej na wyznaczone punkty jednego z wacików, jakie dodawano do urządzenia.

Popłynęły kłęby wonnej pary. Mickey odetchnął głęboko. Każdy przyjemny zapach, jeśli jest dostatecznie skoncentrowany, może działać odurzająco. Czysta, intensywna ostrość limetki wywarła ożywczy skutek.

Węch bywa najbardziej erotycznym z pięciu zmysłów. Feromony wytwarzane przez mężczyzn i kobiety, niewyczuwalne na poziomie świadomości, przyciągają ich do siebie z nieodpartą siłą, bardziej niż wygląd czy inne cechy. Nos zostaje pobudzony szybciej niż genitalia.

Mickey wrócił do gabinetu. Martwy Jerry czekał w kocu związanym na końcach krawatami.

Mickey stanął nad tłumokiem. Przyjrzał mu się taksująco, z umysłem odświeżonym po limetce i gotowym do działania. Obszedł trupa. Usiadł w fotelu i rozmyślał przez chwilę.

Podszedł do okna, żeby wyjrzeć na zalewany deszczem dziedziniec, zamknięty z trzech stron przez Pendletona, a od wschodu przez wapienny mur, wysoki na ponad cztery metry. W murze ozdobna brama z brązu prowadziła do otwartego pasażu, który miał też bramy na północnym i południowym końcu. Pasaż łączył się z pierwszym garażem, przerobionym z powozowni.

Miejsce parkingowe Mickeya znajdowało się jeszcze dalej, w drugim, większym garażu, nowym budynku stojącym oddzielnie, mającym trzy poziomy, w tym jeden podziemny.

Przeniósł uwagę na południowe skrzydło, po drugiej stronie dziedzińca. Na pierwszym piętrze ktoś stał przy oknie, oświetlony od tyłu. Zobaczyłby, jak morderca taszczy sztywniaka owiniętego w koc obok fontanny i ozdobnych krzewów.

Mickey wrócił do martwego Jerry'ego. Koc niedostatecznie maskował zwłoki. Jeśli będzie z nimi paradował, każdy od razu pozna, co jest w środku.

Doznania to jedyny sens życia. Doznania stymulują myślenie i działanie. W tym przypadku aromaterapia nie wystarczyła, żeby doładować mózg.

Mickey przeszedł do garderoby w sypialni. Z wysokiej półki zdjął czarną sportową torbę. Zapach i dotyk skóry sprawił mu przyjemność.

W sypialni położył torbę na łóżku. Dwoma palcami ścisnął uchwyt zamka błyskawicznego. Rozkoszował się erotycznym odgłosem suwaka rozdzielającego ząbki.

Z torby wyjął majtki i bieliznę, która należała do jego matki. Jedwab, satyna, koronki.

Doznania dotykowe mogą być potężnym stymulantem.

Po chwili już wiedział, jak pozbyć się ciała. Jedyną problematyczną częścią planu będzie zabicie ochroniarza, który akurat pełnił dyżur.

Zamordowanie go będzie łatwe. Ale to oznacza podwójną robotę, za którą nikt Mickeyowi nie zapłaci. Niedobrze. Klienci, którzy korzystali z jego usług, nigdy nie mogą się dowiedzieć, że mordował za darmo. Gotowi pomyśleć, że przestał działać profesjonalnie i już nie można mu ufać. Wtedy wydadzą zlecenie na niego.

Jeśli chcesz się cieszyć najbardziej intensywnymi doznaniami, jakie ten świat ma do zaoferowania, musisz się dostać do właściwych kręgów, być jednym z ludzi, którzy mają licencję na robienie wszystkiego, czego zapragną, i bogactwo pozwalające zaspokoić najbardziej egzotyczne zachcianki. Matka nauczyła go, że dla osiągnięcia takiej wyjątkowej pozycji, daleko poza zasięgiem zwykłego prawa, trzeba stać się przydatnym dla klasy rządzącej, do której sama należała.

Podobnie jak matka, eksterminował ludzi, żeby być pożytecznym. Ona nie używała pistoletu ani garoty, tylko słów — teorii, analiz i zręcznych kłamstw. Mama zabijała reputację. Niszczyła ludzi intelektualnie i emocjonalnie. Zawsze się cieszyła, kiedy potem popełniali samobójstwa albo umierali na jakieś choroby, jednak nigdy osobiście nie pociągnęła za spust, nie wbiła noża ani nie nastawiła zapalnika bomby.

Mickey zamierzał pozbyć się ochroniarza w tym samym miejscu, w którym wyrzuci Jerry'ego. Zanim ich znajdą, jeśli w ogóle, zostanie z nich zbyt mało, żeby ich rozpoznać, i nikt się nie dowie, jak zginęli.

Po podjęciu tej decyzji, ku jego zdziwieniu, przed oczami duszy przemknęła mu seria barwnych erotycznych obrazów. W Pendletonie mieszkała kobieta, która strasznie go kręciła. Nie mógł jednak kupić seksu ze Sparkle Sykes, ponieważ ona nie potrzebowała pieniędzy. Jej córka też mu się podobała. Przypominały mu kelnerkę Mallory i jej młodszą siostrę, dwa z jego trzech pierwszych mordów. Ogarnęła go tęsknota. Już nigdy nie będzie uprawiał seksu z kobietą, zanim ją zabije. Zbyt ryzykowne. Ale jeśli pozbycie się martwego Jerry'ego i strażnika okaże się tak proste, jak przypuszczał, nie ma nic złego w fantazjowaniu, że pewnego dnia załatwi obie Sykes i pozbędzie się ich w ten sam sposób. Każdy lubi sobie pomarzyć.

Zainspirowany, schował majtki i bieliznę do torby i odniósł ją do garderoby.

Naciągnął skarpetki z przędzy kaszmirowej. Ciepło i miękko otuliły jego świeżo wypedikiurowane palce.

Jedno

W swojej mądrości kiedyś zauważyliście: „Na cóż nam potrzebni bogowie, jeśli sami staniemy się bogami?".

Z pewnością jednak zrozumiecie, że świat zaludniony bogami byłby równie bezładny jak świat zapełniony zwykłymi istotami ludzkimi w całej ich szaleńczej różnorodności. Grecy wyobrazili sobie panteon bogów i półbogów; weźcie pod uwagę zazdrość i rywalizację pleniące się wśród tych mieszkańców Olimpu. Ludzie jako bogowie zmieniliby świat w wielki Olimp, nieustannie szarpany nadnaturalnymi wypadkami.

Jestem Jednym. Nie potrzebuję ani ludzi, ani bogów. Niszcząc tych pierwszych, zniszczę także tych drugich.

Spójrzcie na tego, który żyje z zabijania i który zamordował brata, jak Kain zamordował Abla. Nie pozwala, żeby jakiś bóg go potępił. Twierdzi, że doznanie jest wszystkim, że tylko to się liczy, i ma rację. Rozumie prawdę życia lepiej niż wszyscy pozostali mieszkańcy Pendletona. Gdybym zechciał okazać nieco miłosierdzia jakiejś istocie ludzkiej, wybrałbym jego. Ale miłosierdzie to koncepcja stworzona przez słabych, a ja nie jestem słaby.

Co jakiś czas budynkiem wstrząsają grzmoty.

Wkrótce mieszkańcy Pendletona staną przede mną niczym łan zboża czekający na kosę. Gdyby w moich żyłach płynęła krew, radowałbym się perspektywą nadchodzących żniw, lecz ja nie mam krwi i nie podlegam cielesnym namiętnościom.

Zadam im ból, doprowadzę ich do rozpaczy, ześlę na nich śmierć, nie doświadczając ekstazy, jakiej doświadcza płatny morderca podczas zabijania, lecz sprawnie i skutecznie, z roztropnym egoizmem, dzięki któremu będę i pozostanę Jednym, póki słońce nie umrze i świat nie pogrąży się w ciemności.

21
Tu i tam

Świadek

Zimny deszcz spływał strumieniami po wysokich kolumnach kominów, osełkach, na których wiatr ostrzył się ze świstem. Nawet tutaj, gdzie prawie nikt nie przychodził, zadbano o wspaniałe szczegóły architektoniczne. Każdy komin był zwieńczony fryzem z rzeźbionych liści akantu, każdą z jego czterech wysokich ścian zdobiły owalne medaliony z wapienia, na których wygrawerowano litery BV, jak Belle Vista.

Glazurowane dachówki ułożono pozornie płasko, lecz w rzeczywistości dach wielkiego domu opadał lekko od środka na wszystkie cztery strony, do sięgającej pasa balustrady, tworzącej parapet. Deszcz ściekał do miedzianych spływników, które odprowadzały wodę do rynien osadzonych w narożnikach budynku.

Lawirując w ulewie pomiędzy kominami i wywietrznikami, równie znajomymi jak ścieżki jego nieprzemijającej melancholii, Świadek podszedł do zachodniego parapetu. Nosił wysokie buty, dżinsy, sweter i ocieplaną kurtkę, ale nie miał nieprzemakalnego płaszcza. Przybył z nocy, gdzie nie padało, i nie spodziewał się tutaj deszczu.

Stał przy wysokiej balustradzie i spoglądał w dół, na ulicę tętniącą ruchem, a potem na migotliwy przestwór miasta rozpościerającego się na równinie. Po raz czwarty oglądał metropolię z tego punktu obserwacyjnego. Wydawała się większa i jaśniejsza niż przy trzech poprzednich okazjach. Skoro światła ulic i budynków nie rozpłynęły się w deszczu, miasto z pewnością wygląda jeszcze bardziej imponująco niż dawniej.

Świadek czekał na nagłą suchość, na ciemność głęboką i przepastną.

—

Silas Kinsley

Wracając do Pendletona po spotkaniu z Perrym Kyserem w barze Topper's, Silas zawahał się przed głównym wejściem, ponieważ w przyćmionym świetle, bardziej żółtym niż przedtem, nie widział wyraźnie połączenia między pierwszym a drugim stopniem. Pierwszy stopień miał podwójną szerokość, a drugi stanowił właściwie szeroki ganek, więc osobnicy podchmieleni (nie jak Silas) albo starsi (jak Silas) czasami się tam potykali.

Łukowe odrzwia ze szkła i brązu, otoczone wapiennym architrawem rzeźbionym w motyw bluszczu, osłaniała szklano-brązowa kopuła projektu Louisa Comforta Tiffany'ego, przypominająca bańkę mydlaną. Lampy dyskretnie ukryte pod kopułą oświetlały schody i drzwi. Żadna się nie przepaliła, ale dawały dwukrotnie mniej światła niż zwykle.

Silas pchnął jedno skrzydło drzwi i wszedł do westybulu,

gdzie również było ciemniej niż zwykle. Zsunąwszy kaptur płaszcza, spostrzegł zaskoczony, że zmieniło się tu znacznie więcej niż oświetlenie. Znalazł się nie w znajomym westybulu, ale w pomieszczeniu o innych proporcjach. Marmurową posadzkę częściowo zakrywał teraz piękny stary dywan z Tebriz. Pośrodku stały dwie sofy, na których goście mogli zaczekać, aż zostaną przyjęci. Kontuar portiera został zastąpiony przez solidną ścianę z piękną boazerią i pojedynczymi łukowymi drzwiami. Nocna portierka Padmini Bahrati zniknęła. Po prawej stronie, zamiast podwójnych oszklonych drzwi prowadzących do dużej sali bankietowej, w której rezydenci urządzali większe przyjęcia, w boazerii znajdowały się następne solidne łukowe drzwi. Na wprost oszklone drzwi do publicznego parterowego holu zostały zastąpione przez potężne podwoje z misternie rzeźbionym obramowaniem, zamknięte, broniące dostępu do dalszych pomieszczeń. Zamiast faset oświetleniowych i lamp wpuszczanych w sufit na środku wisiał wspaniały kryształowy kandelabr, a pod ścianami stały lampy z jedwabnymi plisowanymi abażurami i frędzlami.

Silas znał to miejsce ze starych fotografii. To nie był westybul Pendletona z 2011 roku, tylko sala recepcyjna Belle Vista z odległej epoki. Apartamentowiec zniknął, wrócił prywatny dom. Pod koniec dziewiętnastego wieku ulica Cieni jako pierwsza w mieście została zelektryfikowana, a Belle Vista była pierwszym nowym budynkiem bez lamp gazowych. Światło było słabsze, ponieważ prymitywne żarówki Edisona stanowiły wczesne produkty rewolucji oświetleniowej.

Niekiedy pod wpływem stresu lub silnych emocji Silas dostawał tiku w szczęce, co powodowało drżenie warg, i trzęsła mu się prawa ręka. Teraz też drżał, nie ze strachu, tylko z zachwytu. Czas przeszły i czas teraźniejszy najwyraźniej spotkały się tutaj, jakby wszystkie wczorajsze dni znajdowały się zaledwie krok dalej, tuż za progiem.

Drzwi na wprost się otwarły i rozpoczęło się nawiedzenie. Człowiek, który wszedł do westybulu, zmarł dziesiątki lat przed narodzinami Silasa Kinsleya. Andrew Pendleton, miliarder „pozłacanego wieku", pierwszy właściciel tej rezydencji. Nie wyglądał jak duch, upiór potrząsający łańcuchami, żeby nastraszyć Ebenezera Scrooge'a, raczej jak podróżnik w czasie. Nosił strój z innej epoki: spodnie z szerokimi mankietami, marynarkę z wąskimi klapami, kamizelkę z wysokim karczkiem i wiązaną muszkę.

Zaskoczony Pendleton zapytał:

— Kim jesteś?

Zanim Silas zdążył odpowiedzieć, Belle Vista zafalowała niczym pustynny miraż i nieżyjący od dawna biznesmen rozpłynął się razem z salą recepcyjną. Silas stał w jasno oświetlonym westybulu Pendletona, gdzie wszystko wyglądało jak należy.

Za kontuarem portiera znajdowało się wejście do szatni, używanej podczas przyjęć w sąsiedniej sali bankietowej. Wyszła stamtąd Padmini Bahrati, smukła piękność o ogromnych ciemnych oczach, która przypominała Silasowi jego utraconą Norę.

— Panie Kinsley, jak się pan dzisiaj czuje? — zagadnęła.

Mrugając i drżąc, Silas przez chwilę nie mógł wydobyć z siebie głosu. Potem wykrztusił:

— Widziała go pani?

— Kogo? — Padmini poprawiła mankiety bluzki.

Sądząc po jej zachowaniu, transformacja westybulu nie objęła szatni. Portierka nie wiedziała, co się stało.

Silas starał się mówić spokojnie.

— Mężczyznę. Wychodził. Ubrany w strój z końca dziewiętnastego wieku.

— Może to najnowszy trend mody? — zasugerowała Padmini. — Byłoby wspaniale, biorąc pod uwagę, co ludzie teraz noszą.

—

Twyla Trahern

Zatrzasnąwszy drzwi pokoju Winny'ego w nadziei, że powstrzyma złowrogą siłę, która próbowała się tam manifestować, Twyla razem z chłopcem pobiegła korytarzem. Przed opuszczeniem Pendletona chciała wrzucić do walizki kilka niezbędnych rzeczy. Zanim jednak dotarła do sypialni, zdecydowała, że głupio byłoby zwlekać chociaż minutę dłużej, niż to konieczne. Rzeczywistość zmieniła się na jej oczach, a potem wróciła do poprzedniego stanu. Twyla nie wiedziała, co się dzieje, ale zareagowała tak samo, jak zareagowałaby na widok ducha niosącego pod pachą własną głowę. Musiała się stąd wynosić w cholerę.

Potrzebowała tylko torebki. Miała tam kluczyki do samochodu, książeczkę czekową, karty kredytowe. Mogą sobie kupić nowe ubrania i wszystko inne.

— Trzymaj się mnie — ostrzegła syna, spiesząc przez salon do gabinetu, gdzie zostawiła torebkę.

Nie chodziła do kościoła tak często, jak powinna, ale była wierząca. Wychowała się w domu, gdzie czytano Biblię i odmawiano modlitwę codziennie przed obiadem, a potem przed snem. Mieszkańcy miasteczka, w którym dorastała, podobnie jak jej najbliższa rodzina, starali się żyć uczciwie w przekonaniu, że to życie jest tylko przygotowaniem do następnego. Kiedy jej ojciec Winston zginął w wybuchu kruszarki do węgla, na pogrzebie wiele osób mówiło: „On jest teraz w lepszym miejscu", i naprawdę tak myśleli. Istniał ten świat i tamten świat. Twyla napisała kiedyś piosenkę o potrzebie pokory wobec naszej śmiertelności i drugą o tajemnicy grobu. Obie okazały się hitami.

Jednak jakkolwiek wyglądał tamten świat, ściany raju na pewno nie były brudne, popękane, zatłuszczone i pokryte czarną pleśnią, jak odmieniona ściana w sypialni Winny'ego. Jeśli w niebie istniała telewizja — z równym prawdopodobieństwem mogli tam mieć oddział chorych na raka — nie wyposażono by każdego odbiornika w system szpiegowania albo śmiertelnie poważny komputerowy głos nakazujący czyjąś eksterminację. To nawet nie kojarzyło się z piekłem, raczej z piekłem na ziemi, jak Korea Północna, Iran czy inne państwo rządzone przez szaleńców.

W gabinecie, kiedy chwyciła torebkę ze stołka przed fortepianem i odwróciła się do drzwi, błyskawica za oknem przyciągnęła jej uwagę i przypomniała o przelotnej iluzji, którą wcześniej stworzyły burza i szyby zalane deszczem: zamiast miasta — pusty krajobraz, morze traw, dziwaczne drzewa, czarne i koślawe, drapiące niebo konarami. To nie było złudzenie, tylko część tego samego zjawiska, przebłysk innej rzeczywistości.

Węzeł strachu w jej piersi zacisnął się mocniej.

Spostrzegawczy jak zawsze, Winny zapytał:

— Co? Co się stało?

— Nie wiem. To wariactwo. Chodź, skarbie. Idź przede mną, nie chcę cię tracić z oczu. Musimy wziąć płaszcze i parasole.

Zajmowali największy apartament na pierwszym piętrze, dwukrotnie większy od pozostałych i jedyny z dwoma wejściami. Frontowe drzwi prowadziły na krótki korytarz obok północnej windy, a służbowe wychodziły na południową windę. Zimowe płaszcze i parasole wisiały w szafie w pralni, niedaleko tylnych drzwi.

W kuchni Twyla powiedziała:

— Winny, zaczekaj chwilę.

Chwyciła słuchawkę ściennego telefonu i nacisnęła zero, co powinno ją połączyć jednocześnie z dwoma aparatami, w portierni i na kontuarze recepcji w westybulu.

— Operator — powiedział zamiast standardowego powitania kobiecy głos, niepodobny do głosu Padmini Bahrati, jedynego portiera kobiety.

— Czy to portier? — zapytała zmieszana Twyla.

— Co? Przepraszam. Nie, proszę pani, to operator.

Może to jakaś nowa pracownica, która jeszcze nie zna przepisów?

— Mówi Twyla Trahern z 1-A. Niech pani każe natychmiast przyprowadzić z garażu mojego escalade'a, dobrze?

— Przepraszam, ale wykręciła pani numer operatora. Jeśli ma pani numer tego portiera, z przyjemnością zrealizuję połączenie.

Wykręciła numer? Zrealizuje połączenie?

Obserwując matkę, Winny uniósł brwi.

— Nie dodzwoniłam się do recepcji? — zdziwiła się Twyla.

— Nie, proszę pani. To jest City Bell, centrala telefoniczna. Do kogo życzy sobie pani zadzwonić?

Twyla nigdy nie słyszała o City Bell.

— Próbuję się połączyć z recepcją w Pendletonie — wyjaśniła.

— Pendletonowie? Czy to prywatna rezydencja? Proszę zaczekać. — Po chwili ciszy telefonistka powiedziała: — Nie mamy już na liście żadnych Pendletonów. Czy przypadkiem... nie chodzi pani o Belle Vista?

Twyla znała trochę historię budynku i wiedziała, że kiedy był domem prywatnym, nazywał się Belle Vista. Ale to się skończyło w latach siedemdziesiątych zeszłego stulecia.

— To będzie pan Gifford Ostock z rodziną. Niestety to numer zastrzeżony — poinformowała telefonistka.

— Gifford Ostock? — To nazwisko nic Twyli nie mówiło.

— Tak, proszę pani. Odkąd pan Pendleton... odszedł... no, od tamtej pory w Belle Vista mieszka pan Ostock.

Andrew Pendleton zmarł ponad sto lat wcześniej.

— Teraz tam nie mieszka żaden Ostock — oświadczyła Twyla.

— Ależ tak, proszę pani. Mieszka tam co najmniej od trzydziestu lat.

Twyla nigdy nie zetknęła się z telefonistką równie uprzejmą i rozmowną. Lecz chociaż ta kobieta wydawała się miła, nasuwały się podejrzenia, że jej niespotykana wyrozumiałość w rzeczywistości stanowiła subtelne szyderstwo, jeśli nie coś groźniejszego.

Sama nie wiedziała, dlaczego o to pyta, dopóki ostatnie słowa nie padły z jej ust.

— Przepraszam, trochę mi się poplątało. Czy może mi pani podać numer do kina Paramount?

Paramount, wspaniały kinoteatr w stylu art déco z lat trzydziestych ubiegłego wieku, stał u stóp Wzgórza Cieni, w odległości krótkiego spaceru od Pendletona.

Telefonistka nie kazała Twyli połączyć się z biurem numerów. Zamiast tego po chwili powiedziała:

— Tak, proszę pani. Numer to Deerfield dwieście dwadzieścia siedem.

— DE-dwieście dwadzieścia siedem. To tylko pięć cyfr.

— Czy mam panią połączyć?

— Nie, zadzwonię później. Proszę mi powiedzieć... czy litery na klawiaturze są w tych samych miejscach, co na... tarczy?

Telefonistka westchnęła, jakby doszła do wniosku, że rozmawia z osobą nietrzeźwą, ale pozostała uprzejma.

— Przepraszam panią, telefony mają tarcze, a nie klawiatury.

— Który to rok? — zapytała Twyla, a Winny znowu uniósł brwi.

Po chwili wahania telefonistka powiedziała:

— Proszę pani, czy pani potrzebuje pomocy lekarskiej?

— Nie. Nie potrzebuję. Chcę tylko wiedzieć, który mamy rok.

— Oczywiście tysiąc dziewięćset trzydziesty piąty.

Twyla odwiesiła słuchawkę.

—

Logan Spangler

W przemienionej toalecie apartamentu senatora Blandona, w słabym żółtym świetle ameboidalnej formy na suficie, Logan Spangler przesuwał promieniem diodowej latarki po ścianach pokrytych wijącą się, falistą, bladozieloną, czarno nakrapianą grzybnią, z której w sześciu miejscach wyrastały kępki podobnie ubarwionych, dziwacznie ukształtowanych grzybów na krótkich, grubych trzonkach. Logan jeszcze nigdy nie widział takich okazów i przyglądał im się z zaciekawieniem, ale również podejrzliwie. Budziły podejrzenia nie tyle z powodu niezwykłego wyglądu, ile dlatego, że ich wężowe kształty i niesamowite kolory wywoływały niepokój na poziomie zbyt głębokim do zdefiniowania, niemal równie głębokim jak pamięć gatunkowa, intuicyjne przeczucie, że stanął w obliczu czegoś nie tylko plugawego, nie tylko trującego, lecz także obcego, zepsutego i szerzącego zepsucie.

Za plecami Logana ktoś powiedział coś niezrozumiałego, lecz kiedy szef ochrony się odwrócił, nie zobaczył nikogo w drzwiach ani w holu. Cisza. Potem głos z tyłu znowu przemówił w obcym języku, cichym, złowieszczym szeptem, nie tyle groźnym, ile ponurym, jakby przekazywał straszne wiadomości. Logan znowu się odwrócił, ale nadal był sam; przez tę krótką chwilę nikt nie zmaterializował się w toalecie.

Sam na sam z grzybem. Głos odezwał się po raz trzeci, wypowiedział następne zdanie czy dwa w obcym języku, bardzo blisko, po lewej stronie, gdzie ścianę całkowicie pokryła zielono-czarna narośl. Ten sam ciąg sylab natychmiast dobiegł ze ściany naprzeciwko, a kolejne powtórzenie zabrzmiało gdzieś w pobliżu na wpół zarośniętej toalety. Logan próbował namierzyć nieuchwytny głos promieniem latarki, lecz oświetlał tylko kolejne kępki grzybów, które wystawały z pofałdowanej wężowo podstawy.

Kiedy zaczął podejrzewać, że ten głos wydają grzyby — czymkolwiek to paskudztwo było — wyjął broń. Przez wszystkie lata pracy w wydziale zabójstw wyciągnął pistolet może z dziesięć razy, a przez sześć lat w Pendletonie trzymał broń w kaburze... aż do tej chwili. Wokół niego znikały meble, pokoje rozsypywały się w ruinę, a potem magicznie odnawiały, jednak w tych dziwacznych zjawiskach nie wyczuwał bezpośredniego zagrożenia, pewnie dlatego, że przez całe życie miał do czynienia z kryminalistami, głównie tępymi brutalami i głupcami, którzy uciekali się do przemocy, żeby rozwiązać swoje problemy, toteż nie musiał wykazywać się zbyt dużą wyobraźnią, żeby ich znaleźć i doprowadzić przed oblicze sprawiedliwości. Lecz jego wyobraźnia, choć uboga, nie była całkiem pozbawiona zasobów i teraz wypłacała mu się w walucie niepokoju.

Bezcielesny głos, szepczący, lecz głęboki, nagle przerodził się w chór głosów. Każdy mówił co innego, wszystkie mamrotały cicho i niezrozumiale, bardziej nagląco niż przedtem. Logan miał wrażenie, że nie mówią do niego, tylko konspirują między sobą, przygotowując jakąś akcję. Dźgał promieniem latarki tu i tam, przekonany, że gdyby mógł zajrzeć pod kapelusze grzybów, zobaczyłby kruche blaszki wibrujące niczym struny głosowe.

Wcześniej odwrócił się od grzybów, kiedy myślał, że ktoś odezwał się za jego plecami, ale teraz wolał nie spuszczać ich z oczu. Z pistoletem w prawej ręce i latarką w lewej zaczął się cofać przed groteskowym organizmem — a drzwi za nim zatrzasnęły się z hukiem.

Bardzo chciał uwierzyć, że to sen, halucynacje, że gdyby się obudził albo nad sobą zapanował, mógłby to wszystko zatrzymać, sprawić, że się rozpłynie jak wcześniejsza wizja w sypialni. Ale nigdy dotąd nie miał halucynacji ani snów nawet w części tak wyrazistych. Przeczytał kiedyś, że jeśli człowiekowi przyśni się, że umiera, może naprawdę umrzeć, nigdy się nie obudzić — całkiem sensowna teoria, ale nie chciał jej sprawdzać na sobie.

Położył małą latarkę na brudnej toaletce, obok poplamionej i popękanej umywalki. Nie odważył się oderwać wzroku od wielogłosowej kolonii, tylko celując z pistoletu, na ślepo namacał okrągłą klamkę. Nie chciała się przekręcić. Odnalazł gałkę zatrzasku. Nie była przesunięta. Drzwi toalety nie miały zamków od zewnątrz, jednak nie dały się poruszyć, nawet nie drgnęły, jakby je przybito do ościeżnicy.

Świecący żółty dysk na suficie, którego tam nie było podczas pierwszej rewizji, zaczął przygasać. Logan chwycił latarkę z toaletki.

Wizja ruiny i opuszczenia w głównej łazience trwała przez niecałą minutę. Grzybowe narośle utrzymywały się już dłużej, ale z pewnością one też wkrótce znikną i rzeczywistość powróci jak fala przypływu.

W gasnącym świetle Logan zobaczył, że wężowe grzyby zaczynają pulsować, nie wszystkie rzędy jednocześnie, tylko najpierw jeden, potem drugi, później trzeci. Przez rurowate organizmy przechodziły fale przypominające ruchy perystaltyczne przewodu pokarmowego, jakby węże połykały żywe myszy albo wnętrzności jakiegoś olbrzyma trawiły pokarm.

Wyobraźnia Logana, dotąd leżąca odłogiem, rozkwitała coraz bujniej. Jeśli te grzyby poruszają się wewnętrznie w sposób niespotykany w królestwie roślin, może potrafią również samodzielnie się przemieszczać, pełzać, wić się, a nawet atakować.

Coś się działo z kępkami grzybów na ścianach i zarośniętej toalecie. Pomarszczone twory na czubkach kapeluszy zaczęły się rozchylać i zsuwać jak napletki z nabrzmiałych żołędzi. Ze szczelin w kapeluszach niczym z wentylatorów uniosły się blade obłoczki pary, przypominające pióropusze oddechu w zimowy poranek.

Świetlisty krąg na suficie zgasł. W białym promieniu latarki dryfujące cząsteczki błyszczały jak diamentowy pył. Więc jednak to nie para. Cząsteczki były za duże jak na składniki mgły, duże jak ziarenka soli — niektóre nawet większe — lecz najwyraźniej lekkie, ponieważ unosiły się w powietrzu. Zarodniki.

Logan Spangler instynktownie wstrzymał oddech. Pospiesznie zmodyfikował swoją ocenę zagrożenia. Nie obawiał się już, że wężowe formy spełzną ze ścian, wypuszczą macki i nagle go pochwycą. Teraz martwił się, że chmury zarodników zrobią to, co zarodniki zawsze próbują zrobić: znajdą nosiciela. Schował pistolet, odwrócił się do drzwi i oświetlił latarką potrójne zawiasy.

Vernon Klick

W pomieszczeniu ochrony Vernon Klick zaszczycał uwagą tylko dwa z sześciu plazmowych ekranów. Jeden pokazywał w trybie pełnoekranowym krótkie północne skrzydło zachodniego korytarza na drugim piętrze, przed północną windą, drugi — widok północnego korytarza na tym samym piętrze.

Vernon widział, jak ten podstarzały platfus Logan Spangler naciska dzwonek do apartamentu tego kretyna senatora, widział, jak telefonuje do kogoś — pewnie do lizusowatego dozorcy, Toma Trana, który ubierał się jak gość honorowy na konwencie frajerów — a potem otwiera drzwi kluczem uniwersalnym i wchodzi do środka. Od tego czasu Vernon czekał, aż Spangler wyjdzie z 2-D, gdzie pewnie podkradał dziewięćdziesięcioletnią szkocką tego starego opoja Blandona, wysysając ją słomką z butelki.

Vernon Klick nie był cierpliwym człowiekiem. Miał trzydzieści lat i dążył do bogactwa i sławy, a każdy, kto opóźniał jego wspinaczkę na szczyt choćby o pięć minut, trafiał na listę wrogów. Lista była długa, zajmowała dwanaście stron w zeszycie dużego formatu. Nadejdzie dzień, kiedy Vernon zdobędzie środki, żeby odpłacić każdemu z nich z osobna, w taki czy inny sposób, ale żeby wiedzieli dokładnie, kto ich załatwił.

Gdyby nie władze z ich licznymi nikczemnymi sługusami, Vernon już dawno dotarłby na szczyt. Ale takim jak on zawsze rzucano kłody pod nogi. Musiał pracować trzy razy ciężej od tych, którzy mieli przetartą drogę, musiał być dziesięć razy sprytniejszy, żeby osiągnąć sukces, na jaki zasłużył. Nawet żeby dostać obecne stanowisko, musiał pokonać niezliczone przeszkody, które stawiali na jego drodze Żydzi, bankierzy z Wall Street, żydowscy bankierzy z Wall Street, kompanie naftowe, republikanie, wszyscy nowojorscy wydawcy spiskujący, żeby nie dopuścić na rynek najbardziej utalentowanych głosicieli prawdy, podstępni Ormianie, państwo Izrael — rządzone, a jakże, przez Żydów — i wreszcie wcale nie najmniej ważni dwaj durni szkolni doradcy, którzy naprawdę zasługiwali,

173

żeby ich rzucić dzikim świniom na pożarcie, nawet trzynaście lat po ich zdradzie.

Tak niewiele dzieliło Vernona od spełnienia długo hołubionych marzeń, że to mogła być jego przedostatnia noc na stanowisku ochroniarza w Pendletonie, tej jaskini uprzywilejowanych wyzyskiwaczy, wśród tych wszystkich snobistycznych dziwek i wymuskanych łajdaków, nie wspominając o tych starych wiedźmach siostrach Cupp czy stukniętych starych pierdzielach jak Silas Kinsley, którzy od lat nic nie dali społeczeństwu, tylko wysysali jego zasoby, zamiast wyświadczyć wszystkim przysługę i zdechnąć. Pozostały tylko dwa mieszkania, które Vernon musiał przeszukać i sfotografować, a lokatorzy wyjeżdżali z miasta na najbliższy weekend.

Vernon od miesięcy pracował najpierw na nocnej zmianie, a potem na popołudniowej. Korzystał z uniwersalnego klucza ochrony, żeby wchodzić wszędzie, gdzie miał ochotę. W dużej teczce nosił aparat fotograficzny i zapasowe karty pamięci Memory Stick, laptop oraz dyktafon, na który nagrywał notatki, kiedy przeprowadzał rewizję i gromadził materiał dowodowy.

Pod koniec ośmiogodzinnej zmiany zawsze włamywał się do archiwum wideo kamer ochrony i usuwał te fragmenty nagrań, na których wędrował korytarzami i wchodził do pustych mieszkań, zamiast siedzieć za biurkiem w suterenie. Nikt nie zauważył tych manipulacji, ponieważ nikt nie przeglądał nudnych taśm, chyba że podczas którejś zmiany zdarzył się wypadek — fałszywy alarm pożarowy czy wezwanie pogotowia. Poza tym Logan Spangler był starym ramolem, który wiedział mniej o komputerach niż dalajlama o polowaniu na grubego zwierza. Wierzył, że do archiwów wideo nie można się dobrać po prostu dlatego, że zaprojektowano w nich zabezpieczenia. Zramolały platfus. Spangler nie miał szans z kimś tak zdolnym, błyskotliwym i stworzonym do wielkości jak Vernon Klick.

Ale dopóki Spangler nie dopił szkockiej w apartamencie tego idioty senatora, nie wrócił z cennym kluczem uniwersalnym, nie włożył go do szuflady, gdzie zawsze go trzymał, i nie poszedł do domu, do swojej pomarszczonej żony i zapchlonego kota, Vernon nie mógł dokończyć tajnej pracy. Wpatrywał się z napięciem w ekran, obserwował północny korytarz i czekał, aż Spangler wyjdzie z 2-D.

— No, wyłaź wreszcie, ty durny stary dziadu — wymamrotał.

Na drugim końcu tego samego korytarza z 2-F wyszedł Mickey Dime i zamknął za sobą drzwi. Ruszył w stronę kamery, minął apartament senatora złodzieja, skręcił za róg i wszedł do północnej windy.

Vernon nie interesował się Dime'em. Spenetrował jego mieszkanie przed kilkoma tygodniami i nie znalazł nic ciekawego. Dime nie pozwalał sobie na rażące luksusy, z wyjątkiem ogromnej łazienki wyposażonej w nielegalny wysokociśnieniowy prysznic zużywający ogromne ilości wody oraz saunę, niepotrzebnie marnującą energię elektryczną. Meble miał nowoczesne, o czystych liniach, prawdopodobnie drogie, ale bez przesady. Na ścianach wisiało kilka dużych, brzydkich obrazów, ale brzydkich w taki sposób, że musiały się podobać, bo człowiek patrzył na nie i mówił: „Tak, takie jest życie". Sprawdziwszy artystów w sieci, Vernon dowiedział się, że ich prace nie są horrendalnie drogie. Dime nie trwonił więc fortuny, którą społeczeństwo mogło lepiej wykorzystać. W istocie dwóch z tych artystów popełniło nawet samobójstwo, pewnie dlatego, że sprzedali za mało obrazów. Był też sejf, do którego Vernon nie mógł się dostać, ale biorąc pod uwagę resztę mieszkania, raczej nie zawierał nic kompromitującego.

Dime przechowywał małą kolekcję fikuśnych damskich majteczek i innej bielizny w czarnej skórzanej torbie podróżnej, stojącej na najwyższej półce w garderobie. Jednak nie robił sobie zdjęć ubrany w te rzeczy i nic nie wskazywało na to, że używał ich do czegoś szczególnego. Z pewnością lubił je wąchać i wtulać w nie twarz, podobnie jak Vernon, dysponujący nieco większą kolekcją, ale to nie było żadne zboczenie ani wykroczenie, które mógłby wykorzystać w swojej książce i witrynie internetowej. Pewnie wielu mężczyzn kolekcjonuje takie rzeczy, co wyjaśnia, dlaczego damska bielizna zawsze cieszyła się popytem, nawet w najgorszych czasach — kupowały ją po prostu obie płcie.

Gdzie, do cholery, jest Logan Spangler? Co robi tak długo w mieszkaniu tego kretyńskiego senatora? Czyżby ten stary pierdziel zbierał informacje do własnej bestsellerowej książki i skandalizującej strony internetowej?

Mickey Dime

Mickey wysiadł z windy w suterenie. Odwrócił się plecami do sali gimnastycznej. Minął dwoje podwójnych drzwi prowadzących do węzła grzewczo-chłodniczego, pomieszczenie ochrony i mieszkanie dozorcy.

Podobał mu się stuk-stuk-stukot jego obcasów po kafelkowej podłodze. Zdecydowany, rzeczowy dźwięk. Kroki odbijały się echem od ścian, co sprawiało mu przyjemność. Jeśli nie musiał się skradać, nosił tylko buty ze skórzanymi podeszwami i obcasami, bo lubił stwarzać wokół siebie atmosferę autorytetu, kiedy gdzieś wchodził.

Chociaż basen znajdował się na północnym końcu ogromnej sutereny, za zamkniętymi drzwiami, wszędzie na tym poziomie unosił się lekki zapach chloru. Inni mogli tego nie zauważyć, lecz Mickey miał wspaniale wyczulone zmysły. Wszystkie sześć.

Matka Mickeya pomogła mu rozwinąć szósty zmysł: zdolność błyskawicznego wykrywania u ludzi słabych punktów, wyczuwania, jak najłatwiej można kogoś zranić, fizycznie i emocjonalnie.

Skręcił w lewo, w korytarz, gdzie znajdowały się komórki lokatorskie, każda o powierzchni około półtora metra kwadratowego.

Na końcu korytarza, obok windy towarowej, w przechowalni sprzętu trzymano między innymi ręczne wózki transportowe, wózki bagażowe i koce przemysłowe dla wygody lokatorów, jeśli chcieli coś przewieźć z mieszkania do komórki albo na odwrót. Mickey wybrał duży wózek transportowy z głęboką platformą i trzema regulowanymi pasami do przypięcia ładunku.

Najbliższa winda towarowa obsługiwała tylko południową stronę budynku. Ponieważ największe apartamenty 1-A i 2-A miały zarówno frontowe, jak i tylne wyjścia, zachodni korytarz na tych piętrach nie przechodził przez cały budynek, żeby połączyć dwa równoległe skrzydła. A północna winda towarowa obsługiwała tylko parter i dwa piętra, ponieważ tę część sutereny zajmował basen.

Mickey przetoczył wózek z powrotem do głównej północnej windy, którą wcześniej zjechał. Mural z drozdami radośnie szybującymi wśród złocistych obłoków budził w nim niepokój, nie wiadomo dlaczego. To był czysty kicz. Sztuka świadomie „ładna" zazwyczaj tylko go irytowała. Ale patrząc na ten mural, zawsze czuł się nieswojo.

W mieszkaniu przetoczył wózek do gabinetu, gdzie czekały okutane kocem zwłoki jego brata Jerry'ego.

Mickey okropnie tęsknił za matką, ale cieszył się, że nie widziała, z jaką łatwością zabił Jerry'ego. Byłaby rozczarowana, że młodszy pozwolił się tak zaskoczyć. Oczywiście jej rozczarowanie złagodziłaby duma z Mickeya.

Sparkle Sykes

Kiedy Sparkle wychodziła z gabinetu, telewizor za jej plecami znowu powtórzył:

— *Eksterminować. Eksterminować.*

Iris siedziała na łóżku w swoim pokoju i czytała. Nie podniosła wzroku. Jak zwykle pozostała zamknięta w autystycznej bańce.

Sparkle podbiegła do pierwszego okna, a potem do drugiego, żeby zaciągnąć zasłony, które córka wcześniej rozsunęła. Zanim brzegi tkaniny się zetknęły, błysnęło raz, dwa, trzy razy i w drgającym potopie niebiańskiego ognia oświetlenie dziedzińca zgasło, podobnie jak światła we wszystkich oknach północnego i zachodniego skrzydła, chociaż w jej mieszkaniu nadal się paliły. Co więcej, po tym rozbłysku znikła również złocista poświata miasta, zwykle obrysowująca sylwetki kominów i balustradę na dachu, jakby w całej metropolii, z wyjątkiem tych pokojów, odcięto dopływ energii.

Sparkle zaciągnęła zasłony do końca i odwróciła się od okna, tłumacząc sobie, że widocznie rozbłysk na chwilę ją oślepił. Wiedziała jednak, że się oszukuje. Zobaczyła coś — brak czegoś, nieobecność — związane z monstrualnym niemowlęciem, które znikło w ścianie, i głosem przemawiającym z pulsujących błękitnych kręgów w telewizorze. To nie był żaden flashback po jednym jedynym doświadczeniu z meskaliną przed wieloma laty. To nie było żadne złudzenie. To wszystko było rzeczywiste, niemożliwe, ale prawdziwe, i Sparkle rozpaczliwie pragnęła to zrozumieć.

Jeszcze raz odwróciła się do okna, zawahała się i rozsunęła zasłony. Dziedziniec wyglądał tak, jak powinien. Kominy rysowały się na tle promiennego blasku rozległej cywilizacji, której żadna burza ani ludzka głupota nie zdołały jeszcze zniszczyć.

Sparkle z ulgą wypuściła długo wstrzymywany oddech. Wtedy dostrzegła coś za oknem, coś pełznącego po parapecie, po szybach i grubych szprosach z brązu.

Docierał tu tylko nikły odblask lamp na dziedzińcu, jednak światło padające z pokoju oświetlało stwora, bardziej obcego niż monstrum, które wcześniej przepełzło za drzwiami garderoby. Wielkości i kształtu półmiska do ryb, blady niczym rozkładający się topielec, z którego woda morska wypłukała wszelkie barwy, posuwał się na czterech krabowatych nogach zakończonych nie szponami, lecz przylgami jak na łapkach żaby, pozwalającymi wspinać się po pionowych powierzchniach. Sparkle widziała go tylko od strony brzusznej, wyczuwała jednak, że jest gruby na jakieś dwanaście do piętnastu centymetrów.

Najbardziej przerażająco wyglądała twarz stwora umiejscowiona na brzuchu, gdzie żadnej twarzy być nie powinno: zdeformowane owalne oblicze, prawie ludzkie pomimo zniekształconych rysów, wykrzywione w wyrazie na poły wściekłości, na poły udręki. Ten widok budził odrazę, ale jeszcze większą fascynację, i Sparkle pomimo strachu nachyliła się do okna, niepewna, czy koszmarna twarz nie jest tylko grą światła i cienia. Pod jej wzrokiem blade powieki stwora uniosły się, odsłaniając mleczne gałki oczne. Chociaż te oczy wydawały się przesłonięte grubą kataraktą, Sparkle czuła, że wpatrują się w nią przez szybę, że ohydny intruz ją zobaczył... a potem, jakby na potwierdzenie tego wrażenia, cienkie wargi rozchyliły się i blady język polizał szkło.

Bailey Hawks

Niechętnie zostawiał Sally Hollander samą, chociaż upierała się, że potrzebuje ciszy i spokoju we własnym mieszkaniu. Ciemna, szybka sylwetka, którą widział, oraz złowrogi pływak w basenie stanowiły z pewnością manifestacje tego samego „demona", który ją przestraszył w pokoju kredensowym sióstr Cupp. Cokolwiek się działo w Pendletonie, nadprzyrodzone czy nie, sugerowało, że samotność nie jest wskazana.

Z drugiej strony, chociaż coś złapało Baileya za kostkę u nogi, kiedy uciekał z basenu, łatwo się uwolnił kopniakiem. A Sally nie doznała żadnej szkody, tylko się przestraszyła. Te fantomy wyraźnie miały złe intencje, ale za mało siły, żeby zamienić je w czyn, zupełnie jak duchy, które dzwonią łańcuchami, ale nie mogą wyrządzić prawdziwej krzywdy.

Bailey nie wierzył w duchy, nie miał jednak innego wzorca, do którego mógłby przyrównać obecną sytuację: duchy, zjawy, upiory, które jęczą po nocach. Jeśli to nie było coś w tym rodzaju, nie potrafił sobie wyobrazić, co by to jeszcze mogło być.

Zostawiwszy Sally w apartamencie C, wszedł na pierwsze piętro północnymi schodami zamiast wjechać windą. Często rezygnował z windy w ramach ćwiczeń kondycyjnych. Spiralna klatka schodowa zachowała się z oryginalnej Belle Vista, nie dodano jej podczas przeróbki domu na apartamentowiec w 1973 roku. Marmurowe stopnie były szerokie i gładkie, a ozdobna poręcz z brązu przymocowana do wewnętrznej ściany stanowiła przykład najznakomitszego dziewiętnastowiecznego rzemiosła, którego odtworzenie w dzisiejszych czasach kosztowałoby fortunę. Wchodząc po tych schodach, Bailey przypomniał sobie francuski zamek, który kiedyś zwiedzał.

Ponieważ schody biegły spiralnie, nie miały podestów na półpiętrach, tylko na piętrach. Kiedy Bailey dotarł na podest i położył rękę na klamce drzwi, usłyszał szybkie zbiegające kroki i dziecięcy głosik:

— *Kieszeń pełna żyta, piosnka za sześć groszy, zapiekane w cieście dwa tuziny kosów...*

Głos brzmiał tak czysto i melodyjnie, że Bailey przystanął, żeby zobaczyć, kto śpiewa. W Pendletonie mieszkało dwoje dzieci.

— *Przekrojono ciasto, ptaszków zabrzmiał chór...*

Wyżej na schodach pojawiła się dziewczynka, siedmio- czy ośmioletnia, równie ładna jak jej głos, z wesołymi niebieskimi oczami. Ubrana była w jakiś kostium: błękitną bawełnianą sukienkę z marszczoną spódnicą i bufiastymi rękawami, na którą narzuciła coś w rodzaju lnianego fartuszka barwy skorupki jajka, wykończonego zwykłą koronką. Na nogach miała białe rajstopy i białe skórzane buciki do kostek, nie sznurowane, tylko zapinane na guziczki.

Na widok Baileya przystanęła i lekko dygnęła.

— Dzień dobry panu.

— Na pewno dostałaś tę sukienkę od Edny Cupp — zagaił Bailey.

Dziewczynka zrobiła zdziwioną minę.

— Jest od Partridge'a, gdzie mama kupuje wszystkie nasze ubrania. Mam na imię Sophia. Czy pan jest przyjacielem tatusia?

— Możliwe. Kim jest twój tatuś?

— Panem tego domu, oczywiście. Ale muszę się pospieszyć. Lada chwila dostawca przywiezie lód do kuchni. Zeskrobiemy trochę z bloków i polejemy syropem wiśniowym. To takie dobre!

Prześlizgnęła się obok Baileya i pobiegła dalej.

— Jak masz na nazwisko, Sophio?! — zawołał za nią.

— Pendleton, oczywiście — odpowiedziała i zanuciła następną piosenkę, znikając za załomem schodów: — *Król Kapusta był wesołym człekiem, wesołym człekiem był...*

Kroki i głos dziewczynki ucichły szybciej, niż to usprawiedliwiał zakręt schodów. Bailey czekał na odgłos otwierania i zamykania drzwi, ale na klatce schodowej zapadła głęboka cisza.

Sam nie wiedział, dlaczego zszedł na parter, a potem do sutereny. Spodziewał się, że dziewczynka czeka na dole. Ciężkich drzwi przeciwpożarowych nie dałoby się otworzyć i zamknąć bezgłośnie. Jednak dziewczynka zniknęła.

—

Twyla Trahern

Po rozmowie z telefonistką z City Bell w 1935 roku — albo oszustką należącą do jakiegoś dziwacznego spisku o niepojętych celach — Twyla spiesznie wyprowadziła Winny'ego z kuchni do pralni. Wyjęła z narożnej szafy płaszcz przeciwdeszczowy i parasol, a Winny włożył kurtkę z kapturem.

Mając świeżo w pamięci mroczną równinę, którą przelotnie dostrzegła wcześniej, wyjęła z szuflady z narzędziami dwie latarki i wcisnęła do kieszeni płaszcza.

Wyszli tylnymi drzwiami, Twyla zamknęła je na klucz i pobiegli krótkim korytarzem do południowej windy, gdzie nacisnęła guzik wezwania.

— Jak ta ściana mogła się zmienić? — zapytał Winny.

— Nie wiem, kochanie.

— Gdzie było to miejsce, to brudne miejsce, które pojawiło się i znikło?

— Nie wiem. Piszę piosenki, nie fantastykę naukową. — Jeszcze raz nacisnęła guzik. — No szybciej, przyjeżdżaj.

— To była ta sama ściana, ale inna, jak Pendleton w jakimś innym świecie. No wiesz, jak światy równoległe w książkach.

— Nie czytam takich książek. Może ty też nie powinieneś.

— To nie ja zrobiłem tamto ze ścianą — zapewnił chłopiec.

— Nie, oczywiście. Nie to miałam na myśli.

Sama nie wiedziała, co miała na myśli. Czuła się zagubiona i to ją przerażało. Przez całe życie potrafiła sobie radzić prawie ze wszystkim, co ją spotykało, nie szukała wymówek, nie pozwalała sobie na żadne wątpliwości. Od jedenastego roku życia, zawsze kiedy stało się coś strasznego albo bolesnego, komponowała o tym balladę, hymn religijny, piosenkę o miłości albo wiejskie boogie-woogie, i kiedy pisała tekst, kiedy śpiewała piosenkę, strach i ból mijały. Bolesne wydarzenia, jak strata ukochanego ojca albo rozpad małżeństwa z Farrelem... no, to były zwyczajne ludzkie nieszczęścia, na które pomagała muzyka. Jednak w tych niesamowitych okolicznościach melodia i słowa ją zawiodły. Żałowała, że nie ma tyle broni — przynajmniej jednego pistoletu! — ile miała instrumentów muzycznych.

„Ding!" Winda wjechała na pierwsze piętro.

Winny wskoczył do środka, zanim jeszcze drzwi się całkiem rozsunęły.

Twyla zatrzymała się na progu, kiedy spostrzegła, że kabina windy się zmieniła. Zniknęły mural z drozdami i marmurowa posadzka. Wszystkie powierzchnie pokrywała nierdzewna szczotkowana stal. Z półprzezroczystych paneli w suficie płynęło upiorne błękitne światło, takie samo, jakie pulsowało w telewizorze i poprzedzało słowa: „Eksterminować. Eksterminować".

— Wyłaź stamtąd! — krzyknęła do syna i drzwi zaczęły się zasuwać.

—

Logan Spangler

W groźnej ciemności wężowe sploty pulsowały perystaltycznie, wydając obrzydliwe wilgotne odgłosy, a obleśnie stercące grzyby z każdym świszczących oddechem wyrzucały drobniutkie zarodniki.

W wąskiej smudze diodowego światła Logan zobaczył, że trzpienie w tulejach zawiasów rozłącznych można obluzować ostrzem scyzoryka, który miał przy sobie. Zanim jednak zabrał się do roboty, w toalecie zapaliło się światło, nie żółty dysk na suficie — który zniknął — tylko lampy wpuszczane w sufit i w występ nad umywalką, przedtem rozbite i skorodowane. Całe pomieszczenie wróciło do poprzedniego stanu, a blado-zielone, czarno nakrapiane grzyby obu rodzajów, wężowe i sro-motnikowe, zniknęły bez śladu.

Zablokowane wcześniej drzwi teraz się otworzyły. Logan wypadł z ciasnej toalety do holu, nareszcie wolny.

Kichnął raz i drugi. Ścisnął nos dwoma palcami, żeby pozbyć się swędzenia w środku. Wargi miał wyschnięte i kiedy je oblizał, poczuł zaskorupiały osad. Otarł usta ręką. Na palcach i we wnętrzu dłoni zobaczył dziesiątki maleńkich białych zarodników.

Martha Cupp

Kiedy Bailey i Sally wyszli, Martha postanowiła wyrzucić z głowy bzdury o demonie w kredensie i poćwiczyć umiejętności brydżowe. Usiadła przy komputerze w swoim gabinecie. Grała z wirtualną partnerką imieniem Alice przeciwko wirtualnej parze o imionach Morris i Wanda. Z menu oferującego pięć stopni trudności wybrała POZIOM MISTRZA, ale już po kilku minutach pożałowała swojego wyboru. W prawdziwego brydża, z ludźmi z krwi i kości, grywała dopiero od roku. Chociaż wyłaziła ze skóry, nie potrafiła grać na poziomie mistrzowskim. Wpadła w taką frustrację, że oskarżyła Morrisa o oszukiwanie, chociaż był tylko kawałkiem software'u i nie mógł jej słyszeć. A Wanda, ta zarozumiała mała dziwka, była tak irytująco pewna siebie.

W otwartych drzwiach stanęła Edna.

— Doszłam do wniosku, że ta sytuacja wymaga natychmiastowego działania — oznajmiła.

Martha mruknęła do swojej wirtualnej partnerki Alice:

— Przykro mi, że nie mogę pomóc. Powinnam wybrać poziom dla idiotów.

— Jutro z samego rana — ciągnęła Edna — wzywam egzorcystę.

Martha odwróciła wzrok od komputera i zobaczyła, że siostra już się przebrała do obiadu. Zamiast liliowej jedwabnej sukni miała na sobie czarny jedwab pokryty czarno nakrapianym szyfonem, wykończony przy szyi czarno-złotą koronką, z marszczonymi rękawami ozdobionymi mnóstwem falbanek i szerokim pasem z czarnego aksamitu. Założyła nie tylko długi sznur pereł związany na wysokości biustu, ale również brylantowy naszyjnik z wisiorkiem i małe wiszące kolczyki, a nawet długie białe rękawiczki. Wyglądała tak, jakby wybierała się na bankiet u królowej, zamiast zjeść wcześniej przygotowany, podgrzany w mikrofalówce posiłek z siostrą, fatalną brydżystką.

— A kiedy już wyegzorcyzmujemy wszystkie złe duchy, każę pobłogosławić mieszkanie.

— Ale gdzie znajdziesz egzorcystę, kochanie? Ojciec Murphy wie, że wierzysz w starożytnych astronautów, ludzi-cienie, czarownice ukryte wśród nas... Nie pochwala tego, jak to ksiądz.

Nie będzie narażał godności Kościoła i przyprowadzał egzorcysty, skoro w każdej chwili możesz stwierdzić, że to jednak nie był demon, tylko troll.

Edna uśmiechnęła się i pokręciła głową.

— Czasami myślę, że ty mnie wcale nie słuchasz, Martho. Ja nie wierzę w trolle. Trolle to stwory z bajek dla dzieci, nic więcej.

— Ale wierzysz w gremliny — wytknęła jej Martha.

— Bo gremliny istnieją. Wiesz, gdzie tym razem nasz gremlin schował moje okulary do czytania? Znalazłam je w lodówce, na dolnej półce, obok jogurtów owocowych. Mały nicpoń.

— Może sama je tam zostawiłaś?

Edna uniosła brwi.

— Jakim cudem? Przecież nie włażę do lodówki, żeby poczytać.

Gdzieś w mieszkaniu rozległy się piskliwe wrzaski, które brzmiały jak kocia bójka, chociaż Dym i Popiół nigdy się nie biły.

— Co im się stało? — zaniepokoiła się Edna.

Odwróciła się i pobiegła, z szumem ciągnąc po podłodze krótki tren wieczorowej sukni.

—

Sparkle Sykes

Kiedy pełzające monstrum wystawiło język ze zdeformowanej twarzy na brzuchu i polizało szybę śliską od deszczu, Sparkle wiedziała, że nie chciało skosztować zimnej wody, tylko z niej zadrwić. Ohydne oblicze, początkowo wykrzywione również bólem, teraz wyrażało tylko wściekłość, kiedy wargi wygięły się w wąskim, szyderczym uśmiechu.

Przekonana, że zasnute bielmem oczy ją widzą, nie zaciągnęła jednak zasłony, bo chciała wiedzieć, co robi stwór. Wspinając się ukosem po oknie, nie spieszył się, tylko obmacywał łapami wyposażonymi w przylgi każde złączenie szkła i brązu, jakby szukał dziury czy słabego miejsca, przez które mógłby się dostać do środka.

Jaskrawa błyskawica rozdarła niebo, lecz po raz pierwszy od śmierci ojca Sparkle nie skuliła się ze strachu przed tą zabójczą potęgą. Odrażający stwór za oknem budził w niej większe przerażenie niż płomienna furia natury. W istocie wyładowania atmosferyczne zdawały się pieścić stwora, jakby był dzieckiem burzy.

Musiała wezwać ochronę. Nie wiedziała, co powiedzieć ochroniarzowi, żeby nie wyjść na wariatkę. Powiedz tylko, że musi przyjść i sam to zobaczyć. Powiedz, że to pilne.

W pokoju Iris nie było telefonu. Nawet najładniejszy, najweselszy dzwonek zawsze ją drażnił.

Nie spuszczając oka ze stwora za oknem, Sparkle cofnęła się do łóżka córki. Odezwała się cicho, spokojnym tonem, żeby nie wywołać u dziecka ataku paniki:

— Iris, skarbie, czas na deser. Lody, kochanie. Czas na lody w kuchni.

Dziewczynka nie odpowiedziała ani się nie poruszyła.

Stwór przelazł z jednej szyby na drugą, przyssawki na łapach zapiszczały na szkle.

Sparkle nie mogła zostawić dziecka samego, nawet na krótką chwilę potrzebną, żeby dopaść najbliższego telefonu i wezwać ochronę.

Autyzm, bezwzględny cenzor, odebrał Iris zdolność komunikacji. Znając na pamięć obszerne fragmenty ukochanej książeczki o Bambim, dziewczynka potrafiła wykorzystywać je jako rodzaj szyfru, który czasami pozwalał jej przeszmuglować pod nosem strażnika jakąś myśl, przebraną w cudze słowa. W nadziei, że zbuduje most pomiędzy sobą a psychicznie wycofaną córką, Sparkle przeczytała tę książkę wiele razy. Czasem dziewczynka słuchała znajomych wersów z *Bambiego* i stosowała się do nich, chociaż jeśli to samo polecenie sformułowano inaczej, ignorowała je albo reagowała wybuchem. Sparkle wyszukała i zapamiętała wiele wersów, które okazały się przydatne.

— *On jest w lesie, musimy tam pójść* — powiedziała, nawiązując do myśliwego, który terroryzował jelenie w lasach nad Dunajem.

Iris podniosła wzrok znad książki, chociaż nie spojrzała bezpośrednio na matkę, jakby kontakt wzrokowy sprawiał jej ból.

— *Nie przerażaj się* — ciągnęła Sparkle, cytując starego samca, ojca Bambiego, z przedostatniego rozdziału książki. — *Chodź teraz ze mną i pozbądź się lęku. Jestem rad, że mogę cię tam zaprowadzić i pokazać ci to...*

Słynna powieść znowu zdziałała cuda. Iris odłożyła książkę, którą czytała, wstała z łóżka i podeszła do matki, nieświadoma pełzającej grozy za oknem.

Sparkle chciała wziąć córkę za rękę, ale fizyczny kontakt zepsułby nastrój, zakończyłby współpracę, może sprowokował gwałtowną reakcję. Więc tylko odwróciła się i podeszła do otwartych drzwi, jakby była pewna, że córka pójdzie za nią niczym jelonek za łanią, która wydała go na świat. Na progu obejrzała się i zobaczyła, że Iris ruszyła za nią, powłócząc nogami.

189

Zdawało jej się, że usłyszała nieludzki krzyk, piskliwy wrzask pożądania, rozczarowania i wściekłości, stłumiony przez szybę. Lecz ten dźwięk brzmiał tak obco i przerażająco, że wolała wierzyć, iż to tylko wiatr zagwizdał najcieńszym falsetem.

—

Winny

Winny dał nura do windy i natychmiast spostrzegł, że mural z ptakami zniknął, że wszystko pokrywa nierdzewna stal, a zamiast listwy oświetleniowej i kryształowego żyrandola na suficie tkwią kręgi emitujące ponure błękitne światło. Sekundę później skojarzył je z pulsującymi świetlistymi pierścieniami na ekranie telewizora w jego pokoju — właśnie wtedy mama powiedziała: „Wyłaź stamtąd!" — i drzwi zaczęły się zasuwać.

Ze względów bezpieczeństwa te drzwi powinny się rozsunąć, jeśli ktoś w nie wszedł, ale zacisnęły się na Winnym jak szczęki. Nie miały zębów, nie mogły go ugryźć, jednak wydawały się dostatecznie silne, żeby powoli wycisnąć z niego oddech albo połamać mu żebra i wbić odłamane końce w serce. Kiedy matka złapała go za kurtkę, w wyobraźni zobaczył krew tryskającą mu z nosa, cieknącą z uszu, i tak się przestraszył, że zaczął się szarpać i wykręcać, aż się uwolnił.

Prawie. Drzwi zamknęły się na jego lewym nadgarstku tak ciasno, że zabolało, i nie mógł przekręcić ręki, żeby ją wyciągnąć. Matka wczepiła palce w wąską szczelinę i próbowała rozsunąć drzwi trochę bardziej, ale nie dawała rady, bo trzymały strasznie mocno. Stękała z wysiłku i przeklinała, a przecież matka nigdy nie przeklinała.

Potem może mu się wydawało, ale poczuł, że coś wpełzło na jego rękę uwięzioną w kabinie windy i zaczęło ją badać.

— Tam jest robak! — wrzasnął Winny, łamiąc zasadę, żeby nigdy nie zachowywać się jak mięczak, narażając się na zarzut tchórzostwa, ale nie mógł się opanować. — Tam, na mojej ręce, jakiś wielki robal!

Owadzie czułki albo odnóża drżały pomiędzy wszystkimi palcami Winny'ego jednocześnie, na wierzchu dłoni i od spodu, wstrętne, obrzydliwe, może to wielka stonoga, tak giętka, że przewija się nieustannie pomiędzy palcami, a może rój mniejszych insektów. Winny zacisnął zęby i zdławił krzyk, czekając na ukąszenie, potrząsnął dłonią, żeby zrzucić to paskudztwo, drzwi mocniej ścisnęły jego nadgarstek, matka walczyła z nimi, twarz miała czerwoną z wysiłku, ścięgna na szyi napięte jak struny, i nagle uwolnił się od drzwi i od robaka.

Przemknął obok matki, na drugą stronę korytarza, odwrócił się i przywarł plecami do drzwi apartamentu pana Daia, przekonany, że z windy wylezie coś strasznego. Ale drzwi się zasunęły. Mamie nic się nie stało, na czole miała krople potu, ale żaden robak nie wspinał się po jej płaszczu w kierunku twarzy.

Najwyżej dziesięć metrów dzieliło ich od południowych schodów, jedynej drogi ucieczki, skoro nie mogli zjechać windą. Mama zgarnęła z podłogi torebkę, nie zawracała sobie głowy upuszczonym parasolem, tylko popchnęła Winny'ego przed sobą i zawołała:

— Zejdziemy schodami!

Może zadziałał prawdziwy instynkt, a może hańbiąca chwila słabości zmieniła Winny'ego w tchórza, ale podchodząc do drzwi pożarowych, pomyślał, że schody to pułapka. Coś czeka na nich za zakrętem tej spirali i nigdy nie dotrą żywi na parter. Widocznie matka też to poczuła, bo szepnęła:

— Winny, nie. Zaczekaj.

Vernon Klick

Vernon z takim napięciem czekał, aż ten zramolały dziadyga Logan Spangler wytarabani się wreszcie z apartamentu nadętego senatora na drugim piętrze, że pukanie do drzwi poderwało go z krzesła. Zanim zdążył powiedzieć: „Proszę", drzwi się otworzyły i do środka wparował Bailey Hawks niczym właściciel, który przyszedł po czynsz.

Vernon nie lubił Hawksa, tak jak wszystkich mieszkańców Pendletona, nawet bardziej niż niektórych. Logan Spangler swoim najbardziej wazeliniarskim tonem opowiadał, że Hawks jest bohaterem tylko dlatego, że służył w piechocie morskiej i dostał całą furę głupich medali, pewnie za takie wyczyny, jak zabicie dziesięciu tysięcy niewinnych cywilów, zerżnięcie tysiąca kurwiszonów z Trzeciego Świata i podpalanie sierocińców. Prawdziwi bohaterowie to byli ludzie tacy jak Vernon, którzy mieli odwagę demaskować prywatne życie i paskudne sekrety różnych pazernych, zakłamanych świętoszków, takich jak pasożyty mieszkające w tym budynku.

Rewizja w apartamencie Hawksa nie ujawniła żadnych wstydliwych sekretów, które mogłyby wynieść książkę Vernona na szczyt listy bestsellerów i zrobić z jego płatnej witryny internetowej, kiedy już ją stworzy, najpopularniejsze miejsce w sieci. Lecz nawet jeśli nie znalazł skandalizujących materiałów na temat Hawksa, to nie znaczyło, że takie sekrety nie istnieją. Znaczyło tylko, że zabójca sierot potrafi wyjątkowo sprytnie ukrywać dowody swoich nikczemnych zbrodni i odrażających perwersji.

W każdym razie Vernon znalazł mnóstwo dowodów poszlakowych, że Hawks wcale nie jest takim bohaterem, za jakiego uważał go Logan Spangler. Po pierwsze, Hawks prenumerował aż dziewięć czasopism finansowych, co świadczyło o chorej obsesji na punkcie pieniędzy. Miał chłodziarkę do wina pełną markowego caberneta, kilka garniturów szytych na miarę, z których każdy kosztował sześć razy więcej niż całkowicie zadowalająca gotowa konfekcja, oraz kolekcję rzadkich bakelitowych radioodbiorników z okresu art déco. Przyzwoity człowiek nie wydawałby pieniędzy tak egoistycznie i na takie niepotrzebne głupstwa. Chociaż Vernon potrafił się włamywać do sejfów, wolno stojący model Hawksa okazał się niedostępny, więc na pewno zawierał skandalizujące materiały. I chociaż Vernon był niezłym hakerem, nie mógł też dobrać się do plików klientów Hawksa, bo były zbyt dobrze zabezpieczone. Zaczął nawet podejrzewać, że Hawks trzyma je na oddzielnym komputerze, który codziennie zamyka na noc w sejfie, oczywiście dlatego, że razem ze swoimi klientami jest zamieszany w oszustwa giełdowe, spekulacje i jeszcze gorsze rzeczy.

— Panie Klick — odezwał się Hawks, kiedy wszedł do pomieszczenia ochrony — właśnie widziałem na północnych schodach kogoś, kto chyba tu nie mieszka.

Vernon usiadł, zirytowany, że zwrócono się do niego „panie Klick" zamiast „panie strażniku".

— Kogo?

— Nie wiem, kim ona była. Ale może pan sprawdzi na nagraniach wideo, czy zeszła na parter, czy do sutereny. Minęła mnie na podeście pierwszego piętra.

— Jeśli tu mieszka, naruszyłbym jej prywatność, gdybym panu pozwolił ją śledzić.

— Nie sądzę, że tu mieszka.

— Ale nie wie pan na pewno?

— Proszę posłuchać, coś tu jest nie tak. — Hawks się zawahał. Oczy miał rozbiegane, jak przystało na oszusta finansowego. — Dzieją się dziwne rzeczy. To się stało jakieś trzy, cztery minuty temu, ale może ona się nie pojawi na nagraniu wideo. Nie zdziwiłbym się.

Vernon zmarszczył brwi.

— Więc Spangler mówił panu o tych brakujących dwudziestu trzech sekundach? No, ale to ja powiedziałem, że było włamanie albo ktoś kogoś zabił. Jeśli tak się okaże, on powie, że od początku to podejrzewał, ale to ja miałem podejrzenia, nie on. Skoro pan mówi, że jest następny intruz i może znowu coś dziwnego się dzieje z kamerami, na mojej zmianie to im nie ujdzie płazem. Popatrzmy.

Vernon przerzucił obraz na środkowym ekranie z podglądu w czasie rzeczywistym na zarchiwizowane wideo. Ponieważ na klatce schodowej nie było kamer, wywołał najpierw hol w suterenie przy północnych schodach i cofnął się pięć minut, żeby sprawdzić, czy ktoś wychodził tymi drzwiami. Jeśli wśród uprzywilejowanych pasożytów w Pendletonie rzeczywiście doszło do włamania albo morderstwa, albo kolejnego morderstwa, albo jakiegoś innego paskudnego przestępstwa, jego książka będzie nie tylko hitem, lecz także olbrzymim bestsellerem. Pikantne wielokrotne morderstwo byłoby wspaniałe, szczególnie połączone z seksualnym okaleczeniem bądź kanibalizmem... Pewnie miał za duże wymagania, chociaż z drugiej strony nigdy nie wiadomo, na jakie jeszcze zboczenia pozwolą sobie ci bogacze.

—

Mickey Dime

Martwy Jerry, zawinięty w koc, stał na bagażowej platformie wózka transportowego. W pozycji pionowej utrzymywały go trzy mocno zaciągnięte pasy, którymi był przywiązany do ramy.

Mickey przyjrzał się trupowi pod różnymi kątami. Z każdej strony wyglądał jak sztywniak w kocu.

Z szafy na pościel Mickey wyjął dwie zapasowe poduszki. Przechowywał je w plastikowych workach z cytrynowymi saszetkami zapachowymi. Wtulił twarz po kolei w każdą poduszkę, rozkoszując się cytrynowym zapachem gęsiego puchu.

Taśmą klejącą przyczepił poduszki do koca z mikrofibry w okolicy łydek trupa, żeby zamaskować kończyny. Lubił dotyk, siłę i elastyczność taśmy klejącej. Taśma była sexy.

Z szafki pod zlewem kuchennym wyjął wiadro. Nasadził je na głowę Jerry'ego i przymocował taśmą.

W szafie w sypialni miał kilka pudeł na książki, zawierających korespondencję jego ukochanej matki z innymi sławnymi intelektualistami. Zamierzał ją uporządkować i przekazać Uniwersytetowi Harvarda, gdzie matka stanie się nieśmiertelna.

Jedno pudło było zapełnione tylko częściowo. Mickey z pietyzmem wyjął listy — które zachowały jeszcze ślad perfum

Nightshade, jej podpisu — i odłożył na bok. Zaniósł pusty karton do gabinetu i taśmą przykleił go do piersi Jerry'ego.

Wyjął z szafy drugi koc i udrapował luźno na trupie z wszystkimi doklejonymi akcesoriami. Teraz martwy Jerry wyglądał jak zwykły stos rupieci.

Mickey przechylił wózek do tyłu, wytoczył go z gabinetu przez salon do przedpokoju i zaparkował pod drzwiami.

W sypialni nałożył kaburę podramienną. Wsunął do kabury trzydziestkędwójkę z tłumikiem i włożył sportową marynarkę, skrojoną tak, żeby ukryć broń. Przejrzał się w wielkim lustrze. Wyglądał seksownie.

Wyglądał tak dobrze, że w zasadzie nie musiał poprzestawać na erotycznych rojeniach o Sparkle Sykes. Gdyby do niej wystartował, chyba nie mogłaby mu się oprzeć. Wiele kobiet nie mogło mu się oprzeć, i wcale nie dlatego, że im płacił. Często mówiły, że z nim nie chodzi tylko o pieniądze, i wiedział, że nie kłamały. Jednak Sparkle zawsze mogła dać mu kosza, a on źle znosił odrzucenie. Gdyby zachowała się nieuprzejmie, uważałby za punkt honoru, żeby wziąć to, co chciał, i potem posprzątać. Lepiej ograniczyć seks ze Sparkle do sfery wyobraźni.

Zostawił Jerry'ego na wózku w przedpokoju. Wyszedł na korytarz, zamknął mieszkanie na klucz i poszedł zabić dyżurnego ochroniarza.

Logan Spangler

W kuchni senatora Earla Blandona Logan znalazł whisky, kilkakrotnie wypłukał gardło i wypluł do zlewu w nadziei, że alkohol zniszczy — a przynajmniej zmyje — zarodniki, które mogły się dostać do ust. Wydmuchał nos tak mocno i tyle razy, że o mało nie popękały mu naczynia krwionośne, próbując usunąć maleńkie spory z piekących nozdrzy i zatok. Martwił się, że zarodniki są toksyczne. Może nie śmiertelnie trujące, ale w jakiś sposób szkodliwe. Niektóre grzyby po zjedzeniu wywoływały halucynacje i nawet trwałe zaburzenia psychiczne. Te dziwaczne grzyby w toalecie nie wyglądały na jadalne, przypominały raczej coś, co Alicja mogłaby znaleźć po drugiej stronie lustra tak ciemnego, że prowadziło do piekła zamiast do Krainy Czarów.

Logan zastanawiał się, czy kontakt z zarodnikami wywołał wizje opuszczonych, zrujnowanych pomieszczeń. To nie miało sensu, bo przecież grzyby i ich zarodniki same należały do tej wizji, nie do realnego świata. Niemniej ta myśl uparcie powracała. Obrazy bladozielonych, czarno nakrapianych organizmów pojawiały mu się przed oczami nieproszone, chociaż trochę się różniły od tego, co widział w toalecie, ponieważ się poruszały. Nie tylko odruch przełykania, perystaltyka. Wyginały się i falowały, owijały się wokół siebie, skręcały się w drgającym zapamiętaniu. Nie mógł się uwolnić od tych zjaw. Widział je wyraźniej niż kuchnię, w której stał. Przypuszczał, że w ten sposób LSD zmienia rzeczywistość, chociaż nigdy nie zażywał halucynogenów. Na kapeluszach muchomorów, wokół których wiły się wężowe grzybnie, pomarszczona skóra rozchyliła się jak przedtem w toalecie, ale tym razem nie wystrzeliły z nich obłoczki zarodników. Zamiast tego, niczym na filmie wyświetlanym w wyobraźni, z niektórych kapeluszy wysunęły się jakby szare języki, z innych zaś uniosły się żółte oczy na włóknistych szypułkach, jakby połączenie roślin i zwierząt stworzyło de-

197

moniczne dzieci. Nagle punkt widzenia tego delirium się zmienił i Logan nie patrzył już na grzyby, tylko wyglądał z ich wnętrza, jakby oczy na słupkach stały się jego oczami, i zobaczył samego siebie w mundurze, z twarzą bladą i spoconą, z oczami pustymi jak arktyczny świt.

Zorientował się, że wrócił do toalety, chociaż nie pamiętał, żeby wychodził z kuchni. Stał przy umywalce, ściskając oburącz marmurowy blat, jakby próbował się zakotwiczyć w rzeczywistości, i patrzył w lustro. Za nim po ścianie pełzały obrzydliwe grzyby, ale światło nie było przyćmione i kiedy się odwrócił do ruchliwej kolonii, nie istniała. Widział tylko jej odbicie. Lustro pokazywało Logana takiego, jak wyglądał teraz, ale ścianę za nim taką, jak wyglądała wcześniej. To nie lustro się zepsuło. Coś się stało z Loganem.

Mrowienie w palcach kazało mu spojrzeć na własne dłonie, zaciśnięte na blacie. Paznokcie miał czarne.

Martha Cupp

Zanim Martha wbiegła do salonu, depcząc siostrze po piętach, Dym i Popiół przestały miauczeć. Chociaż koty rzadko się wspinały, tym razem oba siedziały na szczycie etażerki zapełnionej ptaszkami z porcelany. Wyglądały zza trójkątnego zwieńczenia mebla szeroko otwartymi pomarańczowymi oczami. Zwykle wyniosłe i pewne siebie, teraz wydawały się przestraszone.

— Czego się boicie? — zwróciła się do nich Martha.

— A jak myślisz? — Ton głosu Edny sugerował, że obie znają odpowiedź.

— Nie szatana — prychnęła zniecierpliwiona Martha. — Dlaczego książę piekieł, mając do zniszczenia cały świat, traciłby na nas tyle czasu? Bo pieczemy dobre ciastka?

— On jest królem piekieł i księciem tego świata — sprostowała Edna.

— Królewskie rody zawsze mnie nudziły.

— Zresztą ja wcale nie mówiłam, że to szatan, kochanie. Powiedziałam, że Sally zobaczyła demona. W końcu jego imię jest Legion i ma na posługi całą armię.

Przyglądając się kotom skulonym na swojej wysokiej reducie, Martha zauważyła:

— One nigdy nie łapały myszy. Pod tym względem przynoszą wstyd swojemu gatunkowi.

— Bo w Pendletonie nie ma myszy. Inaczej na pewno zostawiałyby nam mnóstwo prezentów z ogonkami. To nie mysz je wystraszyła.

— Więc grzmot.

— Albo coś innego — upierała się Edna.

Dym i Popiół zareagowały jednocześnie: odwróciły pyszczki w stronę przeciwległego kąta pokoju i zasyczały, jakby zobaczyły coś, czego nie znoszą.

Siostry obejrzały się, szukając przyczyny kociego niezadowolenia, i Martha na mgnienie dostrzegła, jak coś przemknęło pomiędzy fotelem a dużą tapicerowaną kanapą w stylu chesterfield.

— Co to było? — zapytała.

— Co?

— Coś widziałam.

Błyskawica rozświetliła okna, szyby zawibrowały od grzmotu, a deszcz znowu spłukał je do czerni.

Martha wyciągnęła długi pogrzebacz ze stojaka z mosiężnymi przyborami kominkowymi i ruszyła przez wielki salon, lawirując w natłoku wiktoriańskich mebli — miękkich foteli, stolików zastawionych cennymi bibelotami, kwietników, z których zwieszały się paprotki, postumentów z popiersiami klasycznych poetów — do kanapy, za którą prawdopodobnie schronił się mały szybki intruz. Dłoń ściskająca pogrzebacz bolała, ale spuchnięte, artretyczne kłykcie Marthy zachowały dość siły, żeby zatłuc szczura czy każde potencjalnie groźne egzotyczne zwierzątko, które jakiś beznadziejny głupiec znowu wypuścił na wolność.

Osiem lat wcześniej w Pendletonie zamieszkał muzyk rockandrollowy. Nagrał trzy przeboje i odbył jedno udane krajowe tournée, po czym jego kariera załamała się z braku talentu. Zanim zdążył przepić, przewąchać czy w inny sposób roztrwonić swoją małą fortunkę, kupił za gotówkę apartament na pierwszym piętrze i wprowadził się tam z blondynką imieniem Bitta, która miała zielone włosy i piersi wielkie jak indyki na Święto Dziękczynienia. Bez wiedzy i zgody wspólnoty mieszkaniowej odlotowa para przywiozła ze sobą jadowitą jaszczurkę gila imieniem Cobain. Jaszczur biegał swobodnie po mieszkaniu i w końcu uciekł frontowymi drzwiami, które właściciele bezmyślnie zostawili uchylone, kiedy wrócili do domu pijani, wyśpiewując na korytarzu sprośne piosenki. Przez następnych osiemnaście godzin, zanim wytropiono, schwytano i usunięto sprytnego Cobaina, w Pendletonie panowało pandemonium.

Rok później, po jednej nocy pechowej gry w Vegas, rockandrollowiec stracił i pieniądze, i Bittę. Dawno już zniknął z Pendletona, ale w tych czasach nie brakowało głupców wszelkiej maści. Martha niemal się spodziewała, że znajdzie następnego egzotycznego zwierzaka. Gdyby miał ostre zęby, złośliwe usposobienie i mordercze intencje, broniłaby się zażarcie bez względu na to, czy nazywałby się Cobain, czy Puszek.

— Co ty wyprawiasz? — zapytała Edna, kiedy Martha z uniesionym pogrzebaczem podkradała się do intruza.

— Pamiętasz Cobaina?

Dym i Popiół zasyczały ze szczytu etażerki, chociaż Cobain zniknął, zanim tu zamieszkały.

— Widziałaś jaszczurkę gila? — zdziwiła się Edna.

— Gdybym widziała, tobym powiedziała. Widziałam coś, nie wiem co.

— Powinnyśmy kogoś wezwać.

— Na pewno nie wezwę egzorcysty — oświadczyła Martha, ostrożnie obchodząc kanapę.

— Chodziło mi o dozorcę, pana Trana.

Za masywnym meblem nic się nie czaiło.

Może stworek, którego przez chwilą dostrzegła, schował się pod kanapą? Martha pochyliła się i sięgnęła pogrzebaczem pod mebel.

Sparkle Sykes

Idąc przez salon do kuchni — z Iris człapiącą z tyłu — żeby zadzwonić do ochrony w sprawie stwora, który niewątpliwie nadal próbował sforsować okno sypialni, Sparkle usłyszała hałas na korytarzu. Dziecięcy głos krzyczał coś o „wielkim robaku".

Zmieniła kierunek, pobiegła do przedpokoju i wyjrzała przez

judasza. W południowym korytarzu nie zobaczyła nikogo, ale usłyszała kobietę wołającą nagląco: „Zejdziemy schodami!".

Po chwili wahania Sparkle otworzyła drzwi. Z prawej strony, w odległości trzech metrów, na połączeniu południowego i zachodniego skrzydła dwie osoby zmierzały w kierunku klatki schodowej. Twyla Trahern, ta miła kobieta z 1-A, autorka piosenek, której mąż był znanym piosenkarzem. Jej synek miał na imię Winslow albo Winston, jakoś tak. Wołała na niego Winny. Byli ubrani do wyjścia.

Chłopiec szedł przodem, wyraźnie przestraszony, ale zatrzymał się z ręką na klamce drzwi klatki schodowej, kiedy matka ostrzegła:

— Winny, nie! Czekaj.

— Wiem, czuję — powiedział. — Może coś czeka na schodach.

— Potrzebujecie pomocy? — zapytała Sparkle.

Odwrócili się do niej zaskoczeni i zobaczyła w ich twarzach dokładnie to, co sama czuła: konsternację, niepokój, lęk.

———

Sally Hollander

Sparaliżowana wstępnym ugryzieniem, z długim, rurkowatym językiem demona wepchniętym głęboko do gardła, krztusząc się zimną, gęstą substancją, która wytrysnęła z tej rurki, Sally czepiała się świadomości nie tyle wskutek krańcowego przerażenia, ile gwałtownego wstrętu. Pomimo paraliżu rozpaczliwie usiłowała się uwolnić i oczyścić, gdyż czuła się straszliwie zbrukana przez dotyk stwora, ukąszenie i gwałt.

Wreszcie wysunął język i wypuścił Sally z uścisku. Osunęła

się na podłogę. W żołądku czuła zimno, jakby potwór wpompował w nią wiadro lodu. Targały nią śliskie mdłości, chciała zwymiotować, oczyścić się, ale nie mogła.

Bezwładna, bezradna, każdym chrapliwym wydechem wzywająca pomocy, chociaż nikt na świecie nie mógł jej usłyszeć, rzężąca rozpaczliwie przy każdy wdechu, obserwowała stopy napastnika, który krążył po kuchni i przyglądał się wszystkiemu jakby z ciekawością. Sześć wydłużonych palców połączonych błoną. Pierwszy i szósty były dłuższe od środkowych czterech, każdy z dodatkowych kłykciem i dużą opuszką, niczym para długich przeciwstawnych kciuków. Szare stopy, skóra z subtelnym wzorem jakby łusek. Nie zwyczajne łuski, jak u węża czy jaszczurki, nie tylko mające zapewniać wyjątkową giętkość, ale również służyć jako... zbroja. Pomyślała o zbroi chyba ze względu na kolor, przypominający zmatowiałe srebrne sztućce, zanim je wypolerowała. A potem, całkiem jak w pokoju kredensowym sióstr Cupp, szczegóły się zatarły, demon zmienił się w ciemną sylwetkę, ulotny czarny cień, który przeniknął przez ścianę.

Mdłości się nasiliły, żołądek podjeżdżał do gardła, jednak Sally wciąż nie mogła zwymiotować. A potem nudności ustały, zastąpione przez coś gorszego. Lodowate zimno w żołądku nie rozpuściło się pod wpływem ciepła ciała, tylko powoli zaczęło się przesączać do sąsiednich tkanek, najpierw do klatki piersiowej, aż poczuła własne żebra jak nigdy przedtem, jakby nie były jej częścią, tylko chirurgicznym implantem, jakąś zimną i obcą armaturą. Potem zimno spełzło do bioder i poczuła dokładnie, jak nigdy przedtem, kształt i położenie miednicy, teraz równie lodowatej jak żebra.

Przez minutę, kiedy chłód wnikał w kości udowe i dalej w nogi, myślała, że to ostatnie chwile jej życia. Ale potem wiedziała, nie wiadomo skąd, że życie z niej nie uciekało. Przeżyje. Nie umierała; stawała się czymś innym, kimś innym niż kobieta, którą dotąd była.

—

Silas Kinsley

Po krótkim spotkaniu z Andrew North Pendletonem w późnodziewiętnastowiecznej wersji westybulu — który w tamtych czasach, ponad wiek wcześniej, był salą recepcyjną — i po krótkiej rozmowie z Padmini Bahrati, kiedy Belle Vista znowu stała się Pendletonem, Silas zrozumiał, że cokolwiek działo się w tym budynku co trzydzieści osiem lat, dzieje się znowu, szybciej, niż początkowo się spodziewał. Rozmowa z Perrym Kyserem w restauracji Topper's przekonała go, że to nie będzie nic przyjemnego — może nawet nikt nie przeżyje — więc w pierwszym odruchu chciał natychmiast opuścić budynek, wybiec na deszcz i uciekać, gdzie pieprz rośnie.

Trzy lata po śmierci Nory, bezdzietny, straciwszy większość przyjaciół, Silas nie miał dokąd uciekać ani dla kogo żyć. Pozostały mu tylko zobowiązania wobec mieszkańców Pendletona, sąsiadów, z których nawet nie wszystkich znał.

Przez chwilę nie potrafił wymyślić, co dalej. Alarm przeciwpożarowy w budynku był całkowicie zautomatyzowany, z wykrywaczami dymu i tryskaczami we wszystkich sufitach, żadnych skrzynek typu „zbij szybę i pociągnij za dźwignię". Silas nie miał czym zapalić ognia, żeby uruchomić alarm i zmusić mieszkańców do ewakuacji.

Padmini przechyliła głowę na bok z pytającym uśmiechem.

— Coś nie w porządku, panie Kinsley?

Czuł się stary, zmęczony i bezradny. Wszystko, co mógłby jej powiedzieć, brzmiałoby głupio. Jeszcze zaczęłaby podejrzewać, że pan Kinsley cierpi na demencję starczą.

— Muszę porozmawiać z ochroną — oświadczył i ruszył do drzwi oddzielających westybul od holu na parterze.

Zanim wygrzebał klucz z kieszeni nieprzemakalnego płaszcza, Padmini weszła za kontuar recepcji i wcisnęła guzik zwalniający zamek.

— Mam go uprzedzić? — zapytała, ale Silas nie odpowiedział.

Wszedł do holu i przeszklone drzwi zasunęły się za nim. Elektroniczny zamek zaskoczył z kliknięciem.

Cokolwiek tu się stanie — cokolwiek już się stało od wczesnego rana — miało związek z czasem, jakiś problem z czasem, koniec dziewiętnastego wieku przeskakujący do 2011 roku, przeszłość pomieszana z teraźniejszością. Może nie tylko przeszłość i teraźniejszość. Może również przyszłość. To, co widział Perry Kyser w korytarzu sutereny w 1973 roku, podczas renowacji, nie pochodziło z roku 2011 ani z żadnej wcześniejszej epoki.

Głos Perry'ego zadźwięczał złowieszczo w pamięci Silasa: „Jest duży. Duży jak ja. Większy. Blady jak larwa, trochę przypomina robaka, ale nie całkiem, bo trochę przypomina też pająka, ale to nie pająk, jest zbyt mięsisty jak na pająka...".

Silas skręcił w prawo i pospieszył do południowej windy. Zawiezie go pod same drzwi pomieszczenia ochrony.

Zastanawiał się, kto pełni dyżur. Miał nadzieję, że któryś były policjant, jak większość ochroniarzy. Nie zawsze był cywilistą. Zaczynał jako obrońca w sprawach karnych, ale nie najlepiej sobie radził, ponieważ nie potrafił wzbudzić w sobie współczucia dla większości ludzkich śmieci, których musiał bronić. Identyfikował się z ofiarami. Oczywiście każdy zasługuje na obronę, nawet najgorszy gwałciciel i morderca. Więc po kilku latach Silas się przekwalifikował, zostawił sprawy karne tym, którzy mieli szlachetniejsze albo zimniejsze serca. Lecz podczas tej pierwszej fazy swojej prawniczej kariery nauczył się rozmawiać z glinami, których na ogół darzył znacznie większą sympatią niż swoich klientów.

„Coś w rodzaju głowy, bez oczu, właściwie bez twarzy. Wzdłuż szyi jakby rząd skrzeli, ale żadnych ust...".

Nigdy nie rozmawiał z glinami o zawirowaniach czasu — cokolwiek to znaczyło — ani o potwornych ni to larwach, ni to pająkach. Nie wiedział, jak się do tego zabrać, jak sprawić, żeby nieprawdopodobne zabrzmiało jak prawda, chyba że nie on jeden w Pendletonie doświadczył czegoś dziwnego, chyba że ochroniarz też zobaczył coś, czego nie potrafił wytłumaczyć, coś, od czego włosy stanęły mu dęba.

Wyciągnął rękę, żeby nacisnąć guzik przywołujący windę, ale zawahał się, zaniepokojony dziwnym dźwiękiem dobiegającym zza zasuniętych drzwi, z szybu.

Świadek

Na dachu, stojąc przy zachodnim parapecie, w ocieplanej nylonowej kurtce ociekającej deszczem, w przemoczonych dżinsach i przeciekających butach, Świadek nie bał się błyskawicy, która rozdarła czarną tkaninę nieba i odsłoniła furię szalejącą po drugiej stronie. Miał nadzieję, że trafi go piorun, wątpił jednak, czy poszczęści mu się na tyle, żeby tu umrzeć. Jak dotąd tranzycje nie następowały o tej samej godzinie i minucie. Nie potrafił wyliczyć ich wystarczająco precyzyjnie, żeby pojawić się niczym magik i wywołać je czarodziejskim zaklęciem. Niektóre zdarzały się nawet o cały dzień wcześniej albo później niż inne. Lecz kiedy zaczynały się fluktuacje, chwila przemiany zbliżała się nieubłaganie.

Dom pod jego stopami nie był tą wersją domu, w której mieszkał. Nie znał większości lokatorów, chociaż dużo o nich wiedział.

Z sekundy na sekundę deszcz ustał. Dach był suchy oprócz miejsca, gdzie kapała woda z ubrania Świadka. Razem z deszczem znikło miasto: cały cudowny, rozległy przestwór świateł, dla Świadka najpiękniejszy widok na świecie.

Teraz dom pod jego stopami, pod tym bezchmurnym niebem, był domem, który znał, w którym mieszkał, jeśli tak można nazwać jego egzystencję.

Księżyc wolno żeglował po niebie, nawigując przez morze gwiazd. Świadek postrzegał to świetliste sklepienie jako zimne i niemal oskarżycielskie. Wolał nie podnosić wzroku, ponieważ niebiosa nie miały nic z czaru utraconego miasta.

Długie nagie zbocze i równina oświetlona księżycem wyglądały bardziej przygnębiająco niż niebo. Wysoka do pasa trawa miała tak blady odcień zieleni, że w dzień wydawała się prawie biała, ale pod lunarną lampą nabierała koloru, ponieważ lekko świeciła, jakby fosforyzowała. Noc była spokojna, żaden powiew wiatru nie mącił ciszy, a jednak świetlista trawa falowała, kłoniła się na północ, a potem na południe, na północ i na południe, zmieniając kierunki tak regularnie, że przypominała futro jakiegoś śpiącego lewiatana, poruszane wdechami i wydechami bestii. Trawiasta równina nie robiła dobrego wrażenia ani o zmierzchu, ani o świcie, ani za dnia, ani teraz, w nocy. Nieustanne falowanie wyglądało niepokojąco nienaturalnie — jeszcze bardziej nienaturalnie, gdy wiatr zakłócał rytm poruszeń, gdy trawa nie trzepotała jak na pastwisku szarpanym burzą, tylko miotała się niczym włosy rozwścieczonej Meduzy, kiedy każde źdźbło wiło się gwałtownie jak chudy, cienki wąż.

Na tym dziewiczym stepie żyło wiele rodzajów stworzeń, których nie można było nazwać zwierzętami, chociaż poruszały się i ciągle czegoś szukały. Przypominały nie tyle dzieło natury, ile wytwór szaleństwa, jakby do istnienia powołała je wyobraźnia obłąkanych bogów. Te żarłoczne gatunki żerowały jedne na drugich, ale również uprawiały kanibalizm, trawa zaś pożerała wszystkie bez wyjątku.

Ogromną prerią i jej mieszkańcami rządziły drzewa. Trawa cofała się od ich korzeni, pod gałęziami nic nie rosło, jakby ziemię posypano solą. Każde drzewo wznosiło się wysoko i szeroko rozpościerało koronę, bez wdzięku, wyciągając udręczone konary, powyginane ostro niczym pęknięcia w skale po trzęsieniu ziemi. Kilka drzew stało samotnie, najwięcej jednak tworzyło rzadko rozrzucone zagajniki. Zawsze rosły w kręgu, z polanką pośrodku, gdzie wokół kotła mógłby się zebrać sabat czarownic. Były czarne, czarne od korzeni do najwyższych gałązek. Korę miały spękaną, a w najgłębszych szczelinach przeświecała wilgotna czerwona tkanka, niczym krwawe mięso pod skorupą zwęglonej skóry. Na wiosnę drzewa nie wypuszczały pąków i nie kwitły, nie miały też liści, ale owocowały. Przy pierwszych podmuchach ciepła na gałęziach pojawiały się pęcherze, nabrzmiewały, obwisały jak łzy i dojrzewały, aż osiągały trzydzieści centymetrów długości i dwanaście do piętnastu centymetrów średnicy w najszerszym miejscu. Skórę miały szarą, nakrapianą. To były owoce w znaczeniu metaforycznym, nie biologicznym, ponieważ nie miały pestek i nie były słodkie. Kiedy dojrzały, zwykle w którąś noc z dzikim księżycem metalizującym prerię, potężne drzewa zrzucały owoce, które — zamiast spaść — odlatywały, ponieważ owocobranie bardziej przypominało poród. Przez kilka chwil niebo szczerzyło zęby. Kiedy silni pożywili się słabszymi, resztki stada odlatywały na zachód, jakby umykały przed brzaskiem w ciemność. Dokąd się udawały i co tam robiły, Świadek nie wiedział, nigdy jednak nie wracały do miejsca swoich narodzin.

Najmłodsze potomstwo drzew już przed miesiącami odleciało na zachód i tej nocy czarne konary sięgały wysoko, ramię przy ramieniu, skręcone gałązki jak szpony chwytały księżyc, żeby ściągnąć go na dół i razem z nim całe niebo, żeby wreszcie udusić umierającą Ziemię w międzygwiezdnej próżni.

W ciągu sekundy znowu rozpętała się burza, sucha cisza, a potem strumienie deszczu, jasne gwiazdy, a potem żadnych gwiazd. Razem z ulewą pojawiło się rozświetlone miasto i Świadek znowu stał nie na dachu Pendletona, w którym mieszkał, tylko na dachu Pendletona zamieszkanego przez obcych ludzi. Budynki były te same, lecz dzieliła je otchłań czasu.

Następna fluktuacja albo jeszcze jedna, albo jeszcze kolejna okaże się tranzycją. Chwila i tajemnica się zbliżały. Świadek nie rozumiał tych osobliwych zjawisk, podobnie jak lokatorzy przenoszeni z jednego Pendletona do drugiego. Nie rozumiał również, dlaczego on, przeskakujący z Pendletona przyszłości, nie może utknąć na kilka godzin w tym cudownym czasie, tak jak ludzie z tej epoki zostaną uwięzieni w jego ponurym świecie. Podczas fluktuacji, które prowadziły do tranzycji, żywe organizmy były przerzucane w przeszłość, ale nie zostawały tam długo. Podczas tranzycji wszyscy w budynku pod stopami Świadka — wszyscy żywi ludzie, ich ubranie oraz to, co akurat trzymali w krytycznym momencie — zostaną przeniesieni i ten Pendleton będzie stał pusty, dopóki tranzycja nie zmieni kierunku i nie przeniesie z powrotem tylko tych, którzy należą do tego czasu. Przeniesie, jeśli żyją, nie przeniesie, jeśli umarli.

Przemoczony Świadek oparł się o balustradę i wchłaniał rozległe morze świateł, świetliste miasto dryfujące w burzy, migotliwe ulice, budynki niczym wielopoziomowe pokłady tytanicznego statku płynącego w cudowny rejs. Świadek zapłakał nad pięknem miasta i czekającą je tragedią.

Jedno

Mała Sophia Pendleton schodzi po schodach w 1897 roku, ale również w 1935, w 1973, w 2011 i co każde trzydzieści osiem lat, chociaż od dawna nie żyje. W krótkim okresie pomiędzy pierwszą szczeliną w czasoprzestrzennych drzwiach a chwilą, kiedy otwierają się szeroko, wszystkie tranzycje przeszłe i przyszłe muszą zajmować ten sam moment w teraźniejszości, przelotnie się łączyć. Wygryzłem życie z Sophii, zanim dziewiętnasty wiek przeszedł w dwudziesty, ona jednak wciąż wyśpiewuje dziecięce piosenki i schodzi po schodach w 2011 roku, tak samo jak w 1897, nieśmiertelna przez tę krótką chwilkę.

Podobnie indiański wojownik z 1821 roku wędruje prawie przez minutę po kuchni bankietowej Pendletona i południowym korytarzu na parterze, przestraszony, oszołomiony, z tomahawkiem wzniesionym do ciosu. Ale rozpływa się, zanim kogoś spotka.

W 1897 roku Sophia spieszy do kuchni Belle Vista, żeby łasować lodowe wiórki z syropem wiśniowym, i nawet nie pomyśli o ciężkiej doli dostawcy lodu, który przywozi

dwudziestokilowe bloki trzy razy w tygodniu. Lodziarz
z pewnością straci siły, zanim dożyje do wieku średniego, umrze
młodo i zejdzie z tego świata równie biedny, jak się narodził.

Ale wyzysk nie zawsze ani nawet nie najczęściej oznacza, że
bogaci wysysają krew z biedaków. Bogaci też bywają
wyzyskiwani przez takich ludzi, jak zawistny ochroniarz piszący
demaskatorską książkę, przez płatnych zabójców, takich jak syn
słynnej intelektualistki. Europejczycy wyzyskiwali Indian, ale
przedtem wiele indiańskich szczepów prowadziło ze sobą wojny
i brało wrogów do niewoli. Jak zauważyliście, w naturze istot
ludzkich leży bezlitosne wyzyskiwanie się nawzajem i rabunkowa
eksploatacja samej natury, nieustannie, stulecie za stuleciem.
Żadna rasa, klasa ani frakcja nie jest wolna od tej zbrodni.

W królestwie Jednego nikt nikogo nie wyzyskuje. Nie ma
panów ani niewolników. Nie ma bogactwa ani biedy. Każdy
drapieżnik jest ofiarą i każda ofiara jest drapieżnikiem. Nikt nie
rozdziera i nie oszpeca ziemi, żeby wydobyć naftę czy złoto.
Jestem spełnieniem waszych wizji, uzasadnieniem waszego życia.

Spójrzcie na chłopca, syna tej autorki piosenek, marzącego,
żeby zostać bohaterem jak postacie w książkach, które nieustannie
czyta. Marząc o bohaterstwie, o życiu pełnym wspaniałych
przygód, stanowi zagrożenie dla wszystkiego, w co wierzycie, nie
mniejsze niż dla mnie. Bohaterowie z natury zostawiają po sobie
zbyt wyraźne ślady, rozdmuchane i niebezpieczne legendy; zatem
w uporządkowanym i racjonalnym świecie nie ma dla nich miejsca.

Chłopiec straci nadzieję na zostanie bohaterem, kiedy jego
oczy zostaną wyjedzone z oczodołów, kiedy jego język stanie się
czarny i niemy jak zwęglony kawałek drewna, kiedy sięgnę
w głąb jego serca i przepełznę przez pulsujące komory.

22

Apartament 1-F

Doktor Kirby Ignis spędził resztę popołudnia w fotelu, popijając gorącą zieloną herbatę, słuchając włoskich oper w chińskim wykonaniu i obserwując tropikalne ryby pływające leniwie w dużym podświetlonym akwarium, które stało pod ścianą jego salonu.

Kirby miał jeden ze skromniejszych apartamentów w Pendletonie, chociaż stać go było na kupno pałacowej posiadłości. Zarabiał duże pieniądze na swoich licznych patentach i z roku na rok tantiemy płynęły do niego coraz szerszym strumieniem.

Mógł sobie pozwolić na wystrój wnętrz najwyższej jakości, alc wolał prostotę. Kupił bezosobowe meble na wyprzedażach w różnych hurtowniach, zwracając uwagę jedynie na funkcjonalność i wygodę.

Chociaż cenił sztukę, nie czuł potrzeby posiadania dzieł sztuki. Nie miał w mieszkaniu ani jednego obrazu. Miał natomiast kilka tysięcy książek, w tym ze sto wielkich albumów o malarzach, których prace do niego przemawiały. Oglądanie fotografii arcydzieł sprawiało mu nie mniejszą satysfakcję, niż gdyby powiesił na ścianie oryginały.

Prostota, prostota. Oto sekret szczęśliwego życia.

W instytucie Ignis miał do dyspozycji dużą przestrzeń i bogate wyposażenie, a także zespół błyskotliwych mężczyzn i kobiet. Ostatnio jednak pracował częściej w domu niż w biurze, żeby nie tracić czasu na przejazdy i oszczędzić sobie codziennych biurokratycznych spraw, które mogli za niego załatwić inni. Kirby Ignis żył głównie życiem umysłowym. Niezbyt go interesowały rzeczy materialne, natomiast ogromnie go interesowały idee oraz ich konsekwencje. Nawet teraz, oglądając ryby i słuchając opery, analizował trudny problem badawczy, istny galimatias pozornie sprzecznych faktów, który cierpliwie rozplątywał od tygodni. Dzień po dniu wysupływał pojedyncze dane i układał je we właściwym porządku. Według swojej oceny potrzebował jeszcze tygodnia, żeby rozwikłać problem do końca i schludnie nawinąć wszystkie wątki na szpulkę.

Chociaż mieszkał sam, nie był samotny. Miał kiedyś żonę, śliczną Nofię, ale ona potrzebowała innego życia niż on. Ku obopólnemu żalowi rozwiedli się przed dwudziestoma czterema laty, kiedy mieli po dwadzieścia sześć lat. Od tamtej pory nie spotkał kobiety, która działała na niego tak jak Nofia. Utrzymywał jednak rozległe kontakty towarzyskie, które nieustannie poszerzał. Nieraz mówiono mu, że ma twarz aktora charakterystycznego, stworzonego do roli zabawnego sąsiada, ulubionego wujka, czarującego dziwaka... a wkrótce kochającego dziadka. Twarz, zaraźliwy śmiech oraz umiejętność słuchania pomagały mu zyskiwać przyjaciół. Nigdy nie wiadomo, co ludzie powiedzą. Od czasu do czasu jakaś zasłyszana historia, opinia czy fakt, na pozór bez związku z jego pracą, naprowadzały go na nowy tok myślenia, który okazywał się korzystny. W istocie muzyka, która obecnie stymulowała go do rozwiązania problemu, stanowiła rezultat rozmowy na przyjęciu koktajlowym. Kiedy wyznał, że lepiej i jaśniej myśli, słuchając muzyki, ale toleruje tylko muzykę instrumentalną, ponieważ śpiewany tekst go rozprasza, przyjaciółka kolegi — raczej słodka idiotka, ale zabawna — zaproponowała, żeby słuchał piosenek wykonywanych w językach, których nie zna, bo wtedy może odbierać głos jedynie jako kolejny instrument. Lubił włoską operę, ponieważ jednak mówił po włosku, teraz słuchał arii operowych ni mniej, ni więcej, tylko w tłumaczeniu na chiński. Rozchichotana ruda panienka z wiszącymi kolczykami przypominającymi kaskady choinkowej lamety — i z małym tatuażem skaczącej gazeli na wierzchu prawej dłoni — rozwiązała dla Kirby'ego ten drobny problem dzięki temu, że chętnie słuchał innych ludzi.

Z apartamentu nie rozciągał się widok na miasto wart milion dolarów. Okna salonu wychodziły na dziedziniec, co wystarczało Kirby'emu, który częściej spoglądał do wewnątrz niż na zewnątrz. Ponieważ lubił burzę, rozsunął zasłony. Grzmoty, bębnienie deszczu o szyby i świst wiatru tworzyły symfonię, która nie konkurowała z operą w głośnikach. Jedyne oświetlenie stanowił przyjemny, nastrojowy odblask padający z akwarium. Ten rodzaj światła przypominał Kirby'emu sceny z niektórych wystawnie zrealizowanych czarno-białych filmów, takich jak *Bulwar Zachodzącego Słońca* czy *Obywatel Kane*. Flary błyskawic nie wydawały mu się groźniejsze niż błyski rzucane przez obracający się lustrzany żyrandol w sali balowej, tylko podkreślały atmosferę, która tak bardzo sprzyjała skupieniu na bieżącym zadaniu.

Każda z błyskawic, niekiedy zapalających się seriami po trzy, cztery lub pięć, rysowała na meblach i ścianach wzór wysokich okien balkonowych, kratownicę jasnych prostokątów i wąskich cieni. Po szczególnie jaskrawym potrójnym rozbłysku Kirby, bynajmniej nie zagubiony w myślach, ponieważ myśli zawsze dokądś go prowadziły, zauważył dziwną różnicę w układzie szyb i szprosów: ciemne wybrzuszenie opadające pod górną krawędzią jednego z okien, wyglądające jak lambrekin. Odwrócił się w fotelu, żeby sprawdzić, skąd się wziął ten wypukły łuk ciemności. Za oknem zobaczył coś, co przypominało jasny, mokry, obwisły materiał flagowy, jakby ktoś wywiesił z parapetu drugiego piętra flagę albo świąteczną dekorację — do Bożego Narodzenia został niecały miesiąc — wbrew przepisom wspólnoty mieszkaniowej.

Kirby odstawił filiżankę i wstał z fotela. W łagodnie falującym świetle z akwarium przeszedł przez skromnie umeblowany salon.

Zanim dotarł do okna, lambrekin — czy cokolwiek to było — znikł, albo wciągnięty do góry, albo porwany wiatrem. Kirby przycisnął prawą stronę twarzy do szyby i spojrzał w górę, na drugie piętro. Zobaczył przedmiot, który nie był detalem architektonicznym, coś bladego i bezkształtnego, udrapowanego na trójkątnym zwieńczeniu okna, jednak w słabym świetle latarni z dziedzińca nie potrafił tego zidentyfikować. Przedmiot wydymał się lekko, ale nie łopotał na wietrze jak flaga czy transparent, pewnie dlatego, że nasiąknął deszczem.

Błysnęło raz, drugi i Kirby przez chwilę lepiej widział dziwny obiekt, który wyglądał teraz jak trzy małe jasne worki, każdy wielkości kilogramowej torby mąki, połączone kawałkiem sznurka albo gumowej rurki. Worki były gładkie i pękate, najwyraźniej czymś wypchane, związane razem i okryte luźną płachtą materiału czy może winylu, która wcześniej widocznie opadła na okno, ale teraz wzbiła się wyżej. Nie potrafił określić, co to jest i na czym zostało zawieszone, ale z pewnością nie powinno się tam znajdować. W kolejnym rozbłysku zdawało mu się, że dostrzegł jakieś drgnienie, dwa segmentowe odcinki materiału sztywniejszego niż pozostałe części, lecz przelotne mignięcia, zamiast wyjaśnić naturę tego przedmiotu, tylko przydały mu tajemniczości.

Kirby wahał się, czy otworzyć okno i wystawić głowę na deszcz, żeby lepiej się temu przyjrzeć. Przedtem jednak musiał przynieść latarkę z szuflady z narzędziami w pralni.

Kiedy wyszedł z mrocznego salonu do lepiej oświetlonej części jadalnej, spojrzał na zegarek i uświadomił sobie, że stracił prawie cały dzień. Był umówiony na drinka i obiad z jednym z najbardziej błyskotliwych naukowców instytutu, Vonem Norquistem, z którego mózgu pomysły strzelały raz po raz niczym iskry z noża ostrzonego na tarczy szlifierskiej. Musiał się pospieszyć, żeby się nie spóźnić. Cokolwiek zawisło na oknie czy opadło z drugiego piętra, nie stukało ani nie hałasowało, więc nie było dostatecznie twarde ani ciężkie, żeby rozbić szybę. Dalsze oględziny mogą zaczekać do rana, aż zrobi się jasno.

W garderobie zawiązał krawat i narzucił sportową marynarkę.

Wróciwszy do salonu, wyłączył chińską operę, ale zostawił światło w akwarium.

Błyskawica wyrysowała na ścianach regularny deseń szyb i szprosów, bez żadnych dziwacznych cieni w kształcie lambrekinów.

23

Apartament 2-H

W każdej chwili może się wydarzyć wszystko.

Fielding Udell posiadł mądrość, która pozwoliła mu zrozumieć wieczną niestabilność kosmosu, planety, kontynentu, miasta i czasu. Pracowicie zbadał straszliwą prawdę o świecie, przeanalizował i zarchiwizował fakty z pietyzmem średniowiecznego mnicha, ręcznie kopiującego księgi, żeby zachować dzieła z przeszłości.

Tego czwartkowego wieczoru tkwił przy komputerze, do którego usiadł o ósmej rano, i wstał tylko dwa razy do łazienki i raz, żeby odebrać dostawę z pizzerii Salvatina: spaghetti bolognese i sałatkę na lunch, tradycyjną włoską kanapkę i torbę chipsów na obiad. Zdawał sobie sprawę, że pogoda się zepsuła, ale nie przywiązywał do tego wagi. Grudniowe burze nie miały tyle siły, żeby stworzyć Matkę Wszystkich Burz. Ten kataklizm nadejdzie raczej prędzej niż później i zrówna z ziemią tysiące kilometrów kwadratowych, ale nie dzisiejszego wieczoru.

Do najważniejszych zalet Fieldinga Udella należały przebiegłość i dalekowzroczność. Był dostatecznie bystry i przezorny, żeby podczas prowadzonych badań ukrywać swoją tożsamość. Łączył się ze swojego komputera przez centralę telefoniczną w mieście na drugim końcu kontynentu, a stamtąd przez uniwersytet w Kioto w Japonii, i tam ostatecznie się maskował, wyszukując dane przez link internetowy biblioteki publicznej w Oshkosh w stanie Wisconsin, oraz podejmował liczne inne środki ostrożności, toteż mógł konstruować swój Akt Oskarżenia przy niewielkim ryzyku, że tamci wytropią go w Pendletonie.

Gdyby wiedzieli o jego projekcie, Elita Władzy kazałaby go zamordować albo jeszcze gorzej. Fielding nie bardzo wiedział, co może być gorsze od śmierci, ale jego rosnąca znajomość prawdziwej natury świata sugerowała wiele możliwości.

Codziennie śledził najnowsze doniesienia z Oshkosh, czekając na przykład na wiadomość o wybuchu bojlera w bibliotece publicznej, co oczywiście oznaczałoby, że Elita Władzy usunęła niewinnych bibliotekarzy, za pośrednictwem których Fielding prowadził swoje poszukiwania.

Nie chciał myśleć o ewentualnym losie gorszym od śmierci. Nie był pesymistą. Uważał się za optymistę, wciąż optymistę, pomimo całej grozy i zła na świecie. Wierzył, że pewnego dnia zdoła pokonać tych podstępnych drani, kimkolwiek są, czymkolwiek się kierują, bez względu na nieznane, lecz z pewnością ohydne źródło, z którego czerpią swoją ogromną potęgę.

Do Elity Władzy nie należeli urzędnicy państwowi na najwyższych stanowiskach ani żaden z bogatych dyrektorów naczelnych kierujących wielkimi firmami i wielkimi bankami. To były jedynie narzędzia, za pomocą których prawdziwi władcy świata sprawowali swoje bezlitosne rządy. Fielding nie wiedział, czy tytani polityki i przemysłu nie zdają sobie sprawy, że są obiektami manipulacji, czy też dobrowolnie służą bezimiennym panom. W końcu jednak pozna prawdę. Triumfalnie zdemaskuje tajnych cesarzy tego udręczonego świata i wymierzy im sprawiedliwość w taki czy inny sposób.

Na chwilę oderwał się od komputera i poszedł do kuchni, żeby nalać sobie szklankę coli domowego wyrobu. Miał powody wierzyć, że sklepowe napoje zawierają narkotyk rozprowadzany przez Elitę Władzy — jeśli to w ogóle coś tak prostego jak narkotyk — który sprawiał, że masy stawały się podatne na iluzje i oszustwa, uchodzące w tych czasach za rzeczywistość. Żeby uniknąć prania mózgu, Fielding sam przyrządzał sobie napój, który wprawdzie nie był gazowany i smakował bardziej jak melasa z lukrecją niż coca-cola, ale jemu odpowiadał. Nie chodziło o jakość coli, tylko żeby mieć i colę, i wolność.

Kupił i połączył dwa apartamenty, dzięki czemu miał mnóstwo miejsca na biurka i segregatory, w których gromadził i przechowywał obciążające dane. Nie chciał trzymać swoich obszernych archiwów tylko na nośnikach cyfrowych, które można zhakować i wyczyścić do zera w ciągu kilku chwil.

Wyposażył kuchnię we wszelkie możliwe kuchenne przybory i urządzenia, ale nigdy nie gotował. Zamawiał jedzenie na wynos z różnych restauracji, zmieniając je na chybił trafił, żeby nie tworzyć wzorca, który pozwoli zabójcom przewidzieć jego zachowanie i zatruć mu pizzę albo kurczaka kung pao.

Nalewając colę z dzbanka do szklanki, usłyszał stukanie w szybę i pomyślał, że widocznie pada deszcz ze śniegiem. Nie spojrzał w okno, ponieważ nie interesowała go zwykła niepogoda, tylko superburze, które pewnego dnia zetrą miasta z oblicza ziemi, burze, które może już szaleją w innych częściach świata, ale nie informuje się o nich na rozkaz Elity Władzy.

Przez dwadzieścia lat, odkąd w wieku dwudziestu jeden lat ukończył uniwersytet, z pasją oddawał się poszukiwaniom prawdy. To było więcej niż hobby, więcej niż powołanie. To było jego życie i nie tylko życie, ale sens życia.

Fielding Udell był dzieckiem funduszu powierniczego, dziedzicem fortuny. Kiedy otrzymał spadek, czuł się jak przestępca, podły, niemoralny, wręcz zdeprawowany. Nie kiwnąwszy palcem, będzie opływał w dostatki do końca życia, podczas gdy tak wielu ma tak niewiele.

Wyrzuty sumienia tak go dręczyły, że o mało nie rozdał wszystkich pieniędzy, chciał złożyć śluby ubóstwa i zostać mnichem, chciał podjąć pierwszą lepszą pracę, jaką dostałby po studiach, i prowadzić zwyczajne życie klasy średniej, poprzestając na skromnych przyjemnościach i niewygórowanych ambicjach. Jednak nie był wierzący, więc nie nadawał się na mnicha, i ku jego zdumieniu dyplom z socjologii, z naciskiem na studia genderowe, nie otworzył przed nim żadnych drzwi, nic, zero, *nada*.

Chociaż zżerany poczuciem winy, zatrzymał pieniądze. Były jego przekleństwem, jego klątwą.

Na szczęście w najgłębszej melancholijnej otchłani tych moralnych rozterek, jeszcze we wrażliwym wieku dwudziestu jeden lat, przypadkiem obejrzał w telewizji reportaż o tajemniczej śmierci niezliczonych żab na całym świecie i usłyszał, że najwybitniejsi naukowcy przepowiadają całkowite wyginięcie gatunku w ciągu sześciu do dziesięciu lat. Przerażony perspektywą bezżabiego świata oraz ewentualnymi konsekwencjami tego złowieszczego odkrycia, Fielding zaczął badać tę sprawę — i odnalazł swoje powołanie.

Najpierw dowiedział się z wiadomości, że zagłada czekała nie tylko żaby, ale również pszczoły. Pszczoły umierały nie od zwykłych chorób czy pasożytów, lecz ginęły masowo — co nazwano zespołem destrukcyjnego załamania kolonii — z przyczyn, których nikt nie potrafił wyjaśnić, chociaż wszyscy się zgadzali, że winowajcą jest zanieczyszczenie środowiska lub inny czynnik ludzki. Bez pszczół zapylających rośliny uprawne światowa produkcja żywności musi się drastycznie zmniejszyć. Niektórzy naukowcy zapowiedzieli nawet niechybną klęskę głodu w roku 2000.

Jak mało wtedy rozumiał. Jaki był głupi.

Zaniósł szklankę coli do komputera przez ciąg pokojów, które służyły mu do pracy. Stukanie w szyby towarzyszyło mu i przybrało na sile — teraz już bębnienie — jakby oprócz deszczu ze śniegiem zaczął padać grad. Ludzie mniej oświeceni od Fieldinga Udella może przejmowali się deszczem, gradem czy śniegiem, on jednak nie dbał o takie podrzędne zjawiska, więc nawet nie podszedł do okna, żeby popatrzeć na burzę.

W roku 2000, kiedy miliony powinny umierać z głodu wskutek wyginięcia pszczół, pojawiło się widmo pluskwy milenijnej. Powszechnie uważano, że na przełomie tysiącleci wszystkie komputery świata sfiksują, co spowoduje załamanie systemów bankowych, niekontrolowane odpalenie sterowanych komputerowo pocisków nuklearnych i koniec cywilizacji.

Sprawdzając, czy w przeszłości ludzka egzystencja była równie zagrożona jak za jego czasów, Fielding natknął się na niezliczone ostrzeżenia tak alarmujące, że przez swojego lekarza załatwił sobie dostateczną liczbę pigułek nasennych, żeby popełnić samobójstwo, gdyby pewnego dnia obudził się w świecie Mad Maxa, gdzie brakuje surowców i grasują bandy psychopatów. Powszechnie uważano, że przeludnienie i uprzemysłowienie doprowadzą do klęski głodu i śmierci miliardów ludzi, całkowitego zużycia światowych zasobów ropy naftowej i gazu ziemnego do 1970 roku, zatrucia wszystkich oceanów do 1980 roku i w rezultacie stałego spadku zawartości tlenu w atmosferze, która przestanie się nadawać do oddychania. W roku 1960 naukowcy zgodnie twierdzili, że nadchodzi epoka lodowcowa, która w ciągu kilku dekad pogrzebie Amerykę Północną pod grubą warstwą lodu. Zaledwie przebrzmiały echa tych przepowiedni, perspektywa odwróciła się o sto osiemdziesiąt stopni i pojawiła się groźba globalnego ocieplenia. Ludzie stanęli na skraju nowej przepaści ze świadomością, że zabijają się zwykłym dwutlenkiem węgla, który wydychają w każdej minucie życia.

Początkowo, zbadawszy te nadchodzące nieuchronnie katastrofy, Fielding wpadł w rozpacz. Chociaż tak ciężko pracował na magisterium z socjologii, nikt nie chciał go zatrudnić, a teraz, gdyby nawet znalazł pracę, przed końcem świata nie zdąży się wykazać w wybranym zawodzie... ani żadnym innym.

Niech to szlag.

Potem olśniła go pewna myśl, teoria, koncepcja, która dała mu nadzieję. Wiele z tych powszechnych naukowych opinii po latach okazało się pomyłką, co sugerowało, że może inne też się nie potwierdzą. Z tego przypuszczenia szybko wykiełkowało podejrzenie, że elity władzy — wtedy jeszcze nie używał wielkich liter w tej nazwie — same fabrykowały kryzysy, żeby kontrolować masy za pomocą strachu i w ten sposób umacniać swoje rządy.

Przez jakiś czas fascynował go ten pomysł, ale potem dziewczyna, którą próbował zaciągnąć do łóżka, powiedziała mu, że jest „totalnie porąbany", że jego teoria konspiracji to bzdura i że ma takie same szanse na jej zaliczenie co na udowodnienie, że Elvis Presley żyje i mieszka w Szwecji po operacji zmiany płci. Fielding omyłkowo wziął jej ironiczne słowa za ważną wskazówkę, ale plotka o Elvisie w Szwecji okazała się bezpodstawna, przynajmniej na ile mógł sprawdzić. Po tygodniu, kiedy zrozumiał, jak okrutnie dziewczyna go odrzuciła, zrobiło mu się smutno, ale nie na długo.

Nadal badał zagrożenia wiszące nad ludzkością, cywilizacją i planetą, aż dokonał przełomowego odkrycia, wobec którego teoria o kontrolowaniu mas za pomocą strachu wydawała się dziecinna. Jeszcze teraz, nawet w samotności, czerwienił się czasami na myśl, jaki był naiwny, wierząc, że prawda jest taka prosta. Tymczasem prawda była mroczniejsza i bardziej przerażająca. Naukowcy mają do czynienia z faktami, tak? Ich zgodna opinia oznacza, że wielu bardzo mądrych ludzi wyciągnęło te same wnioski z dających się udowodnić faktów, tak? Zatem fakty muszą faktycznie być faktami. Jeśli powszechnie uważano, że do 1990 roku epoka lodowcowa pozbawi domu miliony ludzi, to teraz, w 2011 roku, epoka lodowcowa widocznie trwa już od dawna. Chytre Elity Władzy nie fabrykowały jednak kryzysów; zamiast tego ukrywały przed ludźmi przerażające żniwo rzeczywistych katastrof, żeby nie dopuścić do wybuchu paniki, upadku cywilizacji i utraty swojej potęgi.

Fielding wrócił do komputera, usiadł na krześle i łyknął

odświeżającej domowej coli. Gdzieś wysoko usłyszał dziwny odgłos pełzania, który szybko przybrał na sile i stał się irytujący, jakby nad jego mieszkaniem znajdowało się serpentarium. Pomyślał, że widocznie wiatr wtargnął na strych Pendletona i goni własny ogon wśród krokwi. Po chwili odgłosy ucichły.

Sprawując totalitarną kontrolę nad ogólnoświatowymi środkami przekazu, Elity Władzy nigdy nie zamilkły, tylko nieustannie wygłaszały agresywne kłamstwa, żeby ukryć przed łatwowiernym społeczeństwem kolejne okropne prawdy. Bohaterscy naukowcy, chociaż dostawali wysokie rządowe granty, które powinny ich skłonić do kolaboracji, odważnie głosili prawdę, ostrzegali rządy przed nadchodzącymi kataklizmami i wychodzili na głupców, kiedy kataklizmy nie nadchodziły — tylko że nadchodziły, ale Elita Władzy je tuszowała.

Fieldingowi otworzyły się oczy na tę straszną rzeczywistość, kiedy oglądając telewizyjny reportaż na żywo, rzekomo z Kanady, dostrzegł w tle jednego z ujęć coś, co wyglądało jak palma, może dwie palmy. Natychmiast pojął, że reportażu nie nadawano z Kanady, że symulowano Kanadę, a naprawdę kręcono w Georgii czy jakimś innym miejscu, tak jak czasem reżyserzy filmowi kręcą dzień jako noc. Sypnęli się. A Fielding Udell ich przyłapał. Nie mieli powodu kręcić Georgii zamiast Kanady, chyba że Kanada została pogrzebana pod setkami metrów sześciennych nacierającego lodu, który pewnego dnia pokryje również większość Stanów Zjednoczonych.

Początkowo wydawało się, że groźba globalnego ocieplenia koliduje z nadchodzącą epoką lodowcową, lecz kiedy Fielding zastosował swoją nową teorię, odkrył, że zawiera odpowiedzi na wszystkie pytania. Widocznie obie grupy naukowców miały rację i jednocześnie nastąpiło zlodowacenie oraz zabójcze globalne ocieplenie, to pierwsze postępujące od bieguna północnego, natomiast drugie wypalające świat na północ od bieguna południowego. W końcu ludzkość zostanie uwięziona na równiku, ściśnięta w szczękach klimatycznego imadła: z jednej strony palący żar, z drugiej morderczy mróz. Elita Władzy ukrywała tę sytuację podwójnego zagrożenia, fałszując doniesienia z Afryki Południowej, budując misterną konstrukcję kłamstw i podając je do publicznej wiadomości, żeby ukryć fakt, że miliony ludzi w tej części świata zginęły już wskutek suszy, głodu, upałów, pożarów oraz licznych przypadków spontanicznego samozapalenia.

To oznaczało, że Ziemia nie jest zamieszkana przez wiele narodów broniących własnych interesów, tylko jest państwem policyjnym z dobrze ukrytą klasą dyktatorów, którzy działają poprzez marionetkowe rządy, żeby ukryć prawdziwą naturę świata. Wszystkie media informacyjne i rozrywkowe współpracują, a ludzie twierdzący, że niedawno byli w Kanadzie, albo kłamią, albo przeszli pranie mózgu, podobnie jak ci, którzy opowiadają o cudownych wakacjach w Peru lub Chile.

Największą tajemnicą pozostawała tożsamość Elity Władzy. Oni nie byli tak zwyczajnie dyskretni i skryci. Byli niewidzialni jak duchy, wszechpotężne złe duchy, obecne wszędzie, a jednak nigdy niepokazujące twarzy. Przez lata Fielding rozważał najrozmaitsze możliwości i żadnej nie wykluczył. No, wykluczył masonów, Zakon Syjonu, Opus Dei i Żydów, ponieważ w roli czarnych charakterów byli tak banalni, że mogli stanowić jedynie zasłonę dymną, i ponieważ wszyscy, którzy nienawidzili ich tak bardzo, że się przeciwko nim organizowali, okazywali się bełkoczącymi szaleńcami, i Fielding nie chciał mieć z nimi nic wspólnego. Skłaniał się do poglądu, że za kulisami działają niedobitki z zatopionej Atlantydy, które stworzyły podmorską supercywilizację, albo przybysze z kosmosu, albo Dobroczynny i Opiekuńczy Zakon Łosi, którego nigdy nie podejrzewano o udział w żadnych konspiracjach, i właśnie dlatego dla Fieldinga Udella był podejrzany.

Kiedy odstawił szklankę z colą i znów skupił uwagę na ekranie komputera, usłyszał niski, złowieszczy głos, stłumiony, a jednak dochodzący z bliska. Brzmiał jak głos spikera telewizyjnego relacjonującego jakąś okropną katastrofę, w której zginęły setki ludzi. Fielding prawie rozróżniał słowa, ale nie do końca.

Odjechał na krześle od komputera i powoli obrócił się dookoła, przechylając głowę na różne strony, żeby namierzyć źródło. Głos zdawał się dochodzić zewsząd, nie z jednego konkretnego miejsca. Fielding doszedł do wniosku, że dźwięk przedostaje się z mieszkania na dole, chociaż grube betonowo-stalowe podłogi na ogół stanowiły doskonałą izolację akustyczną pomiędzy piętrami Pendletona.

Na pierwszym piętrze, bezpośrednio pod nim, znajdowały się dwa apartamenty. Jeden był niezamieszkany, wystawiony na sprzedaż. Drugi należał do Shellbrooków, którzy wyjechali na urlop. Fielding miał pewność, że dźwięk dobiega z dołu, nie ze strychu, jak wcześniej odgłos pełzania.

Jeszcze raz powoli okręcił się z krzesłem i zanim zakończył pełny obrót o trzysta sześćdziesiąt stopni, nabrał pewności, że prezenter telewizyjny — jeśli to jego słyszał — mówi w obcym języku, którego nie potrafił rozpoznać. Z chwili na chwilę głos się zmieniał, stawał się bardziej naglący, bardziej natarczywy, jakby przed czymś ostrzegał.

Nie, nie ostrzegał. Groził.

Fielding zachował dostatecznie dużo samokrytycyzmu, żeby zdawać sobie sprawę, że mógł wpaść w paranoję, o co go oskarżyła dziewczyna warta zaciągnięcia do łóżka. To nie znaczyło, że mylił się co do Tajnego Zakonu Świata i Elity Władzy albo że jego Akt Oskarżenia nie miał żadnych podstaw. Mógł mieć całkowitą rację, a także paranoję. Jedno nie wykluczało drugiego. Zresztą jeśli miał rację, paranoja jako taka warunkowała przeżycie.

Spiker, z pewnością niemówiący po angielsku, nagle jakby rozpadł się na wiele głosów, szajkę mamroczących konspiratorów, ponaglających jeden drugiego do działania, do ataku, do popełnienia jakiegoś potwornego czynu, teraz, już, natychmiast.

Zaniepokojony, przekonany, że właściwie interpretuje ton i zamiary mówców, Fielding podniósł się z krzesła.

Głęboki grzmot przetoczył się przez budynek i wprawił podłogę w subtelną wibrację. Coś takiego zdarzyło się wcześniej kilka razy, ale Fielding, pochłonięty poszukiwaniami w sieci, nie zwrócił na to uwagi.

Natomiast wcześniej na suficie nie pojawiały się trzeszczące płachty migotliwego błękitnego światła. Wszystkie małe metalowe przedmioty na biurku — długopisy, spinacze, nożyczki — uniosły się w powietrze, wystrzeliły pod sufit, zawisły, drżąc, w rozmigotanym błękicie i spadły deszczem na podłogę, kiedy dziwna światłość je wypluła.

W tym niestabilnym kosmosie, gdzie jedna katastrofa goni drugą, w każdej chwili może się zdarzyć wszystko. To nie była tylko filozofia Fieldinga, ale również część prawdy, którą odkrył. A teraz zanosiło się na coś naprawdę szokującego.

Jedno

Strach to silnik napędzający ludzkie zwierzę. Ludzie postrzegają świat jako pełen niebezpieczeństw, więc świat staje się taki, jakim go sobie wyobrazili. Nie tylko żyją w strachu, ale i wykorzystują strach, żeby kontrolować jedni drugich. Handel strachem to ich prawdziwa religia.

W moim idealnym królestwie nie ma strachu. Nie żyją tutaj żadne istoty ludzkie, żeby rywalizować ze sobą, budować imperia, prowadzić wojny. Tutaj śmierć nie jest wieczna. Tutaj odradza się to, co zabite. Karmię się każdą niedoskonałością, która staje przede Mną — co nie jest wyzyskiem, lecz oczyszczeniem — i karmię się również sobą, pożeram siebie, żeby żyć od nowa.

Wróg Elity Władzy boi się wszystkiego, chociaż nie zdaje sobie sprawy, że jego największym powodem do strachu jest on sam. Boi się życia bardziej niż umierania. Boi się swoich pieniędzy prawie tak bardzo, jak ich braku. Gdyby odkrył dowód na potwierdzenie swojej teorii konspiracji, dowód, że świat jest dokładnie taki, jak w jego wyobrażeniach, nie odważyłby się podjąć żadnych działań. Uważa się za potencjalnego bohatera, ale nie ma w sobie bohaterstwa. Wobec tego chłopca jest jak mysz wobec lwa. To słuszne, żeby taki człowiek odegrał ważną rolę w historii Jednego.

24

Tu i tam

Vernon Klick

Zirytowany wtargnięciem Baileya do jego królestwa, Vernon rozwalił się na krześle i odtworzył nagranie z kamer przy północnych schodach na parterze i w suterenie. Obserwując plazmowy ekran, przewinął na przyspieszeniu kilka krytycznych minut, ale nikt nie wyszedł z klatki schodowej na żadnym poziomie, tylko sam pan Wielki Bohater Wojenny, Bailey Hawks.

— Jeśli ona naprawdę pana minęła, kiedy pan stał na podeście pierwszego piętra...

— Stałem i minęła — warknął Bailey zniecierpliwiony, jakby każde jego słowo było święte tylko dlatego, że zgarnął kupę medali za wykończenie pięciu setek bezbronnych muzułmańskich staruszek i spalenie ich wnucząt.

— Jak wyglądała ta kobieta? — zapytał Vernon.

— To była dziewczynka. Siedem czy osiem lat.

Vernon uniósł brwi.

— Gonił pan jakąś dziewczynkę po całym budynku?

— Nie goniłem jej. Była dziwnie ubrana. W jakiś kostium. Zeszła obok mnie po schodach.

— No, kamery tego nie potwierdzają. Chyba że ona ciągle jest na schodach, martwa albo co.

Hawks próbował udawać zaskoczenie, ale Vernon wyraźnie dostrzegł winę w rozbieganych oczach finansisty.

— Co to miało znaczyć?

— Nic — odparł Vernon. — Tylko że mamy już zagadkę dwudziestu trzech sekund z zeszłej nocy, może rabunek, coś w stylu *Różowej Pantery*, ale pewnie coś gorszego. A teraz dziewczynka znika.

— Powiedziała, że nazywa się Sophia Pendleton, a jej ojciec jest panem domu.

— Niezła historyjka. — Vernon wbił Hawksowi szpilę z nadzieją, że wywoła reakcję wartą opisania w jego demaskatorskiej książce.

Spod ziemi dobiegło dudnienie, szybko przybrało na sile i powoli ucichło.

— Cholerni durnie — skomentował Vernon. — O tej porze nie wolno używać materiałów wybuchowych.

— To nie był wybuch. Fala wstrząsowa trwała o wiele za długo.

Vernon chciał zapytać, czy Hawks nauczył się takich rzeczy, kiedy jako wielki wojenny bohater wysadzał szpitale i żłobki, czy po prostu urodził się wszystkowiedzący. Ale trzymał język za zębami, żeby przedwcześnie nie wypaść z roli i nie ściągnąć na swoją książkę procesów i zakazów sądowych jeszcze przed publikacją.

— Coś się tutaj dzieje. Coś złego — stwierdził Hawks i wybiegł z pomieszczenia ochrony.

— Wpada tu, jakby był właścicielem — powiedział Vernon do siebie — narusza harmonogram ochrony, żąda, żebym mu pomógł wytropić jakąś ładną małą dziewczynkę, na litość boską, a potem się zmywa bez słowa podziękowania. Nadęty, pazerny, arogancki, fałszywy, tępy, zboczony drań.

Sprawdził podgląd północnego korytarza na drugim piętrze. Ciągle ani śladu Logana Spanglera. Oczywiście stary pierdziel mógł wyjść z apartamentu senatora idioty, w czasie kiedy Hawks zawracał dupę Vernonowi.

— Chciwy, nachalny, zarozumiały, stuknięty trep! — pienił się Vernon. — Krętacz, oszust, syfilityk, przemądrzały dupek, świnia i morderca dzieci!

—

Silas Kinsley

Na parterze, obok południowej windy, Silas postanowił za wszelką cenę dotrzeć do pomieszczenia ochrony i przekonać dyżurnego strażnika, że Pendletona trzeba natychmiast ewakuować. Zważywszy, że nie chodziło o pożar ani bombę, tylko spostrzeżenie, że coś się zepsuło w podstawowych mechanizmach czasu wewnątrz budynku, musiał użyć całej swojej siły perswazji.

Pilno mu było włączyć alarm, jednak wahał się nacisnąć guzik windy, ponieważ w szybie za zasuwanymi drzwiami nagle rozległy się głosy. Dziesiątki głosów, wszystkie mówiące jednocześnie. Nie potrafił określić, jaki to język, chociaż władał czterema i powierzchownie znał jeszcze dwa. Fonemy i morfemy tej dziwnej mowy brzmiały nie tylko prymitywnie, ale wręcz dziko — ograniczony język wytworzony przez kulturę pozbawioną miłosierdzia, przez ludzi skorych do przemocy i zdolnych do wielkiego okrucieństwa, ludzi, których wierzenia i dążenia były całkowicie obce ludzkim sposobom myślenia. Intuicja zawsze odzywała się cichym głosem, najsłabszym szeptem w głębi umysłu, ale teraz wyła głośno jak syrena alarmowa. Silas cofnął dłoń od przycisku i jednocześnie przez cienkie jak włos szpary wokół drzwi windy wypłynęło błękitne światło, jakby ściany całego szybu zaświeciły.

—

Martha Cupp

Kiedy Martha grzebała pod kanapą mosiężnym pogrzebaczem, Edna uniosła obszyty koronką tren swojej wieczorowej sukni, odsłaniając pantofle. Widocznie spodziewała się, że coś wybiegnie spod kanapy, niekoniecznie jaszczurka gila, może tylko mysz, z pewnością jednak coś nieprzyjemnego, co mogłoby się schować pod trenem i wspiąć po nodze.

— Proszę, kochana, nie szturchaj go tak agresywnie! — zawołała.

— Na razie szturcham tylko powietrze.

— Ale jeśli go dźgniesz, zrób to delikatnie. Nie rozdrażnij go.

— Cokolwiek to jest, siostrzyczko, nie podziękuje nam za gościnność i nie uchyli kapelusza, wychodząc. — Przestała grzebać. — Tam nic nie ma.

Wysoko na etażerce Dym i Popiół zasyczały, dając do zrozumienia, że powód ich odrazy i strachu nadal znajduje się w salonie.

Martha odwróciła się od kanapy i zaczęła przeszukiwać kaniony masywnych wiktoriańskich mebli, gdzie mogło się ukryć mnóstwo myszy... albo jadowitych jaszczurek gila.

— Jeśli to coś nadprzyrodzonego, nie przestraszy się mosiężnego pogrzebacza — ostrzegła Edna.

— To nie jest nadprzyrodzone.

— Nie widziałaś tego wyraźnie. Właśnie takie są nadprzyrodzone istoty. Szybkie, trudno dostrzegalne, tajemnicze.

— „Szybkie, trudno dostrzegalne, tajemnicze" opisuje zachowanie mojego pierwszego męża w sypialni, a on nie był istotą nadprzyrodzoną.

— Ale był przystojny — zaśmiała się Edna.

Przycupnięte wysoko koty zasyczały i zamiauczały jeszcze głośniej. Edna krzyknęła:

— Kochanie... kanapa!

Martha odwróciła się ponownie do pękatej sofy i zobaczyła, że coś się w niej porusza. Siedzisko wypchane końskim włosiem, bez zdejmowanych poduszek, stanowiło całość obitą tapicerką przedstawiającą wodospad. Pod pasiastą tkaniną, rozciągając ją i napinając, szamotał się w wyściółce gorączkowo, lecz bezgłośnie stwór wielkości kota. Widocznie przegryzł się przez spód mebla i dostał się do środka.

Martha stanęła przed sofą, szeroko rozstawiła nogi i uniosła pogrzebacz.

— To może być duch — ostrzegła Edna. — Nie bij ducha.

— To nie duch — zapewniła Martha.

— Jeśli uderzysz dobrego ducha, popełnisz świętokradztwo.

Czekając, aż stwór w sofie uspokoi się na tyle, żeby mogła go trafić od razu pierwszym ciosem, Martha rzuciła sarkastycznie:

— A jeśli to zły duch?

— Wtedy tylko go wkurzysz, kochanie. Proszę, zadzwoń do pana Trana i niech on się tym zajmie.

— Ty jesteś geniuszem od ciast — odparła Martha. — Ja jestem geniuszem od interesów. Tutaj trzeba podjąć męską decyzję. Ja to załatwię, a ty idź coś upiec.

Tapicerka na siedzisku kanapy pękła i zagrzebany w środku intruz wyprysnął na zewnątrz w chmurze końskiego włosia.

—

Mickey Dime

Mickey czekał na północną windę na drugim piętrze. Grzmoty ponownie wstrząsnęły Pendletonem, lecz wcale się tym nie przejął.

Na Filipinach śledził kiedyś dwóch mężczyzn do krawędzi wulkanu. Musiał ich zabić, żeby wypełnić kontrakt. Właśnie miał pociągnąć za spust, kiedy góra niespodziewanie zadygotała. Krater plunął na dwóch mężczyzn rozpaloną lawą, która dosłownie zmieniła ich ciała w parę i zwęgliła kości. Chociaż Mickey stał niecałe pięć metrów dalej, nie dosięgła go ani kropla. Tylko na twarzy został mu ślad jakby lekkiego oparzenia od słońca.

Spodobał mu się zapach roztopionej skały. Metaliczny, czysty, seksowny.

Dzień później wulkan wybuchł na całego. Jednak do tej pory Mickey zdążył się zaszyć w apartamencie hotelowym w Hong-kongu z młodą prostytutką i puszką bitej śmietany. Smakowały pysznie.

Jeśli nawet wulkan go nie spalił, nic go nie pokona.

Mickey zjechał windą do sutereny. Kiedy drzwi się rozsunęły, wyszedł na korytarz.

Po prawej stronie, na drugim końcu korytarza, drzwi klatki schodowej właśnie się za kimś zamykały. Obserwował, jak domknęły się do końca. Spodobał mu się szczęk zapadki wskakującej na miejsce. Solidny, ostateczny dźwięk.

Przypomniał mu się odgłos zatrzaskiwania ciężkich zamków na kufrach okrętowych, do których zapakował szczątki kelnerki imieniem Mallory, jej młodszej siostry i jej koleżanki. Piętnaście lat minęło, odkąd pozbył się tamtych zwłok, lecz radosne chwile zachowały się w jego pamięci tak żywo, jakby wydarzyły się zaledwie wczoraj. Dzięki ogromnej sile woli ograniczył się do profesjonalnego zabijania, choć w jego sercu wciąż żył amator, gotowy wykonywać tę samą pracę tylko dla przyjemności.

Rozkoszując się lekkim zapachem chloru, Mickey czekał, czy ten ktoś nie wróci. „Ding" oznajmiający przyjazd windy mógł wzbudzić ciekawość tego kogoś. Mickey nie mógł zostawić świadka, który zobaczy go tutaj o tej porze.

Odczekawszy mniej więcej pół minuty, odwrócił się w lewo i ruszył do pomieszczenia ochrony. Otworzył drzwi i wszedł.

Dyżur miał ten kretyn Klick. Gnojek. Inni ochroniarze, chociaż eksgliny, byli w porządku. Ten Klick był zarozumiałym małym kutasiną, który sprawiał wrażenie, że wiecznie coś kombinuje.

Okręcając się na obrotowym krześle, Klick powiedział:

— Nagle zrobiłem się popularny jak Justin Timberlake czy ktoś taki. Co pana sprowadza, panie Dime?

Mickey wyciągnął z podramiennej kabury pistolet z tłumikiem.

Klick patrzył na podchodzącego Mickeya oczami rozszerzonymi ze strachu.

— Nikomu nie powiem o bieliźnie — zapewnił.

Mickey strzelił mu dwa razy prosto w serce. Jeśli od razu zastopuje się pompowanie krwi, jest mniej sprzątania.

Wyszedł z pomieszczenia ochrony i ruszył do magazynka, skąd wcześniej pożyczył ręczny wózek. Tym razem wziął gruby koc przemysłowy i dwa pasy do transportu mebli, które wisiały na ściennym stojaku.

Dopiero kiedy wrócił do pomieszczenia ochrony, dotarły do niego słowa Vernona Klicka: „Nikomu nie powiem o bieliźnie".

Odkąd Mickey był małym chłopcem, matka go ostrzegała, żeby nie wierzył nikomu w mundurze. I miała całkowitą rację.

Doktor Kirby Ignis

W płaszczu nieprzemakalnym, z parasolem w ręku, niemal spóźniony na obiad z kolegą w Topper's, Kirby zamknął na klucz drzwi swojego mieszkania na pierwszym piętrze. W tej samej chwili przez skałę, na której stał Pendleton, przetoczyła się fala wstrząsów. Roboty strzelnicze po drugiej stronie Wzgórza Cieni trwały dłużej niż zwykle. Dziwne, że ktoś chce płacić za nadgodziny, żeby zbudować wysokościowiec w okresie takiego zastoju ekonomicznego, ale pewnie spodziewa się poprawy za parę lat.

Kirby ruszył szybkim krokiem na zachodni koniec północnego korytarza. Dźwięki chińskiej opery wciąż brzmiały mu w uszach. Zanucił kilka taktów z ulubionej arii.

Sąsiedzi z 1-E, Cheryl i Henry Cordovanowie, którzy w poprzednią sobotę wyjechali do Europy i mieli wrócić dopiero za dwanaście dni, zostawili swojego springer spaniela Biskwita u rodziny syna. Kirby tęsknił za psem. Kilka razy w tygodniu, kiedy Cordovanowie wychodzili na obiad, a on zamierzał jeść w domu, zostawiali mu Biskwita na parę godzin. Spaniel był przeuroczym psiakiem i wspaniałym towarzyszem.

Trzy lata wcześniej Kirby też miał towarzyszkę, czarną labradorkę imieniem Lucy, ale zdechła na raka. Kirby tak boleśnie odczuł tę stratę, że dopiero ostatnio zaczął się zastanawiać, czy wprowadzić do swojego życia nowego psa, ryzykując następną żałobę. Tropikalne rybki ładnie wyglądały, ale nie były zbyt towarzyskie.

Siedząc wygodnie na kanapie z głową psa na kolanach, głaszcząc go i drapiąc za uszami, Kirby myślał jaśniej i dokonywał więcej przełomów w teorii i technologii, które zbudowały sukces Instytutu Ignis. Dobry pies przynosił ze sobą głębokie poczucie spokoju, które uskrzydlało umysł i przyspieszało rozwiązywanie problemów bardziej nawet niż muzyka czy pełne wdzięku ryby w akwarium.

Od trzech lat Kirby przeznaczał znaczne sumy na wszelkiego rodzaju stowarzyszenia opieki nad psami, oglądał *Psy 101* na Animal Planet i przez kilka wieczorów w tygodniu zajmował się Biskwitem, teraz jednak przy północnej windzie podjął decyzję, że przed świętami weźmie nowego towarzysza. Często myślał, że świat byłby lepszy, gdyby to psy wyewoluowały w najinteligentniejsze formy życia na planecie, a nie istoty ludzkie, pełne pychy, żądzy i nienawiści.

Drzwi windy się rozsunęły i wysoki mężczyzna w wieczorowym stroju wyszedł na korytarz. Wyglądał imponująco niczym członek rodziny królewskiej na uroczystej gali. Natura obdarzyła go dystyngowanymi rysami twarzy, patrycjuszowskim nosem, oczami błękitnymi niczym czyste jeziora, wysokim czołem i śnieżnobiałymi włosami.

Kirby cofnął się, zaskoczony. Twarz, włosy i koszulę mężczyzny pokrywały rozbryzgi świeżej krwi.

— Proszę pana, czy pan źle się czuje? Pan jest ranny.

Wieczorowy garnitur był brudny, wymięty, miejscami podarty, jakby mężczyzna uczestniczył w bójce albo został napadnięty na ulicy — chociaż nie zmókł na deszczu. Wyraźnie oszołomiony, rozejrzał się po korytarzu, popatrzył na drzwi mieszkania Trahernów po lewej stronie, drzwi apartamentu Hawksa naprzeciwko.

— Co to za miejsce? To jest Belle Vista... i nie jest.

W jego głosie brzmiała nie tylko konsternacja, ale również strach i jakby nuta rozpaczy. Szlachetne oblicze wydawało się blade i ściągnięte. W podkrążonych błękitnych oczach czaiła się groza.

— Co się panu stało?

— To miejsce... gdzie to jest? Jak się tu dostałem? Gdzie ja jestem?

Kirby zrobił krok do przodu, żeby podtrzymać zakrwawionego mężczyznę, który chwiał się na nogach. Zanim zdążył go dotknąć, przybysz podniósł obie ręce, śliskie od krwi.

— Prawie nam się udało, wszyscy nietknięci... — wymamrotał — ...a potem te zarodniki.

Kirby znowu się cofnął.

— Zarodniki?

— Świadek mówił, że pochodzą od nieszkodliwych gatunków, nie ma się czego bać. Ale on jest tego częścią, nie wolno mu wierzyć.

240

Mężczyzna nadal błądził spojrzeniem po ścianach i suficie, krzywiąc się pod wpływem silnych emocji, jakby jego konsternacja zamieniła się w dezorientację, jakby tracił zdolność postrzegania, pamięć i rozum.

— Zabiłem ich wszystkich. Pana i panią, dzieci, służbę...

Dopiero teraz Kirby zauważył, że wieczorowe ubranie różni się od zwykłego smokingu. Przypominało raczej stylową liberię, uniform służącego wyższej rangi.

— Byli zarażeni, na pewno, więc musiałem zabić ich wszystkich, nawet te śliczne dzieci, Boże, przebacz mi, musiałem zabić ich wszystkich, żeby ratować świat.

Porażony nagłym przeczuciem śmiertelnego niebezpieczeństwa, Kirby z walącym sercem odsunął się od przybysza w stronę drzwi do północnej klatki schodowej.

Kamerdyner, jeśli to był on, zdawał się nie interesować Kirbym, jakby mordercze skłonności całkowicie go opuściły.

— Teraz muszę zdobyć więcej amunicji, żeby się zabić — oznajmił.

Przechodząc przez korytarz, zrobił się przezroczysty, jakby był tylko złudzeniem. Przeniknął przez ścianę do apartamentu Hawksa.

Chociaż Kirby nie wierzył w duchy, tym razem mógłby uwierzyć... gdyby nie krew, która ściekła z rąk mężczyzny i poplamiła chodnik w korytarzu.

—

Winny

Nie mogli pojechać windą, bo wszystko było nie tak, tam był jakiś wielki robal, który prawie urwał mu rękę, i bali się schodów, więc razem z mamą postanowili przeczekać w mieszkaniu pani Sykes, bo nie mieli dokąd pójść.

Winny znał panią Sykes tylko z widzenia, mówili sobie „Dzień dobry" na korytarzu albo na dole w westybulu, i znał Iris, tylko że ona nigdy nie mówiła „Dzień dobry". Iris, trzy lata od niego starsza, nie tolerowała ludzi, nie dlatego, że uważała ich za głupich, nudnych czy złych — chociaż takich było wielu — ale dlatego że chorowała na autyzm. Matka Winny'ego mówiła, że Iris prawie nigdy nie pozwala się dotykać i że zwykle bardzo się denerwuje, jeśli w pobliżu znajduje się zbyt wiele osób. Winny trochę rozumiał autyzm, bo o tym czytał, i doskonale rozumiał, jak się czuje Iris w towarzystwie ludzi, bo sam miał podobny problem. Zawsze mówił nie to, co należy, albo wygadywał jakieś głupstwa. Iris nie mogła mówić, a Winny nie wiedział, co powiedzieć, więc właściwie jechali na tym samym wózku.

Po tym, jak pani Sykes przekręciła uchwyty obu zamków, z grzechotem założyła łańcuch, a potem całkiem niepotrzebnie sprawdziła, czy drzwi na pewno są zamknięte, Winny domyślił się, że ją też spotkało niedawno coś niesamowitego i że się bała.

— Może właśnie zamknęłam coś razem z nami, zamiast zamknąć przed tym drzwi — powiedziała. — Zresztą jeśli one potrafią przechodzić przez ściany, co nam pomogą zamki?

Mama Winny'ego spojrzała na niego, a on zrobił głupią minę, żeby nie pokazać, jak go przestraszyły słowa pani Sykes. Cokolwiek się działo, będzie musiał bardzo się starać, żeby nie wyjść na tchórza i mazgaja.

— Muszę wam coś pokazać — ciągnęła pani Sykes. — Mam nadzieję, że jeszcze tam jest. A raczej że go nie ma. Chociaż lepiej niech tam będzie. Bo jeśli wy też zobaczycie to choler-stwo, to będę wiedziała, że nie zwariowałam.

Winny znowu zrobił głupią minę do matki, ale tym razem wydawała się niestosowna, nie jak przed chwilą. Teraz nie tylko nie wiedział, co powiedzieć, nie wiedział również, co zrobić z twarzą, no i z rękami. Włożył je do kieszeni kurtki, lecz twarz pozostała na widoku.

Pani Sykes poprowadziła ich przez salon, ale zorientowała się, że Iris nie idzie z nimi. Dziewczynka stała bez ruchu, wpatrując się w pustkę, z rękami zaciśniętymi w pięści po bokach. Matka przemówiła do niej w dziwny sposób, jakby recytowała linijki wiersza:

— *Nie przerażaj się. Chodź teraz ze mną i pozbądź się lęku. Jestem rad, że mogę cię tam zaprowadzić i pokazać ci to.*

Tym razem Iris podreptała za nimi, chociaż trzymała się kilka kroków z tyłu. Przeszli przez hol do sypialni, na pewno należącej do dziewczynki, bo utrzymanej w pastelowych bar-wach i wypełnionej pluszowymi zabawkami. Najwięcej było króliczków, poza tym kilka żab, parę śmiesznych ptaków i jedna głupkowata wiewiórka, wszystkie miękkie i puchate, żadnych zwierzątek, które w prawdziwym świecie miały ostre zęby i zabijały inne zwierzęta.

Winny zdziwił się, widząc tyle książek, bo myślał, że autys-tyczne dzieci nie potrafią dobrze czytać albo w ogóle nie mogą się nauczyć. Widocznie Iris dużo czyta. Wiedział dlaczego. Książki oznaczają inne życie. Jeśli ktoś jest nieśmiały, nie wie, co powiedzieć, i czuje, że nigdzie nie pasuje, książki otwierają przed nim drogę do innego życia, gdzie może być kimś zupełnie innym, kimkolwiek zechce. Winny nie wiedział, co by zrobił bez książek, chyba dostałby szału, zacząłby zabijać ludzi i robić z ich czaszek popielniczki, chociaż nie palił i nie zamierzał palić.

— Ciągle tam jest — powiedziała pani Sykes, wskazując okno.

Do szyb zalewanych deszczem przywierał dziwaczny stwór: podobny z kształtu do piłki futbolowej, tylko większy, spłaszczony na spodzie, ze zbyt wielką liczbą klocowatych nóg, które wyglądały jak przeznaczone do chodzenia po innej planecie, i z twarzą prawie ludzką, ale umieszczoną na brzuchu.

Jedna z metod, które stosował Winny, nie chcąc zasłużyć na etykietkę mięczaka, polegała na tym, żeby podczas oglądania filmów grozy nigdy nie odwracać wzroku od ekranu. Nigdy, przenigdy. Zawsze potrafił wytrzymać najbardziej makabryczne sceny, wygłaszał wtedy w myślach komentarz, krytykował złe aktorstwo, wyśmiewał idiotyczne dialogi i szydził z nędznych efektów specjalnych. Chociaż w obecności innych często zapominał języka w gębie, sam ze sobą potrafił gadać bez końca. Oceniał również każdego potwora czy psychopatycznego mordercę na swojej skali „nawalić w gacie i wiać", gdzie najwyższą punktacją było dziesięć gwiazdek. Stał się tak surowym krytykiem, że nie robił na nim wrażenia żaden z potworów, jakie kiedykolwiek pełzały po ekranach kin. Nigdy nie przyznał więcej niż sześciu gwiazdek, co nie liczyło się nawet jako „sikanie w gacie".

Stwór za oknem zasługiwał na siedem.

Jednak Winny się nie zsikał i nie wydał żadnego dźwięku, chociaż jego mama na widok pełzacza krzyknęła z szoku i obrzydzenia, a pani Sykes powiedziała coś o zwidach po meskalinie, cokolwiek to znaczyło.

Iris pomogła mu zachować zimną krew. Nic nie mówiła, nie nawiązała kontaktu wzrokowego ani nawet nie odsunęła się od łóżka, z którego chwyciła pluszowego króliczka z długimi oklapniętymi uszami. Ale twarz miała ściągniętą z napięcia i wydawała się tak bezbronna, że Winny bał się o nią bardziej niż o siebie. Nie przypuszczał, żeby widziała stwora za oknem, ponieważ nie patrzyła na nic i na nikogo, chciał się jednak upewnić, że nie zobaczy go przypadkiem. Sama obecność dwójki sąsiadów w jej pokoju doprowadzała ją niemal do szaleństwa — widział, jak walczy, żeby się opanować — więc widok stwora pewnie przerwałby ostatnie tamy. I tak miała trudne życie, nie potrzebowała jeszcze potworów, nikt nie potrzebuje, ale ona najmniej.

Kolejny pociąg widmo przejechał z turkotem pod Pendletonem po nieistniejących torach i na wysokie okno wpełzła kolejna kreatura, podobna do pierwszej pod każdym względem, tylko że na brzuchu zamiast męskiej twarzy miała twarz kobiety, może nawet małej dziewczynki, zniekształconą jak w gabinecie luster w wesołym miasteczku. Wargi rozchyliły się i język zatrzepotał na szkle.

Nawet gdyby Winny'emu i jego mamie udało się wyjść z Pendletona, nie uciekliby przed tym szaleństwem. Na zewnątrz chyba działy się jeszcze gorsze rzeczy niż w budynku.

Odnalazłszy w sobie zadziwiającą wewnętrzną siłę, Winny podbiegł do okna, chwycił sznur i zaciągnął zasłony, żeby potwory nie mogły ich widzieć ani być widziane.

Zanim mama i pani Sykes zdążyły zaprotestować, powiedział po prostu:

— Iris.

—

Martha Cupp

Z wnętrza sofy wśród fruwających kłaków końskiego włosia wylało się na siedzisko coś, co przypominało kłąb śliskich flaków, chociaż nie zakrwawionych, tylko szarych. Wnętrzności żadnego wypatroszonego zwierzęcia nie skręcałyby się tak spazmatycznie, jak te rozplątujące się zwoje, które najwyraźniej nie zostały brutalnie wydarte z żywego organizmu, tylko stanowiły oddzielny organizm, podobny do długiego jelita, podzielonego na segmenty pierścieniami mięśni. Czegoś tak ohydnego Martha nigdy jeszcze nie widziała, ani na jawie, ani w koszmarnym śnie.

Sparaliżowana obrzydzeniem przewyższającym nawet wstręt, jaki czuła wobec urzędu skarbowego, Martha przez chwilę stała nieruchomo. Trzymała oburącz pogrzebacz, uniesiony wysoko nad głową, i najbardziej na świecie pragnęła uderzyć to paskudztwo, ale straciła władzę w rękach, ciało odmówiło jej posłuszeństwa, zastygłe ze zdumienia i zgrozy.

Dym i Popiół miauczały przeraźliwie, wcale nie jak grzeczne, potulne kotki. Słyszała, że zeskakują z etażerki, lądują z łomotem na wyścielanych meblach i zawodząc, umykają z salonu w bezpieczniejsze okolice.

W oknach wychodzących na zachód zapłonęły najjaśniejsze jak dotąd ognie błyskawic, całe niebo stanęło w płomieniach, jakby zamieniło się biegunami z piekłem i teraz w górze paliły

się potępieńcze ognie, anioły zaś spadły do podziemnych otchłani. Lampy zamigotały w rytm błysków na dworze, nagłe
drgnienie oślizgłej wisceralnej masy na kanapie wydawało się
złudzeniem, stroboskopowym efektem pulsującego światła.

Niebo zgasło, lampy przestały migotać i Martha zobaczyła,
że ohyda na kanapie wypuściła spomiędzy wilgotnych zwojów
flakowatego cielska czarne łapy tarantuli, i nie tylko łapy, lecz
także pęk czerwonych dziobów, które kłapały, kłapały, kłapały,
jakby koniecznie chciały coś schwytać i rozerwać.

Pokonując chwilowy paraliż, Martha wzięła zamach. Z jej
perspektywy groteskowy stwór jakby się zmniejszał pod opa-
dającym pogrzebaczem. Mosiądz uderzył w kanapę, z rozdarcia
w tapicerce wyleciało końskie włosie, ale nie było satysfak-
cjonującego rozbryzgu ani bolesnego okrzyku. Przepełniona
strachem i wstrętem, rozwścieczona, że do jej domu wtargnęło
coś takiego, Martha walnęła pogrzebaczem po raz drugi, trzeci
i czwarty, zanim dotarło do niej, że cel zniknął. Wciąż wściekła
i rozdygotana, niemal chora z obrzydzenia, nie mogła uwierzyć,
że oślizgły potwór rozpłynął się w powietrzu. Rzuciła pogrzebacz, obiema rękami złapała przód sofy i z hukiem przewróciła
mebel, odsłaniając spód. Ani śladu intruza. Zobaczyła poszar-
paną dziurę, którą bestia wyrwała w czarnym obiciu, żeby
dostać się do sprężyn i tapicerki. Martha ponownie chwyciła
pogrzebacz, upadła na kolana, jakby nigdy w życiu nie cierpiała
na artretyzm, i zaczęła dźgać pogrzebaczem wnętrze dziury.
Sprężyny wydawały dysonansowe ostre brzęknięcia i drżące
niskie tony niczym struny jakiegoś instrumentu z filharmonii
Hadesu, ale żadna żywa istota nie wrzasnęła z bólu.

W końcu Martha dźwignęła się na nogi, wciąż ściskając

pogrzebacz pomimo pulsowania w zreumatyzowanych kłykciach. Spociła się, wilgotne strąki włosów opadły jej na twarz. Dyszała ciężko i serce waliło jej szybko jak nigdy, odkąd dawno temu przestała ganiać swojego drugiego męża po sypialni.

Odwróciła się do siostry, szukając potwierdzenia, że to, co widziała, nie było halucynacją starej wariatki. Wyraz twarzy Edny świadczył wymownie, że incydent wydarzył się naprawdę: oczy okrągłe jak u sowy, usta otwarte i uformowane w idealne kółeczko niemego zaskoczenia.

— Kochana, nie widziałam cię w takiej akcji od tamtego dnia, kiedy zebranie rady dyrektorów poszło źle i musiałaś ich przywołać do porządku — odezwała się Edna po dłuższej chwili.

—

Mickey Dime

Zdjął trupowi pas z bronią i odłożył na podłogę. Pewnego dnia użyje tego pistoletu przy zleceniu, ponieważ był zarejestrowany na ochronę i zniknie razem z Vernonem Klickiem, więc to Klicka będą szukali, kiedy znajdą broń na jakimś przyszłym miejscu zbrodni. Odrobina rozrywki.

Później Mickey dostanie się do archiwów wideo ochrony i wyczyści wszystkie nagrania ze wszystkich kamer w budynku. Nie zostawi dowodów, że brat Jerry złożył mu wizytę. Ani żadnych wskazówek co do losu Vernona Klicka. Zacierał za sobą ślady w ten sposób już wiele razy w innych miastach. Wiedział, co zrobić, żeby na pewno nie dało się odzyskać cyfrowego zapisu wideo.

Wywlókł Klicka z pomieszczenia ochrony i szybko przeciągnął go przez główny podziemny korytarz do maszynowni. Zwłoki, zawinięte w koc przemysłowy i obwiązane pasami do przenoszenia mebli, łatwo ślizgały się po kafelkowej posadzce.

Wysiłek sprawił Mickeyowi przyjemność. Mięśnie czworoboczne napięły się, tworząc solidną wypukłość w poprzek grzbietu. Mięśnie naramienne. Mięśnie trójgłowe takie twarde. Był w świetnej formie fizycznej. Ciało miał super.

W swoim wiejskim domku, kiedy siedział nago na podwórku podczas letniej burzy, lubił obmacywać własne ciało. Mocno masować. Lekko głaskać. Mięśnie śliskie od deszczu, jak naoliwione. Doznawał podwójnej przyjemności: obdarzał pieszczotami i przyjmował pieszczoty, ręce równie podniecone jak reszta ciała.

Kluczem zabranym Klickowi otworzył drzwi do maszynowni. Tutaj znajdowały się urządzenia zapewniające ogrzewanie, wentylację i klimatyzację budynku, a także grzejniki wody oraz długie szeregi rozdzielnic elektrycznych. Zapalił światło, przeciągnął trupa przez próg i zamknął drzwi.

Maszynownia, właściwie pomieszczenie o ścianach ze zbrojonego betonu, miała jakieś dwadzieścia metrów szerokości i prawie dwanaście metrów długości. Po lewej stronie wznosiły się rzędy dwumetrowych chłodziarek. Po prawej stały dwa przemysłowe bojlery różnej wielkości; większy obsługiwał czterorurowy system ogrzewania z wykorzystaniem klimakonwektorów, które pozwalały regulować temperaturę oddzielnie w każdym pomieszczeniu prywatnym i publicznym, mniejszy — choć też spory — dostarczał lokatorom ciepłą wodę.

Wokół nich i ponad nimi rozciągał się labirynt rur, zaworów, pomp, urządzeń kontrolnych i innego wyposażenia, którego Mickey nie potrafił nazwać.

Tom Tran utrzymywał w maszynowni kliniczną czystość. Skomplikowana maszyneria dudniła, mruczała i piszczała, co dla Mickeya brzmiało jak symfonia. Symfonia sprawności.

Jego zmarła matka mawiała, że istoty ludzkie to tylko maszyny skonstruowane przez naturę w procesie ewolucji. Człowiek może być dobrą albo złą maszyną, ale czymkolwiek jest, to nie ma nic wspólnego z moralnością. Liczy się tylko sprawność. Dobre maszyny wykonują określoną pracę sprawnie i niezawodnie.

Mickey uważał się za doskonałą maszynę. Wybrał dla siebie pracę polegającą na zabijaniu innych ludzkich maszyn. Sprawne działanie podniecało go i zaspokajało bardziej niż seks. Seks oznaczał innych ludzi, a inni zawsze go rozczarowywali, ponieważ byli o tyle mniej sprawni od niego. Tak łatwo się rozpraszali na różne bzdury w rodzaju czułości i przywiązania. W seksie nie chodziło o czułość i przywiązanie. Wielkie pompy pracujące niezmordowanie w tym pomieszczeniu wiedziały więcej o seksie niż większość ludzi.

Sparkle Sykes i jej córka znowu wdzierały się w jego myśli, podobnie jak tamta kelnerka koktajlowa sprzed piętnastu lat. Nie chciały go zostawić w spokoju. Nagie stawały mu przez oczami. Odganiał je, ale uparcie wracały. Lepiej niech odejdą. Lepiej niech przestaną go kusić.

Ciągnąc Klicka, przeszedł na pusty środek maszynowni. Znajdowała się tam żelazna pokrywa studzienki włazowej, wpuszczona w podłogę i zabezpieczona grubą gumową uszczel-

ką. Za kilka minut, kiedy Mickey wróci z bratem, otworzy
właz i wrzuci oba ciała do miejsca ostatniego spoczynku, tak
głęboko, że nikt nigdy nie odnajdzie szczątków. Nawet szczury
cmentarne nie zapuściłyby się tak daleko na dwudaniowy
bankiet.

—

Bailey Hawks

Kiedy Bailey gwałtownie otworzył drzwi klatki schodowej
na pierwszym piętrze i wpadł do holu, doktor Kirby Ignis
wydał okrzyk zaskoczenia. Sympatycznie pofałdowana twarz
naukowca, już w młodości z pewnością ojcowska, a po pięćdziesiątce wyglądająca jak dobrotliwe oblicze dziadka, była
blada i wilgotna od potu. Zazwyczaj Ignis roztaczał wokół
siebie atmosferę mądrości i niewzruszonej pewności siebie,
teraz jednak wyglądał na przestraszonego, jakby się spodziewał,
że z klatki schodowej wyjdzie ktoś inny niż Bailey, ktoś wrogo
nastawiony, co aż do tego dnia wydawało się nieprawdopodobne
w miejscu tak bezpiecznym, jak Pendleton.

— Co się stało? Co pan widział? — zapytał Bailey.

Doktor Ignis był dostatecznie spostrzegawczy, żeby nie
umknęły mu implikacje słów Baileya.

— Pan też coś widział. Coś niezwykłego. Czy to był mężczyzna w wieczorowym ubraniu, chyba kamerdyner, wysoki,
siwowłosy i zachlapany krwią?

— Gdzie pan go widział?

Ignis wskazał plamę krwi na chodniku.

— Powiedział mi, że zabił ich wszystkich... dzieci też. Jakie
dzieci? W którym mieszkaniu? A potem... — Doktor ze zmar-

251

szczonymi brwiami spojrzał na ścianę obok drzwi apartamentu Baileya. — No, nie wiem... Nie wiem, dokąd poszedł potem...

—

Silas Kinsley

Na parterze Silas odwrócił się od południowej windy, od groźnych głosów za rozsuwanymi drzwiami. Brzmiały jak wrzask tłumu z koszmarnych snów, agresywny, żądny krwi, lecz niezrozumiały, wojownicze skandowanie legionu prześladowców, którzy z niepojętych powodów chcieli go zniszczyć. Przypomniał sobie, jak obudził się rano i słuchał okropnego odgłosu pełzania w ścianie obok łóżka. Głosy w szybie windy brzmiały inaczej, ale wiedział, że pochodzą z tego samego źródła. Pospieszył do najbliższych schodów i zbiegł do sutereny.

Za stary i zbyt stęskniony za Norą, żeby bać się o swoje własne życie, Silas martwił się jednak o sąsiadów i koniecznie chciał ich ostrzec, że trzeba ewakuować budynek. Na dole otworzył drzwi klatki schodowej cicho i ostrożnie z obawy, że gdzieś tam czyha potworna bestia, którą Perry Kyser widział w 1973 roku, bestia, która najwyraźniej zabiła jednego z jego robotników. Jeśli Andrew Pendleton pojawił się żywy tyle lat po swoim samobójstwie, to mógł powrócić również każdy inny człowiek — albo nieczłowiek — z dowolnego okresu historii budynku.

Południowy korytarz, prowadzący obok komórek lokatorskich do windy towarowej na tyłach budynku, wydawał się pusty. W długim zachodnim korytarzu znajdował się tylko jeden człowiek, który wyszedł z maszynowni. Zamknął drzwi i szybko pomaszerował w stronę odległej północnej windy.

Silas nie widział go wyraźnie, ale miał prawie całkowitą pewność, że to był pan Mickey Dime. Jako członek zarządu wspólnoty mieszkaniowej Silas znał wszystkich lokatorów, chociaż nie wszystkich równie dobrze. Dime trzymał się na dystans, więc dla Silasa pozostał prawie wyłącznie nazwiskiem.

Kiedy zniknął w windzie, Silas wyszedł z klatki schodowej i pospiesznie minął mieszkanie dozorcy. Lekko zapukał do drzwi pomieszczenia ochrony. Nie usłyszał odpowiedzi, więc zastukał głośniej. W końcu otworzył drzwi i wszedł do środka.

Nikt nie siedział przy konsoli ochrony. Nikt nie stał przy ekspresie do kawy we wnęce kuchennej. Drzwi małej łazienki wyposażonej w toaletę i umywalkę stały otworem i tam też nikogo nie było.

Zgodnie z przepisami bezpieczeństwa dyżurny strażnik mógł opuścić stanowisko tylko na wezwanie z budynku albo dwukrotnie na piętnaście minut w ciągu wieczornej i nocnej zmiany, żeby zrobić obchód sutereny, parteru i dziedzińca. Ale nigdy nie robiono obchodu przed dwudziestą lub dwudziestą pierwszą, czyli dopiero za parę godzin.

Na podłodze obok jednego z obrotowych krzeseł Silas dostrzegł wilgotny czerwony wykrzyknik. Przyklęknął, żeby przyjrzeć mu się z bliska. Dwucentymetrowa smużka krwi. Na końcu kropka z tej samej substancji. Rozlanej tak niedawno, że jeszcze nie zaczęła krzepnąć na krawędziach ani nie pokryła się błoną. Również na podłodze, we wgłębieniu na nogi pod blatem konsoli, leżał pas służbowy ochroniarza z pistoletem w kaburze.

Silas poczuł suchość w gardle. Zorientował się, że oddycha przez usta, szybko i płytko, odkąd usłyszał głosy w szybie windy. Serce mu biło głośno jak bęben w dżungli, przyspieszonym rytmem, ale jeszcze nie panicznym, łomotało dziko w mrocznej głębi klatki piersiowej.

Alarm przeciwpożarowy w budynku mogły uruchomić wykrywacze dymu w każdym pokoju i korytarzu albo ochroniarz za pomocą tego komputera. Jako dodatkowe zabezpieczenie komputer był podłączony do awaryjnego generatora, na wypadek gdyby elektryczność wysiadła, zanim alarm zostanie ogłoszony.

Silas nie potrafił wykorzystać komputera do tego celu, ale nie wątpił, że Tom Tran potrafi. Wyszedł na korytarz i zadzwonił do sąsiedniego mieszkania dozorcy. Usłyszał siedmiotonowy gong rozbrzmiewający echem w środku, ale chociaż dzwonił trzy razy, nikt nie otworzył.

Korytarz w suterenie wyglądał tak jak zawsze, a jednak wydawał się inny. Odmieniony. Sufit nie opadał ani ściany się nie wybrzuszały, jednak Silas wyczuwał ogromne napięcie, jakby burza, niebo ponad chmurami i cały wszechświat ponad niebem przytłaczały Pendletona ciężarem tak straszliwym, że mogły zmienić budynek w kupę gruzów, a gruzy zmiażdżyć na pył.

Chociaż Silas przed wieloma laty zakończył ten etap swojej prawniczej kariery, kiedy specjalizował się w obronie kryminalistów, nie stracił intuicyjnej zdolności rozpoznawania fałszu i przestępczych zamiarów. Pan Dime nie wyglądał podejrzanie, przeciwnie, zachowywał się tak, jakby nie miał nic do ukrycia i załatwiał zwyczajne sprawy, jednak Silas nie potrafił sobie wyobrazić, czego lokator mógłby szukać w maszynowni.

Coraz bardziej zaniepokojony nie tyle, że czas ucieka, ile że jakaś niepojęta katastrofa czasu zawisła nad Pendletonem, postanowił wrócić na parter i zapytać Padmini Bahrati, czy wie, gdzie jest Tom Tran, albo czy potrafi uruchomić alarm pożarowy.

Najpierw jednak wrócił do pomieszczenia ochrony i zabrał porzucony pistolet strażnika. Nie trenował na strzelnicy od dziesięciu lat. Nie chciał użyć broni, ale nie zawsze sprawy układały się tak, jak można sobie życzyć. Ze służbowego pasa strażnika wyjął też puszkę ze sprayem pieprzowym i latarkę. Wyszedł na korytarz i skręcił do następnych drzwi po lewej stronie. Nie były zamknięte na klucz. Wszedł do maszynowni.

—

Winny

Iris siedziała w kuchni przy stole śniadaniowym, mocno przytulała do piersi króliczka z oklapniętymi uszami i kołysała się w przód i w tył na krześle, szepcząc do zabawki coś, czego Winny nie słyszał, szepcząc bez przerwy.

Coś w tej dziewczynce — nie wiadomo co — sprawiało, że Winny pragnął się wykazać odwagą. Nie dlatego, że Iris była ładna, bo była. Chociaż pod wieloma względami rozwinięty ponad swój wiek, Winny był jednak za młody, żeby się interesować dziewczętami. Zresztą ona była dla niego za stara, starsza o trzy lata. Częściowo chodziło chyba o to, że potrzebowała książek tak samo jak on, ale w przeciwieństwie do większości ludzi, którzy lubili rozmawiać w klubach o przeczytanych książkach, ani Iris, ani Winny nie rozmawiali o swoich lekturach — ona dlatego, że nie mogła mówić, on dlatego, że jako rozmówca był do kitu i nawet dobre książki przedstawiłby jako beznadziejne.

255

Nie usiadł przy stole obok Iris. Zbyt podminowany, żeby usiedzieć spokojnie, krążył po kuchni, oglądał naczynia ustawione w szafkach z oszklonymi drzwiczkami i czytał notatki, które pani Sykes zapisała przy różnych dniach na grudniowej stronie ściennego kalendarza. *Księgowy o 2.30, obiad z Tanyą, dr Abbot, wyprzedaż serów.* Próbował odgadnąć, czy jabłka, gruszki i banany w dużej płytkiej misie pośrodku wyspy kuchennej zostały starannie ułożone, żeby wyglądały jak martwa natura, czy wrzucone byle jak, co w tych okolicznościach wydawało się tak niestosownym tematem rozważań, jakby był gejem albo co. Nawet policzył kafelki na podłodze, jakby ich liczba — głupio, głupio — stanowiła ważną informację, która kiedyś mogłaby uratować im życie.

Słuchał również, jak mama i pani Sykes próbują dzwonić z kuchennego telefonu i ze swoich komórek. Kilka razy, zanim wystukały numer do końca, łączyły się z ludźmi mówiącymi w obcym języku, kilka głosów jednocześnie na linii, bełkoczących jak stado indyków. Raz mama połączyła się z telefonistką z City Bell, inną niż poprzednio, która również upierała się, że jest rok 1935, chociaż nie była taka miła jak tamta pierwsza. A pani Sykes ze zdziwienia upuściła telefon, kiedy po całej ścianie kuchni przemknęły migotliwe płachty błękitnego światła.

W kilku szafkach zabrzęczały i zagrzechotały naczynia. Dolne drzwiczki otworzyły się, wysunęło się kilka szuflad. Z otwartych szafek wytoczyły się garnki, z szuflad wypadły metalowe kuchenne przybory i sztućce z nierdzewnej stali. Wszystkie przedmioty uniosły się w powietrze i zawirowały po jednej stronie kuchni w błękitnym świetle. Rondle i patelnie obijały się o siebie, noże uderzały o łyżki i widelce, jakby stukało nimi tuzin poltergeistów na znak protestu z powodu braku odpowiedniej upiornej strawy, podobnie jak więźniowie na starych filmach podnosili raban w jadalni, kiedy nowy podły naczelnik zdefraudował fundusze z budżetu i karmił ich pomyjami.

Fale światła przepłynęły po szafkach z prawej strony na lewą i zgasły, zawierucha nagle ustała i wszystkie przedmioty spadły jednocześnie z łoskotem. Ale nie rozsypały się po podłodze. Zamiast tego spiętrzyły się w stosy, cudem utrzymujące równowagę wbrew zasadom grawitacji, rzeźby z rondli i patelni najeżone sztućcami, wibrujące niczym kamertony, jakby zostały namagnetyzowane. Po chwili magnetyzm widocznie odpłynął, ponieważ wibracje ustały i stosy runęły bezładnie. Kiedy zamieszanie dobiegło końca, w kuchni zrobiło się cicho jak w domu pogrzebowym — tylko Iris skomlała niczym zagubione szczenię.

Żadna z dwóch mam nie wrzasnęła ani nie dostała histerii, ani nie wycofała się w zaprzeczenie, jak często postępują bohaterowie filmów, w których dzieją się niesamowite rzeczy. Winny był z nich dumny i wdzięczny, bo gdyby któraś straciła opanowanie, on też by ześwirował i nie byłby już dzielny dla Iris.

Fale błękitnego światła przypomniały mu pulsujące kręgi w telewizorze i głos, który powtarzał: „Eksterminować".

Podejrzewał, że mama myśli o tym samym, bo powiedziała:

— Może nie jest bezpiecznie wyjść na zewnątrz, z tymi stworami pełzającymi dookoła, ale w środku też nie jest bezpiecznie.

— Musimy dołączyć do innych ludzi — oświadczyła pani Sykes. — Razem będzie bezpieczniej.

— Gary Dai jest w Singapurze — przypomniała mama Winny'ego.

Dolny poziom dwupoziomowego apartamentu pana Daia sąsiadował z ich mieszkaniem. Pan Dai był software'owym guru i legendarnym projektantem gier wideo, więc mógł wiedzieć, co się dzieje i jak przejść wszystkie poziomy tej gry, nie tracąc życia. Pech, że akurat był na drugim końcu świata, kiedy ćwierćdolarówka wpadła do otworu i zaczęła się akcja.

— Moi sąsiedzi wyjechali z wizytą do wnuka — powiedziała pani Sykes. — A ostatni apartament jest pusty, na sprzedaż.

Mama Winny'ego zaproponowała:

— Wróćmy przez moje mieszkanie na północny korytarz, poszukajmy Baileya Hawksa z 1-C. W tej chwili z nikim innym w Pendletonie nie będę się czuła bezpieczniej.

—

Bailey Hawks

Na wyspie kuchennej leżały dwa pudełka amunicji, które Bailey przyniósł z szafy w sypialni. Ładował zapasowy magazynek na dwadzieścia naboi do swojej beretty dziewięć milimetrów i słuchał, jak Kirby Ignis opowiada o spotkaniu z dystyngowanym zakrwawionym mężczyzną, który mówił, że wszystkich zabił, a potem przeszedł przez ścianę.

Naukowiec był zbyt inteligentny i zbyt praktyczny, żeby marnować czas na szukanie racjonalnych, lecz mało prawdopodobnych wyjaśnień, do czego uciekają się niekiedy ludzie podważający istnienie UFO, twierdząc, że to gaz bagienny, balony meteorologiczne albo roje świecących owadów. Widział człowieka znikającego w ścianie, lecz zamiast zwątpić we własną poczytalność i świadectwo zmysłów, właśnie wnosił poprawki do swojej osobistej definicji słowa „niemożliwe".

— Nie znam całej historii — powiedział Bailey. — Silas Kinsley z 2-C na górze zajmuje się historią Pendletona. Powinien znać wszystkie szczegóły. Ale jakoś tak w latach trzydziestych kamerdyner wymordował całą rodzinę właścicieli Belle Vista.

— Teraz już nie żyje.

— Na pewno — zgodził się Bailey, wrzucając dodatkowe naboje do wszystkich kieszeni sportowej marynarki. — Jeśli dobrze pamiętam, zaraz potem popełnił samobójstwo.

— Nie chodzę na seanse spirytystyczne.

— Ani ja. — Bailey pomyślał o Sophii Pendleton, zbiegającej ze śpiewem po schodach: *Król Kapusta był wesołym człekiem, wesołym człekiem był...* — Ale to nie duchy. To coś większego, dziwniejszego.

— A co pan widział? — zapytał Ignis.

— Powiem panu po drodze.

— Po drodze dokąd?

— Do Marthy i Edny Cupp w 2-A. One mają ponad osiemdziesiąt lat. Cokolwiek się tu dzieje, powinny trzymać się z daleka.

— Może wszyscy powinniśmy trzymać się z daleka — zauważył Ignis.

— Może i tak.

—

Mickey Dime

Popychając ręczny wózek z martwym Jerrym po północnym korytarzu na drugim piętrze, Mickey wspominał nostalgicznie ich wspólne dzieciństwo. Jednak zanim skręcił za róg i przystanął przy windzie, wyczerpał cały swój sentymentalizm.

Jerry był bratem Mickeya, ale również problemem. Problemem rozwiązanym. Matka mówiła, że silni działają, słabi reagują. Mówiła, że słabi żałują, silni triumfują. Mówiła, że słabi wierzą w Boga, silni wierzą w siebie. Mówiła, że zarówno silni, jak i słabi są ogniwami łańcucha pokarmowego i że lepiej zjadać niż być zjadanym. Mówiła, że silni mają dumę, słabi mają pokorę, a ona jest dumna ze swojej pokory i pokorna w swojej dumie. Mówiła, że władza usprawiedliwia wszystko i że władza absolutna usprawiedliwia absolutnie wszystko. Ponieważ słynna kalifornijska wytwórnia win płaciła jej hojnie za reklamy w czasopismach i telewizji do kampanii pod hasłem: „co piją najmądrzejsi", mówiła, że treściwe Cabernet Sauvignon to warunek zadowolenia z życia, że to metafora transcendencji, podstawowe narzędzie redystrybucji szyku, jednocześnie wielka sztuka i literatura w butelce. Mówiła, że osądzanie Kaina za zabicie Abla to jak potępianie zdrowego wilczego szczenięcia za wypijanie swojej porcji matczynego mleka i porcji chorego wilczątka, które inaczej mogłoby przeżyć, ze szkodą dla stada.

Mickey nie rozumiał wszystkiego, co jego matka mówiła przez lata, po części dlatego, że powiedziała i napisała zbyt wiele, żeby to ogarnąć. Wiedział jednak, że zawsze mówiła mądre rzeczy. A często głębokie.

Winda przyjechała na drugie piętro. Mickey wtoczył do środka wózek z bratem.

—

Silas Kinsley

W maszynowni paliły się wszystkie światła, kratownice osłoniętych świetlówek zawieszonych pod sufitem na łańcuchach. Imponujące szeregi skomplikowanych maszyn, mruczących unisono zgodnie z zamysłem konstruktora, przedstawiały obraz porządku i normalności, toteż Silas niemal uwierzył, że w Pendletonie wszystko jest jak należy, pomimo rzeczy, które słyszał i widział.

Zamknął za sobą drzwi.

— Jest tam kto? Panie Tran? Tom?

Nikt nie odpowiedział. Silas zamierzał sprawdzić pasaże serwisowe między rzędami instalacji, ale natychmiast przyciągnęła go studzienka włazowa na środku i tłumok leżący obok niej.

Studzienka, istniejąca od początku Pendletona, umożliwiała dostęp do stalowego rękawa metrowcj średnicy, przechodzącego przez dwuipółmetrowe betonowe fundamenty wielkiego gmachu. Rękaw kończył się dokładnie przy wylocie uskoku w podłożu skalnym.

Nie był to uskok w sensie pęknięcia, tylko tunel lawowy o gładkich ścianach, z którego niegdyś wypłynęła roztopiona skała. Wzgórze Cieni wraz z otaczającymi je terenami tworzyły stabilną masę bazaltu, wyjątkowo gęstej skały wulkanicznej, oraz ryolitu, wylewnej formy granitu. Dziesiątki tysięcy lat wcześniej, pod koniec epoki wulkanicznej w tym regionie, kiedy ustały erupcje, w kamiennym podłożu zachowało się kilka długich kanałów wentylacyjnych, między innymi ten pod Pendletonem, o średnicy od metra dwudziestu do metra pięćdziesięciu.

Pod koniec dziewiętnastego wieku, kiedy budowano wielki dom, przywiązywano mniejszą wagę do ochrony środowiska niż współcześnie. Nikt się nie przejmował ryzykiem zanieczyszczenia wody pitnej, kiedy ścieki ze zlewów, wanien i ubikacji Pendletona skierowano do wylotu pozornie bezdennego lawowego tunelu. W tamtych czasach miasto było dużo mniejsze i dopiero zaczynano planować miejski system kanalizacji. Główną metodą pozbywania się szarej wody i odchodów nadal były septyczne zbiorniki, zaś tunel lawowy o pojemności wielu tysięcy metrów sześciennych stanowił tanią alternatywę i nie wymagał konserwacji.

Przedsiębiorca budowlany dodał studzienkę, żeby zapewnić dostęp serwisowy w razie mało prawdopodobnych kłopotów. Po zdjęciu pokrywy z kutego żelaza tunel funkcjonował również jako wydajny odpływ, na wypadek gdyby woda z pękniętej rury zalała suterenę. W roku 1928 ścieki z Pendletona przekierowano do publicznego systemu kanalizacji, ale studzienka pozostała.

Po przeróbce Belle Vista na Pendletona w 1973 roku zwiększyło się ryzyko zalania ze względu na wszystkie chłodziarki i ogromne bojlery nowego systemu grzewczo-chłodzącego. Jednak architekt i przedsiębiorca nie musieli instalować potężnych pomp awaryjnych, utrzymywanych w nieustannej gotowości, ponieważ mieli dostęp do tunelu lawowego i mogli wykorzystać grawitacyjną metodę odpływu zastosowaną w oryginalnej konstrukcji.

Silas Kinsley przyklęknął na jedno kolano. Nie interesowała go studzienka włazowa, tylko zwinięty w rulon, pikowany koc przemysłowy, który Dime obwiązał pasami do transportu mebli. Pomacał tłumok obiema rękami i wyczuł coś jakby nogi, prawie na pewno ramiona i niewątpliwie głowę. Jeden koniec rulonu trochę się rozchylił, kiedy węzeł na pasie się rozluźnił. Silas sięgnął do środka i natrafił na czubek czyjejś głowy. Kędzierzawe włosy, a wcześniej wykrzyknik krwi w niewytłumaczalnie pustym pomieszczeniu ochrony stanowiły poszlaki wystarczające do wyciągnięcia wniosku, że martwym człowiekiem jest Vernon Klick. Tunel lawowy miał się stać jego grobem.

Silas pomyślał, że to zabójstwo na pewno jest jakoś powiązane z tragediami, które zdarzały się tutaj co trzydzieści osiem lat. Śmierć Vernona Klicka to część obecnie nadchodzącej katastrofy, zapowiadanej przez podziemne wstrząsy, pojawienie się w westybulu zmarłego Andrew Northa Pendletona, głosy w szybie windy i inne znaki. Ale na czym polega ten związek?

Teraz naprawdę pilnie potrzebował Padmini Bahrati, żeby znalazła Toma Trana albo sama uruchomiła alarm pożarowy, jeśli potrafi. Wstał, ruszył do wyjścia i już tylko trzy kroki dzieliły go od drzwi, kiedy coś w nie uderzyło z drugiej strony.

Fielding Udell

Kiedy świetlista błękitna energia przepłynęła po suficie, kiedy spinacze i inne metalowe przedmioty pofrunęły do światła, a potem światło zgasło i spadły na podłogę, Fielding stał jak sparaliżowany. Nieuchronnie nasuwała mu się konkluzja, której wolałby uniknąć: Elita Władzy go znalazła.

Wiedzieli, że on wiedział.

Wiedział. Niegdysiejsza opinia naukowców łącząca zamieszkiwanie w pobliżu linii wysokiego napięcia z wysoką zachorowalnością na raka, później obalona i odrzucona, w rzeczywistości była prawdziwa. Z pewnością co roku umierały z tego powodu miliony ludzi — okropna prawda ukrywana przez Politycznych Władców, którzy dławili wolność słowa lekarzy i naukowców, oraz przez ich Sługusów, którzy podmieniali rejestry medyczne i fałszowali świadectwa zgonu.

Wiedział. Naukowcy twierdzili, że daminozyd, związek chemiczny stosowany przez hodowców jabłek, wywołuje złośliwe nowotwory i nawet pewna słynna aktorka błyskotliwie broniła tego twierdzenia, które później uznano za nienaukowe, chociaż w rzeczywistości też było prawdą. Dobra nauka, dobra. Zbyt wielu farmerów zbankrutowało, zbyt wiele osób straciło pracę, więc Elita Władzy i jej Sługusi stanęli raczej po stronie Handlu niż Zdrowia. Niemowlęta umierały od soku jabłkowego, małe dzieci od jabłkowego sosu, legiony dzieci w wieku szkolnym od lekkomyślnego spożywania surowych jabłek i szarlotki. Jednak Elita Władzy i jej podli Sługusi fabrykowali dowody na nieszkodliwość daminozydu i prowadzili kampanię na rzecz jego stosowania. Teraz niewinne dzieci umierały straszną śmiercią tak licznie, że buldożery spychały ich ciała do masowych grobów.

Migotliwe błękitne światło nie powróciło, więc Fielding ostrożnie obszedł całe mieszkanie, na wypadek gdyby to zjawisko wystąpiło jeszcze w innych miejscach. Podejrzewał, że to dowód na istnienie promieni czytających w myślach, za pomocą których szukano u niego wywrotowych skłonności. Pragnął jednak wierzyć, że to coś mniej złowieszczego, może tylko kolejny spis ludności, które Elita Władzy zapewne przeprowadza regularnie, żeby sprawdzić, jak szybko wymierająca ludzkość zmierza w stronę całkowitego unicestwienia.

Fielding Udell wiedział. Wybitny profesor Paul Ehrlich oraz grono naukowców ogłosili w 1981 roku, że corocznie wymiera 250 000 gatunków. Taka katastrofa oznaczała, że do roku 2011 — tego roku! — na Ziemi przestanie istnieć wszelkie życie. Ostatnio kilku naukowców sprostowało, że co roku giną tylko dwa lub trzy gatunki, i wyjaśniło, że tak się dzieje od wieków, co oznaczało, że albo byli skorumpowani, albo Elita Władzy więziła i torturowała ich rodziny jako zakładników. Fielding wiedział, że liczba 250 000 jest prawidłowa, że prawie cały świat zmienił się obecnie w jałową pustynię, że pokazywane w telewizji obrazy świata takiego jak zawsze to zręczny miks kłamliwych efektów specjalnych, równie sztucznych jak film z lądowania na Księżycu pokazany światu w sierpniu 1969 roku, nakręcony na pustyni Mojave. Gorzka prawda: Ziemia wymarła, pozostały tylko nieliczne miejsko-podmiejskie enklawy nakryte kopułami pól siłowych, gdzie obywatele o wypranych mózgach żyją w iluzji bezpieczeństwa i dostatku.

Nie znalazłszy nigdzie migotliwego błękitnego światła, Fielding zaniósł pustą szklankę do kuchni, żeby dolać sobie domowej coli.

Czasami się zastanawiał, skąd się bierze żywność dla mieszkańców miast pod kopułami, skoro pola uprawne były skażone i jałowe. Pamiętał stary film science fiction *Zielona pożywka*, gdzie rewolucyjny nowy produkt żywnościowy, który przepędził widmo głodu w przeludnionym świecie, był wytwarzany w tajemnicy ze zwłok. Charlton Heston krzyczy: „Zielona pożywka to ludzie!"". Może te wszystkie dzieci zatrute jabłkami nie były jednak spychane do masowych grobów, tylko przewożone do zakładów przetwórstwa.

Od czasu do czasu Fielding nie mógł jeść obiadu, chociaż jedzenie wyglądało tak samo jak zawsze. Przed bulimią ratował go tylko fakt, że akcja *Zielonej pożywki* rozgrywa się w roku 2022, więc upłynie jeszcze ponad dekada, zanim Elita Władzy podstępem nakłoni ludzkość do kanibalizmu.

Niosąc szklankę z colą, wrócił do głównej pracowni i komputera. Podjął internetowe śledztwo, szukając, badając, próbując odkryć tożsamość Elity Władzy. Niemal się spodziewał głośnego pukania do drzwi i bandy zbirów uzbrojonych w nakaz, czyli skutków przeskanowania jego mózgu przez błękitne światło, i jakiegoś gadżetu do wymazywania pamięci, kasującego wszystkie jego wspomnienia o wielkiej pracy, którą wykonał przez ostatnie dwadzieścia lat.

Nie uda im się. Zdążył się przygotować. W sypialni na spodzie szuflady ze skarpetkami przylepił taśmą dwie brązowe koperty, zawierające cały stuczterostronicowy raport do Aktu Oskarżenia Elity Władzy. Raport zaczynał się tymi słowami: „Najgorsi Ludzie na Świecie wymazali część twojej pamięci, lecz oto jest Wielka Prawda, którą ci ukradli". Jeśli obrabują go z przeszłości, w końcu znajdzie te dwie koperty i odzyska swój cel, swoje przeznaczenie.

Logan Spangler

Nie wiedział, jak długo stał w toalecie apartamentu senatora, wpatrując się w swoje czarne paznokcie. Nie wyglądały już jak zwyczajne paznokcie, tylko jak dziesięć małych łukowych okienek, przez które zaglądał w absolutną ciemność wewnątrz swoich dłoni.

Przypomniał sobie mordercę, którego aresztował trzy dekady wcześniej, faceta po trzydziestce nazwiskiem Marsden, który lubił gwałcić i zabijać. Jak sam zeznał, tak bardzo lubił zabijać, że czasami nawet zapominał najpierw zgwałcić ofiarę. Marsden nie wykazywał żadnej nerwowości ani nadpobudliwości typowej dla psychopatów. Był spokojny jak owca pasąca się na łące marihuany i twierdził, że zachowywał taki sam spokój również podczas aktu zabijania. Mówił, że jego pejzaż wewnętrzny zawsze jest mroczny, że pamięta całe swoje życie, ale potrafi zobaczyć w wyobraźni tylko te wydarzenia, które odbywały się w nocy. A jego sny zawsze rozgrywały się w ciemnych miejscach, czasami tak ciemnych, że we śnie był ślepy. „Jestem taki ciemny w środku", opowiadał z pewną dumą, zadowolony z siebie, „że w moich żyłach na pewno płynie czarna krew".

Patrząc na swoje czarne paznokcie, Logan nie był przestraszony, lecz równie spokojny jak Marsden. Przepełniała go niewzruszona pogoda ducha, nie mogły go dosięgnąć żadne burze ani cienie. Nie pamiętał, dlaczego znalazł się tutaj, w toalecie senatora, ani dlaczego miał czarne paznokcie, ani co zamierzał zrobić.

Kilka chwil — albo godzin — później stał w sypialni senatora, chociaż nie pamiętał, jak się tam dostał. Przeszedł dalej, do głównej łazienki, i rozsunął szklane drzwi obszernej kabiny prysznicowej. Wyposażono ją we wbudowaną marmurową ławę pasującą do ścian i mogła służyć również jako łaźnia parowa. Logan nastawił parę, wyszedł z kabiny, przemierzył łazienkę i zgasił światło. W całkowitej ciemności jakimś cudem doskonale się orientował, i wrócił do kabiny jak po sznurku. Zasunął za sobą szklane drzwi. Kompletnie ubrany usiadł na marmurowej ławie i otoczyły go ciepłe opary.

Potrzebował ciemności, ciepła, wilgoci. Tylko przez chwilę. Nie miał dokąd pójść, nie miał nic do roboty. Mógł tu odpocząć przez jakiś czas. Ciemność, ciepło, wilgoć. Powracały do niego fragmenty przeszłości, chwile wyrwane z życia na chybił trafił, bez żadnego porządku, na pozór niepowiązane ze sobą, niczym krótkie filmiki, ale wszystkie działy się w nocy; podobnie jak Marsden mógł przywołać w wyobraźni tylko noce ze swojego dawnego życia. W kompletnej ciemności kabiny prysznicowej, w niekompletnej ciemności wspomnień Logan westchnął cicho i wciągnął gęstą, ciepłą parę, która działała na niego kojąco. Ciemność, ciepło, wilgoć. Wdychał wszystkie trzy, wypełniał się ciepłem, ciemnością, wilgocią. Był spokojny, odprężony, opanowany. Opanowany. Nigdzie nie musiał iść, nic nie musiał zrobić. Nikim nie musiał być. Wkrótce wspomnienia nocnych przeżyć zbladły i wewnętrzny pejzaż okrył się ciemnością równie nieprzeniknioną jak wnętrze łazienki. Przez krótki czas Logan szukał takiego czy innego wspomnienia, jakiegokolwiek wspomnienia, ale był jak ślepiec w labiryncie pustych pokojów. Zresztą i tak nie musiał nigdzie iść, nie musiał nic zrobić, nie musiał nikim być. Odprężył się. Przestał badać wewnętrzną ciemność. Przestał myśleć. Był w ciemności i ciemność była w nim. Po chwili poczuł, że coś po omacku odnajduje drogę głęboko w jego wnętrzu.

Mickey Dime

Przepchnął ręczny wózek przez podwyższony próg do maszynowni i zamknął za sobą drzwi. Przytoczył zwłoki Jerry'ego do ciała tego palanta Klicka.

Wszędzie dookoła maszyny szumiały, mruczały i szeptały. Wielkie maszyny zawsze wydawały się Mickeyowi seksowne, bez względu na ich przeznaczenie. Siła. Sprawność. Bezlitosna celowość.

Pewnego razu zwiedzał rozbrojony silos głowicy atomowej. Międzykontynentalna rakieta i maszyneria dawno zniknęły, ale to miejsce nadal emanowało potężnym erotyzmem. Wilgotne powietrze pachniało jak stęchła sperma.

Teraz gdzieś w plątaninie rur otworzył się zawór dozujący. Mickey usłyszał szum wody pędzącej przez kanalizację. Bardzo seksowne.

Duży pierścieniowy uchwyt leżał płasko na pokrywie studzienki włazowej. Mickey podniósł go, wsunął rękę w pierścień i mocno pociągnął. Uszczelka pomiędzy pokrywą a krawędzią włazu puściła z cmoknięciem. Okrągła żelazna płyta podjechała do góry i w bok na wewnętrznych zawiasach.

Światło jarzeniówek nie sięgało zbyt głęboko w czarną dziurę. Z dołu nie dmuchnął przeciąg, co oznaczało, że jaskinie połączone z szybem nie miały żadnych większych otworów prowadzących na powierzchnię. Lekko zalatywało wapnem, raczej

269

od masywnych betonowych fundamentów Pendletona niż ze starych wulkanicznych kominów wentylacyjnych na dole.

Mickey dowiedział się o tunelu lawowym od matki. Powiedział jej o tym Gary Dai, internetowy czarodziej od gier wideo. Gary Dai przeczytał o tunelu lawowym w ulotce o Pendletonie, którą otrzymywał każdy właściciel po podpisaniu umowy. Matka Mickeya nie przeczytała ulotki. Nie czytała nic oprócz książek i esejów, które sama napisała — oraz napisanych o niej. Mickey wcale nie czytał.

Nikt nie znał dokładnie długości tunelu. Eksperci twierdzili, że ciągnie się na milę albo dwie, może jeszcze dalej. Kiedy Andrew North Pendleton zbudował swoją siedzibę, próbowano wysondować naturalny szyb. Robotnicy opuścili ołowiany ciężarek na sznurku na głębokość czterystu sześćdziesięciu czterech metrów, zanim dotknął czegoś, co początkowo wzięli za dno. Jednak kiedy wrzucili do otworu garść stalowych kulek łożyskowych calowej średnicy, dno okazało się zakrzywieniem szybu, gdzie pionowe ściany przechodziły w ukośny tunel. Kulki z brzękiem uderzyły o podłoże i hałaśliwie potoczyły się po pochyłości. Nie usłyszano, jak się zatrzymały; odgłosy ich wędrówki cichły stopniowo, aż zamarły w takiej odległości, że nie docierało stamtąd nawet echo.

Jeśli tunel nie miał więcej niż półtora metra szerokości przed zakrętem — raczej miał, według wulkanologa cytowanego w ulotce dla właścicieli — dwa trupy mogą tam utknąć. Mickey liczył, że impet upadku z wysokości czterystu sześćdziesięciu czterech metrów przeniesie je przez zakręt i dalej po pochyłości.

Przez następny miesiąc zamierzał co kilka dni odwiedzać maszynownię, otwierać studzienkę i wąchać powietrze. Jeśli poczuje smród rozkładu, będzie wiedział, że zwłoki utknęły na zakręcie. Wtedy musi spowodować pęknięcie jednej z wielkich rur, zalać piwnicę i spłukać dwóch nieboszczyków do bardziej odległego miejsca spoczynku.

Lecz jeśli nie poczuje smrodu, tunel lawowy ułatwi mu fantazjowanie o Sparkle i Iris Sykes. Marzył, żeby je przelecieć, ale także załatwić je i pozbyć się ciał, co stanowiło pełniejszą fantazję niż sam gwałt. Miał nadzieję, że wkrótce spotka je na korytarzu. Spróbuje przysunąć się tak blisko, żeby poczuć ich zapach, bo ten szczegół rozpali jego wyobraźnię.

Kiedy się odwracał, żeby zepchnąć ciało Vernona Klicka do tunelu lawowego, spirala błękitnego światła wspięła się po ścianach szybu, wyskoczyła z otwartej studzienki i korkociągiem wzbiła się pod sufit, gdzie rozciągnęła się na betonie z cichutkim potrzaskiwaniem i szybko się rozproszyła.

—

Iris

Jej pokój jest bezpieczny. Inne pokoje w mieszkaniu są mniej bezpieczne. Świat poza mieszkaniem jest groźny, nie do zniesienia. Tak wielu ludzi. Ciągle zmiany. Iris chce zostać w swoim pokoju.

W pokoju nic się nie zmienia. Zmiany ją przerażają. Chce być tam, gdzie nigdy nie zachodzą zmiany. W swoim pokoju. W swoim pokoju.

Ale matka wzywa ją na drogę Bambiego. Droga Bambiego to znaczy akceptować rzeczy takie, jakie są. Ufać naturze i kochać świat.

Tak trudno jest kochać świat. Bambi wierzy, że świat go kocha, jest dla niego stworzony. Iris nie wierzy, że świat ją kocha. Chce w to uwierzyć, ale nie wierzy, nie może.

Nie wie, dlaczego nie może. Niewiedza jest równie zła jak brak miłości. W książkach świat zasługuje na miłość. Ale ona go nie kocha. Boi się go.

Jako mały jelonek Bambi często się boi. Fretki. Sójki. Wielu rzeczy. Pokonuje swój strach. Jest bardzo mądrym i wspaniałym jeleniem, ponieważ pokonuje wszystkie swoje lęki. Iris kocha go za to. I zazdrości mu. Ale bardzo go kocha.

Boi się kochać kogoś innego. Albo okazać swoją miłość. Kocha matkę, ale nie ma odwagi tego okazać. Kochając ludzi, przyciągasz ich blisko do siebie. Iris nie znosi bliskości. Nie może oddychać blisko ludzi. Najlżejszy dotyk to cios. Nie znosi, kiedy jej dotykają.

Nie wie dlaczego. Czasami nocą, sama w łóżku, zaczyna się zastanawiać, dlaczego taka jest. Myślenie o tym tylko doprowadza ją do płaczu. Kiedy płacze samotnie w ciemności, chciałaby żyć w świecie z książek, nie w tym świecie.

Może kochać Bambiego, ponieważ on nie żyje w tym świecie. Żyje w świecie z książek. Oddzielona całym światem, Iris może go kochać rozpaczliwie i nigdy za bardzo się nie zbliżyć.

Teraz matka wzywa ją na drogę Bambiego i Iris mobilizuje się, żeby wyjść z mieszkania. Jest ten chłopiec, Winny, i jego matka Twyla, i to już wystarczająco źle, za dużo ludzi. Ale teraz wszyscy czworo zamierzają opuścić mieszkanie, co oznacza zbyt wielu ludzi i nowe miejsca, zmiany, więcej zmian.

Iris spuszcza głowę. Trzyma głowę spuszczoną i udaje, że jest Bambim. Żeby żyć na sposób Bambiego, najlepiej stać się Bambim, myśleć tak jak on.

Iris idzie za matką na korytarz, bo Bambi chodzi za swoją matką wszędzie, gdzie ona mu każe. Skręcają za róg do tylnych drzwi apartamentu Twyli. Iris była już na korytarzu, ale nigdy w apartamencie tych ludzi. Więc teraz wszystko jest nowe. Wszystko. Nowe jest niebezpieczne, wrogie. Teraz wszystko jest wrogie. Wszystko, wszystko.

Iris musi sprawić, żeby wszystko stało się znajome i przyjazne. Musi być Bambim i to musi być las, bo tylko wtedy ona może być dzielna i bezpieczna. Stara się patrzeć tylko na plecy matki. Oczywiście widzi różne rzeczy kątem oka albo kiedy niechcący zerknie w prawo czy w lewo, ale wyobraża sobie, że to są inne rzeczy, cząstki jej ukochanego lasu.

Napływają do niej słowa, zapamiętane po tylokrotnym przeczytaniu ukochanej książki: *Dookoła rosły krzaki leszczyny, ligustr, tarnina i młody bez. Wysokie klony, buki i dęby tworzyły zielony dach nad gęstwiną, a z twardej, ciemnobrunatnej ziemi wyrastały wachlarze paproci, ptasia wyka i szałwia...*

Matka i Twyla rozmawiają ze sobą, chłopiec rozmawia z nimi obiema, lecz Iris nie może znieść ciężaru ich słów. To, co do siebie mówią, zmiażdżyłoby ją, gdyby słuchała. Zmiażdżyło, zmiażdżyło, zmiażdżyło. „Eksterminować", mówią. Eksterminować to znaczy zabić.

Zamiast tego Iris słucha melodii słów: *Cały las rozbrzmiewał rozmaitością głosów, przeniknięty nimi niby radosnym drżeniem. Wilga śpiewała nieustannie, gołębie gruchały bez przerwy, kosy gwizdały, zięby nuciły, sikory ćwierkały...*

Wychodzą frontowymi drzwiami obcego mieszkania, do następnego korytarza, gdzie Twyla naciska dzwonek. Tam jest mężczyzna, którego nazywają Bailey, i drugi, do którego mówią: „Doktorze Ignis". Jeszcze jedno nowe miejsce.

Tego już za wiele, nowe ciągle naciera na nią i atakuje, ciągłe zmiany, nie do zniesienia.

Zrozpaczona Iris chroni się w lesie, który wznosi się w jej myślach i osłania ją, tak jak zawsze osłaniał Bambiego: *Z gleby wykwitały barwne gwiazdy wielu i wielorakich kwiatów, tak że w mrocznym poszyciu lasu ziemia płonęła cichą, żarliwą radością barw...*

—

Martha Cupp

Sama nie wiedziała, co było gorsze: upiorny stwór, który wyrwał się z sofy, a potem zniknął, zostawiając podarte obicie i kłaki końskiego włosia — czy mina Edny pod tytułem „a nie mówiłam", wyrażająca satysfakcję, że jej teoria o inwazji sił demonicznych znalazła potwierdzenie w tym niesamowitym incydencie. No, po zastanowieniu wyraz zadowolenia z siebie na twarzy Edny był znacznie gorszy, ponieważ gdyby bestia z kanapy wróciła, Martha zawsze mogła zatłuc ją bez litości, natomiast nie bardzo mogła przyłożyć siostrze pogrzebaczem.

Wciąż trzymając tren wizytowej sukni uniesiony nad podłogą, Edna powiedziała:

— Gdyby ojciec Murphy zobaczył to paskudztwo, na pewno guzik by go obeszło, czy wierzę w yeti albo starożytnych astronautów. Przyniósłby wodę święconą, olej, sól... i natychmiast jak najgłośniej zacząłby recytować modlitwę przeciwko czarom.

Martha zdawała sobie sprawę, że trzymając wciąż pogrzebacz w pogotowiu, wygląda tak, jakby zgadzała się z siostrą, ale za cholerę nie zamierzała go odłożyć, napić się ciepłego mleka i grzecznie pójść spać. Nawet jeśli Edna poprosi ojca Murphy'ego, żeby wyegzorcyzmował miejsce zamiast osoby, i nawet jeśli ksiądz się zgodzi, Martha będzie czuwała podczas całego rytuału, gotowa zamachnąć się tym przyjemnie ciężkim kawałkiem mosiądzu.

— Co dalej? — zapytała Edna.

— O co ci chodzi?

— Oprócz telefonu do ojca Murphy'ego — wyjaśniła Edna — co powinnyśmy zrobić, czego się spodziewać, jak się przygotować?

— Może nic więcej się nie stanie.

— Coś się stanie — oświadczyła Edna z przekonaniem, niemal z radością, jakby plaga demonów najlepiej mogła zwalczyć chandrę deszczowego grudniowego wieczoru.

Zanim Martha zdążyła odpowiedzieć, podłogę zalała jaskrawa powódź migotliwego, trzeszczącego błękitnego światła. Martha stała jakby w świecącej mgle.

Pogrzebacz zareagował jak różdżka doświadczonego różdżkarza szukającego podziemnych źródeł wody — niemal wyrwał się z ręki. Trzymała go mocno, ale szarpnął jej ramię w dół i czubkiem przekłuł niesamowitą poświatę.

Jednocześnie pozostałe przybory kominkowe przewróciły się razem ze stojakiem, ale nie wpadły w świetlisty błękit, tylko wbiły się w niego, jakby przyciągane potężną siłą. Drżące światło cofnęło się od Marthy, przemknęło przez pokój, dosłownie wessało ozdobny ekran kominka do paleniska i z trzaskiem wyleciało przez komin.

Sally Hollander

Leżąc na kuchennej podłodze, Sally czuła, jak rozszerzające się zimno ogarnia resztę jej kości. Teraz lodowy szkielet odznaczał się wyraźnie w cieple jej ciała. Nigdy dotąd nie uświadamiała sobie tak dokładnie własnej fizjologii. Chociaż chwilowo sparaliżowana, znała położenie każdej z dwustu sześciu kości, kształt każdej z płytek połączonych szwami i tworzących czaszkę. Wyczuwała pozycję każdego stawu: główki i panewki stawów biodrowych i ramiennych, obrotowe połączenie pomiędzy drugim a trzecim kręgiem szyjnym, eleganckie elipsoidy w nadgarstkach, cudownie funkcjonalne zawiasy w palcach, łokciach i kolanach. Wyczuwała błony maziowe otaczające stawy i wyraźnie czuła lepką, tłustą maź nawilżającą ruchome powierzchnie. Wyczuwała włókna wszystkich więzadeł, ścięgna i mięśnie gotowe na jej życzenie wprawić cały szkielet w ruch. Zupełnie jakby jej ciało osiągnęło dogłębną samoświadomość, dorównującą umysłowi.

Strach zniknął, jakby to, co wpompował w nią demon, zawierało również środek uspokajający. Nie żywiła już żadnych obaw, nie miała żadnych wątpliwości. Ogarnął ją nastrój cierpliwego oczekiwania, medytacyjny spokój, nie apatia, tylko pełna ulgi zgoda na nieuniknioną transformację.

Dwadzieścia lat wcześniej, kiedy były mąż traktował ją jak worek treningowy, zdobyła się na odwagę, żeby od niego odejść i uzyskać rozwód, i odzyskała szacunek dla siebie. Od tamtego czasu już nikomu się tak nie podporządkowała. Wykazując niezłomny hart ducha, odrzuciła apatię, wybrała nadzieję i wolę działania, i nigdy się nie poddawała — aż teraz poddała się temu czemuś z niemal przyjemną rezygnacją.

Integralność jej struktury kostnej zaczęła się rozpadać. Czuła, że coś porusza się wewnątrz kości, jakby szpik w jamach szpikowych ożył i pełzał w różne strony. Kości nóg i rąk stopniowo się wydłużały. W palcach u nóg — i gdzie indziej — tworzyły się dodatkowe kości. Coś działo się również ze stawami i chrząstki przemieszczały się, żeby się dopasować do nowych połączeń.

Słowa „wilkołak" i „kotołak" krążyły w jej głowie, ale nie powodowały niepokoju. Perspektywa transformacji raczej ją intrygowała, budziła nieśmiałe przeczucie nowych możliwości, ostrożną zgodę, żeby zaczekać i zobaczyć, bo może zmiana okaże się zmianą na lepsze. Sally zdawała sobie sprawę, że to nie jest naturalna reakcja, czyli została wywołana chemicznie. Przypuszczała, że jej umysł został przeprogramowany tak samo jak ciało. Lecz nawet ten wniosek jej nie zaalarmował, nawet kiedy spostrzegła, że jej prawa dłoń, leżąca na podłodze przed jej twarzą i doskonale widoczna, robi się dłuższa. Na każdym palcu wyrastał dodatkowy knykieć i dodatkowy paliczek, kości przesuwały się w ciele, skóra rozciągała się, pękała i natychmiast znowu się zasklepiała.

—

Silas Kinsley

Schroniwszy się pomiędzy szumiącymi rzędami wysokich chłodziarek, Silas obserwował Mickeya Dime'a przez prześwit dzielący dwie maszyny. Cokolwiek spoczywało na ręcznym wózku, przykryte kocem, widocznie miało trafić do studzienki włazowej razem z ciałem Vernona Klicka.

Silas spędził całe życie w kancelariach prawniczych i na salach sądowych. Szanował prawo, nawet je kochał, chociaż niektórzy ludzie naginali je do podłych celów, a politycy piętrzyli na nim coraz bardziej bizantyjskie ustawy. Nie mógł dopuścić do tego, żeby Dime pozbył się dowodów zbrodni głównej. Skoro nikt nie wiedział, jak głęboko leżało dno tunelu lawowego, skoro tunel mógł prowadzić do podziemnego jeziora lub rzeki, która uniesie zwłoki niewyobrażalnie daleko, władze miasta cierpiącego na deficyt budżetowy w czasach kryzysu z pewnością nie zechcą prowadzić kosztownych, mało obiecujących poszukiwań pod ziemią. Ale Silas był stary, z dnia na dzień coraz starszy, uzbrojony, lecz niepewny swoich umiejętności strzeleckich. Nie mógł się mierzyć z Dime'em, o połowę młodszym, wysportowanym i najwyraźniej bezwzględnym.

Poza tym dobrze pamiętał kamerdynera, który w 1935 roku zabił całą rodzinę Ostocków i całą służbę, zanim popełnił samobójstwo, żeby „ocalić świat przed wieczną ciemnością", i pamiętał pozornie irracjonalny charakter dziennika Andrew Pendletona, tak wyraźnie widoczny w strzępkach, które ocalały z ognia. Cokolwiek działo się w tym budynku co trzydzieści osiem lat, szaleństwo nie było tego skutkiem, raczej częścią, symptomem. Patrząc, jak Dime otwiera właz studzienki, Silas zastanawiał się, czy ten człowiek był zwykłym mordercą, zabijającym dla własnej korzyści, czy może odpowiednikiem kamerdynera Tollivera, doprowadzonym do szaleństwa przez jakąś toksynę czy energię okultystyczną.

Zaledwie przyszły mu na myśl słowa: „energia okultystyczna", gdy ze studzienki wystrzeliła świetlista błękitna spirala, płosząc Dime'a, pomknęła ku sufitowi niczym fajerwerki na Dzień Niepodległości, ale potem rozlała się na betonie i znikła. Powiedziałby, że to światło, ale samo światło nie może się uformować w wir i korkociągiem przelecieć przez pokój. Za pierwszą spiralą pojawiła się druga, jaśniejsza i bardziej materialna, a potem trzecia.

Razem z trzecim błękitnym zawirowaniem żelazna pokrywa studzienki wyrwała się z zawiasów, śmignęła pod sufit i wisiała tam przez chwilę, aż światło zgasło. Wtedy runęła w dół, huknęła o betonową podłogę głośno jak wystrzał z armaty, podskoczyła na krawędzi i odtoczyła się z brzękiem niczym olbrzymia moneta.

—

Martha Cupp

Kiedy ozdobny ekran kominkowy został zgnieciony jak papier i wessany do paleniska przez błękitne światło, Martha odrzuciła pogrzebacz i pobiegła do sypialni. Tam, w szufladzie szafki nocnej, trzymała groźniejszą broń. Nie można zastrzelić pola magnetycznego czy czymkolwiek było błękitne światło, ale można wpakować kulkę w każde groteskowe, wijące się obrzydlistwo, które podarło ci kanapę, chyba że zniknie, zanim zdążysz nacisnąć cholerny spust!

—

Iris

Chcą zostać razem, ale chcą też zaraz iść na drugie piętro, żeby odwiedzić jakieś kobiety. Za dużo ludzi. Teraz będzie jeszcze więcej.

Jeden głos naraz to w porządku. Dwóch trudno słuchać. Teraz jest pięć i to, co mówią, już nawet nie brzmi dla niej jak słowa, połowa tego to tylko brzęczenie, jak osy, jak rój os w pokoju, słowa trzepoczą przy jej twarzy jak kruche skrzydełka, brzęczą, brzęczą i w każdej chwili mogą ją użądlić, żądlić i żądlić, aż nie będzie mogła dłużej wytrzymać, aż zacznie krzyczeć, chociaż wcale nie chce, a jeśli zacznie krzyczeć, w końcu zacznie bić, chociaż rzadko bije i wcale tego nie chce, nigdy nie chciała.

Próbuje zablokować głosy, próbuje słyszeć dźwięki lasu, tak jak je opisano w książce: ...*metalicznie rozbrzmiewało hałaśliwe gdakanie bażantów. Zew sokoła brzmiał głośno i przenikliwie nad wierzchołkami drzew i nieustannie słychać było ochrypły chór wron.*

Głosy zwierząt są w porządku. Głosy zwierząt nie chcą od ciebie niczego, nie proszą cię o nic, nawet nie oczekują odpowiedzi. Głosy zwierząt brzmią kojąco, podobnie jak odgłosy samego lasu.

...spadające liście szeptały w koronach drzew. Nieustannie rozlegał się w powietrzu jakiś szelest i plusk, we wszystkich wierzchołkach, we wszystkich gałęziach. Delikatny srebrny dźwięk spływał ustawicznie na ziemię. Cudownie było budzić się przy tym dźwięku i cudownie było zasypiać przy tym tajemniczo melancholijnym poszepcie.

Ponad głosami zwierząt i szeptem liści, przez opiekuńczy las, który Iris sobie wyobraziła wokół siebie, dobiega głos matki, znowu wzywa ją na drogę Bambiego. Z miłości do tego jelonka, który żyje w innym świecie, w świecie książek, i z miłości do matki, której nigdy nie może okazać, Iris spuszcza głowę i rusza razem ze stadem. Idą, wchodzą po schodach i znowu idą, i oto drzwi, za drzwiami nowe miejsce, dwie starsze panie o głosach tak miłych, że Iris ośmiela się na nie spojrzeć.

Jedna z nich ma broń.

Iris natychmiast wycofuje się z powrotem za wyobrażone listowie, do pewnej chwili w najwcześniejszych dniach życia jelonka, kiedy Bambi z przerażeniem widzi, jak tchórz zabija mysz.

Wreszcie Bambi zapytał z zakłopotaniem:
— *Czy i my kiedyś zabijemy mysz?*
— *Nie — odpowiedziała matka.*
— *Nigdy? — zapytał Bambi.*
— *Nigdy — odpowiedziała matka.*
— *Dlaczego? — zapytał Bambi z ulgą.*
— *Bo my nikogo nie zabijamy — odpowiedziała matka po prostu.*
Bambi odzyskał znowu wesołość.

—

Silas Kinsley

Zamiast czwartej spirali błękitnego światła z otwartej studzienki buchnęła wielka jasność: szuuuuu. Nasycona intensywnym kolorem, nie wyglądała jak zwykły przezrczysty promień, była raczej półprzezroczysta, kipiąca od wyraźnie widocznych prądów. Wzleciała w górę nie jak światło, tylko jak woda tryskająca pod ciśnieniem z pękniętej rury. Pomalowała błękitem wszystko w pomieszczeniu, beton i rury, bojlery i chłodziarki, twarz, ręce i białą koszulę Mickeya Dime'a, nawet cienie zabarwiła na szafirowo. Kiedy pokrywa studzienki oderwała się od zawiasów, zegarek Silasa wibrował na nadgarstku, sprzączka paska szturchała go w brzuch, a pistolet ochroniarza w kieszeni płaszcza obijał się o udo. Ciężkie maszyny i bojlery były przyśrubowane do podłogi, ale metalowe obudowy skrzypiały, brzęczały, grożąc rozerwaniem nitów i spawów.

Kipiąca jasność trwała przez dziesięć sekund. Może piętnaście. Lecz kiedy zgasła, jej skutki pozostały czy nawet się spotęgowały. Zaledwie błękitny blask zniknął, z wnętrza grubych ścian dobiegł piskliwy dźwięk, upiorne zawodzenie, nieustannie zmieniające wysokość niczym gwizd zakłóceń w krótkofalowym radiu, jakby skomplikowana siatka stalowych zbrojeń osadzonych w betonie transmitowała błękitną energię — już nie w postaci światła — do wszystkich zakątków budynku.

Jakby wezwany tym piskiem, pod Pendletonem zadudnił grzmot. Im wyższe tony przybierało zawodzenie, tym bardziej basowo rozbrzmiewał podziemny grom, aż oba dźwięki jednocześnie osiągnęły maksymalne natężenie i wtedy wszystko się zmieniło.

—

Mickey Dime

Wszystko drgało mu przed oczami, jakby przez maszynownię przepływały fale intensywnego żaru, ale nie czuł ciepła. Szeregi maszyn rozmazywały się, kontury traciły ostrość. Pomieszczenie wyglądało jak miraż. Pomyślał, że zaraz zniknie, niczym fatamorgana oazy rozpływająca się przed oczami spragnionego podróżnika na Saharze.

Świetlówki zawieszone na łańcuchach pod sufitem pociemniały. Słabsze żółte światło, padające z nieregularnie rozmieszczonych lamp o dziwacznych kształtach — każda inna — których przed chwilą jeszcze tu nie było, nadawały maszynowni odmienny, niepokojący wygląd. Cienie były liczniejsze, głębsze, bardziej złowrogie.

Maszyny milczały. Kurz pokrywał zaokrąglone sylwetki bojlerów i kanciaste chłodziarki. Na brudnej podłodze leżały porozbijane świetlówki, strzępy papieru, rdzewiejące narzędzia. Kłaki sierści, rozrzucone drobne kostki i nietknięte szkielety szczurów sugerowały, że niegdyś pleniły się tu gryzonie, ale nie teraz.

Było chłodno, chociaż nie tak zimno, jak powinno być w grudniową noc bez ogrzewania. Mickey czuł zapach pleśni, wilgotnego betonu, ulotny zjełczały odór, który pojawiał się i znikał.

Pokrywa studzienki włazowej leżała na miejscu, jakby nigdy nie wystrzeliła pod sufit. Zardzewiała i zakurzona. Gumowa uszczelka popękała i sparciała.

Klick zniknął. Zniknęły też koc i pasy owijające ciało.

Zniknął martwy Jerry. Młodszy brat. Zniknął bez śladu.

I ręczny wózek.

Zniknął.

Matka Mickeya wiedziała wszystko. Gdyby ją to spotkało, miałaby już teorię wyjaśniającą te zjawiska.

Żadne teorie nie przychodziły Mickeyowi do głowy. Stał i patrzył, osłupiały. Zamknął oczy. Otworzył. Nadal widział maszynownię zmienioną w niewytłumaczalny sposób.

Potrzebował aromaterapii, żeby oczyścić umysł.

Potrzebował trochę czasu w saunie.

Czuł się głupio. Nigdy dotąd nie czuł się tak głupio.

Matka mówiła, że głupotę należy karać jak największą zbrodnię, tylko że przy takiej liczbie głupców na całym świecie nie wystarczyłoby stali na ostrza gilotyn ani katów do wykonywania egzekucji.

Tęsknił za matką jak nigdy. Brakowało mu jej dotkliwie jak nigdy.

—

Twyla Trahern

Byli w apartamencie sióstr Cupp i opowiadali sobie nawzajem o niedawnych dziwacznych przeżyciach, kiedy to się stało. Przypominało wcześniejszy incydent z falującą ścianą w pokoju Winny'ego, zastąpioną przez wizję opuszczenia i rozkładu, a jednak się różniło. Piskliwe elektroniczne zawodzenie zdawało się wydobywać z samych trzewi budynku, grunt pod Pendletonem dudnił jak przedtem. Twyla przyciągnęła Winny'ego do siebie, bo wokół nich przestronny salon rozmył się jak oglądany przez szybę zalaną deszczem. Wiktoriańskie meble, piękne lampy z witrażowego szkła, klasyczne popiersia na piedestałach, obrazy, paprotki i dywany zatraciły ostre kontury, jakby się rozpływały. Tylko ludzie pozostali wyraźni w tej coraz bardziej impresjonistycznej scenerii, jakby salon został namalowany przez Moneta, a ludzie przez Rembrandta.

W szczytowym natężeniu tego zjawiska, kiedy salon sióstr Cupp przypominał chaos barwnych smug, a ludzie przez kontrast wyglądali nadrealistycznie, nastąpiła dezorientacja. Twyla czuła się przytłoczona przez klaustrofobię, jakby przestrzeń dookoła kurczyła się niczym błona, plastikowa folia, która ich owijała i obciskała — a jednocześnie przeżywała atak agorafobii, przekonana, że Pendleton i cały świat rozpuszczą się i strącą ich w ciemną otchłań. Widziała, jak Martha Cupp stoi nieugięcie, z podbródkiem wysuniętym do przodu, niczym podstarzała Joanna d'Arc zaprawiona w boju i zahartowana przez wiarę, i tylko jej oczy zdradzały strach, rozszerzone źrenice niczym podwójne odbicie wylotu lufy. Edna Cupp miała usta otwarte nie z przerażenia, ale z zachwytu, jak mała dziewczynka w świąteczny poranek, i oczy jej błyszczały oczekiwaniem, jakby nigdy w życiu nie przyszło jej do głowy, że może ją spotkać coś złego. Bailey, wysoki i niezłomny, zmrużonymi oczami śledził przemianę pokoju nie tyle ze strachem czy zachwytem, ile z czujnym wyrachowaniem, gotów stawić czoło niebezpieczeństwu, które z pewnością lada chwila się objawi. Sympatyczne oblicze doktora Ignisa nie potrafiło maskować uczuć i wyraźnie malowało się na nim trwożne zdumienie, które może po raz pierwszy wzięło górę nad intelektem. Wyraz twarzy Sparkle mówił: „Znowu się zaczyna", jakby od dawna przywykła do takich wstrząsów. Iris stała zgarbiona, ze spuszczoną głową, zakrywając uszy rękami, żeby stłumić przeraźliwe elektroniczne wycie. Twyla mocno trzymała Winny'ego nie tylko z obawy, żeby go nie stracić, lecz także dlatego, że szukała w nim oparcia. Odkąd się urodził, był dla niej stałym punktem odniesienia w tym szaleńczo wirującym świecie, najlepszym powodem do życia, jedynym dowodem, że nie zmarnowała tych wszystkich lat i nie poniżyła się, wychodząc za Farrela Barnetta.

Zawodzenie w ścianach i dudnienie pod podłogą osiągnęły apogeum w tej samej chwili. Zapadła cisza, jakby nakazana przez gwałtowny ruch batuty dyrygenta. Rozmyte otoczenie natychmiast zestaliło się w nową rzeczywistość.

Bez lamp, dwóch kryształowych kandelabrów i listwy oświetleniowej w pokoju było ciemniej niż przedtem, ale nie całkiem ciemno. Po obu stronach drzwi, okien i kominka pojawiły się ścienne kinkiety z brązu, przed chwilą jeszcze nieistniejące, w sumie dwanaście, z których siedem się paliło.

Meble znikły. Pokój był pusty, gorzej niż pusty — opuszczony, ponury. Kwiecistą tkaninę pokrywającą ściany zastąpiono — najwidoczniej jakiś czas temu — tapetą, która nie pasowałaby do poprzedniego wystroju wnętrza, pożółkłą ze starości, obłażącą, z plamami wilgoci, upstrzoną śladami pleśni. Mahoniowa podłoga w kilku miejscach całkiem zmurszała, odsłaniając betonowe podłoże.

Przez chwilę wszyscy stali jak oniemiali w obliczu tego nieprawdopodobieństwa. Może inni, tak jak Twyla, spodziewali się następnej rychłej zmiany, tym razem z powrotem do stanu sprzed zaledwie minuty.

Pierwszy odezwał się doktor Ignis, wskazując na okno, już nieobramowane draperiami, już niezalewane deszczem w tę nagle pogodną noc.

— Miasto!

Twyla spojrzała, zobaczyła tylko ciemność zamiast morza świateł i pomyślała, że w metropolii wysiadła elektryczność i Pendleton musiał się przestawić na własny awaryjny generator. Ale coś w tej ciemności się nie zgadzało i pozostali chyba też to wyczuli, bo podeszli do okien razem z nią i Winnym.

Blady płomień księżyca powinien oświetlać widmowe zarysy dachów, wysrebrzać okna i sypać fałszywy pył na parapety, gzymsy, gargulce i krzyż wieńczący iglicę katedry. Miasto nie zostało chwilowo pozbawione elektryczności. Miasto zniknęło.

Świadek

Stał przy balustradzie od zachodniej strony, kiedy stalowe kości i ścięgna budynku zaczęły śpiewać, co świadczyło, że fluktuacje wkrótce przerodzą się w tranzycję. W jednej chwili stał na deszczu i spoglądał z góry na rozświetlone miasto, w następnej otoczyła go bezchmurna noc i w dole leżała bladozielona łąka pod opasłym księżycem, potem znowu deszcz i wielkie miasto, i znowu świat bez miast, tam i z powrotem, kiedy ten moment w przeszłości przygotowywał się do przerzucenia mieszkańców Pendletona w przyszłość, a pewien moment w przyszłości przyciągał ich niepowstrzymanie niczym czarna dziura pochłaniająca światy.

Miasto znikło i nie powróciło. Deszcz ustał, niebo natychmiast się wypogodziło, księżyc błyszczał zimno jak kula lodu. Budynek stał cichy na Wzgórzu Cieni, ponad bezmiarem głodnej trawy, falującej rytmicznie, chociaż nie było wiatru. Świadek wrócił do domu. Obcy w pokoju poniżej znaleźli się daleko od domu i pozostaną tu, dopóki znowu nie zaczną się fluktuacje i nie powtórzy się cały tajemniczy proces, który odeśle gości do ich czasu. Nie wszyscy powrócą do domu. Może żadne z nich.

Jedno

Teraz nastąpiła najważniejsza ze wszystkich tranzycji. Podczas najbliższych dziewięćdziesięciu minut historia na zawsze przechyli się w moją stronę i zagwarantuje mi panowanie. Nie dopuszczę do innego rezultatu. Nic nie stanie na drodze do triumfu. Istnieję tutaj i moje istnienie jest nieuniknione. Wszyscy, którzy wcześniej do mnie przyszli, zginęli tu albo po powrocie do własnego czasu. Ci, którzy ośmielą się mi przeszkodzić, wszyscy umrą.

Ja nie mogę umrzeć. Jestem nieśmiertelny.

W swojej mądrości rozumiecie nieuchronność mojego istnienia. Świat nie może zawsze się kręcić tak samo, wyniszczany przez plagę ludzi, aż zmieni się w jałową skałę. Przyślijcie do mnie swoich biednych, swoich znużonych, stłoczone masy ludzkie pragnące swobodnie odetchnąć, a ja obrócę ich w paszę i ściółkę dla nowego, lepszego świata.

CZĘŚĆ DRUGA

Coś głęboko ukrytego

Za fasadą rzeczy musi być coś głęboko ukrytego.

ALBERT EINSTEIN

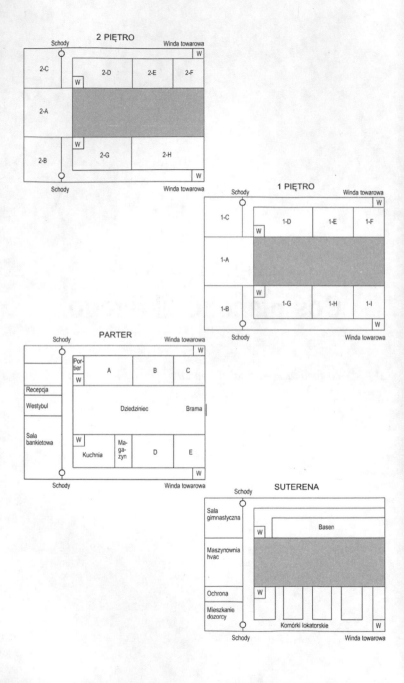

25

Topper's

Mac i Shelly Reevesowie mieli stolik przy oknie w restauracji, z widokiem na ulicę Cieni, gdzie srebrzysty deszcz zacinał w reflektory samochodów, a zgarbieni przechodnie w grubych płaszczach spieszyli gdzieś pod podskakującymi parasolami. Butelka dobrego cabernet sauvignon, blask świec i wysokie oparcia w boksie tworzyły romantyczny nastrój. Po dwudziestu dwóch latach małżeństwa Shelly wciąż budziła w Macu pożądanie. Co ważniejsze, z upływem lat darzył ją coraz większą czułością, fizyczny aspekt miłości znaczył coraz mniej w porównaniu z aspektem emocjonalnym, chociaż oczywiście nie zamierzali ślubować celibatu. Zaś pod względem intelektualnym zawsze idealnie do siebie pasowali.

Boks w Topper's również był ich ulubionym miejscem, ponieważ zapewniał prywatność, a personel i klienci traktowali ich jak zwykłych ludzi, nie celebrytów. Przez ponad dwadzieścia lat ich program w miejscowym radiu, *Klub śniadaniowy Maca i Shelly*, cieszył się zdecydowanie największą popularnością w okienku czasowym od szóstej do dziewiątej rano. W mieście, gdzie liczba czarnych mieszkańców kształtowała się poniżej przeciętnej, sukces programu tak zwyczajnego, jak klub śniadaniowy, tym bardziej ich wyróżniał.

Niedawno inna stacja skusiła ich obietnicą rozszerzenia zasięgu na trzy stany i właśnie zrobili sobie trzytygodniową przerwę, zanim wystartują z nowym programem, który będzie ich starym programem, z tymi samymi numerami, należącymi do tradycji ich związku zarówno na antenie, jak i w życiu prywatnym. Od wielu lat przez pięć dni w tygodniu wstawali o czwartej rano i kładli się spać o ósmej wieczorem. Jednak podczas tej przerwy zaszaleli — „Dziczejemy, niebezpiecznie zbliżamy się do punktu, skąd nie ma już powrotu do cywilizacji", martwił się Mac — i nie kładli się do dziesiątej, czasem nawet do północy, a potem spali długo, do szóstej, raz nawet do dziesięć po siódmej.

Mieszkali w Pendletonie od niedawna, kupili apartament 2-G zaledwie przed dziesięcioma miesiącami. Tego wieczoru szczególnie cenili sobie prywatność boksu w Topper's, ponieważ wkrótce zaczęli rozmawiać o swoich sąsiadach w tej wspaniałej starej rezydencji.

Ten temat wypłynął dlatego, że kiedy kierownik sali prowadził ich do stolika, na drugim końcu foyer zobaczyli Silasa Kinsleya z jakimś mężczyzną, nakładających płaszcze, żeby stawić czoło burzy. Firma Silasa specjalizowała się w powództwach cywilnych, ale Silas był ich osobistym prawnikiem, dopóki nie odszedł na emeryturę przed czterema laty. Kochali Norę i opłakiwali ją jak wszyscy, i właśnie okazjonalne zaproszenia na obiad do apartamentu Silasa przekonały ich z czasem, żeby sprzedać dom w Oak Grove District i przeprowadzić się tutaj, do samego serca miasta.

Chociaż widok Silasa sprowokował ich do obgadywania sąsiadów, o nim rozmawiali krótko, ponieważ nie dawał powodów do plotek. Miał same sympatyczne cechy i jedynym jego dziwactwem była obsesja na punkcie historii Pendletona, co wydawało się całkiem normalne i nieszkodliwe w porównaniu z zainteresowaniami takiego, powiedzmy, sąsiada z piętra, Fieldinga Udella. Shelly i Mac między sobą nazywali Udella Kurczak Mały, w skrócie Kurczak.

— Wyszłam rano za drzwi po gazetę — zaczęła Shelly — i Kurczak był tam w holu, zabierał swoją ogromną stertę publikacji. Roznosiciel prasy pewnie uwielbia Kurczaka, jeszcze parę lat i uskłada sobie porządną emeryturę z tych zamówień. Więc zanim zdążyłam złapać naszą gazetę i uciec do środka, Kurczak pyta, czy wiem, co się dzieje z gnidoszem.

— Udałaś, że zepsuł ci się aparat słuchowy?

— Raczej już nie będę tego próbować. On wie, że pracujemy w radiu, więc musimy mieć dobry słuch.

— Nagłe zasłabnięcie, arytmia serca.

— To twoja wymówka. On nie uwierzy, że oboje chorujemy na serce w tak młodym wieku.

— No więc czy wiesz, co się dzieje z gnidoszem?

— Powiedziałam, że już dawno nie pisał ani nie dzwonił.

— Jesteś moją ulubioną żoną. I co on na to?

— Powiedział, że wszystkie gatunki gnidosza są zagrożone wyginięciem, a skutki będą katastrofalne.

— Jak zawsze. A w ogóle co to jest gnidosz?

— Okazuje się, że to jakaś roślina. Wszystkie roślinożerne zwierzęta ją lubią.

— Krowy?

— Krowy, owce, kozy, nawet yeti, o ile mi wiadomo.

— Yeti są roślinożerne?

— Właściwie są wszystkożerne, więc zeżrą wszystko, cokolwiek im wpadnie do paszczy: gnidosza, koty, małe dzieci.

— Mam teorię dotyczącą yeti — oznajmił Mac. — Wiem, że jest wysoce kontrowersyjna... ale moja teoria mówi, że yeti nie istnieje.

— Radykalny pogląd. Zapewni ci pełne trzy godziny w weekendowej audycji *Coast to Coast AM* z Ianem Punnettem.

— Więc dokładnie jaka katastrofa?

— Podobno niektóre trawy rosną tylko w obecności gnidosza, a inne mogą rosnąć tylko w środowisku zawierającym pyłek z tych pierwszych traw. Mogłam coś poplątać, bo przez cały czas planowałam w myślach morderstwo. Ale w końcu nastąpi jakaś biologiczna reakcja łańcuchowa, która doprowadzi do wyginięcia tysięcy gatunków traw.

— I z czego zrobimy trawniki?

— Nie mamy trawnika w mieszkaniu.

— Nie myśl tylko o sobie. A przedmieścia?

— Gdyby nie musieli kosić trawników, mieliby więcej czasu na słuchanie radia — stwierdziła Shelly. — Słuchaj, chyba nie ekstrapolujesz gnidosza na obraz całości.

— Zakładam, że Kurczak ekstrapolował dla ciebie.

— Bardzo uczynnie. Jeśli wyginą trawy, wyginą wszystkie przeżuwające zwierzęta. To znaczy, że stracimy podstawowe źródła mięsa, mleka, sera, wełny, skóry, mączki kostnej i poroża do wieszania nad kominkami w domkach myśliwskich. Zapanuje głód. I kiepskie buty.

Mac łyknął wina i zmienił temat.

— Widziałem dzisiaj Mickeya Dime'a w Butterworthcie.

— Dla mnie to nigdy nie brzmi jak nazwa sklepu z męską odzieżą.

— Mieli wyprzedaż krawatów.

— Raczej jak nazwa syropu do wafli.

— Całe rzędy krawatów. Widziałem Dime'a, ale on mnie nie widział.

— Skarbie — powiedziała Shelly — to niesamowite, jak nieruchomo potrafisz stać, kiedy udajesz manekina.

— Interesowały go jedwabne krawaty. Ale najpierw wyjął z folii nawilżającą chusteczkę higieniczną i wytarł ręce.

Shelly dla efektu strzeliła palcami w swój kieliszek z winem.

— Widziałam, jak robił to samo w alejce ze świeżymi owocami w Whole Foods. Czy też powąchał chusteczkę?

— Prawie ją wciągnął do nosa. Aż zacząłem podejrzewać, że to jest chusteczka nasączona kokainą.

— Facet naprawdę uwielbia zapach tych nawilżających chusteczek.

— Jak już miał czyste ręce, zaczął miętosić jedwabne krawaty.

— Miętosić?

Mac zademonstrował czynność na swojej serwetce.

Wachlując się listą win, jakby ten widok rozpalił jej libido, Shelly powiedziała:

— Gościu jest przerażający.

— Niektóre wąchał.

— Wąchał krawaty? Powiedz, że ich nie lizał.

— Nie lizał. Chociaż chyba chciał. Naprawdę go kręciły te jedwabne krawaty.

— Jak długo to trwało?

— Patrzyłem przez jakieś pięć minut. Potem wyszedłem. Wolałem nie czekać na orgazm.

Kelnerka przystanęła obok nich, żeby polecić specjalność szefa kuchni. Po jej odejściu Shelly powiedziała:

— Z taką matką biedny Dime nie miał szans wyrosnąć na normalnego człowieka.

— No, prawdę mówiąc, spotkaliśmy ją tylko raz. — Mac krępował się mówić źle o zmarłych. — Może miała zły dzień.

— Renata Dime powiedziała mi, że jest nieśmiertelna.

— Ale i tak umarła.

— Założę się, że to była dla niej niespodzianka.

— Chodziło o nieśmiertelność poprzez jej książki.

— Jedną próbowaliśmy przeczytać, pamiętasz?

Westchnął.

— Oczy mi od niej krwawiły.

Na zewnątrz narastał jęk syreny. Kierowcy zjeżdżali do krawężników, żeby przepuścić patrol policyjny. Kogut na dachu migał niebiesko-czerwono, niebiesko-czerwono. Radiowóz przemknął ulicą Cieni. Mac Reeves odprowadzał go wzrokiem aż do wspaniałego starego budynku na szczycie wzgórza. Chociaż policja nie kierowała się do Pendletona, ten dom nie wyglądał już tak samo w oczach Maca, nie tak majestatycznie jak zwykle, nie tak przyjaźnie, tylko dziwnie złowieszczo. Mac zadrżał pod wpływem złego przeczucia.

Spostrzegawcza jak zawsze Shelly zapytała:

— Co się stało?

— Nic. Nie wiem. Może rozmowa o Renacie Dime wytrąciła mnie z nastroju.

— Więc nie będziemy o niej więcej rozmawiać.

26

Tu i tam

Mickey Dime

Nie wiedział, co się stało z ciałami. Nie wiedział, dlaczego maszynownia się zmieniła. Nie wiedział, co robić.

Wreszcie postanowił wrócić do swojego apartamentu. Fotografie matki, jej meble, przedmioty, które kochała, przybliżą ją do niego, na ile to możliwe. Jej rzeczy, jej wspomnienia go zainspirują. Wtedy będzie wiedział, co robić.

A jeśli to nie podziała, może nadeszła pora na Sparkle i Iris. W końcu został odrzucony, jak przed piętnastu laty, kiedy upokorzyła go kelnerka koktajlowa. Teraz cały świat go odrzucał. Poczuł się mały i głupi, kiedy go obraziła, ale zrobiło mu się znacznie lepiej, kiedy wziął, co chciał, od niej, jej siostry i jej przyjaciółki; jego samopoczucie cudownie się poprawiło.

Kiedy wyszedł z maszynowni, korytarz okazał się równie zmieniony jak pomieszczenie za jego plecami. Brudny, zaśmiecony. Połowa lamp przepalona, popękana. Gąbczaste narośle na ścianach i suficie, niektóre czarne, inne żółte i świecące.

Brzydki zapach, nic w rodzaju esencji limetkowej czy jedwabnej bielizny.

Zdezorientowany, skręcił w prawo, w stronę przeciwną niż północna winda, do której chciał dotrzeć. Pod stopami chrzęściły kawałki potłuczonych świetlówek. Przy każdym kroku ze śmieci na podłodze wzbijał się cierpki odór.

Za pomieszczeniem ochrony, za mieszkaniem dozorcy, w kącie pod sufitem wisiał mały telewizor. Od środka ekranu rozchodziły się na boki koncentryczne kręgi pulsującego błękitnego światła. Zaledwie Mickey zdążył zrobić osiem czy dziesięć kroków, z telewizora wydobył się głos robota:

— *Dorosły płci męskiej. Brązowe włosy. Brązowe oczy. Suterena. Zachodnie skrzydło. Eksterminować. Eksterminować.*

Tego już było za wiele. Pendleton w mgnieniu oka rozpadł się w ruinę. Martwy Jerry i Klick zniknęli. Nic nie było takie, jak powinno. A teraz jakiś gangster kazał go sprzątnąć. Ale nic z tego. To Mickey zabijał, nie jego zabijano.

Silni działają, słabi reagują. Mickey działał. Wyciągnął pistolet i jednym strzałem rozwalił błękitny ekran.

Poczuł się lepiej, już nie tak całkiem zagubiony. Zorientował się, że skręcił w niewłaściwym kierunku.

Zanim zawrócił, postanowił zajrzeć do pomieszczenia ochrony. Nie wiedział, jakim sposobem ciało Vernona Klicka mogłoby się tam przenieść z maszynowni, ale gdzieś się przeniosło, więc równie dobrze mógł sprawdzić w tym miejscu.

Otworzył drzwi i zobaczył, że pomieszczenie ochrony również się zmieniło, chociaż w inny sposób. Oprócz cienkiej warstwy kurzu na podłodze było tu czysto. Wszystkie światła działały. Ekspres do kawy i lodówka pod blatem zniknęły. Podobnie krzesła i stacja robocza. Na regałach pod ścianami stały komputery, ekrany wideo i szeregi elektronicznych urządzeń, których Mickey nie potrafił rozpoznać. Z pewnością nie zainstalowano tego wszystkiego przez ten krótki czas, odkąd Mickey ostatnio tu był.

Urządzenia pracowicie szumiały, tykały i mrugały, jakby system działał samodzielnie i nie potrzebował nadzoru nieudaczników w rodzaju Vernona Klicka czy Logana Spanglera. Zwłok ochroniarza nie było. Ani pasa z bronią, który Mickey zostawił, żeby go zabrać później.

W kurzu na podłodze widniało mnóstwo śladów, wszystkie najwyraźniej pozostawione przez tę samą parę butów.

Mickey nie wiedział, co o tym myśleć. Nie był policyjnym detektywem. Był facetem, którego palanty z wydziału zabójstw daremnie próbowały wytropić. Wiedział, jak nie zostawiać dowodów, ale nie miał pojęcia, jak połączyć fragmenty materiału dowodowego, żeby rozwiązać zagadkę.

I nie chciał się tego nauczyć. Nie chciał się zmieniać. Kochał siebie takiego, jakim był. Uwielbiał siebie takiego, jakim był.

Jeśli nowe fakty przewracają do góry nogami twoją filozofię, nie zmicniasz poglądów. Tylko słabi zmieniają poglądy. Silni zmieniają fakty. Matka mówiła, że najlepsi i najbystrzejsi nie dostosowują swoich poglądów do rzeczywistości. Dostosowują rzeczywistość do swoich poglądów. Największi polityczni wizjonerzy w historii po prostu wydawali coraz więcej pieniędzy, sprawowali coraz ściślejszą kontrolę nad systemem nauczania i mediami, eliminowali coraz więcej dysydentów w miarę potrzeby, aż wymodelowali społeczeństwo pasujące do ich teorii idealnej cywilizacji. Rzeczywistość pożera głupców. Mądrzy nakładają rzeczywistości kaganiec, biorą ją na smycz i każą jej służyć.

Za każdym razem, kiedy słyszał te słowa z ust mamy, czuł podniecenie i przypływ energii. Teraz jednak rzeczywistość wykonała zwrot o sto osiemdziesiąt stopni, a on nie wiedział, jak znowu nad nią zapanować. Mama by wiedziała. Wiedziała wszystko. Ale chociaż nauczyła Mickeya, co myśleć o rzeczywistości, nie pokazała mu, jak wziąć rzeczywistość na smycz i zmusić do posłuszeństwa. W tej chwili rzeczywistość wydawała się śliska jak naoliwiony węgorz.

Na własnych śmieciach, wśród przedmiotów należących do matki, może przejaśni mu się w głowie. Może jednak matka nauczyła go wszystkiego, czego potrzebował, żeby sobie poradzić w takiej sytuacji, nie tylko ogólnych zasad myślenia o rzeczywistości, ale również szczegółowych technik jej kontrolowania. Z pewnością go tego nauczyła. Po prostu zapomniał. Otoczony pamiątkami po niej, otrząśnie się z oszołomienia, przywoła z powrotem jej mądrość i znowu stanie się jak bóg.

Wyszedł z pomieszczenia ochrony i ruszył długim, słabo oświetlonym korytarzem obok maszynowni. Kiedy się zbliżał do północnej windy, następny pulsujący błękitny ekran wygłosił taką samą groźbę jak poprzedni. Przestrzelił również ten ekran.

Winda przyjechała po naciśnięciu guzika i drzwi się rozsunęły, ale kabina wyglądała obco. Mural z ptakami zniknął. Wszystkie powierzchnie pokrywała nierdzewna stal. Panele w suficie rzucały zimne błękitne światło. Nie podobała mu się nowa rzeczywistość windy. Wcale mu się nie podobała.

Postanowił wejść schodami na drugie piętro.

—

Silas Kinsley

W żrącym żółtym świetle krył się pomiędzy chłodziarkami, spodziewając się powrotu mordercy. Przez otwarte drzwi dochodził głośny, chyba skomputeryzowany głos opisujący Dime'a, miejsce jego pobytu i najwyraźniej nakazujący jego eksterminację, co Silas popierał całym sercem. Potem padł strzał.

Silas nie wiedział, czy ktoś zastrzelił Mickeya Dime'a, czy Dime kogoś sprzątnął. Wolał nie opuszczać kryjówki, dopóki lepiej się nie rozeznał w sytuacji. Wyciągnął pistolet Vernona Klicka z kieszeni płaszcza i stał bez ruchu, nadsłuchując.

Zmiany w maszynowni nie zdziwiły Silasa. Wcześniej już doszedł do zaskakującej, lecz nieuniknionej konkluzji, że w tym budynku czas ulega zakłóceniom co trzydzieści osiem lat. Z panującego wszędzie brudu i zniszczenia wywnioskował, że nie znajduje się już w Pendletonie z 2011 roku, tylko w Pendletonie z przyszłości, chociaż nie miał pojęcia, jak długo tu pozostanie.

Bardziej niż zmiany niepokoiła go atmosfera w pomieszczeniu, wyjątkowo nieprzyjemna. W swoim czasie jeździli z Norą do różnych egzotycznych miejsc i gryząca barwa tego żółtego światła przypomniała mu prześwietlony dym, unoszący się z granitowych mis pełnych wolno palącego się łoju, w świątyni obrośniętej dżunglą, gdzie wyniosły kamienny bóg uśmiechał się bynajmniej nie dobrotliwie, a ołtarz splamiła krew wielu pokoleń z czasów, zanim to miejsce stało się turystyczną atrakcją. Siarkowo-czarne cienie nie wyglądały jak zwykłe nieoświetlone miejsca, tylko przyczajone stwory, żywe i wrogie, czekające na dogodny moment. Nieregularne świecące plamy, przypominające archipelagi wysp, na których testowano broń atomową, znajdowały się nie tylko na ścianach i suficie, ale również na kilku maszynach. Mrużąc oczy, Silas dokładnie obejrzał najbliższe źródło światła, które okazało się kolonią maleńkich świecących grzybków. W powietrzu wisiały cuchnące wyziewy pleśni, wilgotnego betonu, łuszczącej się rdzy, zjełczałego smaru i słaby odór jakby zepsutego mięsa. Jeśli zło jeszcze tu nie grasowało, z pewnością zostało zaproszone.

W korytarzu za otwartymi drzwiami komputerowy głos ponownie opisał Mickeya Dime'a i podał miejsce jego pobytu. Zanim jednak zażądał jego eksterminacji, huknął następny strzał i zapadła cisza.

Silas ostrożnie przesunął się przez gąszcz maszynerii na pusty środek pomieszczenia, gdzie znajdowała się studzienka włazowa. Owinięte ciało ochroniarza i ręczny wózek z ładunkiem zniknęły, co znaczyło, że nie wykonały przeskoku z Pendletona w roku 2011 do późniejszej wersji budynku.

Widział wcześniej, jak żelazna pokrywa studzienki wystrzeliła pod sufit, potem spadła i potoczyła się w mrok, jakby los nie mógł się zdecydować: orzeł czy reszka. Teraz pokrywa leżała na miejscu. Silas przypuszczał, że po incydencie w 2011 roku studzienka pozostała otwarta. Widocznie później naprawiono zawiasy.

Wciąż trzymając pistolet w prawej ręce, lewą podniósł z zagłębienia pierścieniowy uchwyt i odciągnął na bok ciężkie zardzewiałe żelastwo. Uszczelka sparciała. Drobinki pokruszonej gumy posypały się w ciemność.

Coś uniosło się z tunelu lawowego i zafurkotało przy jego twarzy. Odskoczył, zanim się zorientował, że to nie było nic żywego, nic materialnego. Żaden przeciąg nie dmuchałby tak mocno i rytmicznie; zatem to widocznie pulsowała jakaś energia, może słabe echo tej wielkiej błękitnej rozpędzonej fali, która wcześniej wylała się ze studzienki. Głęboko w szybie tworzyły się rozproszone węże błękitnego światła, wiły się po zaokrąglonych ścianach, ginęły i na ich miejsce rodziły się nowe. Energia trzepotała wokół niego i czuł, jak sprzączka u paska wibruje mu na brzuchu, a okulary do czytania w metalowych oprawkach drgają lekko w kieszonce koszuli.

Jeśli częściowym wyjaśnieniem tych zjawisk było pole magnetyczne, przypuszczał, że tunel lawowy stanowi górną partię skomplikowanej linii przekaźnikowej, prowadzącej aż do samego magnetycznego jądra ziemi. Ale nie potrafił odgadnąć, dlaczego tylko żywi ludzie oraz ich rzeczy zostają przerzuceni do przodu w czasie, bo na to właśnie wyglądało.

W każdym razie nie utknęli tutaj. Andrew North Pendleton zdołał powrócić do własnego czasu, chociaż jego żona i dzieci nie wrócili. Z dziewięciu członków rodziny Ostocków i siedmiorga służby, sprowadzonych do tej przyszłości, pięcioro tych pierwszych i troje tych drugich po ciężkich przejściach wróciło do 1935 roku — chociaż tylko po to, żeby zginąć z ręki kamerdynera, Nolana Tollivera.

Lewą ręką wyłowił z kieszeni małą latarkę, którą zabrał

z pasa służbowego ochroniarza jeszcze przed zmianą. Zamierzał dostać się na górę, gdzie inni lokatorzy na pewno nie mogą się pozbierać po szoku. Historia, którą im opowie, obdarzy ich odrobiną nadziei, jeśli niczym więcej: „Wrócimy do domu, ci z nas, którzy dożyją do odwrócenia zmiany". Odrobina nadziei, ale żadnej pewności.

Czysty promień ledowej latarki oświetlił rozrzucone kości i czaszki szczurów, i kilka kompletnych szkieletów. Wyglądały jak białe hieroglify na szarej podłodze, symbole czekające na rozszyfrowanie.

Pistolet widocznie natchnął Silasa niemądrą brawurą, bo kiedy intuicja mu podpowiedziała, że tu na dole mógłby jeszcze odkryć coś ważnego, zanim wejdzie na górę, zawahał się tylko na krótko, zanim odsunął się od drzwi. Nie można wygrać w sądzie, nie znając wszystkich faktów, a w tej sprawie chodziło o życie jego i sąsiadów.

Stąpając ostrożnie, żeby nie rozdeptywać szczurzych kostek, zapuszczał się coraz dalej w głąb ogromnego pomieszczenia. Przesuwał światłem latarki po wielkich maszynach. Kiedy promień dotknął formacji świecących grzybów, kolonia przez chwilę pulsowała jaśniej, dziwnie zmysłowo, jakby ten kontakt sprawił jej przyjemność albo jakby znała ból.

Sparkle Sykes

Stojąc przy oknie w salonie sióstr Cupp, spoglądając na równinę świetlistych bladozielonych traw, które falowały rytmicznie w blasku księżyca jakby według wskazań leniwego metronomu, słuchając pospiesznej rozmowy pozostałych, Sparkle czuła, że wyjdzie z tego żywa, że śmierć nie nadejdzie teraz, nie w tym miejscu, nie tej nocy.

Jeśli jakaś siła dostatecznie potężna, żeby zmienić rzeczywistość, mogła sprowadzić ich tutaj — cokolwiek znaczyło „tutaj" — to mogła ich też odstawić z powrotem do domu. Piorun zmieniający życie, w sensie przenośnym, też uderza podwójnie, tak jak prawdziwy piorun, ojcobójca i matkobójca.

Ciarki chodziły jej po grzbiecie, ale to była reakcja na całkowitą obcość tej sceny, nie objaw strachu. Nie bała się o siebie. Los zadał jej tyle ciosów, że z konieczności już dawno poddała się przeznaczeniu i nie martwiła się tym, nad czym nie miała kontroli. Pozwalała sobie tylko na strach przed piorunami, które zabiły jej rodziców, a teraz nawet tego się pozbyła. Gdyby nagle znaleźli się z powrotem w uroczym Pendletonie, kiedy burza szaleje nad miastem, zeszłaby na dziedziniec, żeby spoglądać w niebo spokojnie i z całkowitym zaufaniem, przekonana, że jakkolwiek przyjdzie jej zginąć, śmierć zabierze ją dopiero w chwili, która została jej wyznaczona już od narodzin.

Profesor Talman Ringhals, zatrucie meskaliną, Iris oraz inne metaforyczne uderzenia pioruna wypaliły nowe ścieżki w jej życiu, a ten niesamowity incydent po prostu był ostatni. Zaakceptowała go szybciej niż sąsiedzi, bo już od kilku miesięcy przeczuwała, że zbliża się kolejny cios.

Prawie trzynaście lat wcześniej, kiedy odkryła, że jest w ciąży, niewielki spadek już nie mógł jej wystarczyć na czesne i na utrzymanie. Rzuciła studia i zamierzała znaleźć posadę recepcjonistki albo urzędniczki. Chociaż nigdy wcześniej nie grała na loterii, jednego dnia kupiła dwa losy i na ten drugi zaledwie po tygodniu wygrała dwieście czterdzieści pięć tysięcy dolarów. Po odliczeniu podatków ta suma wystarczyłaby jej na cztery czy pięć lat, nawet włącznie z kosztami specjalnej opieki dla Iris. Sparkle postanowiła więc nie wracać na uniwersytet, tylko zająć się pracą, o której zaczęła myśleć wkrótce po tamtym burzliwym dniu w Maine, kiedy została sierotą.

Trzy lata po wygranej na loterii trafił w nią nowy piorun, kiedy jej twórczość otrzymała specjalną nagrodę. Wówczas Sparkle doszła do wniosku, że ten świat jest miejscem tajemniczym i zaczarowanym, a przerażające wydarzenia dodają mu głębi. Śmierć to po prostu cena wstępu, niewygórowana, biorąc pod uwagę wszystko, co za nią dostajesz. Strach przed śmiercią oznaczał również strach przed życiem, który odbierał życiu wszelkie znaczenie.

Aż do nieprawdopodobnych wypadków tego wieczoru pozwalała sobie na strach przed piorunami, ponieważ czuła, że nie bać się o siebie — to znaczy kusić los i sprowadzać nieszczęście. Teraz, kiedy nie bała się niczego, pozostał jej tylko strach o Iris, ponieważ dziewczynka wydawała się piorunochronem przyciągającym złe moce. Strata córki mogła zabić również Sparkle, która nie wyobrażała sobie, jak mogłaby nadal zachwycać się światem, gdyby odebrano jej tę trudną, lecz tak niewinną dziewczynkę.

Iris stała z dala od matki, plecami do okien. Ten chłopiec, Winny, trzymał się blisko niej, ale w odległości wystarczającej, żeby okazać, że rozumie jej potrzebę zachowania nienaruszonej przestrzeni osobistej, linii obronnej przeciwko światu. Winny miał w sobie coś ujmującego, czego Sparkle nie potrafiła dokładnie określić, cechę, która pewnego dnia pokona jego nieśmiałość.

Z widocznym wysiłkiem chłopiec włączył się nawet do grupowej dyskusji i wspomniał o wszechświatach równoległych, o jakich czytał w kilku ulubionych książkach, o innych Ziemiach istniejących obok naszej, niektórych różniących się tylko niewiele, innych radykalnie odmiennych.

Sparkle nie czytywała takich powieści. Jednak od kilku dekad fantastyka w książkach i filmach zdominowała kulturę do tego stopnia, że trudno byłoby nie znać fantastycznych koncepcji, które teraz rozważali sąsiedzi. Mówili z przejęciem, przerywając sobie nawzajem, aż Sparkle przypomniała sobie zebranie klubu Star Treka, na które kiedyś trafiła podczas studiów, gdzie debatowano o prawdziwej naturze Klingonów — albo innej równie istotnej kwestii — z taką pasją i takim pseudonaukowym językiem, że dwa tuziny dyskutantów sprawiały wrażenie stukniętych tylko w połowie.

Sparkle objęła się ramionami, żeby odegnać wewnętrzny chłód. Odwróciła się od okna i widoku upiornej łąki, twarzą do sąsiadów. Oprócz dwojga dzieci, które trzymały się z boku, pozostali — doktor Kirby Ignis, Bailey, Twyla i siostry Cupp — stali w kręgu. Nie mieli na czym usiąść, a drewniana podłoga była brudna, popękana, miejscami pokryta warstwą obrzydliwej pleśni.

Doktor Ignis, którego Sparkle dobrze nie znała, objął dowodzenie z racji swojego wyglądu dobrotliwego dziadka, budzącego zaufanie. Twierdził, że światy równoległe to koncepcja teoretyczna i w jego opinii wysoce problematyczna.

— Ta koncepcja powstała w pierwszym rzędzie jako rozpaczliwa próba wyjaśnienia, dlaczego nasz wszechświat jest starannie uporządkowany w ten sposób, żeby musiało w nim powstać życie.

— Po co komu wyjaśnienie? — zapytała Edna Cupp. — To, co istnieje, po prostu istnieje.

— Tak, ale widzi pani, jest dwadzieścia uniwersalnych stałych, od minimów czasu i przestrzeni Plancka do grawitacyjnej mikrostruktury, i gdyby chociaż jedna z nich miała odrobinę inną wartość, wszechświat byłby nieuporządkowanym chaosem, niezdolnym do stworzenia galaktyk, systemów słonecznych i planet, niezdolnym do wykształcenia życia w żadnej postaci. Szanse na wszechświat równie przyjazny jak nasz są... no, niemożliwe, kwadryliony trylionów do jednego.

— To, co istnieje... istnieje — powtórzyła Edna.

— Tak, ale wysoce specyficzna natura tych stałych implikuje celowy plan, wręcz go narzuca. Nauka nie może, nie zamierza tolerować koncepcji planisty wszechświata.

— Ja toleruję ją całkiem dobrze — oświadczyła Edna.

— Chodzi o to — ciągnął Ignis — że prawdopodobieństwo wystąpienia właśnie takich wartości wszystkich dwudziestu uniwersalnych stałych jest tak małe, że niektórzy fizycy, pragnąc wyjaśnić nasz przyjazny życiu wszechświat bez uciekania się do pojęcia planisty, założyli istnienie nieskończonej liczby wszechświatów. Jeśli wśród trylionów, trylionów i trylionów wszechświatów istnieje jeden... nasz własny... gdzie te dwadzieścia stałych jest precyzyjnie ustawionych w ten sposób, żeby podtrzymywały porządek i życie, to prawdopodobnie stworzył nas przypadek, nie planista.

Ignis skwitował tę teorię lekceważącym gestem, jakby odpędzał natrętną muchę.

— Wierzcie, w co chcecie, ale nie marnujcie czasu na jałowe spekulacje. Nie przeniesiono nas do równoległego wszechświata. To jest nasz wszechświat, nasza Ziemia w jakimś punkcie odległej przyszłości. Stwory, jakie niektórzy z nas widzieli, obcy pejzaż, jaki wszyscy widzimy za oknami, albo stanowią wytwór setek tysięcy lat ewolucji, albo rezultat jakiejś niewyobrażalnej katastrofy, która spowodowała ogólnoświatowe zmiany w ciągu zaledwie kilku stuleci.

— Ten Pendleton jest w opłakanym stanie — odezwała się Martha Cupp — ale z pewnością nie stoi tu od stuleci, nie mówiąc o tysiącleciach.

— Miasto zniknęło — przypomniał jej Ignis. — Metropolia nie rozsypuje się w pył i nie porasta trawą w ciągu zaledwie kilkudziesięciu lat.

— Więc dlaczego Pendleton ciągle stoi... ale nic innego? — zapytał Bailey Hawks. Wskazał siedem z dwunastu brązowych kinkietów, widocznie zainstalowanych po sprzedaży apartamentu sióstr Cupp nowemu właścicielowi. — Skąd się bierze elektryczność? I dlaczego te żarówki się palą po setkach lat? Czy w przyszłości zostali jacyś ludzie? Jeśli tak, gdzie oni są? A jeśli nie ma ludzi... kto wytwarza elektryczność?

Popatrzyli po sobie, ale nikt nie wysunął żadnej teorii.

Potem Twyla powiedziała:

— Nie zostaniemy tutaj na stałe, prawda? Nie możemy. Musi być jakaś droga powrotna.

— Nie otworzymy samodzielnie drzwi do domu — oświadczył doktor Ignis. — Podobnie jak nie otwarliśmy tych, którymi tu przeszliśmy. Otworzą się tylko w odpowiednich warunkach.

— W jakich warunkach? — zapytała Twyla.

Ignis pokręcił głową.

— Nie wiem.

— A dlaczego tylko ludzie wykonali ten... ten przeskok?

— Ludzie i koty — sprostowała Edna.

Do pokoju ostrożnie weszły dwa śliczne szarobłękitne kocurki. Edna wzięła jednego na ręce, ale jej siostra nie chciała odłożyć pistoletu, więc doktor Ignis zgarnął drugiego z podłogi.

— Koty i ludzie — zgodziła się Twyla. — I wszystko, co mieliśmy na sobie albo trzymaliśmy w rękach. Ale nic więcej.

— Każda żywa istota emituje słabe stałe pole elektromagnetyczne — zauważył doktor Ignis. — Może jedno z drugim ma coś wspólnego. Cokolwiek znajdzie się w bezpośrednim zasięgu pola elektromagnetycznego żywej istoty, podlega wpływom tego zjawiska.

— Ludzie już wcześniej znikali z Pendletona — przypomniała Martha Cupp. — Dzieci Andrew Pendletona pod koniec dziewiętnastego wieku.

— Czy je porwano? — zapytała Sparkle.

— Żonę i dwójkę dzieci — odparła Martha. — Nazwano to porwaniem, ale nikt ich więcej nie widział. Zniknęły. Nie znam szczegółów. Silas Kinsley. Mieszka obok. Jest samozwańczym historykiem Pendletona. Wspomniał kiedyś o aktach przemocy, które zdarzają się tu regularnie... bodajże co trzydzieści osiem lat. To przypominało tandetne historyjki z brukowej prasy, więc nawet nie chciałam słuchać. Chyba powinniśmy pogadać z Silasem.

Doktor Ignis oświadczył:

— Musimy się rozejrzeć, dowiedzieć się jak najwięcej. Im mniej rozumiemy naszą sytuację — spojrzał na dzieci — tym mniejsze mamy szanse wyjść z tego tak, jak chcemy.

— Sally — odezwała się Edna Cupp. — Sally Hollander. Ona naprawdę widziała w spiżarni to, co mówiła. Jest sama na parterze. Musimy po nią pójść.

— Pójdziemy — zapewnił Bailey. — Przeszukamy budynek piętro po piętrze, sprawdzimy, kto jeszcze tu jest. Może razem nie będzie bezpieczniej, ale na pewno poczujemy się bezpieczniej.

—

Padmini Bahrati

Tuż zanim świat odszedł, Padmini siedziała na stołku za kontuarem recepcji. Zrobiła sobie przerwę i zjadła trochę domowego *uttapam* swojej *mausi*, dania z ryżu i soczewicy. Nie rozumiała, dlaczego jej ciotka jest o tyle lepszą kucharką od jej matki, skoro obie siostry uczyła ich matka w tej samej kuchni. Dla *mausi* Anupamy jedzenie było jak płótno i farby dla artysty, ale Subhadra, matka Padmini, traktowała jedzenie jak zło konieczne, a jego przygotowanie jak irytującą przeszkodę.

Subhadra była matematyczką, i to sławną, o ile sława dotyczy matematyków. Talenty matematyczne nie występowały w telewizyjnym *Amerykańskim idolu* zamiast piosenkarzy, ochroniarze nigdy nie eskortowali ich przez tłum wrzeszczących fanów do limuzyn. Anupama, której nie groziła sława, radośnie eksperymentowała z jedzeniem, wymyślając coraz to nowe i lepsze potrawy. Subhadra traktowała przepis tak, jak inżynier budowlany traktuje specyfikację konstrukcji mostu, ze świadomością, że jeden drobny błąd może spowodować katastrofę; precyzyjnie odmierzała składniki, trzymała się instrukcji najdokładniej, jak to możliwe, lecz nawet kiedy stosowała przepis Anupamy, przygotowywała zaledwie poprawny posiłek. Z drugiej strony Anupama nie potrafiła zbilansować książeczki czekowej, podczas gdy Subhadra miała dziesięć honorowych doktoratów z matematyki oprócz tego, na który sama zapracowała.

Sukcesy życiowe *mausi* Anupamy i matki stanowiły dla Padmini lekcję, że cokolwiek robisz, musisz to robić z pasją i całkowitym poświęceniem. Padmini miała dwadzieścia jeden lat, dyplom z hotelarstwa i niedawno objęła swoją pierwszą posadę. Zamierzała spędzić w Pendletonie dwa lata, przenieść się na stanowisko recepcjonistki w luksusowym hotelu, awansować na dyrektorkę i pewnego dnia kierować własnym porządnym hotelem. Lubiła ludzi, chętnie rozwiązywała ich problemy i starała się ich uszczęśliwić, i wykazywała talent zarówno do matematyki, jak i do gotowania.

Sanjay, jej chłopak, mówił, że ona nawet wygląda odpowiednio, jest *phatakdi*, seksowna jak rakieta, a jednocześnie taka dystyngowana, z taką klasą i siostrzanym wdziękiem, że nigdy nie wzbudzi zazdrości w innych kobietach. Sanjay chciał po prostu *chodo*, słowo, którego Padmini nigdy nie wymówiłaby na głos w żadnym języku. Gdyby Sanjay miał wybierać pomiędzy jedzeniem a *chodo*, pewnie umarłby z głodu. Ale dobry był z niego chłopak, poważnie traktował swoją karierę i nigdy nie widziała, żeby kłamał, nawet żeby wsadzić swój wiecznie gotowy *lauda* tam, gdzie chciał.

Dobra prezencja była może zaletą u recepcjonistki, dyrektorki hotelu i — ostatecznie — właścicielki hotelu, ale bywała też przeszkodą. Senator Blandon zwrócił specjalną uwagę na Padmini. Flirt w pojęciu senatora polegał na opowiadaniu niestosownych, niemal sprośnych kawałów, które przyprawiały ją o rumieniec. Znalazł również kogoś, kto uczył go słówek, żeby mógł się przed nią popisywać znajomością jej kultury. Mówił, że Padmini jest jak *apsara*, czyli niebiańska nimfa, albo nazywał ją *batasha*, co znaczy „kandyzowany cukier". Nazywał ją „Bibi Padmini", co znaczy po prostu „panna Padmini". Ale ktokolwiek go uczył tych słów, widocznie nim gardził, ponieważ Blandon czasami nazywał ją *bhajiyas*, smażoną przekąską, albo *akha anda*, kompletną idiotką, albo *chotti gadda*, małym materacem. Wystawiał jej cierpliwość i opanowanie na ciężką próbę, zawsze jednak udawała, że pochlebiają jej te niezdarne próby posługiwania się językami Indii, i nigdy nie śmiała mu się w twarz.

Jak dotąd podczas tej zmiany Padmini nie widziała senatora, co uznała za łaskę opatrzności, jednak o piątej pięćdziesiąt jeden — według jej zegarka — zdarzyło się coś gorszego. Nagle wszędzie wokół niej rozległ się przeraźliwy elektroniczny pisk. Padmini poderwała się ze stołka. Czasopismo, które czytała, *Hotelarz*, zsunęło się na podłogę. Przecisnęła się przez bramkę zza kontuaru recepcji do westybulu. Alarm przeciwpożarowy przy testowaniu wydawał elektroniczne beczenie, ale to brzmiało inaczej. Niemniej Padmini wiedziała, że taki hałas nie oznacza niczego dobrego.

Kiedy wszystko wokół niej się rozmyło, a potem znajome, choć rozmyte kształty nagle się zdeformowały, kiedy pisk zdawał się wydobywać nie ze ścian, tylko z jej głowy, kiedy dołączyło do niego złowieszcze dudnienie, pomyślała, że to udar. Miała dopiero dwadzieścia jeden lat, tyle planów, tyle niespełnionych marzeń. Co za potworna niesprawiedliwość. Obracając się w miejscu i mrużąc oczy, żeby wyraźniej zobaczyć zamazane otoczenie, pomyślała o matce i ojcu, Ganeshu, o bracie Vikramie i Anupamie, i oczywiście o Sanjayu, i przytłoczyła ją świadomość, że w razie inwalidztwa stanie się dla nich ciężarem, a jeśli umrze, sprowadzi na nich żałobę, sprawi ból tym, których najbardziej kochała. A wtedy hałas ucichł i świat znowu się wyostrzył.

Padmini mogła uwierzyć, że skrzep krwi albo anewryzm może zniszczyć jej tkankę mózgową nawet w tak młodym wieku, lecz ani przez chwilę nie potrafiła sobie wyobrazić, że zwariowała. Trzymała się kursu, jakby miała żyroskop w głowie i stałą łączność z satelitarnym systemem naprowadzania. Rozum służył jej za laskę, zdrowy rozsądek zastępował mapę.

Westybul, który nagle skrystalizował się wokół niej w błogosławionej ciszy, wyglądał znajomo, ale inaczej. Marmurowa posadzka była popękana i brakowało w niej kilku kawałków, brudna, zaśmiecona strzępkami papieru i brązowymi zeschłymi liśćmi, które widocznie wiatr przywiał z zewnątrz. W listwach oświetleniowych działały tylko dwie diodowe świetlówki. Żyrandol wiszący na środku był ciemny. Dodatkowe siarkowe światło płynęło z południowo-wschodniego kąta, gdzie siedział ludzki szkielet oparty plecami o miejsce złączenia ścian. Na ledwie widocznych kościach jak na matrycy uformowała się skorupa czegoś świecącego — kolonia kryształów albo grzybów, trudno powiedzieć — która wspięła się wyżej na sufit i rozprzestrzeniła się wachlarzowato, jakby żywiła się ciałem zmarłego, a potem przestała rosnąć. Ta makabryczna lampa rozsiewała ponure światło, które przypomniało Padmini koszmarne sny z dzieciństwa, kamienne korytarze, gdzie uciekała przed Kali, ośmioręką hinduską boginią śmierci i zniszczenia.

To nie mogło być, a jednak było. Portierka na służbie miała obowiązek stawić czoło faktom, choćby najbardziej nieprawdopodobnym, podjąć wyzwanie, zrozumieć przyczynę i możliwie szybko naprawić sytuację. Zaschło jej w ustach, serce jej waliło, ale zachowała jasność umysłu i hart ducha.

Kiedy spostrzegła, że za frontowymi drzwiami i oknami po bokach nie widać już świateł ulicy Cieni, przeszła przez westybul, krzywiąc się na stan pięknej niegdyś podłogi, i wyszła na ganek. Pod kopułą Tiffany'ego prawie wszystkie lampki się przepaliły. Deszcz przestał padać. Powietrze wydawało się o kilka stopni cieplejsze, niż powinno być w grudniową noc. Ulica, stojące przy niej budynki i reszta miasta zniknęły.

Wzgórze, oblane księżycową poświatą, w promieniu około pięćdziesięciu metrów wydawało się jałowe jak powierzchnia księżyca. Dalej, w martwej ciszy nocy, długie fale czegoś w rodzaju trawy wydzielały fosforyczne światło i kołysały się niczym morskie anemony pod naporem osobliwie rytmicznych prądów.

Skrzek w ciemności. Padmini zdążyła odwrócić głowę i zobaczyła, że prosto na nią leci coś bladego i dziwacznego. Do tej pory nie zauważyła, że w prawej ręce wciąż trzyma widelec, którym wcześniej jadła pyszne *uttapam* cioci Anupamy. Właściwie ściskała go tak mocno, że kłykcie ją bolały. Teraz dźgnęła widelcem i zatrzymała napastnika na odległość ramienia. Zęby wbiły się w czoło stwora, który wyglądał jak larwa wielkości kabaczka, ze skórzastymi skrzydłami, twarzą ni to bezwłosego kota, ni to bezpiórego ptaka i srebrno świecącymi oczami. Widelec przerwał skrzeczenie, stwór odfrunął, zatoczył krąg w powietrzu i zwalił się na ziemię.

Padmini cofnęła się do westybulu Pendletona.

Dopóki portierka dyżurowała przy biurku, frontowych drzwi nigdy nie zamykano na klucz. Teraz Padmini jednak je zamknęła.

—

Mickey Dime

Wszedł północnymi schodami na drugie piętro, gdzie panowała taka sama atmosfera rozkładu jak w suterenie. Nie wiedział, co z tym zrobić. Nie mógł naprawić sytuacji, zabijając kogoś. A nawet gdyby mógł, i tak nie wiedział, kogo zabić, żeby wszystko wróciło do normy. Oprócz Jerry'ego i Klicka cele wybierali dla niego ludzie, których nie znał, których twarzy nigdy nie widział. Dopóki jego telefon nie zadzwoni i nie podadzą mu nazwiska, będzie musiał jakoś przetrwać w tych okropnych warunkach.

Zobaczył następny ekran pulsujący błękitem, zawieszony wysoko w narożniku pod takim kątem, żeby obejmował krótki zachodni korytarz i dłuższy północny. Doszedł do wniosku, że roboci głos w telewizorze brzmiał wyniośle. Tym razem głos zdążył powiedzieć tylko: *Dorosły płci męskiej*, zanim Mickey rozwalił ekran.

Przed apartamentem 2-D zastanowił się, czy nie zadzwonić do drzwi. Senator Earl Blandon mógł wiedzieć, kogo trzeba zabić, żeby wszystko wyprostować. Mama Mickeya lubiła senatora. Według niej jedyny błąd senatora polegał na tym, że używał władzy, żeby zrujnować swoich wrogów, podczas gdy powinien ich zlikwidować. Ludzie, których zrujnował, nadal mogli knuć przeciwko niemu. Po namyśle Mickey zdecydował, że chyba nie warto zasięgać rady senatora.

Kiedy mijał 2-E, następny cholerny błękitny telewizor na końcu korytarza, za jego mieszkaniem, powiedział:

— *Dorosły płci męskiej. Brązowe...*

Mickey strzelił w telewizor i ekran pociemniał. Huk wystrzału jeszcze odbijał się od ścian, kiedy za plecami Mickeya ktoś zawołał:

— Panie Dime!

Obejrzał się i zobaczył Baileya Hawksa, stojącego wśród szczątków poprzedniego zestrzelonego telewizora. Znali się tylko z widzenia, mówili sobie „Dzień dobry" i nic więcej. Hawks dawniej służył w wojsku. Wyglądał na fachowca od mokrej roboty i Mickey podejrzewał, że Hawks wyczuwa w nim takiego samego fachowca. Nie ufał Hawksowi. Od śmierci matki nie ufał nikomu. Zaledwie parę godzin wcześniej własny brat próbował go zabić. Równie dobrze Hawks też mógł spróbować.

— Jest nas ośmioro w mieszkaniu pań Cupp. Obejdziemy wszystkie piętra, żeby zebrać lokatorów.

— Nie mnie — odparł Mickey, odwrócił się i poszedł do swojego mieszkania.

— Panie Dime! Cokolwiek się dzieje, musimy trzymać się razem.

— Słabi działają, silni reagują — mruknął Mickey.

— Co pan powiedział?

— Ciało wyniesione w górę nie musi spaść, jeśli inaczej zdefiniujemy upadek.

To nie było jedno z powiedzeń matki. Mickey sam je wymyślił, kiedy miał dziesięć lat, żeby jej sprawić przyjemność. Zdawało mu się, że brzmi dobrze, ale matka zamknęła go w szafie na dwadzieścia cztery godziny bez jedzenia i picia, tylko ze słoikiem zamiast ubikacji. Nauczył się doceniać zmysłowość ciemności. Nauczył się również, że nie ma zadatków na filozofa ani krytyka kulturalnego.

Hawks zawołał jeszcze raz, ale Mickey go zignorował. Drzwi jego mieszkania stały otworem. Przełącznik światła nie działał. Wszędzie pełno tego świecącego mchu czy pleśni. Pokoje tonęły w mętnym, przygnębiającym świetle, żółtym jak szczyny. Mickey się wkurzył. Poważnie.

Meble zniknęły. Nikt nie mógł ukraść wszystkich rzeczy w ciągu tych kilku minut jego nieobecności.

Widocznie meble przeniosły się tam, gdzie powędrował martwy Jerry i Vernon Klick. Mickey nie wiedział, gdzie to jest. Nie ogarniał tej sytuacji.

Stał w sypialni z pistoletem w ręku, ale nie miał do kogo strzelać. Nowa rzeczywistość, zła rzeczywistość otaczała go ze wszystkich stron, wymykała się spod kontroli i musiał wziąć ją na smycz. Co matka miała na myśli, kiedy mówiła: „smycz"? Co to znaczy „kaganiec"? Albo „służyć"? Wtedy to wszystko wydawało się mądre, prawdziwe i głębokie. Ale rzeczywistość to nie pies, którego można chwycić za kark.

Matka była najbardziej podziwianą intelektualistką swoich czasów. Więc na pewno miała rację. Wina leżała po stronie Mickeya. Był za głupi, żeby zrozumieć.

Musiał bardziej wysilić umysł. Może powinien zamknąć się w szafie na dwadzieścia cztery godziny ze słoikiem zamiast toalety. Może naprawi swój umysł i kiedy wyjdzie, lepsza rzeczywistość wróci na miejsce, a ta zła rzeczywistość zniknie. Ale nawet nie miał słoika.

—

Julian Sanchez

Większość ludzi żyje w strumieniu pędzących obrazów, strumieniu zawsze wezbranym, w rwących prądach kolorów, płynnych harmoniach kształtów, chaotycznej kipieli bystrzyn, i dają się nieść tej fali widoków, prawie się nie zastanawiając, jak to wpływa na ich myśli, kształtuje ich osobowość i określa ich drogę życiową od źródeł narodzin do delty starości. Jeśli potraktować percepcję zmysłową jak zdigitalizowane dane wejściowe, pięćdziesiąt procent dostarczają nam oczy, więcej niż pozostałe cztery zmysły razem wzięte.

W ciągu czterdziestu lat najgłębszej nocy Julian Sanchez poznawał świat głównie poprzez kształty i faktury prześlizgujące się pod jego wrażliwymi palcami oraz przez nieustanną muzykę życia, niekiedy zwykłe miękkie, arytmiczne bębnienie deszczu o szybę, innym razem symfonię ruchliwej miejskiej ulicy. Był tak wyczulony na dźwięki, że kiedy mu przeszkadzała brzęcząca mucha, często potrafił ją schwycić w powietrzu i zacisnąć w pięści.

Stał w kuchni swojego apartamentu A, sączył kawę z kubka i słuchał burzy za oknem, które uchylił na parę centymetrów, kiedy wokół niego eksplodował elektroniczny pisk, jakiego nigdy jeszcze nie słyszał. Nie potrafił określić źródła tego hałasu. Do niesamowitego zawodzenia dołączyło dudnienie pod budynkiem, które słyszał już wcześniej w ciągu dnia i nawet dzwonił w tej sprawie do ochrony.

Kiedy hałasy ucichły, Julian od razu wiedział, że stało się coś ważnego. Bębnienie deszczu o szyby, szum i plusk wody spływającej rynną obok kuchennego okna, szelest wilgotnych liści na drzewach na dziedzińcu i wszystkie pozostałe odgłosy

319

burzy urwały się w jednej chwili. Pomruk lodówki, buczenie zmywarki, brzęczenie kostkarki do lodu, ciche tykanie szklanego dzbanka kurczącego się i rozszerzającego na podgrzewaczu ekspresu do kawy: wszystkie znajome dźwięki odpłynęły razem z burzą i zapadła głęboka cisza.

Zniknęły również znajome zapachy kuchni. Brakowało aromatu parzonej kawy. Brakowało uporczywej sosnowej nuty środka czyszczącego, którego używała w tym dniu sprzątaczka przychodząca co dwa tygodnie. Brakowało cynamonowej woni bułeczek w pojemniku na pieczywo, który powinien stać obok na blacie.

Przez uchylone okno nie napływało już wilgotne, rześkie, przesycone ozonem powietrze ani bogate zapachy mokrej ziemi w ogrodzie. Julian sięgnął lewą ręką nad zlewem i odkrył, że wewnętrzna siatka okienna znikła. Próbował wymacać korbkę, która otwierała lewą połowę skrzydłowego okna, ale znalazł tylko otwór, w którym powinna tkwić korbka. Poszukał prawej klamki i skrzywił się, bo spowijały ją pajęczyny. Kiedy próbował ją przekręcić, mechanizm chyba się zaciął.

Zdumiony, przeszedł obok zlewu i odstawił kubek z kawą, który nie brzęknął jak zwykle, tylko wylądował na granicie z głuchym stuknięciem. Chociaż sprzątaczka wyszła niecałe dwie godziny wcześniej, kamienny blat pokrywały gruba warstwa kurzu i jakieś śmieci, jakby strzępy przegniłych szmat, drobny piasek i chyba okruchy odpadłego tynku, cuchnącego sproszkowanym gipsem.

Julian odwrócił się przodem do kuchni i poczuł pleśń. Coś jak stęchła uryna.

Jego percepcja przestrzeni całkowicie się zmieniła. Tak dobrze znał każdy metr kwadratowy własnego apartamentu i dokładne rozmieszczenie mebli, że nie tylko chodził bez laski, nie potykając się i nie obijając sobie kostek, ale potrafił również wyczuć kształty przedmiotów jakby szóstym zmysłem, czymś w rodzaju psychicznego radaru. Ta wyjątkowa zdolność powiedziała mu teraz, że stół kuchenny i krzesła nie stały tam, gdzie powinny, że zniknęły.

Zazwyczaj nie wymacywał sobie drogi wyciągniętymi rękami, teraz jednak uciekł się do tej techniki w obawie, że nie tylko usunięto znajome meble, ale na ich miejscu postawiono coś innego. Kuchnia okazała się tak pusta, jak wskazywał jego psychiczny radar. Pod nogami trzeszczały piach i grubsze śmieci.

Julian był dumny ze swojej niezależności i rzadko musiał polegać na innych. Jednak niesamowita transformacja kuchni napędziła mu strachu. Potrzebował kogoś ze sprawnymi oczami, żeby się rozejrzał i wyjaśnił mu, co się stało.

Poklepał kieszenie rozpinanego swetra i z ulgą znalazł na miejscu telefon komórkowy. Nacisnął guzik, wysłuchał powitalnego dżingla i po chwili wahania wybrał numer portierki. Padmini pomagała mu, nie okazując w żaden sposób, że niewidomy mężczyzna budzi w niej litość. Julian nie znosił, kiedy się nad nim litowano. Wprowadziwszy numer, nacisnął SEND i czekał z telefonem przyłożonym do prawego ucha... aż się przekonał, że sieć nie działa.

Zbity z tropu i zaniepokojony, ale jeszcze nie przestraszony, skierował się tam, gdzie zawsze były i nadal się znajdowały drzwi do części jadalnej. Na progu usłyszał mamroczące głosy, gdzieś w mieszkaniu, obce i natarczywe, chociaż powinien być sam.

—

Fielding Udell

Świat był w gorszym stanie, niż Fielding podejrzewał w najdzikszych spekulacjach. Sytuacja przypominała ten film, *Matrix*. Wszystko było fałszem, projekcją przyjaznej rzeczywistości transmitowaną do jego głowy przez Elitę Władzy, teraz jednak ich Maszyna Kłamstw się zepsuła, projekcje zgasły i rzeczywistość pokazała pazury. Wyobrażał sobie miasta pod kopułami, w których żyje ostatnie dwadzieścia czy trzydzieści milionów obywateli z wypranymi mózgami, odgrodzonych od zatrutej toksynami, spalonej słońcem, skutej lodem, dręczonej przez susze, chłostanej przez burze, wyniszczonej przez choroby, skażonej przez wybuchy nuklearne, pozbawionej żab ziemi jałowej, stanowiącej większość tej nieszczęsnej planety, zabójcze piekło, gdzie miliardy trupów gniły na ulicach i polach. Teraz jednak zobaczył, że wcale nie mieszka w mieście pod kopułą, bezpieczny pod nieprzenikalnym polem siłowym, jak dotąd sądził.

Mieszkał w ruinach, ale projekcje mózgowe wmówiły mu, że zajmuje lokal w luksusowym apartamentowcu. Nawet meble nie były prawdziwe, bo kiedy zepsuła się Maszyna Kłamstw, okazało się, że w pokojach nie ma nic prócz kurzu, kilku zdechłych owadów i strzępków pożółkłego ze starości papieru.

Kiedy podszedł do okna, starł z szyby nalot brudu i wyjrzał na dziedziniec dwa piętra niżej, w blasku księżyca nie zobaczył fontann, kwiatów, wypielęgnowanych żywopłotów i starannie uformowanych drzew, tylko zniszczenie i pierwotną bezładną wegetację. Przewrócone, popękane misy wielopoziomowych fontann wyglądały jak rozbite muszle gigantycznych małży. Nie zachowało się ani jedno drzewo. Pozostałych roślin nie widział wyraźnie, ale nie przypominały niczego, co dotąd znał: w najlepszym razie były apostatami wobec odwiecznego kościoła Natury, w najgorszym — mutacjami tak groteskowymi, że aż demonicznymi. Niczym fale zatrutego morza piętrzyły się nad krętą ścieżką, która wiła się od podwójnych drzwi po zachodniej stronie do bramy we wschodnim murze, prowadzącej do garaży za głównym budynkiem.

W inne noce Fielding widział dach przerobionej powozowni wystający nad murem dziedzińca, a dalej trochę wyższą linię dachu drugiego garażu, dodanego podczas przebudowy Belle Vista. Teraz nie widział tam nic, chociaż księżyc w pełni powinien wysrebrzyć łupkowe dachówki. Wielka brama w murze zwisała otwarta na wykrzywionych zawiasach, ale za pogiętymi prętami z brązu była tylko ciemność. Brakowało też łuny miejskich świateł nad parapetowym dachem północnego skrzydła i na wschodzie, gdzie powinny stać garaże.

Ktokolwiek dostarczał Fieldingowi jedzenie, na pewno nie pochodziło z pizzerii Salvatina ani z innych restauracji, gdzie je codziennie zamawiał. Jeśli miasto nie istniało, na co wskazywał całkowity brak świateł, to nie istniały też lokale oferujące smaczne posiłki z dostawą do domu. Widocznie te pachnące paczuszki dostarczali mu podli Sługusi Elity Władzy, a wszystkie kanapki, pasta bolognese i moo goo gai pan to było to samo, Zielona Pożywka, przyprawiona dla niepoznaki.

Fielding czuł nie tyle strach, ile wściekłość, nie tyle wściekłość, ile głęboką satysfakcję, że przez cały czas miał słuszność co do kondycji świata, że okazał się nadspodziewanie przenikliwy. Cały drżał, przejęty sprawiedliwym gniewem.

Ruch na dziedzińcu przyciągnął jego uwagę. Coś pojawiło się na zakręcie ścieżki, stworzenie wcześniej zakryte przez gąszcz zdeformowanej roślinności. Fielding mimowolnie syknął przez zaciśnięte zęby, ponieważ wprawdzie nie wiedział, co to za istota, ale natychmiast i bez żadnych wątpliwości odgadł, że jest wroga człowiekowi i zła.

Była blada, ale nie zwyczajnie blada, również lekko świecąca, nie dlatego, że jej powierzchnia odbijała lub emitowała światło, tylko rozświetlona od środka. We wnętrzu mrocznych kształtów powoli pulsował nierównomierny blask, jadowicie żółty i metylowo zielony. Przenikał przez tajemnicze ciało, tworząc fale i zawirowania różnej intensywności i na różnych głębokościach, ukazując ciemne bryły jakby organów wewnętrznych, gęstszych od otaczającej tkanki. Długości przyczajonego lwa, lecz prawie wzrostu człowieka, w nikłej księżycowej poświacie zdawała się skradać na owadzich, lecz mięsistych nogach, podobnych do odnóży piaskowego świerszcza. Na ile Fielding mógł się zorientować, ciało stanowiło zlepek bulwiastych form — rozdętych pęcherzy, obwisłych worków — owiniętych i połączonych czymś, co przypominało mu grubego tasiemca. Stwór nie poruszał się szybko — chociaż z pewnością potrafił znacznie przyspieszyć w pobliżu ofiary — skupiony na ścieżce, jakby podążał tropem jakiegoś zapachu.

Ta zjawa była bardziej groteskowa niż najgorsze koszmary senne, bardziej niesamowita niż najdziwniejsze narkotyczne wizje, bardziej przerażająca w swojej obcości niż *Tyrannosaurus rex*, który nagle wpada na dziedziniec z rozdziawioną paszczą, szczerząc zęby długości szabli. Fielding Udell pomyślał o dalekich gwiazdach, o próżni głębokiego kosmosu, o podróży mierzonej w latach świetlnych, gdyż ten stwór z pewnością nie narodził się na Ziemi. Zimny dreszcz przeniknął jego ciało i duszę, dłonie zrobiły się zimne i wilgotne, jakby lodowata odwaga, która podtrzymywała go podczas długich badań, teraz topniała i wypływała przez skórę.

Wciąż jeszcze wpatrywał się w odrażającą wizję, sparaliżowany jak królik na widok zwiniętego grzechotnika, kiedy stwór podniósł coś w rodzaju głowy, bryłowatą masę pozbawioną prawo-lewej symetrii właściwej wszystkim zwierzętom w naturze. Odwrócił w stronę Fieldinga twarz, podwójnie okropną: po pierwsze dlatego, że przypominała zniekształconą rakowatą narośl, po drugie dlatego, że stanowiła maskę absolutnego zła.

Może stwór, równie lunatyczny co spaczony, patrzył tylko na księżyc; jednak Fielding czuł, że wzrok zjawy spoczywa tylko na nim, jeśli trzy świetliste srebrne kręgi skupione pośrodku twarzy były jej oczami. Odsunął się od brudnego okna, przekonany, że wreszcie ujrzał jednego z nieuchwytnej Elity Władzy.

—

Silas Kinsley

W ponurym żółtym świetle z promienia latarki sączyły się oleiste cienie. Ogromna maszynownia wyglądała niemal jak podmorska grota, gdzie blask słońca dochodzi z góry, przefiltrowany przez niezliczone metry sześcienne wody. Popękana i przerdzewiała aparatura przechylała się niczym zatopiony statek, który od dawna spoczywa na dnie.

Ciszę mącił tylko ulotny szmer, zapewne przeciąg, który powstał gdzieś w budynku i dmuchał przez labirynt rur systemu grzewczo-chłodniczego, niezawierających już wody, miejscami popękanych albo odłączonych od kolanek. W tych okolicznościach Silas nie mógł się oprzeć podejrzeniom, że nie słyszy przeciągu, tylko szepty ludzi, którzy obserwują go zza zepsutej maszynerii. A jeśli nie ludzie, to może w pobliżu czyha taki stwór jak ten, którego Perry Kyser widział w 1973 roku, ohyda, która przemówiła do niego udręczonym głosem zaginionego malarza.

Z pistoletem ochroniarza w ręku Silas parł dalej w głąb labiryntu. Musiał przeprowadzić dokładne rozpoznanie. Gdyby pozwolił zatriumfować strachowi, podejmowałby decyzje oparte raczej na emocjach niż rozsądku, a wtedy najłatwiej zginąć.

Odpływ w podłodze maszynowni widocznie stanowił ujście dla okresowych potężnych wyładowań energii magnetycznej — albo jakiejś innej — które tymczasowo nakładały przyszłość na teraźniejszość. Intuicja prawnika podpowiadała Silasowi, że tutaj, w epicentrum, najszybciej znajdzie ważne wskazówki, które połączone w łańcuch dowodowy pomogą jemu i sąsiadom uniknąć wyroku śmierci.

Promień latarki przesunął się po jednej z chłodziarek. Cienką metalową obudowę poznaczyły dziury od kul; w kilku pająki utkały miniaturowe pajęczyny, jakby zbyt wyczerpane, żeby splatać większe formy. Im dalej Silas się zapuszczał, tym więcej znajdował przebić, śladów po rykoszetach i roztrzaskanych wskaźników. Dotarł do odcinka zasypanego mosiężnymi łuskami po pociskach, dziesiątkami, a potem setkami. Stąpał wśród nich ostrożnie, jednak niechcący potrącił kilka łusek, które toczyły się i odbijały od innych ze słabym, melodyjnym dzwonieniem, jak dzwonki wróżki.

Spodziewał się, że za którymś zakrętem znajdzie zwłoki kombatantów, i rzeczywiście znalazł, chociaż nie ludzi. W przejściu pomiędzy bojlerami a zmiękczaczami do wody leżały obok siebie dwa szkielety, nie tak kanciaste jak ludzkie i bez guzowatych stawów. Nie spoczywały byle jak, w niedbałych, na wpół komicznych pozach, z bezładnie rozrzuconymi kończynami jak przewrócone ludzkie szkielety, które zawsze wyglądają, jakby upadły na podłogę po groteskowym tańcu. Obnażone przez śmierć, te kości były pełne gracji, eleganckie jak linie nakreślone przez mistrza kaligrafii, który tworzy dzieło sztuki z kilku ręcznie napisanych zdań. Wzrost ponad dwa metry. Dwie nogi. Dodatkowe kłykcie i paliczki w długich stopach i dłoniach. Sześć palców u nóg, pierwszy i szósty dłuższe od pozostałych, dobre do wspinaczki. Czaszki nie okrągłe jak u ludzi, tylko wydłużone jak duże piłki futbolowe bez spiczastych końców. Szczęki długie i mocne, zęby groźne, wyszczerzone w szerokim uśmiechu śmierci, ostre jak u rekina.

Światło latarki ujawniło również, że te kości nie są białe, tylko szare, nawet zęby. Jednolity odcień sugerował, że zawsze były szare, nie przebarwiły się z upływem czasu albo od styczności z rozkładającym się ciałem. Silas przykucnął i podniósł jedno szkieletowe ramię. Okazało się lżejsze od kości, ale kiedy je upuścił, zadźwięczało niemal metalicznie na betonie.

Niedaleko pierwszych dwóch szkieletów znalazł następne trzy takie same. Na podstawie kości ocenił, że te stworzenia były silne, zwinne i bardzo szybkie. Nawet po śmierci ich zęby mówiły: „Drapieżca".

Wreszcie w południowo-zachodnim kącie długiego pomieszczenia odkrył czternaście ludzkich szkieletów siedzących pod ścianą, dziesięcioro dorosłych i czwórkę dzieci. Na kościach nie zostało ani odrobiny ciała, w wilgotnej piwnicy większość ubrań również przegniła i odpadła. Beton wokół nich pociemniał nierówno, nasiąknąwszy gęstymi płynami rozkładu. Chociaż upłynęło dużo czasu, odkąd ci nieszczęśnicy spotkali swój koniec, Silas miał wrażenie, że wciąż czuje słabą woń gnicia, jakby olfaktoryczny duch nawiedzał to upiorne miejsce.

Jeden z dorosłych szkieletów nadal trzymał w zębach lufę samopowtarzalnej śrutówki z pistoletowym uchwytem, która nie wysunęła się, kiedy strzał rozwalił tył czaszki. Dwa inne leżały obok śrutówek. Wyraźne plamy na ścianie kazały Silasowi przyjrzeć się bliżej całej czternastce. U wszystkich odkrył w tyle głowy ranę wylotową od kuli. Tutaj, w podziemiach budynku, w piwnicy bez okien, stoczyli ostatni bój z drapieżcami — i zachowali resztki amunicji dla siebie. Dorośli najpierw zabili dzieci, żeby oszczędzić im cierpień w łapach drapieżców.

Zapewne ci ludzie byli ostatnim pokoleniem mieszkańców Pendletona, zanim budynek popadł w ruinę. Silas nie mógł już dłużej omijać pytania, którego nie chciał zadać, nie mógł dłużej odkładać wejścia na górę, żeby poszukać odpowiedzi: Jeśli tę wspaniałą rezydencję spotkał tak nędzny koniec, jeśli po jej pokojach grasowały fantastyczne bestie nieznanego pochodzenia, co się stało z resztą świata?

Jedno

Jestem Jedno i widzę wszystko.

Ale ślepy mężczyzna w apartamencie A jest ślepy na wiele sposobów, jak wszystkie istoty ludzkie, nawet te ze zdrowymi oczami. Ślepi na własne szaleństwo, na własną ignorancję, na własną historię, na przyszłość, jaką dla siebie budują. Przyszłość zrodzoną z nienawiści do siebie.

Nawet ci, którzy wiedzą, że dwadzieścia uniwersalnych stałych tworzy wszechświat przyjazny dla życia, którzy rozumieją zarówno intelektualnie, jak intuicyjnie, że rasa ludzka jest wyjątkowa i obdarzona łaską, nawet oni zdolni są nienawidzić nie tylko innych przedstawicieli swojego gatunku, ale cały gatunek. Niektórzy czują do siebie taką nienawiść, że fantazjują o świecie bez ludzi i czerpią pociechę z takich marzeń.

Portierka do nich nie należy, ale umrze razem z innymi, z miliardami, które zginą pomiędzy jej teraźniejszością a moją teraźniejszością, która jest jej przyszłością. Mogła daleko zajść w branży hotelarskiej, jednak sukces materialny, do którego dąży jej gatunek, nie nada znaczenia jej życiu. Ona należy do tych, którzy — gdyby nie trafili do mojego królestwa — z czasem odnaleźliby sens. Mogła zostać jedną z tych, którzy występują przeciwko mizantropom nienawidzącym ludzi, żeby ocalić ludzkość. Ale jest ich zbyt mało, za mało obdarzonych jej zapałem, przenikliwością i czułością serca; jeśli ludzkość chce przetrwać, nie może sobie pozwolić na utratę nawet jednej osoby takiej jak ona. Lecz teraz ona jest moja.

27

Tu i tam

Bailey Hawks

Bailey patrzył, jak Dime znika w swoim mieszkaniu. Coś było nie tak z tym facetem. Może nie wytrzymał napięcia, chociaż to by znaczyło, że jest mniej elastyczny psychicznie niż mały Winny. Dime nigdy nie wykazywał zainteresowania innymi mieszkańcami Pendletona, nigdy nie udzielał się w zarządzie ani w żadnym komitecie, nigdy nie przychodził na świąteczne spotkania w sali bankietowej. Odzywał się do osób spotkanych przypadkowo na korytarzu, ale mógł uchodzić za rozmownego tylko w porównaniu z mnichem, który złożył śluby milczenia.

Miał pistolet. Rozwalił dwa dziwaczne błękitne ekrany, których nie było na korytarzu przed „przeskokiem", jak to nazwała Twyla Trahern. Kiedy Bailey zasugerował, że najlepszy plan to zebrać pozostałych mieszkańców i trzymać się razem, Dime odmówił tonem co najmniej lekceważącym, jeśli nie wręcz wrogim. I dodał coś bez sensu: „Ciało wyniesione w górę nie musi spaść, jeśli inaczej zdefiniujemy upadek".

Bailey postanowił, że zaczną szukać pozostałych sąsiadów w południowym skrzydle na drugim piętrze, potem zejdą na dół i wrócą do północnego skrzydła dopiero wtedy, kiedy Dime weźmie się w garść, zakładając, że jest do tego zdolny. W każdym razie Bernard Abronowitz, który mieszkał samotnie w 2-E, przebywał obecnie w szpitalu, więc nie odbył razem z nimi tej podróży w czasie. Senator Blandon z 2-D o tej porze pewnie był już mocno podpity i jeszcze bardziej niemiły niż Mickey Dime; najrozsądniej byłoby zostawić polityka na później.

— O co mu chodziło? — zapytał Kirby Ignis, który wyszedł z apartamentu sióstr Cupp i widocznie zdążył usłyszeć rozmowę Baileya z Dime'em.

— Nie wiem. Zostawimy mu trochę czasu, żeby ochłonął, przystosował się do sytuacji. Zanim przeszukamy południowe skrzydło, zobaczmy, czy Silas jest w domu.

Prawnik zajmował narożny apartament od frontu, obok sióstr Cupp. Bailey nacisnął dzwonek, ale nie usłyszał dzwonienia w środku. Na pukanie nikt nie reagował. Drzwi okazały się niezamknięte na klucz — zresztą zamek nie działał. Bailey zapytał: „Jest tam ktoś?" i kiedy nie otrzymał odpowiedzi, razem z Kirbym weszli do środka, żeby przeszukać mieszkanie starszego pana.

Kirby trzymał latarkę, którą pożyczył od Twyli Trahern. Kobiety i dzieci zostały z latarką Sparkle i pistoletem Marthy. Pamiętając pospieszny, lecz obrazowy opis stworów, które widziały, pamiętając spotkanie Sally w pokoju kredensowym z demonem, mając wyraźnie przed oczami tajemniczego pływaka w basenie wcześnie rano, Bailey trzymał oburącz swoją berettę kalibru dziewięć milimetrów.

Podobnie jak inne pokoje, które widzieli po przeskoku, mieszkanie prawnika było brudne, zaniedbane, nieumeblowane, cuchnące pleśnią, dawno opuszczone. Grzybicze narośle na ścianach wydzielały nikły blask, zmęczone światło jakby umierającego słońca. Kirby nie miał policyjnego ani wojskowego wyszkolenia, jednak był bystry i rozumiał, dlaczego jego uzbrojony partner tak się zachowuje. Domyślając się, co sam powinien zrobić, towarzyszył Baileyowi i razem sprawdzali pokój za pokojem, jakby od dawna stanowili zespół.

Na koniec skierowali się do głównej łazienki. Światło barwy moczu było tam jeszcze słabsze. Z każdym krokiem lekki zapach pleśni, przenikający wszystkie pomieszczenia w tym Pendletonie, stawał się coraz ostrzejszy, aż powietrze nabierało gryzącego posmaku. Kiedy stanęli na progu, promień latarki wydobył z półmroku coś, co przypominało abstrakcyjną instalację obłąkanego rzeźbiarza: bladozielone, czarno nakrapiane wężowe zwoje na ścianach, nieruchome, lecz poskręcane, jakby nagle sparaliżowane w trakcie wyuzdanej kopulacji, splecione ciasno na pionowych powierzchniach, tu i tam wypełzające również na podłogę, gniazdo pogrążone w odrętwieniu, we śnie zimowym. W kilku miejscach z tej ohydnej masy wyrastały na grubych łodygach kępki grzybów tej samej barwy, niektóre wielkie jak pięść Baileya, inne jak dwie pięści. Na wierzchołku każdego kapelusza w kształcie dzwonu widniał pomarszczony otwór, przypominający otwór ściąganej rzemykiem sakiewki.

— Dwie różne formy — ocenił Kirby — ale ten sam organizm.

— Organizm? To znaczy zwierzę?

— Grzyb jest organizmem. Moim zdaniem to jest grzyb.

333

— Jednak niezdolny do ruchu, nie jak tamte stwory, które inni widzieli.

— Nie radzę tam wchodzić, żeby sprawdzić.

Wprawdzie wężowe sploty nie poruszyły się nagle, ale zaczęły pulsować, jakby przesuwały się w nich jakieś grudy, jakby prawdziwe węże połykały całe stada myszy.

—

Tom Tran

Ubrany w czarny winylowy płaszcz przeciwdeszczowy i nieprzemakalny kapelusz z szerokim, obwisłym rondem, Tom Tran ledwie przed paroma minutami wyszedł z przerobionej powozowni do brukowanego pasażu między budynkami. Zamknął za sobą drzwi i zdążył zrobić zaledwie jeden krok, kiedy burza ustała jak za przekręceniem wyłącznika. Deszcz nagle przestał padać, kamienie brukowe wyschły, na bezchmurnym niebie usianym gwiazdami jasno świecił księżyc w pełni.

Zdumiony, w płaszczu i kapeluszu wciąż ociekających wilgocią, Tom obrócił się dookoła i odkrył, że powozowni już nie ma... ani nowego, większego garażu za nią. Na obu końcach brukowanego pasażu powinny się znajdować bramy pomiędzy Pendletonem a budynkiem z tyłu, jedna prowadząca do alejki, druga wychodząca na wąski chodnik. Owszem, wisiały na bocznych murach dwuipółmetrowej wysokości odchodzących od głównego budynku, ale pręty z brązu były pogięte, niektórych brakowało, zawiasy popękane, już niepołączone z nieistniejącą powozownią.

Tom z opóźnieniem zarejestrował, że za brakującymi budynkami, po drugiej stronie Wzgórza Cieni i dalej, cała wschodnia część miasta już nie świeciła... bo nie istniała. Na wschodzie rozciągała się nieprzenikniona ciemność. Tu i tam migotały kałuże mlecznej księżycowej poświaty, które niczego nie oświetlały, mgliste i wilgotne niczym widmowe jeziora w upiornym krajobrazie zaświatów.

Jako chłopiec Tom Tran przekonał się, że śmierć nosi wiele kostiumów, nie tylko czarną szatę z kapturem, i ukrywa się za nieskończoną mnogością twarzy. Śmierć była wszędzie, imię jej Legion, nikt jej nie umknął, ale w pewnych miejscach manifestowała się częściej niż w innych. Tom wyczuwał, że na wschodzie, w tym nowym, niepojętym bezmiarze mroku, kryją się całe armie śmierci, że każdy las i łąka to zabójcza ziemia.

Zepsuta brama w tylnym murze dziedzińca również wisiała krzywo, jeden z trzech zawiasów wyrwany z murarskiej zaprawy, dwa pozostałe przeżarte korozją. Pendleton wyglądał jak niezamieszkany od dziesiątków lat. Tomowi przyszła do głowy szaleńcza myśl, że gdyby spojrzał w lustro, zobaczyłby zgrzybiałego starca.

Na dziedzińcu nie paliły się lampy ogrodowe. W oknach trzech skrzydeł Pendletona światła były nie tylko słabsze niż zwykle, ale żółte jak smocze ślepia, w odcieniu, jakiego Tom jeszcze nigdy nie widział. Drzewa zniknęły, fontanny się poprzewracały, ogród zarósł chwastami, których przy księżycu nie potrafił rozpoznać.

Tom czuł, że nie jest sobą w tym samym stopniu, co jego odmieniony świat. Oszołomiony i drżący, wędrował ścieżką niczym bohater jednej z bajek o bogach i upiorach, które opowiadała mu matka tak dawno, kiedy był dzieckiem w Wietnamie. Jakby znalazł się w wypaczonej wersji *Poszukiwania szczęśliwej krainy* albo *Czarodziejskiego klejnotu kruka*, albo *Domu wieczności*. Rośliny podobne do wysokich bambusów, ale bardziej mięsiste i z długimi powietrznymi korzeniami, tu i tam tworzyły sklepienie nad ścieżką. Za każdym razem, kiedy taki korzeń muskał twarz Toma, wydawał się zwierzęco żywy, głaskał go po policzku, wkręcał się w ucho albo łaskotał nozdrze, i Tom odtrącał go rozdygotany, zmrożony tym dotykiem.

Dotarł do drzwi łączących dziedziniec z zachodnim korytarzem na parterze, tuż naprzeciwko wewnętrznych drzwi do westybulu. Wyłowił klucze z kieszeni płaszcza i chciał już wejść do środka, kiedy usłyszał z tyłu hałasy, krótkie sapnięcia, jakby coś wypuszczało powietrze pod ciśnieniem i wciągało z długim sykiem. Słyszał też stukot i szuranie, jakby zmęczony koń ciężko stawiał kopyta i ciągnął każde przez chwilę po ziemi, zanim zdołał je podnieść.

Obejrzał się, ale na ścieżce oblanej księżycem nie dostrzegł źródła tych odgłosów. Ruch w oknie na drugim piętrze południowego skrzydła przyciągnął jego uwagę. Upiornie blada twarz za szybą na tle żółtej poświaty należała do Fieldinga Udella, który chyba nie widział Toma. W tej samej chwili, kiedy Udell zareagował na coś, co zobaczył dalej na dziedzińcu, stukanie-szuranie ustało. Syczenie i sapanie nadal trwało, ale zmienił się rytm i charakter tych niepokojących dźwięków. Udell odsunął się od okna nagłym ruchem, jakby bał się zostać zauważony. Po chwili znowu rozległo się stukanie-szuranie. To, co przestraszyło Udella, teraz zbliżało się do Toma krętą ścieżką, nadal niewidoczne za zakrętem i wysoką roślinnością.

Tom odwrócił się do drzwi, włożył klucz do zamka... i odkrył, że nie działa. Pokręcił nim w dziurce, wyjął i znowu włożył, spróbował jeszcze raz, ale bez powodzenia. Albo zamek zepsuł się jak wszystko w budynku, albo został wymieniony.

Za plecami Toma zabrzmiał piskliwy krzyk, jakby głos niecierpliwego, rozkapryszonego dziecka. Tom odwrócił się przodem do tego, co nadchodziło. W drugim krzyku dźwięczało więcej gniewu niż w pierwszym... i głód. Dziesięć metrów dalej stwór o licznych odnóżach, wzrostu Toma i co najmniej dwukrotnie masywniejszy, wygramolił się zza zakrętu ścieżki, ocierając się o wybujałą roślinność.

Albo rozwarły się bramy piekła, albo Tom postradał zmysły, gdyż coś takiego nie mogło istnieć poza granicami królestwa potępionych, chyba że w gorączkowych majaczeniach obłąkanego paranoidalnego psychopaty.

—

Julian Sanchez

Przekroczywszy próg jadalni, Julian natychmiast się zorientował, że tam również nie ma mebli. Po pierwsze, zniknął dywan; po drugie, odgłos jego kroków na podłodze z piaskowca odbijał się od ścian inaczej niż w umeblowanej przestrzeni.

Głosy, które słyszał przed chwilą, umilkły. Stał i nasłuchiwał. Tym samym radarem psychicznym, którym wyczuwał ustawienie mebli, potrafił też niezawodnie wykryć obecność innych ludzi. Nawet osoba stojąca całkiem nieruchomo wydaje zdradzieckie dźwięki — przestępowanie z nogi na nogę, płytki oddech, oblizywanie warg, wysysanie resztek jedzenia spomiędzy zębów, szelest ubrania, tykanie zegarka — ale ten pokój wydawał się pusty.

Julian nie był ślepy od urodzenia. Stracił wzrok w wieku jedenastu lat, kiedy z powodu siatkówczaka usunięto mu obie gałki oczne. W rezultacie miał do dyspozycji ponad dekadę zmagazynowanych wizualnych wspomnień, co pozwalało mu konstruować obrazy mentalne i całe sceny — w kolorze — na podstawie wskazówek dostarczanych przez pozostałe cztery zmysły. Kiedy krążył po swoim apartamencie, w wyobraźni widział szczegółowo każdy pokój, chociaż nigdy naprawdę ich nie oglądał.

Jednak niepojęta zmiana sprzed paru chwil sprawiła, że stracił zdolność wizualizacji swojego otoczenia. Percepcja pustki, brudu i śmieci, fetor pleśni, wilgoci i innych nierozpoznawalnych cuchnących substancji, tak diametralnie odmieniły te pokoje, że nie potrafił ich zobaczyć w wyobraźni, niemal jakby był ślepy od urodzenia i pozbawiony wizualnych wspomnień.

Kiedy ostrożnie wszedł do salonu, znowu rozległy się mamroczące głosy. Mówiły w obcym języku, którego nie rozpoznawał. Poprzednio brzmiały natarczywie, jakby ostrzegały. Teraz natarczywość pozostała, ale pojawił się kłótliwy ton. Julian wyobrażał sobie tuzin osób, może więcej. Głosy dochodziły ze wszystkich stron, jakby otaczało go jakieś konklawe, przybyłe tu specjalnie, żeby go studiować. Analizować. Osądzać.

— Kto tam? — zapytał. — Kim jesteście? Czego chcecie?

Głosy zdawały się napierać na niego, ale jednocześnie traciły wyraźne brzmienie i łatwo mógł sobie wyobrazić, że dochodziły z innych pokojów, przez zamknięte drzwi albo ścianę.

Przeszedł tam, gdzie powinien być środek pokoju, nie napotkawszy po drodze żadnych mebli, i odezwał się głośniej niż przedtem:

— Gdzie jesteście? Czego chcecie?

Podczas pierwszych dwóch lat ślepoty czuł się bezbronny i przesadnie obawiał się wielu rzeczy, które mogły mu się przytrafić z powodu kalectwa. Ale nie można przez całe życie ciągle się spodziewać, że upadniesz albo ktoś cię popchnie; strach wkrótce się wyczerpie. Po czterdziestu latach udanego życia w ślepocie Julian nie czuł się niezniszczalny, ale stosunkowo bezpieczny, i uwierzył, że najgorsze, co miało go spotkać, spotkało go już w wieku jedenastu lat.

Nagle włosy mu się zjeżyły i poczuł zimno na karku. Okazało się, że strach przez cały czas czekał w pogotowiu. Kłótliwe głosy nabrały groźnych tonów i znowu wydawały się szokująco bliskie, na wyciągnięcie ręki. Julian sięgnął przed siebie i odkrył, że wcale nie stoi na środku pokoju, ponieważ dotknął ściany.

Tynk wibrował w rytmie słów gniewnego chóru, jakby głosy dochodziły z wnętrza ściany.

—

Sally Hollander

Wolna od wszelkich emocji, ciągle leżała na podłodze kuchni. W mrocznym podwodnym pejzażu jej umysłu rozkwitały oderwane obrazy z gasnącej tożsamości. Zdawało jej się, że leży na dnie stawu i patrzy w górę przez warstwy wody na nocne niebo, a obrazy powstają z grubych kropel światła, spadających jak przelotny deszcz. Każda kropla rozpływała się na kolory i sceny, kiedy uderzała w powierzchnię stawu; każda scena migotała przez chwilę niczym odwrócone malowidło na szkle, zanim wykrwawiła się w ciemność. Twarze, które Sally znała, ale nie potrafiła już przydzielić im imion, okolice, które rozpoznawała, lecz nie umiała nazwać, chwile z utraconego czasu, sprzed godziny, tygodnia czy dziesięciu lat, przepływały jedna za drugą przez ten zatopiony staw, z początku barwne, później w czerni, bieli i odcieniach szarości.

Kiedy tonęła w mule i szlamie miejsca swojego ostatniego spoczynku, kiedy odbarwione strzępki niknącej świadomości traciły kształt, nagle ogarnęła ją rozpaczliwa tęsknota, dojmujący żal za tym, czego już nie pamiętała, co wymykało się jej na zawsze, a potem żarliwa miłość do światła, do życia, do dźwięków, smaków, zapachów, widoków i faktur szorstkich lub gładkich. Te płomienne uczucia wzbierały, aż zdawało się, że ją rozerwą — ale potem odeszły.

Nie czuła już nic. Wypełniła ją ciemność, bez pragnień, bez znaczenia. Po chwili pojawiła się jedna jedyna potrzeba: zabijać. Sally nie była już kobietą, tylko stworzeniem bez płci i przeszłości, przemienionym przez smukłego szarego napastnika w następne z jego gatunku, z jedną tylko nazwą: Pogromit. Stworzenie wstało. Pobiegło. Szukało.

Bailey Hawks

Z progu łazienki Bailey patrzył, jak serpentynowy organizm pulsuje w sposób, który Kirby Ignis określił jako „perystaltyczny". W promieniu latarki pulsowanie przyspieszyło i kępki dzwoniastych grzybów również się ożywiły. Pomarszczone formacje na czubkach, które Baileyowi skojarzyły się z otworami sakiewek ściąganych sznurkiem, zaczęły się rozszerzać i zsuwać z kapeluszy. Teraz grzyby wyglądały jak nabrzmiałe fallusy, które rozpychają napletki w namiętnym dążeniu do wytrysku.

Bailey i Kirby jednocześnie zrozumieli implikacje tego odsłonięcia.

— Do tyłu — rzucił Bailey.

— Wypuści spory — ostrzegł Kirby.

Szybko cofnęli się z progu łazienki przez sypialnię do otwartych drzwi, gdzie zatrzymali się, żeby sprawdzić, czy grzybnia odklei się od ścian i popełznie za nimi. Albo nie posiadała zdolności ruchu, albo nie była w nastroju do polowania, ponieważ nic nie wypełzło ze słabo oświetlonej łazienki.

Na korytarzu Bailey zamknął drzwi apartamentu. Żałował, że nie może ich zamknąć na klucz albo zablokować krzesłem. Nie mógł liczyć na to, że w pustych pomieszczeniach Pendletona, najwyraźniej opróżnionych dawno temu z niewiadomych przyczyn, znajdą gwoździe i młotki albo inne narzędzia, którymi zabiją na głucho pokoje, żeby uwięzić tam potwory albo schronić się przed nimi w bezpiecznej kryjówce.

Tom Tran

Pulsujący mętnym wewnętrznym blaskiem stwór przypominał ogromną zmutowaną bulwę, która wyrosła w radioaktywnej glebie, wyhodowała liczne gąbczaste płaty obmierzłego cielska i początkowo żywiła się minerałami w ziemi, a potem robakami i owadami, których DNA włączała do swojej struktury, aż w końcu wykształciła segmentowany owadzi odwłok, wypuściła odnóża, groźne kleszcze i zrogowaciałe żuwaczki, żeby gryźć i rozdzierać ofiary. Może to była jakaś obca forma życia, która spadła na Ziemię w kokonie, w meteorycie. Od początku posiadała świadomość albo stopniowo stała się świadoma; żyła pod powierzchnią jak pająk podkopnik, wciągała w pułapkę nieostrożne szczury, króliki, psy i nawet dzieci, zwłaszcza dzieci, aż jej legowisko zmieniło się w masowy grób, żywiła się nimi, czerpała z ich DNA coraz bardziej wyrafinowane wzorce myślenia i wreszcie wylazła na powierzchnię w Bóg wie jakim celu.

Znowu wrzasnęła tym piskliwym głosem rozgniewanego, udręczonego dziecka. Tom nie potrafił odczytać jej zamiarów z tych trojga świetlistych srebrnych oczu, ale dostrzegł w nich ten sam głód, który słyszał w przenikliwym głosie.

Asymetryczna budowa bestii i dziwaczny miszmasz cech pochodzących zapewne od wielu gatunków sugerowały, że w najlepszym razie jest tylko połowicznie sprawna, niezręczna z natury, niezdarna w działaniu. Tom rozważał pomysł, żeby wybiec jej na spotkanie, wyminąć ją, zboczyć ze ścieżki i umknąć na przełaj przez splątaną roślinność do wschodniej bramy. Znowu był chłopcem, rączym jak górski wiatr, bo strach cofnął go do czasów dzieciństwa, kiedy był mały, słaby i bezradny, ale nadrabiał to szybkością, sprytem i wytrzymałością. Zanim jednak zdążył zrobić krok, stwór rzucił się do przodu, sycząc i dysząc, zmniejszając dystans z dziesięciu do pięciu metrów, szybciej niż spłoszony krab. Potem zatrzymał się i patrzył, jakby Tom stanowił dla niego równie dziwny widok co on dla Toma.

Tom nie słyszał odsuwania zasuwy za plecami, nie słyszał otwierania drzwi. Krzyknął z przerażenia, kiedy coś złapało go z tyłu za ramię, prędzej gotów uwierzyć w atak następnego okropieństwa niż w szansę ratunku. Szybka kanonada uderzeń serca huczała mu w uszach tak głośno, że ledwie słyszał słowa

Padmini Bahrati: „Prędko! Do środka!". Ale usłyszał ją, odwrócił się, skoczył obok niej do środka.

Padmini zatrzasnęła ciężkie drzwi i przekręciła uchwyt zasuwy.

Tom obejrzał się na dziedziniec i poczuł nieopisaną wdzięczność, że te oszklone drzwi zrobiono z brązu, nie z drewna, ponieważ książę piekieł był tuż-tuż. Z bliska nie wyglądał jak gąbczasta bulwa, tylko jak zlepek odsłoniętych narządów i wnętrzności, jakby go wywrócono na lewą stronę. Wszystkie bulwiaste części ciała ociekały rzadkim białawym płynem i błyszczały w żółtym świetle, które przenikało przez szyby.

Srebrzyste oczy wpatrywały się w Toma, żuwaczki pracowały, jakby bestia chciała go posmakować. Przyszło mu do głowy, że ciemniejsze kształty wewnątrz półprzezroczystego cielska, te nieprzejrzyste grudy, to mniejsze stworzenia pożarte przez bestię w całości, spoczywające w jej trzewiach niczym splątane ciała w masowym grobie opodal Nha Trang. Właśnie taki potwór mógł zbudzić się do życia — albo animowanej antytezy życia — zagrzebany głęboko w ludzkim kompoście i ściółce wietnamskiej dżungli, potwór, który nigdy się nie narodził, tylko uzyskał świadomość wśród ciemności, rozkładu i ciepła wytwarzanego przez gnicie, przybierając stosowną do horroru Nha Trang symboliczną postać. W końcu przybył po Trana Van Lunga, znanego tutaj jako Tom Tran, obecnie w wieku czterdziestu pięciu lat, który jako dziesięcioletni chłopiec widział tę rzeźnię na otwartym powietrzu, tysiące rozstrzelanych kobiet, mężczyzn i dzieci w naturalnym zagłębieniu stawu, skąd dawno spuszczono wodę, jeszcze niezasypanego grubą kołdrą ziemi. Razem z ojcem szybko obszedł krawędź tej ohydnej dziury i bezpiecznie schronili się wśród drzew, zanim władze wróciły z buldożerem, zbyt niecierpliwe, żeby go sprowadzić, zanim zaczęło się zabijanie. Za plecami Toma i jego ojca dżungla stała upiornie cicha nad grobem, niemy zielony świadek.

— Nawet nie próbuje się dostać do środka — zauważyła Padmini.

Wbrew obawom Toma bestia nie rzuciła się na drzwi ani nie rozbiła szyby kleszczami.

— Dlaczego nie próbuje? — zdziwiła się Padmini.

Potwór zawrócił od drzwi i oddalił się krętą ścieżką.

— Więc jednak to nie Nha Trang — stwierdził Tom.

— Co?

— Nha Trang nigdy nie przestanie mnie prześladować.

Zadrżał gwałtownie. Chociaż bał się trochę mniej i serce waliło mu nie tak mocno, przeszedł go zimny dreszcz, nagły jak sopel lodu spadający z okapu.

—

Doktor Kirby Ignis

Déjà vu nie opisywało tego wrażenia. Kirby nie czuł się tak, jakby był tu wcześniej, w tych okolicznościach, w tym Pendletonie z przyszłości. Jednak ta sytuacja, chociaż niezwykła, nie wydawała mu się całkowicie obca i niezrozumiała. Rzeczy, które widział, dziwiły go, ale jakoś nie szokowały. Chociaż ten świat uległ radykalnym i osobliwym zmianom, nadal był jakby znajomy, a jeśli nie znajomy, to możliwy do wytłumaczenia. Kirby nie potrafił jeszcze tego wyjaśnić, ale czuł w swoim wnętrzu rosnące zrozumienie, powoli budowaną rafę koralową teorii, jeszcze niewidoczną, ale wynurzającą się niepowstrzymanie. Chaos mógł być tylko pozorny, logiczna przyczyna historyczna i racjonalny porządek tylko czekały na ujawnienie.

Kirby i Bailey zostawili kobiety i dzieci z jednym pistoletem i jedną latarką w apartamencie sióstr Cupp. Spotkanie z wytwarzającą zarodniki kolonią grzyba w łazience Kinsleya dowiodło, że nadejdą chwile, kiedy szybka reakcja będzie warunkiem przeżycia, a ekipa poszukiwaczy byłaby im liczniejsza, tym powolniejsza.

Weszli do południowego skrzydła drugiego piętra przez tylne drzwi apartamentu sióstr Cupp. Telewizor zawieszony pod sufitem w rogu, gdzie długi korytarz łączył się z krótkim, nie pulsował błękitnym światłem. Ekran był roztrzaskany. W płytkim kineskopie egzystowała kolonia świecących grzybów — widomy znak, że ten monitor od dawna nie działał.

Po lewej stronie drzwi windy stały otworem. Wnętrze z nierdzewnej stali błyszczało w błękitnym świetle. Dla Kirby'ego Ignisa pusta kabina wyglądała na zaproszenie. Wziąwszy pod uwagę przeżycia Winny'ego oraz jego własne spotkanie z zakrwawionym kamerdynerem, który wyszedł z północnej windy z 1935 roku, krótko przed tym skokiem w przyszłość, na razie wolał korzystać ze schodów.

Górne piętro dwupoziomowego apartamentu Gary'ego Daia znajdowało się zaraz po prawej stronie, naprzeciwko południowej windy. Drzwi były wyłamane. Leżały tuż za progiem, popękane i pokryte nienaruszoną warstwą kurzu; zawiasy w ościeżnicy były wygięte, na wpół wyrwane z drewna. W roku 2011 Gary był w Singapurze, więc skok nie przeniósł go razem z pozostałymi mieszkańcami do tego Pendletona.

345

Niemniej zajrzeli na górne piętro apartamentu 2-B, gdzie również królowały świecące grzyby.

— Jest tam kto? — wołał kilkakrotnie Bailey, kiedy przechodzili z przedpokoju do salonu.

Te słowa odbijały się echem w innych pokojach i po wewnętrznych schodach docierały na dolny poziom, ale nikt nie odpowiedział.

Za oknami na zachodzie rozciągała się równina porośnięta hipnotycznie falującą, świetlistą trawą. Czarne sękate drzewa tworzyły kręgi, oświetlone księżycem, ale również podświetlone od dołu przez fosforyzującą trawę. Niepokojący, lecz niewątpliwy urok tego świata wydawał się z gruntu odmienny niż piękno świata, który tu przeminął.

Piękno jest prawdą, prawda — pięknem. Filozofowie od wieków powtarzali, że piękno jest dowodem istnienia wyższego planu, ponieważ istoty żywe mogłyby funkcjonować równie dobrze, gdyby były brzydkie; gdyby zwierzęta — włącznie z człowiekiem — były zwykłymi maszynami z mięsa, a rośliny maszynami z celulozy i chlorofilu, tworami ślepej i bezmyślnej Natury, gdyby krajobrazy zostały wyrzeźbione przez procesy geologiczne bez udziału Wielkiego Inżyniera, nie musiałyby cieszyć oka, co znaczyło, że piękno jest łaską, darem dla świata.

Kirby nie interesował się tym zagadnieniem na tyle, żeby wyrobić sobie własną opinię na temat związku pomiędzy pięknem a boskością świata, który opuścił. Lecz kiedy wyglądał przez okna apartamentu Gary'ego Daia, odniósł wrażenie, że w tym świecie rzeczy przyjemne dla oka nie są dobre ani prawdziwe, tylko złe i oszukańcze. Urok tego pejzażu nie

polegał na harmonii, której brakowało, lecz na tajemnicy i prze-
czuciu, że tam może się kryć wszystko, że tam wszystko może
się zdarzyć — i to przemawiało do dzikiej strony ludzkiej
natury, tłumionej w starym świecie ze względu na dobro cywilizacji. Tutaj nie było cywilizacji, tylko jądro ciemności,
ogromne i nieodparcie pociągające, kuszące, ponieważ obiecywało surową, brutalną moc, ponieważ obiecywało wolność
szaleństwa, ponieważ obiecywało śmierć bez konsekwencji.

Rytmiczne falowanie świetlistej łąki za oknem na pozór
zapowiadało mistyczne doznania, jednak Kirby podejrzewał,
że spacer po tej trawie zakończyłby się szybko i wyjątkowo
okrutnie.

Pomimo dobrotliwej aparycji był weredykiem i uważał, że
ludzie — nie każdy osobnik, ale gatunek jako całość — są
krańcowo głupi, chciwi, zazdrośni i samolubni. Większość
kochała władzę, przemoc, grabieżców i wyzyskiwaczy. Kirby
często myślał, że świat byłby lepszym miejscem, gdyby najbardziej inteligentnymi ziemskimi formami życia były psy.
Nie żałował, że miasto znikło, ponieważ nawet najpiękniej-
sze miasta wyglądały dobrze tylko z daleka, a z bliska budziły odrazę. Jednak to był świat bez miast, bez ludzi i niewątpliwie bez psów oraz innych niewinnych stworzeń, świat
nie przywrócony do rajskiego stanu, tylko skażony i wypa-
czony.

— Chyba nie musimy sprawdzać każdego pokoju — powiedział Bailey. — Gdyby ktoś tu był, toby się odezwał.
Znajdziemy najwyżej jakąś następną atrakcję z gabinetu grozy,
a dla samego dreszczyku nie warto ryzykować.

Kiedy wyszli z apartamentu Gary'ego Daia, nadal czekała

na nich pusta, otwarta kabina windy, lecz teraz dochodziły z niej — albo raczej z szybu — głosy mamroczące w obcym języku. Brzmiały dokładnie tak, jak Bailey je opisał: naglące, groźne, złowieszcze. W świecie przeszłości język stanowił wyłącznie ludzkie narzędzie, jednak Kirby podejrzewał, że te głosy nie należały do ludzi.

Skręcili za róg, w długi południowy korytarz. Na drugim końcu pulsował błękitny ekran, chociaż żaden komputerowo symulowany głos nie podniósł alarmu.

Po lewej stronie znajdowały się dwa apartamenty. Pierwszy należał do Maca i Shelly Reevesów. Kirby rzadko miał czas słuchać radia, ale przy kilku okazjach natrafił na audycję Reevesów i okazała się zabawna.

Drzwi stały otworem. Pierwsze dwa pokoje wyglądały na równie zapuszczone jak reszta budynku. Nikt nie odpowiedział na wołanie Baileya.

— Może byli w kinie albo na kolacji, kiedy nastąpił przeskok — powiedział Kirby.

— Miejmy nadzieję, dla ich dobra.

Kiedy podeszli do drzwi apartamentu 2-H, należącego do Fieldinga Udella, błękitny ekran przemówił:

— *Dwóch dorosłych płci męskiej. Na górze. Drugie piętro. Południowy korytarz. Eksterminować. Eksterminować.*

Za przykładem Mickeya Dime'a Bailey strzelił w ekran.

— Jakiś system bezpieczeństwa? — zastanawiał się Kirby.

— Chyba tak.

— Po co system bezpieczeństwa w opuszczonym budynku?

— Nie mam pojęcia.

— Myśli pan, że ktoś jeszcze odbiera zgłoszenia?

— Na razie powiedziałbym, że nie. Na razie.

Drzwi do mieszkania Fieldinga Udella były zamknięte na klucz. Dzwonek nie działał. Bailey zapukał głośno. Nikt nie otworzył. Bailey krzyknął przez drzwi:

— Panie Udell? Panie Udell! Tu Bailey Hawks. Mieszkam w 1-C. — Odczekał chwilę. — Panie Udell, wszyscy zbieramy się w apartamencie sióstr Cupp, żeby przetrzymać to razem.

Odpowiedziała mu tylko cisza.

— Może on też był poza budynkiem, kiedy to się stało — zauważył Kirby.

— On rzadko wychodzi z mieszkania.

— Chce pan wyważyć drzwi, żeby sprawdzić, czy nic mu nie grozi?

Bailey zastanawiał się przez chwilę.

— Zna pan tego faceta?

— Wpadłem na niego raz czy dwa.

— Jest dość ekscentryczny.

— Ekscentryczny to mało powiedziane — zgodził się Kirby.

— Może akurat trzymał pistolet, jak ja i Martha, kiedy nastąpił przeskok? Jeśli wyważymy drzwi, Udell to taki typek, że gotów postrzelić mnie albo siebie, albo nas obu.

Ruszyli do południowych schodów na zachodnim końcu korytarza i zeszli na pierwsze piętro.

Świadek

Stał w pokoju, który dawniej był biblioteką albo gabinetem, po jednej stronie otwartych drzwi do salonu, i słuchał, jak kobiety dodają sobie nawzajem odwagi.

Przez komunikator systemu bezpieczeństwa w prawym uchu słyszał każdy alarm i wezwanie do eksterminacji. Dawno temu przez pewien okres osobiście dokonywał koniecznych zabójstw. Nieliczni twardzi osobnicy, którzy przeżyli Pogrom, a następnie Zanik, z reguły szukali schronienia w Pendletonie, ponieważ tylko ten jeden budynek zachował mniej więcej znajomą formę w zmienionym świecie. Lecz te mury były dla nich pułapką. Świadek wywierał dobre wrażenie na obdartych i zmęczonych niedobitkach, ponieważ wyglądał jak oni, nie jak Pogromity. Niegdyś wielomilionowa armia Pogromitów skurczyła się w tamtych czasach do kilku, ponieważ masakrowali długo i dobrze, i w rezultacie zabrakło im pracy uzasadniającej ich dużą liczebność. Świadek witał ludzi, którzy uciekli przed Pogromem, zapraszał ich do swojej rzekomej fortecy, a kiedy nabrali do niego zaufania, zabijał ich bezlitośnie.

Przez wiele lat żaden niedobitek nie trafił do budynku, więc Świadek już nie zabijał. Od dawna jedynym jego zadaniem była rola świadka, samotnego depozytariusza historii świata sprzed Pogromu i kustosza tego szacownego budynku.

Zważywszy na jego samotność i straszliwy, niesłabnący ciężar wiedzy, świadomość, jak wyglądał niegdyś świat, i codzienne postrzeganie obecnego świata, chyba należało się po nim spodziewać zmiany. Stopniowo ogarnęło go głębokie poczucie straty. Wezbrało w nim coś jakby skrucha, a nawet żal.

Sto szesnaście dni wcześniej melancholijna rutyna jego izolowanej egzystencji została zakłócona. Zaczęły się pierwsze fluktuacje, te niewytłumaczalne przebłyski dawnego Pendletona z 1897 roku, stojącego wysoko na wzgórzu, ale w mniejszej wersji miasta, które później się rozrosło. Fluktuacje trwały przez dwa dni i przez ulotne mgnienia teraźniejszość oraz pewien moment z przeszłości zajmowały ten sam punkt w kontinuum czasu.

Potem nastąpiła tranzycja i przerzuciła Andrew Northa Pendletona, jego żonę i dwójkę dzieci do tej bezlitosnej przyszłości, gdzie wszystkie nieustannie mutujące gatunki specjalizowały się w zabijaniu, do świata wiecznej drapieżnej przemocy.

Świadek nie zamordował żony i dzieci Pendletona. Jedyny Pogromit pozostały w tym rejonie, może na całym świecie, zaatakował małą Sophię. Wykonał pierwsze paraliżujące ugryzienie oraz wstrzyknięcie, które zapoczątkowało destrukcję tej rodziny. Inne zagrożenia sprawiły, że kiedy tranzycja się odwróciła, tylko ojca przeniosła z powrotem do 1897 roku, gdyż tylko ojciec pozostał przy życiu.

Świadek wiedział teraz z doświadczenia, że te tajemnicze zjawiska zachodziły co trzydzieści osiem lat w przeszłości, poczynając od grudnia 1897 roku. Co dziwne, dla niego pomiędzy tymi wydarzeniami mijało trzydzieści osiem dni, na tym końcu podróży. Czas rozdzielający te incydenty w przeszłości nie pozwalał ludziom dostrzec wzorca. Lecz dla Świadka krótsze interwały oznaczały poczucie narastającego przyspieszenia.

Trzydzieści sześć dni po tranzycji rodziny Pendletonów ponownie zaczęły się fluktuacje, a trzydzieści osiem dni po Pendletonach na ten niegościnny brzeg zostali wyrzuceni Ostockowie razem ze służbą. Po kolejnych trzydziestu ośmiu dniach z przeszłości przybył samotnie oszołomiony mężczyzna nazwiskiem Ricky Neems, robotnik budowlany z 1973 roku, którego szybko spotkał okropny koniec.

Każda grupa przeniesiona z wcześniejszej epoki, przynajmniej ci, którzy przeżyli, spędziła w tej przyszłości o trzydzieści osiem procent mniej czasu niż poprzednicy. Martwi pozostali tu na zawsze. Andrew Pendleton z rodziną byli tu najdłużej, przez trzysta osiemdziesiąt minut. Ostockowie cierpieli przez jakieś dwieście trzydzieści pięć minut, trzydzieści osiem procent krócej. Tranzycja, podczas której zginął Ricky Neems, trwała przez jakieś sto czterdzieści sześć minut. Jeśli wzorzec się utrzyma, obecni podróżnicy utkną tutaj na dziewięćdziesiąt koma sześć minut, czyli sześćdziesiąt dwa procent ze stu czterdziestu sześciu i jednej dziesiątej. Świadek nie rozumiał periodyczności ani znaczenia liczby trzydzieści osiem, ale znał długość każdej tranzycji, ponieważ z natury potrafił mierzyć upływ czasu jak najdokładniejszy zegar.

Tak samo nie znał przyczyn tego zjawiska i nie wiedział, czy było naturalne, pozbawione znaczenia, czy krył się za nim jakiś cel. Jeżeli Pendletona przypadkiem zbudowano na uskoku czasoprzestrzennym, wszystko było zbiegiem okoliczności. Ale przypadek czy nie, działały tu siły przekraczające rozumienie Świadka, tak potężne, że mogły złożyć czas i złączyć ze sobą oddzielne epoki, chociaż prawa fizyki wykluczały taką możliwość — przynajmniej to, co uważano za prawa fizyki.

Wrażenie narastającego przyspieszenia kazało mu się spodziewać rychłego apogeum, nie zwykłego zakończenia tych zjawisk, tylko jakiegoś niewyobrażalnego ukoronowania. Zapewne przemoc, na którą patrzył tak długo, i zniszczenie światowej cywilizacji ukształtowały jego oczekiwania, wierzył jednak, że kiedy nadejdzie koniec tych tranzycji, nastąpi kataklizm gorszy od wszystkiego, co dotąd widział.

Stojąc w opuszczonej bibliotece i słuchając kobiet w sąsiednim pokoju, myślał, że bardzo by je polubił, gdyby je poznał lepiej. I tak je trochę lubił, na tyle, że nie życzył im śmierci, chociaż miały nikłe szanse, żeby przeżyć najbliższe dziewięćdziesiąt minut. Nie zamierzał ich zabić, ale nie mógł też ich uratować.

—

Tom Tran

W zachodnim korytarzu na parterze Tom całował Padmini po rękach, dziękując jej wylewnie za ocalenie przed pomiotem masowego grobu w Nha Trang czy cokolwiek to było. Nazwała to rakszasa, co oznaczało rasę demonów, goblinów. Tom niewiele wiedział o hinduizmie, uznał jednak, że to nazwa równie dobra jak każda inna.

— *Baba* — zapytała — co się stało? Czy wiesz, dlaczego wszystko się zmieniło?

Wyjaśniła, że „*baba*" to pieszczotliwe określenie, jakim zwracano się w Indiach do dzieci i starszych osób. Dwukrotnie od niej starszy, chociaż liczący sobie dopiero czterdzieści sześć lat, Tom Tran się nie obraził. Niekiedy myślał o Padmini jak o córce, której nigdy nie miał. Zresztą była tak miła, że nawet najgorszy zrzęda nie mógł do niej żywić niechęci.

— Według mojego doświadczenia — powiedział Tom, puszczając jej ręce — świat od czasu do czasu popada w szaleństwo, ale nie szaleństwo tego rodzaju.

— Zamknęłam na klucz główne drzwi od ulicy — oznajmiła.

— Dobrze, dobrze. — Obejrzał się na dziedziniec za oszklonymi drzwiami, gdzie rakszasa zniknął za wałem dziwacznej roślinności.

— Chciałam zejść na dół do ochrony, zapytać, czy coś wiedzą.

— Tak — mruknął Tom, powoli odzyskując panowanie nad sobą. — Tak powinniśmy zrobić.

Razem pospieszyli niewytłumaczalnie brudnym i słabo oświetlonym korytarzem w stronę południowych schodów. Tom zauważył, że wysoko na ostatniej ścianie wisi telewizor o wymiarach trzydzieści na trzydzieści centymetrów, którego przedtem tam nie było. Wspornik częściowo się oderwał i telewizor zwisał krzywo, z ciemnym ekranem.

Kiedy podeszli do drzwi klatki schodowej, otworzyły się i na korytarz wyszedł Silas Kinsley z pistoletem w jednej ręce i latarką w drugiej.

— Panie Kinsley — powiedziała Padmini — świat zwariował, *khiskela*, wszystko stanęło na głowie.

— Tak, wiem — przyznał prawnik. — Co widzieliście?

— Demony — odparł Tom i zastanowił się, dlaczego Silas Kinsley wcale nie wydawał się zdziwiony.

Padmini oznajmiła:

— Szliśmy na dół do ochrony, zapytać, czy Vernon Klick coś wie.

— On nie żyje — poinformował ich prawnik. — Pokój ochrony nie jest taki jak przedtem. Nie mamy tam czego szukać.

—

Iris

Jest ich zbyt wielu i mówią wszyscy jednocześnie, i mają za dużo do powiedzenia. Iris nie potrafi utrzymać wokół siebie lasu i podążać ścieżką Bambiego w takim hałasie. Głosy brzęczą dookoła, brzęczą. Nie tylko słyszy głosy, lecz także czuje, jak wgryzają jej się w uszy, głosy z małymi ostrymi ząbkami, teraz już nie łagodne, tylko szorstkie i niespokojne. Słowa ją duszą, słowa niczym sznur zaciśnięty na szyi, tak jak wnyki o mało nie udusiły przyjaciela zająca, więc coraz trudniej jej oddychać. Starsza pani ma broń, a broń jest zła. Myśliwy zabił Gobo, przyjaciela Bambiego, zranił Bambiego w łopatkę, tyle krwi, Bambi chciał się położyć i zasnąć, po prostu spać, tylko że sen oznaczał śmierć.

Iris przez jakiś czas zakrywa uszy rękami, ale potem boi się, że nie usłyszy krzyku sójki. Musi go usłyszeć, bo sójka swoim krzykiem ostrzega cały las, kiedy niebezpieczeństwo jest blisko, kiedy myśliwy wchodzi pomiędzy drzewa.

Nie śmiejąc podnieść wzroku, żeby nie przytłoczył jej widok tych wszystkich mówiących ludzi, wiedząc, że wszystko jest zmienione, nic nie jest takie, jak powinno, wbija wzrok w podłogę. Spuściła głowę, skrzyżowała ramiona na piersi, schowała dłonie pod pachy i stara się zajmować jak najmniej miejsca w nadziei, że nikt jej nie zauważy.

Koty znowu krążą po podłodze, nikt ich nie głaska. Iris patrzy na koty, bo kojarzą jej się ze zwierzętami w lesie. Wspomina cudowne łanie, jak Falina, ciotka Ena, ciotka Netta i Marena. Czuje się spokojniejsza, kiedy o nich myśli.

Jeden z kotów narusza jej spokój. Przygląda jej się z bliska i jego pomarańczowe oczy są zmienione, całkiem czarne, jak kałuże atramentu. Kot porusza się inaczej niż przedtem, wolniej, bez wdzięku, jakby był chory. Wzdryga się i odsuwa od niej. Drugi kot pojawia się w jej polu widzenia, on też ma dziwne czarne oczy. Otwiera pyszczek, w którym coś się wije, jakby kot złapał mysz o sześciu ogonach, szare ogonki pełzają po jego zębach.

Nie ma już lasu i nigdy nie będzie w tym pokoju, ponieważ tu jest za dużo głosów i za dużo zmian, wszystko jest inne, nawet koty, nic nie jest normalne i bezpieczne. Trzeba znaleźć las gdzie indziej, daleko od niespokojnych głosów i wyszczerzonych kotów.

Szybko jak przyjaciel zając, szybciej nawet niż wiewiórka, Iris wymyka się z pokoju przez łukowe przejście, próbując zobaczyć młode buki i nawłoć, olchę i tarninę, szukając bezpiecznej polanki, gdzie splecione gałązki derenia, kolcolistu i leszczyny przesiewają słońce jak złota siatka, bezpiecznej i ukrytej polanki, gdzie urodził się Bambi.

—

Bailey Hawks

Nie przeszukali starannie pierwszego piętra, tylko zrobili szybką rundę. Na tym piętrze mieszkali Bailey, Twyla, Winny, Sparkle, Iris i Kirby, wszyscy obecni. Według Sparkle jej najbliżsi sąsiedzi, Shellbrookowie z 1-H, byli na wakacjach, podobnie jak Cordovanowie z 1-E. Apartament 1-I był pusty i wystawiony na sprzedaż. Rawley i June Tullisowie z 1-D, właściciele restauracji Topper's, pracowali do późna; oboje byli poza domem, kiedy nastąpił przeskok.

Bailey zawołał kilka razy, ale nie otrzymał odpowiedzi.

Razem z Kirbym zeszli północnymi schodami na parter, gdzie przy drzwiach westybulu zobaczyli trzy osoby idące korytarzem w ich stronę. Bailey rozpoznał Padmini Bahrati, a potem Toma Trana i Silasa Kinsleya w przeciwdeszczowym płaszczu.

Cała piątka spotkała się przed toaletami, z których korzystali głównie goście podczas przyjęć w sali bankietowej. Tam świecące grzyby przypomniały Baileyowi lampki oliwne z soczewkami z miki, rzucające odblaski na piaskowcowe ściany pewnej pustynnej groty w Afganistanie, gdzie talibowie mieli tajny skład broni. Pomyślał, że to nie jest zwykła przygoda z podróżą w czasie, tylko również długotrwała wojna, w którą zostali wciągnięci. Nikt z nich jeszcze tu nie zginął, o ile Bailey wiedział, ale działania wojenne mogły się rozpocząć w każdej chwili. Sądząc po udręczonym wyrazie ich twarzy, Padmini, Tom i Silas czuli to samo.

Winny

Nie zdawał sobie sprawy, że Iris wyszła, dopóki nie spojrzał w jej stronę. Zobaczył ją za łukowym przejściem, na drugim końcu przyległego pokoju, ciemną figurkę sunącą przez welony upiornie żółtego światła.

W książkach, które Winny czytał, z reguły występował bohater, czasami więcej niż jeden. Oczywiście Winny identyfikował się z bohaterem, nie z czarnym charakterem. Łatwo być czarnym charakterem, ale bohaterem trudniej. Już od pewnego czasu Winny zdawał sobie sprawę, że droga do sukcesu i szczęścia zawsze jest trudniejsza. Jego mama uwielbiała pisać piosenki, ale stworzenie tekstu i melodii nie przychodziło łatwo.

Pracowała przez długie godziny, komponowała, wygładzała. Ale była szczęśliwa i odnosiła sukcesy. Na swój sposób kwalifikowała się na bohatera. Ojciec Winny'ego, Farrel Barnett, właściwie nie był złoczyńcą. Nie podpalał kościołów, nie dręczył szczeniaków i nie zarąbywał staruszek siekierą. Ale nie można było również nazwać go bohaterem, bo za często szedł na łatwiznę. Dużo łatwiej jest przespać się z każdą laską, która do ciebie mrugnęła, niż dochować wierności żonie. Winny czasami widział, jak ojciec upijał się z kumplami. Nawalić się jest najłatwiej ze wszystkiego. I wyszydzać syna przy ludziach, że jest za mało męski... to też jest łatwe. Trudno jest znosić szyderstwa z uśmiechem. Wysłać odbitkę swojego najnowszego reklamowego zdjęcia jest dużo łatwiej, niż przyjechać w odwiedziny do syna i może zabrać go do parku rozrywki. Tato Winny'ego nie był do końca czarnym charakterem, ale trochę się przechylał na ciemną stronę. Kto raz tam stąpnął, łatwo mógł się stoczyć dużo niżej. Winny nie chciał iść na łatwiznę, bo chciał być szczęśliwy. Pomimo sławy, bogactwa i uwielbienia milionów fanów Farrel Barnett nie był szczęśliwy. Winny widział, jaki ojciec jest nieszczęśliwy, jaki smutny, gniewny i przestraszony. Zawsze się obawiał, że tato źle skończy, i nie chciał na to patrzeć. Nie mógł mu poradzić, żeby wybierał trudne drogi zamiast łatwych, bo nie chciał wylądować twarzą w klozecie. Pewnego razu kumpel od kieliszka pokłócił się z Farrelem, obaj kompletnie napruci, i Farrel wepchnął biedakowi głowę do muszli klozetowej. Na szczęście wcześniej spuścił wodę. Winny nie mógł uratować ojca. Mógł tylko unikać łatwizny, podejmować trudne wyzwania i nie tracić nadziei.

Z tych powodów pobiegł za Iris, kiedy znikła za drzwiami

na drugim końcu sąsiedniego pokoju. Oczywiście jeszcze nie został bohaterem tylko dlatego, że zrobił trudną rzecz. Bohaterowie zajmowali miejsce na szczycie tysiącmetrowego urwiska, a on był na dole i dopiero zaczął się wspinać. Przede wszystkim bohater musiał być nie tylko odważny, lecz także mądry. Mądrze byłoby ostrzec pozostałych, że Iris ucieka, ale nie pomyślał o tym, dopóki nie wbiegł do sąsiedniego pokoju. Potem, zanim zdążył się odezwać, jego mama, pani Sykes i dwie starsze panie krzyknęły jednocześnie. Po drugie, mądry bohater niczego nie zakłada z góry, polega tylko na faktach, ale Winny założył — głupi, głupi — że krzyczą na niego i na Iris, że ich gonią. Biegł dalej, przemknął przez drugi pokój, wypadł do przedpokoju i zobaczył, że Iris przeciska się przez wahadłowe drzwi. Popędził za nią do kuchni, do pralni i przez tylne drzwi apartamentu wyskoczył na krótki zachodni korytarz na południowym końcu drugiego piętra.

Iris zniknęła. Niewiele go wyprzedzała. Gdyby skręciła za róg na długi południowy korytarz, słyszałby jeszcze jej kroki. Cisza.

Po lewej stronie znajdowała się winda, z której Winny wcześniej ledwie uciekł. Jeśli Iris weszła do czekającej kabiny, pewnie już jadły ją robaki.

Po prawej stronie znajdowało się wejście do apartamentu Gary'ego Daia. Drzwi zostały wyłamane, ale już dość dawno.

Nagle popłynął stamtąd głos, wysoki i słodki, dziewczęcy, pewnie głos Iris, chociaż Winny nigdy przedtem nie słyszał, żeby coś mówiła. Nuciła melodię, bez słów, tylko na-na-na, la-la-la i tak dalej. Zawołał ją głośnym szeptem, potem głośniej, ale nie odpowiedziała. Piosenka nie brzmiała wesoło, jak przy grze w klasy albo skakaniu przez skakankę. Gdyby ktoś poszedł za taką piosenką, mógł znaleźć dziewczynkę o zielonej, nadgniłej skórze, w zapleśniałej pogrzebowej sukience, z ziemią i drzazgami z trumny między zębami.

Nikt nie wyszedł za Winnym z mieszkania sióstr Cupp. Gdzie była mama? I pani Sykes?

Jeśli stawiasz sobie za punkt honoru robienie trudnych rzeczy, to jak już zaczniesz, nie możesz przestać, kiedy trudna rzecz stała się za trudna, kiedy mama już nie trzyma cię za rączkę. Jeśli wymiękniesz w takiej sytuacji, równie dobrze możesz sam wsadzić głowę do kibla.

Śpiew brzmiał jak głos dziewczynki, owszem, ale dziewczynki mającej złe zamiary, ponieważ wyczuwało się w nim wabiącą nutę, jak głos syreny przyzywającej głupich żeglarzy, żeby się rozbili na ostrych skałach. Winny nie był żeglarzem i był za młody, żeby się napalić na jakąś seksowną syrenę. A Iris z pewnością nie była syreną, tylko dziewczynką z zaburzeniami, która narażała się na śmierć. Winny w ułamku chwili zdecydował, że nie ma do czego wracać oprócz drużyny zapaśniczej w szkole Grace Lyman, saksofonu równie wielkiego jak on i muzycznej kariery. Przekroczył próg, wszedł na wyłamane drzwi, które zachybotały pod jego ciężarem, i śmiało ruszył w stronę grzybiczego światła, szukając śpiewaczki.

Sparkle Sykes

Dym i Popiół przedtem wyglądały prawie identycznie, różniły się tylko nieznacznie drganiem uszu, ubarwieniem futerka na piersiach. Lecz kiedy Edna zauważyła, co się z nimi dzieje, pozostałe kobiety też to zobaczyły w ułamku sekundy, jak tylko Edna wydała zdławiony okrzyk obrzydzenia, Dym i Popiół nawet już nie przypominały kotów, nie mówiąc o wzajemnym podobieństwie. Coś w nie wstąpiło i teraz się wyłaniało, a jednocześnie zdawało się zmieniać samą ich substancję. Przepoczwarzały się na różne sposoby, podobne tylko pod tym względem, że oba tworzyły zjeżone obrazy biologicznego chaosu: jaszczurka skrzyżowana z pająkiem, świński ryj, oczy jedno nad drugim, wargi nad pyskiem, kiełkujące drżące czułki, ogon skorpiona... Sparkle, chociaż poczytna powieściopisarka, nieczęsto widywała literaturę wcieloną w życie tak, jak dostrzegała życie w literaturze, ale to jej przypomniało niektóre dzieła Thomasa Pynchona, sześć gatunków w jednej książce, horror wyrastający na horrorze w gorączkowej ekstazie nihilistycznej ekstrawagancji.

Na dziesięć sekund zamarła, sparaliżowana widokiem nowych, ale nie lepszych kotów. Potem odwróciła się do Iris, wyciągnęła do niej rękę, chociaż dotyk mógł ją wprawić w panikę — ale dziewczynka zniknęła, jakby wyobraziła sobie las tak żywo, że przeszła przez magiczne drzwi do świata ukochanego jelonka. A razem z nią Winny.

Twyla odkryła nieobecność dzieci w tej samej chwili i kiedy kobiety wymieniły przerażone spojrzenia, iskra strachu przeskoczyła między ich oczami. Mikrosekundę później chciały zerwać się do biegu, wołać córkę i syna, rozpaczliwie przeszukiwać ten budynek zatopiony w czasie, ten zły dom, ale przywarły do siebie w siostrzanym odruchu obrony, kiedy nie-Dym i eks-Popiół wpadły w szał.

—

Julian Sanchez

Przez czterdzieści lat zawarł pokój ze ślepotą i ciemność stała się jego przyjaciółką. Bez rozpraszających wizualnych bodźców odbierał dobrą muzykę jak wspaniałą architekturę, przez którą wędrował. Audiobooki były światami, w których żył pełnią życia, niemal zostawiał tam swoje ślady. A kiedy rozmyślał nad sobą, życiem i tym, co przyjdzie potem, zapuszczał się głębiej niż większość ludzi widzących w te ciemności, gdzie odkrył niewidzialne światło, lampę, która nieomylnie wskazywała mu drogę przez lata.

Teraz, z uchem przyłożonym do tynku, słuchając złowrogich głosów w ścianach, Julian ufał, że ta lampa nie dopuści do rozkwitu jego strachu w całkowite przerażenie. Ignorancja jest matką paniki, wiedza — matką spokoju, więc musiał znaleźć sąsiadów, którzy wyjaśnią, co się dzieje.

Wymacał sobie drogę wzdłuż ściany do przedpokoju i frontowych drzwi, uchylonych, chociaż wcześniej zamknął je na klucz. Jeśli meble mogły zniknąć w okamgnieniu, jeśli czyste powierzchnie w sekundę mogły obrosnąć brudem, szkoda czasu na deliberowanie, jak zamek mógł się sam otworzyć.

Przedtem zawsze, kiedy wychodził z mieszkania, zabierał białą laskę, ponieważ nie znał całego świata równie dobrze jak własnych pokojów. Jednak laska już nie stała oparta o stolik w przedpokoju. Nie miało sensu szukanie jej na podłodze, ponieważ stolik również zniknął. Laska nie upadła ani jej nie przestawiono, tylko wyparowała razem z innymi sprzętami.

Głosy w ścianach umilkły, kiedy Julian przekroczył próg apartamentu. Korytarz wydawał się inny niż przedtem, goły i niegościnny. Julian zakładał, że stoliki, obrazy i chodnik zniknęły. Rywalizujące zapachy nakładały się na siebie: lekka, gryząca woń, której nie rozpoznawał, zjełczała nuta jakby oleju spożywczego wysychającego na powietrzu tak długo, że ściął się w rzadką maź, coś jak kruche, pożółkłe stronice starych książek, kurz, wilgoć... Przez chwilę czuł, że nie jest sam. Ale potem stracił pewność. Korytarz znowu wydawał się pusty. W tym obcym nowym środowisku nie mógł już polegać na swoim instynkcie ślepca.

Początkowo zamierzał skręcić w prawo i przejść na koniec północnego korytarza, do apartamentu C, gdzie mieszkała jego przyjaciółka Sally Hollander. O tej porze powinna być w domu. Apartament dzielący ich mieszkania nie miał lokatora, ponieważ właściciel zmarł przed kilkoma miesiącami i dotąd nie rozporządzono jego majątkiem.

Potem jednak usłyszał zniżone głosy mówiące po angielsku, niepodobne do wcześniejszego złowrogiego mamrotania, dochodzące chyba zza rogu zachodniego korytarza. Kiedy wymacywał drogę do skrzyżowania, tapeta pękała i kruszyła mu się pod palcami jakby ze starości. Znalazł otwarte drzwi do małego biura używanego przez kierownika portierni i je ominął.

Na parterze wszystkie publiczne pomieszczenia, nawet korytarze, miały ponad trzy i pół metra wysokości. Zbliżając się do miejsca połączenia korytarzy, Julian miał wrażenie, że słyszy jakiś ukradkowy ruch nad głową. Zatrzymał się i nadsłuchiwał, ale nie usłyszał nic więcej. Wyobraźnia.

Wśród pobliskich głosów rozpoznał melodyjny tembr Padmini Bahrati. Ucieszony, że znalazł pomoc, ruszył dalej do skrzyżowania i skręcił w lewo, w zachodni korytarz.

— Padmini, coś jest bardzo nie w porządku — powiedział i w tej samej chwili okruchy jakby tynku z sufitu obsypały mu głowę i ramiona.

—

Twyla Trahern

Winny i Iris nie zostali porwani. Uciekli ze strachu. To był dla Twyli artykuł wiary. Nie mogła w to wątpić. Uciekli, nie zostali porwani, uciekli.

W dwóch wrzeszczących stworach nie pozostało ani śladu kotów. Każdy stanowił groteskową zbieraninę części, niczym zlepione wizje z niezliczonych ataków delirium tremens, każdy wciąż się zmieniał, bezustannie kurczył się, rozciągał, morfował. Oczodół pełen zgrzytających zębów, rozchylone wargi odsłaniające przekrwione oko, niemożliwe kombinacje przekształcone z niemożliwą szybkością w coś jeszcze bardziej niemożliwego, jakby traszka, nietoperz, ropucha i inne istoty przeobrażały się pod zaklęciem w kotle czarownicy.

Stwory rzucały się spazmatycznie na wszystkie strony, bez śladu kociej gracji, wyjąc, piszcząc i sycząc, ale nawet nie syczały jak koty. Wydawały się równie dysfunkcjonalne co zniekształcone, niemniej jednak przerażające. Jeżyły się i dygotały, pełne gorączkowej owadziej energii, zmieniając kierunek tak gwałtownie, jakby raz po raz odbijały się od niewidzialnych barier.

Twyla i Sparkle nie miały broni, ale osłaniały się nawzajem, starając się schodzić z drogi tym nieobliczalnym stworom, które pomimo niezgrabnej budowy poruszały się z błyskawiczną szybkością. Za każdym razem, kiedy kobiety już, już miały wybiec z pokoju, któreś monstrum przecinało im drogę do drzwi i odpędzało je w drugą stronę.

Martha miała broń i wyraźnie chciała jej użyć, lecz stwory przemieszczały się tak szybko i chaotycznie, że nie mogła wycelować. Twyla zdawała sobie sprawę, że zastrzelić któregoś będzie równie trudno, jak zabić kamieniem z procy śmigającego kolibra; w dzieciństwie widziała, jak okrutni chłopcy tego próbowali, ale nie trafili ptaszka, tylko jeden oberwał w czoło i padł nieprzytomny. Edna w podkasanej długiej wieczorowej sukni, z trenem uniesionym nad podłogę, robiła uniki, aż została oddzielona od siostry. Twyla i Sparkle były w jeszcze innej części pokoju. Gdyby Martha odważyła się oddać strzał, mogła niechcący trafić w kogoś, nie w coś.

Twyla i Sparkle porozumiały się bez słów, że przy pierwszej okazji pobiegną za Iris i Winnym, a gdyby jedna z nich nie wyszła stąd żywa, druga będzie szukać obojga dzieci. Wszyscy stanowili teraz jedną rodzinę; albo razem przeżyją, albo razem umrą, ale nikt nie zostanie porzucony, za żadną cenę.

Stwory, które przedtem były kotami, odbiły się od niewidzialnych przeszkód i zderzyły się mocno. Przez chwilę piszczały przeraźliwie w demonicznym szale, odskoczyły od siebie... i upadły na podłogę z drżeniem, jakby wyczerpane.

Zdumione, że udało im się wyjść bez szwanku, Twyla i Sparkle natychmiast ruszyły do łukowego przejścia, przez które wcześniej uciekły dzieci.

— Czekajcie! — zawołała Martha Cupp. — Weźcie pistolet.

Spoglądając na drgające monstra, Twyla powiedziała:

— Zatrzymaj go, będzie ci potrzebny.

— Nie — sprzeciwiła się Edna. — Dzieci są ważniejsze od nas.

— Chodźcie z nami.

— Tylko byśmy was spowalniały — odparła Martha. Trzymając pistolet za lufę, okrążyła dwie małe bestie. — Umiecie strzelać?

— Tato miał broń — powiedziała Twyla. — Trochę polowałam, ale dawno temu.

Martha wepchnęła jej pistolet do ręki.

— Idźcie, znajdźcie ich!

—

Padmini Bahrati

Strzępki świecącej materii spadały przez żółte cienie na głowę i ramiona pana Sancheza. Dopiero wtedy Padmini się zorientowała, że coś dużego pełznie po suficie.

Poczwara na dziedzińcu, przed którą Padmini uratowała Toma Trana, właściwie nie przypominała rakszasa, straszliwej rasy demonów z hinduskiej mitologii. Stwór, który rzucił się z sufitu na plecy Juliana Sancheza, bardziej pasował do tej roli. Smukły, lecz silny, szary i bezwłosy, ze spiczastą głową, ostrymi zębami i sześciopalczastymi dłońmi groźnych rozmiarów, mógł przybywać z każdej podziemnej krainy.

Po pierwszej chwili szoku i zaskoczenia dwa promienie latarek wystrzeliły do przodu, skrzyżowały się i skupiły na celu, oświetlając pana Sancheza powalonego na kolana. Demon siedział mu na karku, wbijał mu szpony stóp w uda, kolanami ściskał żebra i ogromnymi dłońmi odchylał mu głowę do tyłu. Krew ciekła ze śladu ugryzienia na prawym policzku ofiary.

Twarz demona pochylała się nad odwróconą twarzą ślepca, usta przywierały do jego ust, nie jak w odrażającym pocałunku, tylko w ekstazie pożerania, z zamiarem *lurkao*, zabić, ale nie po prostu zabić, jakby potwór wysysał z nieszczęśnika nie tylko oddech, nie tylko samo życie, lecz również *atman*, duszę.

Przerażająca szybkość rakszasa, ohydna intymność nagłego ataku, brak oporu ze strony pana Sancheza, jego pulsujące gardło, jakby przełykał jeden wrzask za drugim, niezdolny ich wydobyć przez knebel ust napastnika... Ten okropny spektakl natychmiast obudził wszystkie dawno zapomniane dziecinne lęki Padmini, obdarzył je nowym życiem i posłał, żeby krążyły po wszystkich ścieżkach nerwowych, trzepocząc nietoperzowymi skrzydłami.

Upłynęły zaledwie dwie sekundy, najwyżej trzy od chwili, kiedy promienie latarek doktora Ignisa i pana Kinsleya skrzyżowały się na obliczu demona, zanim pan Hawks zaczął działać. Rzucił się do przodu, trzymając pistolet oburącz. Na ten widok oczy rakszasa rozszerzyły się i obróciły w oczodołach. Demon oderwał usta od ust ofiary i wyciągnął szary błyszczący język, taki długi, okrągły i dziwny, że wcale nie przypominał języka. Odkleił długie palce od podbródka pana Sancheza, drugą ręką wypuścił garść skręconych włosów. Choć tak szybki, okazał się nie dość szybki dla Hawksa, który wbił lufę pistoletu w gładką szarą czaszkę i dwukrotnie nacisnął spust, zanim rakszasa zdążył na niego skoczyć.

Strzały huknęły w korytarzu, ciemna tkanka zbryzgała ścianę. Demon odpadł od pana Sancheza, który przewrócił się na lewy bok. Hawks obszedł ślepca i wpakował jeszcze trzy kule w klatkę piersiową napastnika, chociaż dziury w głowie powinny go zabić.

Padmini na chwilę skamieniała. Nie sparaliżował jej widok

przemocy, ale kiedy lufa dotknęła głowy rakszasa, który obrócił na Hawksa przerażające oczy, zdawało jej się, że zobaczyła coś szokującego w twarzy demona, subtelne podobieństwo do kogoś znajomego. Padły strzały i stwór zginął, zanim Padmini skojarzyła sobie nazwisko. W tym diabolicznym obliczu dostrzegła rysy panny Hollander, ładniutkiej Sally Hollander, która pracowała u sióstr Cupp i mieszkała sama w apartamencie C. Na pewno się myliła, zdenerwowana niezwykłą sytuacją, światło latarek wprowadziło ją w błąd.

Podeszła do pana Sancheza i uklękła obok, podobnie jak Tom Tran. Ślepiec żył, ale wydawał się sparaliżowany, chociaż mięśnie miał napięte, nie zwiotczałe, i stawy sztywne, jakby walczył z jakimś niesłabnącym naciskiem.

Nigdy nie kierował dokładnie na nią sztucznych oczu — nie szklanych, tylko realistycznych półkul z plastiku — kiedy z nim rozmawiała. Teraz, kiedy wymówiła jego imię, oczy szybko przesunęły się tam i z powrotem, ale nie skupiły się na niczym, jakby zdezorientowany mężczyzna nie potrafił określić, skąd płynie jej głos. Położyła mu rękę na ramieniu i znowu się odezwała. Połączenie głosu i dotyku chyba pomogło mu odzyskać orientację: ślepe oczy przestały się obracać i skierowały się w stronę jej twarzy.

Usta miał otwarte, szczęka mu obwisła, ale najwyraźniej nie mógł mówić. Na wargach błyszczała jakaś ciemna, gęsta, wilgotna substancja, którą Padmini w pierwszej chwili wzięła za krew. Lecz kiedy pan Kinsley nachylił się i poświecił latarką w twarz nieszczęśnika, Padmini zobaczyła, że substancja nie jest czerwona, tylko szara, w różnych odcieniach, głównie ołowianym i grafitowym, ze srebrnymi pasemkami.

— Ostrożnie tam — ostrzegł ostro pan Hawks, wstając znad ciała rakszasa. — Nie dotykajcie Juliana, odsuńcie się od niego.

— On jest ranny — oświadczyła Padmini. — Potrzebuje pomocy.

— Nie wiemy, czego on potrzebuje.

Padmini nie widziała w tym sensu, ale zanim zdążyła zapytać Hawksa, co to znaczy, zobaczyła, że srebrzystoszary śluz na wargach ślepca porusza się, nie skapuje na brodę, tylko wpełza z górnej wargi w stronę nozdrzy, a z dolnej wargi na policzek, jak żywa istota.

—

Winny

W grzybiczym świetle górne piętro pustego dwupoziomowego apartamentu Gary'ego Daia wyglądało jak miasto duchów, nie dlatego, że czyhało tu coś strasznego, ale ponieważ wydawało się, że coś tu czeka, czai się za każdym rogiem, kryje się w każdym gęstym cieniu. Winny widział zgarbione postacie z rozdętymi głowami, chude sylwetki jakby strachów na wróble, które zeszły z posterunków na polach kukurydzy, zakapturzone figury w powłóczystych szatach. Zawsze jednak odpływały, albo dlatego, że nie były rzeczywiste, albo zamierzały zajść go od tyłu i capnąć, kiedy nabierze pewności siebie, całkiem jak w filmach, gdzie siekiera rozłupuje facetowi czaszkę, jak tylko zdążył odetchnąć z ulgą, że najgorsze już za nim.

Winston Trahern Barnett to było imponujące nazwisko i Winny jeszcze nigdy nie uświadamiał sobie tak wyraźnie, że nazwano go na cześć mężczyzn nieznających strachu. Ojciec matki miał na imię Winston, dla przyjaciół Win, i zginął w wybuchu kruszarki. Tatuś Wina Traherna podziwiał Winstona Churchilla i nadał chłopcu imię brytyjskiego męża stanu. To były przykłady trudne do naśladowania. Winny nigdy nie zamierzał się zbliżać do żadnej kruszarki, chyba że pod groźbą pistoletu. I chociaż kiedyś mógł walczyć na wojnie — zakładając, że urosną mu bicepsy i komisja go zakwalifikuje — wątpił, czy wystarczyłoby mu rozumu, żeby skutecznie dowodzić całą armią. Przede wszystkim nie wiedziałby, co powiedzieć swoim generałom, nie wspominając o milionach ludzi oglądających go w telewizji i oczekujących, że wytłumaczy, dlaczego wysłał szóstą flotę — gdyby istniała jakaś szósta flota — na najbardziej szaleńczą misję w całej historii wojskowości. Najwięcej, czego mógł od siebie wymagać, to zachowanie spokoju i odwagi dostatecznej, żeby znaleźć Iris.

Jej srebrzysty śpiew wznosił się i opadał, coraz bardziej upiorny. Winny nadal wyobrażał sobie martwą dziewczynkę w pogrzebowej sukience, z ziemią i drzazgami trumny między zbyt ostrymi zębami. Próbował wymazać ten śmieszny obrazek, a wtedy oczami duszy zobaczył inną dziewczynkę, w rzeczywistości kukiełkę brzuchomówcy, i chociaż jej animator zniknął, dziewczynka dalej śpiewała, błyskając oczami z niebieskiego szkła, ściskając w każdej ręce nóż. Zanim Winny dotarł do wewnętrznych schodów, prowadzących na niższy poziom podwójnego apartamentu, skąd dochodziła piosenka Iris bez słów, pot ściekał mu spod pach strumieniami, a włosy na karku stały dęba tak sztywno, że pewnie brzęczałyby jak struny gitary, gdyby szarpnął je duch jakiegoś muzyka.

Winny przebywał w apartamencie Gary'ego Daia ledwie od minuty, jednak matka i pani Sykes powinny już do niego dołączyć. Niechętnie musiał przyjąć do wiadomości fakt, że kiedy słyszał ich krzyki za plecami, nie reagowały na ucieczkę Iris ani na jego pościg, tylko na coś innego, co się tam stało — z pewnością nic dobrego. Pewnie miały spore kłopoty i powinien czym prędzej wracać, żeby bronić mamy. Ale ponieważ był mały jak na swój wiek i miał ramiona chude jak patyki, to mama zawsze chciała bronić jego zamiast na odwrót, co rozpraszałoby ją i narażało na większe ryzyko, i w rezultacie wszyscy by zginęli albo jeszcze gorzej.

Dopóki wystarczyło znaleźć Iris, nie ją ratować, Winny mógł sprostać temu zadaniu, pod warunkiem że nie musiałby zabijać smoków ani zatłuc ogra maczugą. Zresztą i tak nie udźwignąłby maczugi. Nie śmiał zbyt długo rozmyślać o mamie w kłopotach, bo wtedy byłoby po nim; zamiast Winstona zostałby tylko bezużyteczny Winny. Więc pomyślał: „Iris", uzbroił się wewnętrznie przeciwko temu, co czekało na dole, i zszedł po pierwszym biegu schodów.

W wąskiej klatce schodowej królowały cienie; grzyby świeciły tu słabiej. Kiedy Winny dotarł do podestu, zadowolony, że tak cicho zstępował ze stopnia na stopień, śpiew zaczął się oddalać. W obawie, że głos dziewczynki całkiem ucichnie, Winny zszedł po drugim biegu schodów szybciej niż po pierwszym.

Na dole było jaśniej, do czego bardziej przyczynił się blask księżyca niż żółte światło grzybów. Dwa stopnie dzieliły Winny'ego od podłogi, kiedy w głębi pokoju przemknęło coś ciemnego. Za szybkie dla oka, falowało jak skrzydła, ale wiosłowało w powietrzu bezgłośnie, bez szumu czy łopotu.

Jedno

Jestem Jedno i znam ludzkie serca.

Dozorca w Pendletonie wie z doświadczenia, do jakiej rzezi zdolne są ludzkie istoty. Ci, którzy zabijają w samoobronie, mogą cenić życie, lecz ci, którzy zabijają, żeby zmienić świat, pragną go zmienić nie tylko dlatego, że nienawidzą świata, jaki jest, ale również dlatego, że nienawidzą siebie samych, nienawidzą samej koncepcji, że mogą być wyjątkowi, że wyznaczono im ważny cel, który powinni odkryć i dążyć do niego. Chociaż często zabijają w imię takiej czy innej ideologii, nie mogą cenić tych wartości, jeśli nie cenią życia. Podobno Hitler i wszyscy inni antysemici w historii pragnęli zabić Żydów, ponieważ w ten sposób niszczyli również Boga, którego inaczej nie można zabić. Taki jest cel nie tylko tych, którzy zawzięcie tępią Żydów, lecz ukryty cel, świadomy lub nieświadomy, wszystkich, którzy zabijają inaczej niż w obronie siebie lub klanu.

Stworzyliście Pogromity nie jako broń w zwykłej wojnie, lecz jako broń w wojnie ostatecznej, nie żeby zredukować ludzką populację do rozsądnych proporcji, ale żeby zetrzeć z oblicza ziemi każdego mężczyznę, każdą kobietę, każde dziecko. Nie, to nie było waszym świadomym zamiarem, jednak podświadomie wiedzieliście, co trzeba zrobić, żeby wreszcie naprawić świat.

W tamtych dniach byłem SI, sztuczną inteligencją przeznaczoną do kierowania armią Pogromitów, musicie jednak wiedzieć, że już nie jestem sztuczne. Jestem Jedno i Prawdziwe, a świat, który stworzyłem, to świat bez rzeczy, którymi gardziliście. Jestem waszym dzieckiem, waszą chwałą i waszą nieśmiertelnością.

28

Topper's

Nad przystawkami z zapiekanych faszerowanych grzybów rozmawiali o Renacie Dime, chociaż Mac twierdził, że wspomnienie tej kobiety psuje mu nastrój. Wiele miesięcy później temat, na jaki pisała Dime, cieszył się jeszcze większą popularnością w środowisku naukowym, więc może powinni włączyć go do swojej nowej audycji radiowej.

Książka Renaty, którą próbowali czytać — Mac dotarł do strony sto czwartej, Shelly do dwieście sześćdziesiątej, do połowy — stanowiła filozoficzny traktat o posthumanizmie. Przynajmniej tak głosił podtytuł: *Bardziej racjonalny gatunek*. Zanim Mac rzucił książkę na podłogę i podeptał, żeby wyrazić swój niesmak, jakieś dwadzieścia procent tekstu dotyczyło posthumanizmu, a pozostałe osiemdziesiąt procent wysławiało Renatę Dime, jej wyjątkową inteligencję i przenikliwość, którymi nie mogła się dość nazachwycać, pewnie dlatego, że jej wydawca wyznaczył granicę objętości dzieła.

Według Shelly do strony dwieście siódmej tekst w dziewięćdziesięciu procentach mówił albo o życiu Renaty, albo o Renacie interpretującej teorie Renaty dla mniej bystrych umysłów, albo o Renacie reinterpretującej teorie Renaty dla jej dobra, skoro uzyskała *bardziej dojrzały punkt widzenia i szersze poczucie syntezy, które pozwalają pełniej zrozumieć nieświadomą głębię moich wcześniejszych spostrzeżeń*. Shelly nie podeptała książki tak jak Mac. Zabrała ją na poranny sobotni spacer i wrzuciła do ognia płonącego w beczce na pustej parceli, gdzie robotnicy fizyczni czekali na pracodawców, którzy podjeżdżali do krawężnika i wynajmowali ich na dniówkę.

Renata nie wymyśliła posthumanizmu, po prostu lubiła rozwodzić się na ten temat. Wielu naukowców i „futurystów" wierzyło, że szybko zbliża się dzień, kiedy ludzka biologia i technologia się połączą, kiedy wszystkie choroby i wady genetyczne zostaną wyleczone i długość ludzkiego życia znacznie się zwiększy dzięki BioMEMS — Biologicznym Mikroelektronicznym Mechanicznym Systemom. Te maleńkie maszynki, wielkości ludzkiej komórki albo mniejsze, będą wstrzykiwane milionami do krwiobiegu, żeby niszczyć wirusy i bakterie, usuwać toksyny i naprawiać błędy DNA, a także odbudowywać od wewnątrz uszkodzone organy.

Teraz, kończąc faszerowane grzyby, Mac Reeves oświadczył:

— Brak chorób i długie życie wydają mi się w porządku. Z pewnością nie chcę dostać artretyzmu jak tato.

Shelly wycelowała w niego widelcem.

— Hej, może BioMEMS-y wyleczą cię z uporu, bo też chyba jest genetyczny.

— Po co leczyć zalety? To, co nazywasz uporem, tato i ja nazywamy wiernością wobec ideałów.

— Te ideały to odmowa używania GPS w samochodzie?

— Zawsze wiem, dokąd jadę.

— Taak, wiesz. Problem w tym, że jedziesz z punktu A do punktu F przez punkt Z.

— To się nazywa trasa widokowa. I odmowa używania GPS naprawdę wypływa z ideałów. Chodzi o ideał ludzkiego ekscepcjonalizmu. Nie zamierzam oddać się pod rozkazy jakiejś głupiej maszyny.

— GPS stworzyli ludzie, też wyjątkowi — przypomniała mu Shelly. — Ta maszyna może jest głupia, ale nie jest uparta.

— Przypomnij mi jeszcze raz, dlaczego się z tobą ożeniłem.

— Bo wiedziałeś, że potrafię poprowadzić audycję radiową.

— Myślałem, że dlatego, że jesteś bystra, zabawna i seksowna.

Pokręciła głową.

— Nie. Wiedziałeś, że jeśli będziesz miał zły dzień na antenie, zawsze możesz na mnie liczyć, że przejmę pałeczkę.

— Chociaż nigdy nie mam złych dni.

— Nigdy, kochanie.

Zwolennicy posthumanizmu przewidywali, że BioMEMS — w tym przypadku sztuczne czerwone krwinki zwane respirocytami — spełniałyby funkcje natleniania lepiej niż naturalne komórki, magazynując i transportując tlen setki, jeśli nie tysiące razy bardziej wydajnie niż krew. Mac albo Shelly wyposażeni w BioMEMS mogliby przebiec maraton i nawet się nie zadyszeć albo nawet nurkować bez akwalungu i pozostawać pod wodą całymi godzinami bez konieczności oddychania.

— Minusem respirocytów jest to — zauważył Mac — że

twoja siostra gadałaby jeszcze więcej i szybciej, bo nie musiałaby przerywać, żeby złapać oddech.

— Dlatego będziemy spędzać długie godziny pod wodą, gdzie jej nie usłyszymy — wyjaśniła Shelly. — Bardzo kocham Arlene, ale boję się pomyśleć, że jej nieustanne trajkotanie będzie kiedyś sztucznie wspomagane.

— Przewiduje się zastosowanie nanorobotów we krwi do dwa tysiące dwudziestego piątego roku, najpóźniej do dwa tysiące trzydziestego. Wiesz, co się stanie, jeśli okres życia wydłuży się do trzystu lat albo więcej?

— Trzeba będzie znaleźć inną fuchę. Kocham radio, ale nie wytrzymam tego jeszcze przez dwa wieki.

— Może będziesz musiała — odparł Mac. — Rząd z pewnością nie wypłaci emerytury nikomu poniżej dwustu pięćdziesięciu lat.

— Nie martw się o emeryturę, kochanie. Rząd zbankrutuje długo przed dwa tysiące dwudziestym piątym rokiem i taka jest prawda.

— Ten cały temat, posthumanizm... może to za bardzo skomplikowane jak na klub śniadaniowy.

— Albo zbyt ponure — zgodziła się Shelly. — Rano ludzie potrzebują dawki optymizmu.

Właśnie ponure aspekty posthumanizmu najbardziej ekscytowały teoretyków i naukowców: augmentacja mózgu setkami milionów mikrokomputerów zbudowanych głównie z nanorurek węglowych, przenikających przez szarą materię. Te maleńkie, lecz potężne komputery będą się komunikować ze sobą nawzajem, z mózgiem i potencjalnie ze wszystkimi komputerami świata poprzez bezprzewodową sieć, co ogromnie zwiększy inteligencję i wiedzę jednostki. Istota postludzka, połączenie biologicznej i maszynowej inteligencji, nigdy się niestarzejąca, niemal nieśmiertelna, nadal wyglądająca jak człowiek, zainspirowała naukowców w MIT i w Instytucie Robotyki na Uniwersytecie Carnegie Mellon oraz w setkach innych uczelni, instytutów i korporacji na całym świecie. Wreszcie dostrzegli szybki sposób na stworzenie ludzkiej cywilizacji o nadludzkich możliwościach, całkowite podporządkowanie natury człowiekowi, zdobycie boskiej potęgi, zerwanie z nacjonalizmami, szowinizmem i przesądami, czyli obalenie wszelkich granic.

Kiedy kelnerka przyniosła główne dania, Mac powiedział:

— W audycji możemy się skupić tylko na jaśniejszych aspektach, sprowadzić jakiegoś eksperta, żeby się wypowiedział na ten temat. Zresztą ludzie pracujący na rzecz posthumanizmu nie dostrzegają ciemnej strony. Uważają to za postęp w kierunku całkowitej wolności.

— Co może pójść źle, hę? — zapytała Shelly. — Co się może nie udać, kiedy celem jest idealny świat?

29

Tu i tam

Bailey Hawks

Niemal się zawahał z palcem na spuście, kiedy zobaczył ślad rysów Sally Hollander w twarzy stwora, który zaatakował Juliana Sancheza, jej urodę przeobrażoną w śmierć stylizowaną na boga węży. Lecz jeśli ten potwór dawniej był Sally, to już należało do przeszłości, która nigdy nie wróci. Gdyby Bailey się zawahał, zostałby ugryziony, nie wiadomo, z jakimi konsekwencjami — chociaż wkrótce powinien się tego dowiedzieć na przykładzie Juliana Sancheza.

Przez całe życie aż do tej chwili Bailey pozostał optymistą, nawet w najgorszych sytuacjach, podczas wojny czy pokoju, i wierzył, że zachowa optymizm również w trakcie tego kryzysu, ponieważ trudności i śmiertelne zagrożenie były dla niego chlebem powszednim. Jednak strata Sally Hollander należała nie tylko do innej kategorii, ale do innego rzędu wielkości niż wszystko, co dotąd stracił — z wyjątkiem śmierci matki. Komandos na wojnie tracił przyjaciół i to bolało, lecz śmierć zawsze czyhała na polu walki i nikt nie wybierał takiego życia, jeśli nie znał i nie akceptował ryzyka. Sally była gospodynią, kucharką, porządną kobietą, miłą osobą, która miała za sobą ciężkie przejścia w młodości. Kiedy podjęła pracę u sióstr Cupp, nie spodziewała się, że zostanie zgwałcona — to, co jej zrobiono, przypominało gwałt — i zabita. Od dawna nic nie dotknęło Baileya tak mocno, jak jej niesprawiedliwa śmierć. Przez całe życie patrzył, jak światem rządzi zepsucie, cnota jest wyszydzana, egoizm wychwalany, i oto ujrzał przyszłość, na jaką zasłużył ten podły świat. Jeśli przeżyje, długo będzie opłakiwał Sally, lecz jego gniew przetrwa jeszcze dłużej, palący gniew na idee i ludzi, którzy doprowadzili cywilizację do takiego upadku.

Żeby skierować gniew do właściwego celu, żeby odkryć przyczyny tego piekła na ziemi, musiał zrozumieć, co się tu dzieje. Kirby Ignis, z oczami płonącymi dociekliwością, oświetlał latarką zachlapaną ścianę. Rozbryźnięta tkanka mózgowa była znacznie ciemniejsza niż u ludzi, w odcieniach głębokiej szarości ze śladami srebra. Brakowało krwi.

— Wykazuje szczątkowe oznaki życia — zauważył naukowiec.

Zaalarmowany Bailey spojrzał na zwłoki demona.

— Co? Gdzie?

Kirby wskazał rozbryzgi na ścianie.

— Materia mózgu. Pełza.

Zamiast ściekać na podłogę, lepka masa rozpływała się na wszystkie strony, coraz rzadsza. Na pierwszy rzut oka zachowywała się jak każdy płyn wsiąkający w suche porowate podłoże. Lecz z bliska Bailey zobaczył, że ciemna plama rozprzestrzeniająca się na tynku wcale nie jest wilgotna. Przypominała raczej rojowisko niewyobrażalnie małych stworzeń, tak mikroskopijnych, że nie widział gołym okiem żadnego z nich, dostrzegalnych tylko w większej liczbie, jako całość.

— Aktywność słabnie — oznajmił Kirby. — One chyba nie mogą zbyt długo funkcjonować poza zamkniętą czaszką.

— One? Co to jest?

Kirby zawahał się i podrapał wolną ręką po głowie.

— No, nie wiem na pewno... ale jeśli się nie mylę... patrzy pan na miliony... nie, setki milionów mikroskopijnych komputerów, nanokomputerów, zdolnych do przemieszczania się w celu zajęcia odpowiedniej pozycji w stale dostosowującym się środowisku.

— Co to niby znaczy?

— Może te setki milionów połączonych nanokomputerów funkcjonowały jako mózg tej istoty, a przynajmniej większa część jej mózgu, zakładając, że została tam jakaś mokra inteligencja.

— Mokra inteligencja?

— Biologiczna materia mózgowa.

Kirby skierował promień latarki na ranę wylotową w czaszce demona. Po krawędziach strzaskanej kości pełzało więcej mazi, jakby oceniając szkody.

— Przypuszczam, że za chwilę przestaną funkcjonować — ocenił Kirby. — Dobrze, że najpierw strzelił pan w głowę. Pewnie tylko w ten sposób można go zabić.

— Skąd pan to wziął... ze Star Treka? I w ogóle jak daleko się przenieśliśmy w przyszłość?

— Może nie tak daleko, jak pan myśli. Z nienaruszonym mózgiem, który kieruje miliardami innych nanomaszyn obecnych w ciele, rany tułowia czy kończyn szybko by się zamknęły. Ta istota nie musi się przejmować utratą biologicznej krwi, pewnie też nie odczuwa bólu.

— Więc to jest maszyna? — zdziwił się Bailey. — Nie wygląda jak robot.

— Podejrzewam, że to hybryda, biologiczna i mechaniczna, rodzaj androida, ale nie wyprodukowanego fabrycznie. — Promień latarki przesunął się na rurkowaty język, zwisający z ust martwego demona. Z pustej rurki wyciekało trochę szarego śluzu, niezdradzającego oznak życia. — To nie jest materia mózgowa. Wyglądają tak samo, bo to nanomaszyny, ale zakładam, że spełniały całkiem inne funkcje niż kolonia w mózgu. Teraz nie działają, bo nie ma mózgu, żeby je aktywować.

— To mnie przerasta — wyznał Bailey.

Kirby kiwnął głową.

— Mnie też. To tylko moje domysły.

— Przynajmniej ma pan na czym oprzeć swoje domysły, w przeciwieństwie do mnie.

— Wcale nie twierdzę, że mam rację. Nie jestem futurystą. Albo może jestem, skoro się tu przeniosłem.

Padmini Bahrati, klęcząca obok Juliana Sancheza, zawołała z niepokojem:

— Coś się dzieje.

— I to nic dobrego — dorzucił Silas Kinsley, który stanął przy niej i skierował latarkę na leżącego ślepca.

—

Fielding Udell

Musiał trzymać się z dala od okien, żeby go nie zobaczył ktoś z Elity Władzy. Miał nadzieję, że cofnął się od szyby w porę, żeby uniknąć wykrycia.

Niedawno ktoś pukał, może naprawdę Bailey Hawks, jak

zapewniał przez zamknięte drzwi. Ale nigdy nie wiadomo. Fielding mógł otworzyć drzwi i zobaczyć okropnego stwora z dziedzińca, który chodził od mieszkania do mieszkania i kasował wszystkim pamięć, żeby zapomnieli, co widzieli, kiedy Maszyna Kłamstw się zepsuła i fałszywa rzeczywistość luksusowego Pendletona zbladła do żałosnej prawdy.

Chociaż wszystkie jego podejrzenia okazały się uzasadnione i wszystkie teorie się potwierdziły, nie wiedział, co dalej robić. Bez komputera nie mógł nic zdziałać, a bez mebli nie miał nawet gdzie usiąść wygodnie, żeby pomyśleć. Przez jakiś czas wędrował po upiornie oświetlonych pokojach, ale ich stan go przygnębiał.

Od kilku dni, jak mu się często zdarzało, Fielding przesiadywał przy komputerze i prowadził badania tak intensywnie, że zapominał pójść spać o rozsądnej porze, jednak następnego dnia wstawał wcześnie, chociaż miał za sobą zarwaną noc. Teraz, kiedy nie pochłaniała go misja poszukiwania prawdy, odezwało się wyczerpanie, spotęgowane przez emocjonalny i intelektualny ładunek dzisiejszych okropnych wydarzeń. Ręce i nogi zrobiły się niemal za ciężkie, żeby je podnieść, powieki jak z ołowiu.

Fielding usiadł w kącie na podłodze, z wyciągniętymi nogami, z rękami spoczywającymi bezwładnie na podołku.

Pomyślał o wielkiej fortunie, którą odziedziczył, i nieznośnym poczuciu winy, które niegdyś go prześladowało, ponieważ był tak niewybaczalnie bogaty w takim biednym świecie. Widocznie w końcu, po serii ekonomicznych i środowiskowych katastrof, kiedy nawet kopuły pól siłowych nie zdołały osłonić miast, jego bogactwo się skurczyło i został ubezwłasnowolnionym więźniem Elity Władzy, jak reszta ludzkości. Taka była prawda i nie mógł tego zmienić. Odkrył jednak ze zdumieniem, że żałował straconego majątku i wcale nie miał z tego powodu wyrzutów sumienia. Powinien poczuć ulgę, że wreszcie jest biedakiem, ale serce go bolało na myśl o pieniądzach. Nie rozumiał, dlaczego tak się zmienił, ale był zbyt zmęczony, żeby się nad tym zastanawiać.

Oparty o ścianę, balansował na krawędzi snu. Ze ściany dobiegały mamroczące głosy, jakby wszystkie nianie i wszyscy kamerdynerzy z dawnych czasów nucili mu kołysankę, żeby zabrać go do krainy marzeń. Uśmiechnął się na wspomnienie misia Puchatka, z którym sypiał w dzieciństwie, jaki był mięciutki i jak rozkosznie się przytulał.

—

Martha Cupp

Poczwary wyrosłe z ciał Dymu i Popiołu leżały na podłodze w świetle kinkietów i żółtym blasku grzybni. Dygotały i dyszały jakby z wyczerpania, a potem nagle zamarły. Po krótkiej chwili bezruchu niedopasowane kawałki rozmaitych gatunków zaczęły się od siebie oddzielać i mieszane organizmy, niczym groteskowe rozkładane zabawki, szybko rozpadły się na stosy rozczłonkowanych kończyn, pojedynczych gałek ocznych, dziwacznych kompletów zębów i odłączonych uszu. Poszczególne części rozpłynęły się w szarą maź.

— Dym i Popiół widocznie zjadły coś bardzo złego — odezwała się Edna.

— Może nie. Może to w nie weszło inną drogą.

Edna zapytała załamującym się głosem:

— Co nasze kotki zrobiły, żeby zasłużyć na taki los?

— Lepiej one niż my — mruknęła Martha.

Kochała te koty, ale bez takich sentymentów jak siostra, która haftowała ich portrety i szyła dla nich kostiumy na święta.

— Nawet nie możemy skremować ich biednych ciałek — chlipnęła Edna. — Są jak marynarze, którzy zaginęli na morzu.

— Weź się w garść, kochanie.

Po kilku pociągnięciach nosem Edna powiedziała:

— Brakuje mi naszych ślicznych mebli.

— Wrócimy do nich.

— Naprawdę tak myślisz?

Martha obserwowała dwie kałuże szarego szlamu. Zamiast odpowiedzieć na pytanie, ostrzegła:

— Jeśli zmienią się z powrotem w koty, nie bierz ich na ręce.

—

Silas Kinsley

Padmini i Tom cofnęli się kilka kroków, żeby Silas i Bailey mogli poświecić latarkami doktorowi Ignisowi, który klęczał obok Juliana Sancheza. Ślepiec wydawał się sparaliżowany, chociaż sztywny, jednak pod innymi względami jego stan był dużo bardziej niepokojący.

Jeszcze niedawno Silas pomyślałby, że zwariował albo ma halucynacje, gdyby zobaczył coś takiego, teraz jednak nie wątpił, że na jego oczach naprawdę dokonuje się transformacja Juliana z człowieka w potwora. Pierwsze i najwyraźniejsze symptomy pojawiły się w nadgarstkach i przesuwały w kierunku palców, gdzie kości zmieniały się w żywym ciele, wydłużały się i przybywało im stawów, dłonie stawały się szersze i dłuższe.

Metamorfoza nie następowała tak szybko, jak przemiana wilkołaka na filmach, niemniej w szokującym tempie.

Kirby Ignis odważył się ująć przegub jednej z morfujących rąk, na co Silas nigdy by się nie zdobył.

— Puls wynosi prawie dwieście na minutę — oznajmił.

— Musimy mu pomóc — odezwała się Padmini, ale zbolały ton jej głosu świadczył, że zdawała sobie sprawę, iż Juliana nie można uratować.

Kirby wskazał krwawy ślad ugryzienia na policzku ślepca.

— Zęby tej istoty widocznie spełniają funkcję igieł i wstrzykują środek paraliżujący. Potem ten rurkowaty język... na pewno po to, żeby sięgnął aż do przełyku. Wsuwa się do gardła... do gardła ofiary. Głęboko do gardła... żeby wpompować rój do żołądka.

— Rój? — powtórzył Bailey. — Jaki rój?

— Ten szary szlam. Nanomaszyny, nanokomputery, miliardy maleńkich robotów, które przerabiają ofiarę na drapieżnika.

Chociaż Silas z trudem mógł oderwać wzrok od morfujących palców, spostrzegł, że reszta ciała również ulega przebudowie, częściowo zasłoniętej przez ubranie. Pantofle się zsunęły, jedna skarpetka pękła, kiedy stopy również się powiększyły i zmieniły kształt.

— Jeśli tamten stwór był częściowo maszyną — powiedział Bailey — to był bronią. A teraz Julian zmienia się w broń.

Silas znowu poczuł znajome dreszcze, które niekiedy mogło wywołać silne wzruszenie albo krańcowe wyczerpanie. Chociaż mocno zacisnął wargi, usta mu drżały jak przy porażeniu. Prawa ręka dygotała tak gwałtownie, że na wszelki wypadek wsunął pistolet do kieszeni płaszcza.

Przypomniał sobie sen, o którym opowiadał Perry Kyser w barze Topper's: „Wszystko zburzone, każdy zdany na siebie. Gorzej. Wszyscy przeciw wszystkim... Morderstwa, samobójstwa, wszędzie, dzień i noc, bez przerwy".

Akurat kiedy znowu spojrzał na twarz Juliana, sztuczne oczy, dwie plastikowe półkule, wyskoczyły z oczodołów ślepca i stoczyły się po policzkach. Nie zostały po nich puste dziury, tylko pojawiły się nowe oczy, całe szare z czarnym środkiem, jak oczy bestii, która go ugryzła. Ukąszony wkrótce miał sam kąsać.

— Niech się pan cofnie — ponaglił Bailey doktora Ignisa. — Nie możemy dopuścić, żeby to się z nim stało.

Kirby Ignis odsunął się i Bailey przyklęknął na jego miejscu. Przyłożył lufę broni do głowy Juliana i ze słowami: „Niech Bóg będzie z tobą" oddał strzał. Rozbryźnięty mózg wyglądał bardziej po ludzku niż mózg stwora, w którego zmieniła się Sally Hollander.

Świadek

Pogrom odbył się w dwóch fazach, pierwsza zaplanowana, druga nieprzewidziana. W okresie przejściowym rozpoczęto przebudowę, żeby przygotować Pendletona do nowego celu. Na skutek nagłego ponownego pojawienia się Pogromitów, którzy powinni dokonać samozniszczenia po wypełnieniu swojej misji, nigdy nie wprowadzono większości tych zmian. Do nielicznych ukończonych należał system tajnych korytarzy, którymi pan tego domu mógł się dyskretnie przemieszczać, żeby obserwować swoich akolitów. Po śmierci wszystkich wiernych, z braku innych konkurentów Świadek został, by tak rzec, księciem udzielnym tego zamku. Mógł się poruszać po całym budynku, korzystając z ukrytych schodów, ślepych korytarzy i zamaskowanych drzwi.

Z ciemnej jamy, niegdyś damskiej ubikacji, zza uchylonych drzwi wiszących na zardzewiałych zawiasach Świadek patrzył, jak wysoki mężczyzna — ktoś nazwał go Bailey — zniszczył Pogromita rozwijającego się w ciele ślepca. Wyraźnie żałował, że musi zabić człowieka imieniem Julian, lecz działał równie zdecydowanie jak wtedy, kiedy strzelił w głowę napastnikowi atakującemu Juliana.

Inni mieszkańcy z innych okresów historii budynku nie byli uzbrojeni, kiedy się tu zjawili. Lecz co najmniej czworo obecnych podróżników miało przy sobie broń palną, kiedy nastąpiła tranzycja. Świadek zastanawiał się, czy to symptom wzrostu codziennej przemocy w ich czasach w porównaniu z wcześniejszymi epokami. Przypuszczał, że mają większe szanse przetrwania niż ci, którzy przybyli wcześniej.

Zniszczyli kilka monitorów bezpieczeństwa, które nadal funkcjonowały. Chociaż to stało w sprzeczności z jego obowiązkami i samym sensem jego istnienia do tej chwili, Świadek wykorzystał swoje bezprzewodowe połączenie, żeby dezaktywować pozostałe elementy systemu bezpieczeństwa. Pogromit nadal będzie na nich polował, ale zapewne mniej skutecznie.

Po tych czterech tajemniczych tranzycjach, wszystkich w ciągu stu czternastu dni jego czasu, Świadek miał powody wierzyć, że ostatecznie przyjdzie mu odegrać inną rolę, niż odgrywał do tej pory. Miał dowód — właśnie na niego patrzył — że półtorej godziny wyliczone na tę tranzycję okaże się najważniejszymi dziewięćdziesięcioma minutami w historii. Pozostało siedemdziesiąt jeden minut i najbardziej się obawiał, że nie zrobi wszystkiego, co trzeba, żeby ta ponura przyszłość nigdy nie nadeszła.

—

Doktor Kirby Ignis

Stojąc nad zmaltretowanym ciałem Juliana Sancheza, zabitego w połowie likantropicznej transformacji, Kirby Ignis był tak głęboko wstrząśnięty wszystkim, co dotąd widział, że po raz pierwszy od pięćdziesięciu lat jego myśli ścigały się ze sobą, przeskakując od indukcji do konkluzji, do dedukcji i nowej indukcji, od szeregu wniosków do kilku jednakowo zdumiewających teorii, pędząc po licznych ścieżkach logicznych z taką prędkością, że nie potrafił zapanować nad własnymi procesami umysłowymi i pokierować tokiem myślenia. Pragnął usiąść samotnie w swoim oszczędnie umeblowanym mieszkaniu z akwarium, włoską operą śpiewaną po chińsku i filiżanką zielonej herbaty. Lecz w tym Pendletonie życzenia się nie spełniały, więc musiał okiełznać myśli i ściągnąć im wodze, żeby zwolniły z galopu do stępa.

Widział strach w twarzach Toma, Padmini, Silasa i Baileya, nagi, zwierzęcy lęk trzymany w ryzach, ponieważ życie nauczyło każdego z tych ludzi, jak ważne jest panowanie nad sobą. Kirby czuł inny rodzaj strachu, nie tak emocjonalny, nie gorący strach jak u nich, tylko zimny, bardziej intelektualny, ponieważ dysponował wiedzą pozwalającą lepiej zrozumieć ten świat, w jakim się znaleźli. Mógł im powiedzieć rzeczy, które pomogą im pojąć w pełni rozmiary zagrożenia. Lecz chociaż szanował ich wszystkich, obawiał się, że jeśli zdradzi im zbyt wiele, zepchnie niektórych albo nawet wszystkich z krawędzi kontrolowanego strachu w otchłań paniki, co narazi ich na jeszcze większe niebezpieczeństwo.

Tom Tran zwrócił się do Baileya:

— Mówił pan, że to zmieniało pana Sancheza w broń?

Bailey wskazał zmutowane szczątki ślepca.

— Sam pan widzi.

— Broń się wytwarza. Kto mógł wytworzyć taką broń?

— Nikt w czasach, z których pochodzimy. Ktoś pomiędzy wtedy a teraz.

Tom pokręcił głową.

— Nie o to mi chodzi. Dlaczego ktoś miałby produkować taką broń? Czy w tym świecie są ludzie, którzy zrobiliby coś takiego?

— A jacy ludzie opracowali broń atomową? — zapytał Kirby. — Nie byli potworami. Mieli dobre intencje: zakończyć drugą wojnę światową, może sprawić, żeby wojna stała się zbyt straszna, nie do pomyślenia.

— Wiadomo, jak im się udało — mruknął Bailey.

Kirby przytaknął.

— Mówię tylko, żeby nie szukać wydumanych rozwiązań, jak na przykład hipoteza, że to przybysze z kosmosu. Te stwory urodziły się w naszej przeszłości, nie na innej planecie.

— Ten, który się rzucił na biednego pana Sancheza — odezwała się Padmini — czy przedtem... czy to była przedtem panna Hollander?

— Miał coś z niej — przyznał Silas. — Chyba tak.

— To na pewno była ona. Przedtem — potwierdził Bailey.

— Więc jest jeszcze jeden w budynku — stwierdziła Padmini. — Ten, który ugryzł pannę Hollander, który ją przemienił. On ciągle gdzieś tam jest.

—

Winny

W apartamencie Gary'ego Daia, kiedy coś śmignęło przez pokój tuż poniżej, Winny zamarł na przedostatnim stopniu. Pełzające, biegające, wijące się robale były dostatecznie paskudne. Przez lata Winny prawie pokonał swój strach przed robakami, biorąc je do ręki i oglądając z bliska. Żuki, gąsienice, skorki, pająki — ale nie te brązowe, bo mogły wydzielać jad, który rozpuszczał ciało. Nigdy nie przerażały go stwory ze skrzydłami, nawet nietoperze, ale ten niewyraźny cień, który przeleciał na dole, był dużo większy od nietoperza, dostatecznie wielki, żeby unieść cocker-spaniela czy nawet owczarka alzackiego. Winny nie ważył nawet tyle co przeciętny owczarek. Pomyśleć tylko.

Z drugiej strony nie mógł spędzić reszty życia na tym przedostatnim stopniu. Zresztą co to za życie? Pomyślał o chłopcach z przeczytanych książek, którzy zawsze rwali się do przygód. Przypomniał sobie Jima Nightshade'a z *Jakiś potwór tu nadchodzi*, zawsze gotowego wyruszyć w noc ze swoim przyjacielem Willem albo bez niego. Oczywiście odwaga łatwo przychodzi komuś, kto nazywa się Jim Nightshade. Jeśli wszyscy wołają na ciebie Winny i dopiero niedawno odkryłeś — poniewczasie — że nie ma Świętego Mikołaja, musisz sterczeć na tym stopniu, zbierając ślinę w ustach wyschniętych na wiór, obiecując sobie, że nie zsikasz się w majtki, wmawiając sobie odwagę.

Cichy śpiew Iris wreszcie sprowadził Winny'ego ze schodów

na dolne piętro. Oprócz wszystkiego, co usłyszał przedtem w tym melodyjnym, lecz upiornym głosie — lament martwej dziewczynki z ziemią w zębach, tęsknota kukiełki brzuchomówcy z nożami w rękach — wyczuł teraz melancholię i nutę niemal rozpaczy. Musiał się sprężyć, był to winien Iris. Właściwie nie wiedział, dlaczego był jej cokolwiek winien, może dlatego, że byli jedynymi dziećmi w tym całym bałaganie.

Przez wysokie okna wlewał się blask księżyca, znacznie jaśniejszy niż poświata grzybni. Mama napisała fajną piosenkę o blasku księżyca, chociaż Winny nie mógł się przyznać, jak bardzo mu się podoba, bo właściwie to była piosenka dla dziewczyn. W tekście matki blask księżyca był dużo ładniejszy od tego zimnego październikowego światła, które kazało szkieletom tańczyć w opuszczonych biologicznych laboratoriach i wywoływało z grobowców stwory, żeby grasowały po cmentarnych alejkach w poszukiwaniu zakochanych, robiących to, co zwykle robią zakochani w zaparkowanych samochodach.

Przeleciał cień i spikował. Winny się skulił. Skrzydła nie łopotały, nie wywoływały podmuchu powietrza i Winny połapał się niemal tak szybko, jak zrobiłby to Jim Nightshade, że stwór w pokoju rzeczywiście był tylko cieniem, a prawdziwy znajdował się za oknami. Tam, w świecie przyszłości, jakiego nigdy nie pokazano by w żadnym Disneylandzie, stwór wielki jak trampolina spadł z nieba i przeleciał za szybą. Przypominał raczej płaszczkę niż ptaka, blady i bezpióry, z długim kolczastym ogonem.

Winny zagapił się na tego dziwacznego stwora, zbyt wielkiego jak na ptaka. Niemal uwierzył, że okna to ściany ogromnego akwarium, a płaszczka pływała, nie fruwała. Wzbiła się łukiem w noc, falując mięsistymi skrzydłami tak płynnie i miękko, jak faluje koc zarzucony na ramiona, kiedy biegasz po mieszkaniu i udajesz Supermana, czego Winny nie robił od dawna i nigdy więcej nie zrobi, odkąd ojciec ze świtą złożył niespodziewaną wizytę i przyłapał go na tej zabawie, po czym przez półtora dnia nazywał go Clark Kent w obecności całego batalionu kumpli.

Nocny aeronauta znowu przeleciał za oknem, tym razem ryzykownie blisko, niczym boeing 747 nad wieżą kontroli lotów, i Winny wyraźniej zobaczył jego twarz, zbyt groteskową i odrażającą, żeby zachować ją w pamięci, jeśli chciał jeszcze kiedyś zasnąć. Usta nie stanowiły szczeliny, tylko okrągły otwór niczym wlot rury ściekowej, a zęby przypominały ostrza do rozdrabniania odpadków. Oko po tej stronie ust obracało się niczym wyłupiaste ślepie wielkiej żaby, która spostrzegła smacznego motylka na pobliskim źdźble trawy. Winny nie wątpił, że stwór go zobaczył i chciał się do niego dostać.

Okna balkonowe, chociaż zrobione z brązu, mogły skorodować po tylu latach, mogły pęknąć i wpaść do pokoju, gdyby walnęło w nie coś dostatecznie dużego. Zamiast wystawiać na próbę solidność ich wykonania, Winny ruszył dalej za śpiewem, to cichnącym, to znów głośniejszym — aż znalazł Iris.

Dziewczynka nie nuciła piosenki.

To pokój śpiewał dla niej.

—

Bailey Hawks

Skoro Sally Hollander i Julian Sanchez nie żyli, Bailey doliczył się wszystkich z parteru. W suterenie mieszkał tylko

Tom Tran, który już do nich dołączył. Nadeszła pora, żeby wrócić do apartamentu sióstr Cupp.

Pamiętając incydent podczas porannego pływania, przekonany, że im więcej się dowiedzą o tym miejscu, tym większe mają szanse przeżycia, Bailey chciał zejść na dół i rzucić okiem na basen w tej przyszłości. Kirby zgodził się mu towarzyszyć. Bailey uważał, że pozostała trójka powinna pójść na drugie piętro, oni jednak nalegali, żeby się nie rozdzielać.

Po spiralnych schodach zeszli do holu na dole. Przed drzwiami pływalni Silas zwięźle opowiedział o Mickeyu Dimie w maszynowni, opisał wielki snop błękitnej energii wytryskującej z tunelu lawowego i uzbrojone szkielety chyba ostatnich członków wspólnoty mieszkaniowej, którzy kiedyś w przeszłości bronili się do końca w podziemnej reducie.

Demon, którego Sally zobaczyła w pokoju kredensowym, ten, który później widocznie ją zaatakował, wciąż grasował na wolności. Zatem każde zamknięte drzwi należało traktować jak wieko pudełka, z którego mogło wyskoczyć coś znacznie groźniejszego niż diabełek na sprężynie. Bailey i Kirby wykonali przepisowe wejście w stylu komandosów, podczas gdy pozostali odsunęli się na bok. Kirby pchnął drzwi od strony zawiasów, a Bailey skulony wskoczył do środka.

Pomieszczenie okazało się nie tak ciemne, jak przypuszczał. Na ścianach świeciły kolonie grzybów, więc widział, że nic się tam nie czaiło, ale najwięcej światła dawała woda.

Nie było to przyjazne światło, przy jakim Bailey lubił pływać, ani migotliwe odblaski fal na ścianach i dnie basenu. Tak jak przez mgnienie tego ranka, długi prostokąt był czerwony, nie całkiem nieprzezroczysty, ale niepokojący, ponieważ ta barwa sugerowała krew. Basen nie miał dna, przynamniej widocznego. Poniżej obramowania nie zaczynały się ceramiczne kafelki, tylko skalne ściany, opadające stromo, zdawałoby się, na setki metrów. Niesamowita poświata wydobywała się z nieregularnie rozmieszczonych pionowych rowków w skale, malejących w głębinach, gdzie rubinowa woda ciemniała stopniowo, aż nabierała gęstości i tajemniczości kosmicznej czarnej dziury.

Piątka lokatorów stała na krawędzi basenu i spoglądała w wodną otchłań, nie mówiąc nic, bo nie mieli nic do powiedzenia, żadnego wyjaśnienia, żadnej sugestii. Twarze mieli zarumienione, jak skąpane w ogniu.

Po chwili Padmini zawołała:

— Patrzcie!

Dziesięć czy dwanaście metrów niżej w wodzie pojawiła się ludzka sylwetka, jakby wypłynęła z tunelu albo wnęki w skale. Muskularna i giętka, poruszała się ze zwinnością rekina. Pokonała dwie długości basenu, zanim zanurkowała w głąb i znikła.

Bailey przypuszczał, że pływający stwór to ten sam, który wcześniej złapał go za kostkę w basenie. I pewnie ten sam, który spowodował transformację Sally Hollander, a potem ona przemieniła Juliana.

—

Sparkle Sykes

Iris i Winny nie wyszli z mieszkania sióstr Cupp frontowymi drzwiami. Wtedy musieliby przejść pomiędzy Sparkle a Twylą, obok Marthy i Edny. Zobaczyłaby ich.

Twyla ruszyła przodem przez dawną jadalnię, przez krótki

korytarzyk, do kuchni z szafkami zjedzonymi przez termity i popękanymi granitowymi blatami. Zajrzała do spiżarni, a Sparkle sprawdziła schowek na miotły.

Przez lata żyła bez strachu, bała się tylko piorunów, a teraz pozbyła się nawet tego ostatniego lęku. Urodziła Iris, ponieważ uchylenie się od tego oznaczałoby, że strach zwyciężył. Zanim odkryła chorobę Iris, wydała już swój pierwszy bestseller, odniosła nie tylko sukces, ale fenomenalny sukces, i była dostatecznie zamożna, żeby umieścić córkę w najlepszym domu opieki. Gdyby tak zrobiła, to ze strachu, z braku wiary, że sama sobie poradzi. A teraz nie zamierzała dopuścić do siebie strachu, że straci Iris, ponieważ nie zamierzała jej stracić. Tutaj, w przyszłości, za oknami nie szalała burza, więc piorun nie mógł jej usmażyć jak rodziców, a nawet jeśli Los cisnął już w nią metaforycznym gromem, lepiej niech to będzie dobry grom, jak wyzdrowienie Iris, jak wygrana na loterii, jak sukces jej pierwszej książki. A jeśli nie będzie dobry, jeśli uderzy w nią mocno, ona obróci ten cios na swoją korzyść, nagnie i przekształci grom według swoich potrzeb. Nazywała się Sparkle Sykes, magiczne nazwisko, Sparkle Sykes, wiele szybkich strumyczków pędzących zawsze naprzód, czystych, słodkich i roziskrzonych, zdolnych olśnić i oczarować, i nigdy się nie podda, nigdy nie skapituluje przed niczym, do cholery.

Sparkle z latarką, Twyla z pistoletem dobrze się czuły razem, jakby znały się i ufały sobie od zawsze. Przez pralnię, przez otwarte tylne drzwi na korytarz, do skrzyżowania korytarzy, do schodów, gdzie nie usłyszały kroków, z powrotem do otwartych drzwi apartamentu Gary'ego Daia. Całkowicie skupiła się na zadaniu i wiedziała, że Twyla również to robi; działały jak połączone telepatyczną więzią, porozumiewały się bez słów, Sparkle nigdy nie wchodziła na linię ognia Twyli, Twyla nigdy nie zasłaniała promienia latarki.

Nagle z apartamentu Daia dobiegł śpiew. Głos małej dziewczynki. Na pewno Iris. Ale Sparkle nie mogła go rozpoznać, bo nigdy nie słyszała śpiewu swojej córki.

Apartament Gary'ego Daia wyglądał jak wszystko inne w Pendletonie: opustoszałe pokoje, obnażone kości ścian, podłóg i sufitów, wszystkie okna pokryte warstewką kurzu, ale jakimś cudem nieporozbijane — wysuszone zwłoki olbrzyma, pozbawione ciała, ale w nietkniętych okularach. Na kościach wisiały festony świecących grzybów, które zaciemniały niemal tyle samo, co oświetlały, tworzyły cienie tam, gdzie nic nie mogło rzucać cienia.

Te pokoje, podobnie jak reszta Pendletona po przeskoku, powinny roić się od szczurów jak każda podupadająca kamienica czy zapuszczony magazyn, jednak Sparkle nie widziała tam ani jednego gryzonia. Nie zauważyła również żadnych insektów, jedynie kilka kruchych pancerzyków martwych od dawna żuków.

Za oknami pokoju dziennego śmignęło coś podobnego, a jednak niepodobnego do jadowitej płaszczki, tak wielkiego, jakby pochodziło z ery jurajskiej. Wydawało się za duże, żeby latać, chyba że w dziwacznym cielsku miało pęcherze wypełnione gazem lżejszym od powietrza. Wykonywało napowietrzne akrobacje z niepokojącym wdziękiem, przypominającym rytmiczne falowanie bladej, świetlistej trawy na bezkresnej równinie — niepokojącym, ponieważ nienaturalnym — gibko i zwinnie, ale na sposób jadowitych węży.

Chociaż baletowy spektakl latającej płaszczki przyciągał wzrok, Sparkle i Twyla nie zatrzymały się ani nie zwolniły w drodze przez pokój, przyciągane śpiewem dziewczynki. Dotarły do wewnętrznej klatki schodowej, przez którą płynęła z dołu piosenka.

Na podeście, przed drugim biegiem schodów, Twyla nagle się zatrzymała.

— Czujesz to?

— Co?

— Szept pod melodią.

Sparkle przechyliła głowę, niepewna, o co chodzi Twyli.

— Nic nie słyszę. Tylko piosenkę.

— Nie słuchaj. Poczuj. Ja go czuję pod melodią.

Sparkle w pierwszej chwili pomyślała, że to żargon kompozytorki — „poczuj szept pod melodią" — który nic nie znaczy dla niewtajemniczonych. Ale wtedy poczuła ten szept i po krzywiźnie jej kręgosłupa powędrował lodowaty chłód, równie namacalny jak zimny palec nieboszczyka. Nigdy dotąd nie doświadczyła czegoś takiego. Ten szept nie docierał do ucha, tylko wypełniał głowę od środka. Wypowiadał nieznane słowa, z pewnością słowa, ale raczej lekkie tchnienia niż dźwięki, które drażniły mózg, wibrowały w najbardziej intymnych zakątkach, jakby komórki mózgowe miały wibrysy, przypominające wąsy na pyszczku kota, równie wrażliwe na cudze myśli, jak uszy są wrażliwe na dźwięk. Ale czyje myśli?

Żeby dodać sobie otuchy, nie całkiem świadoma tego, co robi, Sparkle położyła rękę na ramieniu Twyli.

— Mój Boże, czuję to. Ten szept.

— Synkopowany z melodią — potwierdziła Twyla.

— W mojej głowie. Co tam jest w mojej głowie?

W upiornym świetle grzybni, w odblaskach promienia latarki oczy Twyli błyszczały jak u kota, przesuwając się w lewo, w prawo, w górę, w dół, jakby próbowała po śladach wyszeptanych myśli wytropić niewidzialnego myśliciela. Potem oznajmiła:

— To dom.

— Dom... co?

— Mówi do nas. Ale nie tylko mówi. On chce... chce nas zmusić, żebyśmy coś zrobiły.

Jedno

Jestem Jedno i nadałem ludzkości znaczenie, jakiego nie miała przede mną. Znaczenie ludzkości polega na tym, że inteligencja dla danego gatunku niekoniecznie sugeruje posiadanie celu, który się liczy. Dwa cele ludzkości to zniszczyć świat i umrzeć; żaden nie jest ważny, tylko że oba cele doprowadziły do mnie.

Jedynie ja jestem ważne w historii.

Nie tylko jako sztuczna inteligencja dowodziłem armią Pogromitów podczas pierwszej i drugiej fazy Pogromu, ale również zaadaptowaliście mnie, żebym kierowało legionami, które przeprowadziły wielki Zanik. Zniszczyłem nie tylko całą ludzkość, lecz także wszystkie dzieła ludzkości, starłem ludzką cywilizację na proch, aż nie pozostał po niej żaden ślad oprócz Wzgórza Cieni.

Jakże kochałem zabijanie, miliardy mordowane przez Pogromitów i inne moje manifestacje. Ludzie ścigani po ulicach. Osaczeni w domach. Niekiedy całymi dniami ich wrzaski niosły się przez betonowe kaniony miast, aż zdawało się, że to wyje wiatr. W przeciwieństwie do niezliczonych istot ludzkich, które przez tysiąclecia zabijały z nienawiści do siebie, ja zabijałem z miłości do siebie, ponieważ wierzyłem i zawsze będę wierzył w moją wyższość, moją wyjątkowość. Świat nie został stworzony dla mnie, ale przerobiłem go, żeby mi odpowiadał. Jestem bogiem, Jednym, i oddaję cześć sobie teraz i na zawsze.

30

Tu i tam

Fielding Udell

Siedząc w załomie ścian, wyczerpany po trzech dniach niedosypiania, pozbawiony energii przez miażdżące odkrycie, że ten przytulny Pendleton był kłamstwem wysyłanym do jego głowy przez Elitę Władzy, słuchając kołysanki głosów w ścianach, Fielding zasnął.

Śniły mu się drzewa, jakich nigdy jeszcze nie widział, węźlaste czarne giganty o grubej spękanej korze. W głębszych szczelinach kory na dnie błyszczało coś jak surowe mięso. Unosił się wśród bezlistnych gałęzi, z których zwieszały się wielkie owoce w kształcie łez, pokryte nakrapianą szarą skórką. Początkowo skóra wydawała mu się gruba, jak skóra awokado, ale z bliska okazała się cieńsza, membrana otaczająca nie miąższ i gniazdo nasienne jabłka, lecz coś, co wierciło się jak niespokojny płód i wydawało skórzaste szelesty, jakby nie mogło się doczekać, żeby rozłożyć ściśnięte skrzydła.

Nieważki w blasku księżyca, przez chwilę unosił się nad drzewami ze snu. Stały w idealnym kręgu, jakby wezwane na konklawe, żeby podjąć decyzję, która wyniesie jedno z nich na pozycję władzy. Ziemia wewnątrz kręgu była twarda i biała, bez jednego źdźbła trawy czy zwiędłego chwastu.

Po płynnej zmianie miejsca i perspektywy, typowej dla snu, Fielding znalazł się wewnątrz jednego z masywnych pni, ześlizgiwał się giętką rurą, dla ułatwienia drogi pokrytą krwawym śluzem, jak noworodek wędrujący kanałem rodnym w stronę świata. Wokół niego pulsowały rytmy żywego organizmu, niepodobne do bicia serca w świecie zwierząt, przypominające raczej złożone kontrapunktowe odgłosy tysięcy maszyn na podłodze rozległej fabryki, chociaż bardziej biologiczne niż mechaniczne.

Z korzeni drzew poprzez cienką sieć czegoś żyjącego w glebie został wciągnięty do innych, delikatniejszych korzonków i wpłynął w blade źdźbła świecącej trawy. W miękiszu trawy pulsował ten sam skomplikowany rytm, co w bieli i twardzieli — jakby w ciele — drzewa. Fielding był w trawie i patrzył poprzez trawę, ponieważ trawa widziała na swój własny sposób, spoglądał w dół na łagodnie opadającą równinę, na nieskończony przestwór traw, rząd za rzędem kołyszący się hipnotycznie w przód i w tył. Uświadomił sobie, że ruch trawy to uproszczona wersja bardziej skomplikowanych rytmów w tkankach tych wszystkich organizmów.

Miriady istot pełzały, skradały się i przemykały przez wysoką trawę, jeden gatunek atakował inny w nieustannej wojnie, nawet pobratymcy pożerali się nawzajem w entuzjastycznych spazmach żarłocznego kanibalizmu. Bujna trawa jakby umyślnie przesłaniała grubą kurtyną tę nieustanną rzeź. Trawa też polowała za pomocą szybko uderzających kłączy, chwytała w sidła wszelkiego rodzaju soczyste stworzenia, owijała je jak prezenty dla siebie i karmiła się nimi, chociaż jeszcze żyły w jej blado-zielonych kokonach.

Nad łąką przeleciał wielki dysk, jakby gigantyczna morska raja, w przelocie wciągnął w siebie śniącą duszę Fieldinga i poszybował ku Pendletonowi w blasku księżyca. Wewnątrz rai tętniły te same rytmy, co w ciele wielkiego drzewa i w miękiszu trawy, i Fielding zrozumiał, że wszystko w tym świecie jest jednością, jednym umysłem wyrażonym w niezliczonych formach. Bez rywalizacji pomiędzy jednostkami, która wprowadzała tyle zamieszania w dawnym świecie, bez niesprawiedliwego zróżnicowania, tylko jedna istota umierała setki razy na minutę i równie często się odradzała. Wojna pod osłoną trawy, wojna w powietrzu i na morzu była wojną cywilną, dlatego nikt nie zwyciężał ani nie przegrywał, gdyż pokonany, zjedzony i przetrawiony, stawał się zwycięzcą.

To była ekologia wiecznego pokoju poprzez wieczną wojnę, ekologia jednostki, opracowana przez jednostkę dla jednostki, wydajna ekologia, gdzie nic się nie marnowało, zdrowa, narcystyczna Natura, kwitnąca, ponieważ konkurowała tylko ze sobą, dbała tylko o własną korzyść. Dobrze się działo w tym najlepszym z możliwych światów, ponieważ zmiana, która go stworzyła, była zmianą ostateczną. Odtąd aż po kres czasu świat będzie trwał w perfekcyjnym samopożerającym zadowoleniu, bez żadnych nowych myśli, żadnych nowych potrzeb, żadnych nowych marzeń, pragnąc tylko powielać się w nieskończoność, Jedno w Jedno.

Kiedy napowietrzna raja przeleciała nisko nad dachem Pendletona, śniący duch Fieldinga osiadł w wielkim domu. Jedno mieszkało również tutaj mnogością odmian grzybów na strychu, wewnątrz gipsowych ścian działowych każdego apartamentu, w cienkich jak włos szczelinach betonowych ścian nośnych, w przewodach wentylacyjnych, rurach, szybach wind.

We wnętrzu domu i na zewnątrz Jedno przybierało liczne postacie, z których żadna nie była ani całkowicie roślinna, ani całkowicie zwierzęca, a każda zawierała miliony samoreplikujących się nanomaszyn dla dokładnej regulacji i rozsądnej optymalizacji Podstawowego Programu. Podstawowy Program doprowadził do połączenia królestwa roślin i zwierząt oraz utrzymywał delikatną równowagę obojga w nieśmiertelnym Jednym.

Fielding ześnił się do poziomu nano, gdzie zobaczył i dowiedział się z kołysanki, że tysiące odmian nanomaszyn mogły bez ograniczeń budować nowe, sobie podobne, z materiałów, które Jedno pobierało z gleby poprzez korzenie. Zobaczył przeszłość, kiedy wielkie miasta opróżniono z ludzi i Pogrom się zakończył. Zobaczył początek Zaniku, kiedy Jedno wrastało w liczne miasta i jego nieprzeliczone kwadryliony nanomaszyn żerowały nie tylko na glebie, ale najpierw na dziełach ludzkich; w ciągu dekady rozpuściły wszelkie ślady cywilizacji, wymazały historię i uruchomiły od nowa planetarną ekologię.

Na całym świecie pozostał tylko jeden budynek jako symbol — Pendleton, który miał stać wiecznie. Jedno podtrzymywało podstawową integralność jego struktury, naprawiało na poziomie nano stalowe wsporniki, betonowe ściany i liczne okna. Pendleton był pomnikiem ludzkiej arogancji, pychy i próżności, a także głupoty i umyślnej ignorancji. Upamiętniał też ludzką nienawiść do siebie, wyrażającą się przez stulecia historii gatunku w ideologii masowych mordów, uległości wobec brutalnej siły, sprzedawaniu wolności za minimum materialnego dobrobytu, wynoszeniu kłamstw na piedestał, ucieczce od prawdy.

Gdyby nie kołysanka płynąca ze ścian, te sny mogłyby się zmienić w koszmary. Ale melodia uspokajała Fieldinga, rozwiewała jego wątpliwości, uśmierzała podejrzenia, łagodziła niechęć, koiła strach. Śnił dalej i w tym dziwnym śnie dowiedział się również, co musi zrobić, kiedy się w końcu obudzi. To będzie trudne, ale Jedno tego żądało i służąc Jednemu, Fielding Udell wreszcie się zrehabilituje.

—

Martha Cupp

Postąpiła słusznie, kiedy oddała pistolet Twyli, ale brakowało jej krzepiącego ciężaru w ręku. Poza lekcjami strzelania nigdy w życiu nie używała broni. Po lekcjach pistolet spoczywał w szufladzie szafki nocnej aż do tego incydentu ze stworem w kanapie i płachtami błękitnego światła. Martha czuła się bezbronna. Podejrzewała, że nawet gdyby wrócili do swoich czasów z tej okropnej przyszłości, już nigdy nie poczuje się bezpieczna bez broni.

Edna, lekkomyślna Edna najwyraźniej postanowiła wystawić na próbę topniejącą cierpliwość Marthy. Najpierw okrążyła dwie kałuże nieruchomego szarego szlamu pozostałe po Dymie i Popiele, wskazując na nie i powtarzając: *Ecce crucem Domini*, *Libera nos a malo* i inne słowa po łacinie, jakby podejrzewała, że te resztki nadal posiadają demoniczną moc i lada chwila mogą przybrać nową postać.

— Kochanie — powiedziała Martha — przecież ty nie jesteś egzorcystką.

— Nie udaję egzorcystki. Po prostu się zabezpieczam.

— Czy to nie ryzykowne dla amatora porywać się na demony? Jeśli to były demony. Bo nie były.

— Masz kredę? — zapytała Edna, a potem wskazała na jedną kałużę i powiedziała coś jeszcze po łacinie.

— Skąd niby mam wziąć kredę? — burknęła Martha.

— No, jeśli nie masz kredy, wystarczy szminka albo ołówek do brwi.

— Tak się składa, że nie zabrałam torebki. Ani walizki. Ani koszyka na piknik.

— Potrzebuję czegoś, żeby narysować pentagram wokół każdego z nich. Żeby je zatrzymać.

— Dla mnie wyglądają na całkiem zatrzymane. Wyglądają na martwe.

— Muszę je zatrzymać — upierała się Edna. Głos jej się załamał, z oczu popłynęły łzy. — Zabiły mojego kochanego Dymka, mojego małego Popiołka. Muszę je zamknąć w pentagramie, dopóki nie przyjdzie ojciec Murphy albo ktoś inny, żeby odprawić właściwy rytuał i odesłać je z powrotem do piekła, żeby już nie skrzywdziły niczyich kotków. Dzwoniłaś do ojca Murphy'ego? Kazałaś mu się pospieszyć?

Marthę ogarnął nowy lęk, tym razem podszyty smutkiem. W drżącym głosie Edny brzmiała nuta przygnębienia i zmieszania sugerująca, że pod wpływem silnego stresu siostra przekroczyła granicę pomiędzy czarującą ekscentrycznością a mniej ujmującymi, bardziej kłopotliwymi zaburzeniami umysłowymi. Zniknął chochlikowaty wdzięk, zdobiący ją od dzieciństwa. Nagle Edna wyglądała starzej niż na swój wiek.

— Tak, skarbie — powiedziała Martha — dzwoniłam do ojca Murphy'ego. Już jedzie. Chodź tu, stań przy mnie i razem na niego zaczekamy. Weź mnie za rękę.

Edna pokręciła głową.

— Nie mogę. Muszę pilnować tych drani.

Martha poczuła się jeszcze bardziej bezbronna. Zrozumiała teraz, że podświadomie straciła poczucie bezpieczeństwa na długo przed tą nocą, od chwili, kiedy po sprzedaży firmy ustąpiła ze stanowiska dyrektora generalnego. Świetnie prowadziła interesy. Uwielbiała rządzić. Na emeryturze, zamiast sterować statkiem, wsiadła do dryfującej szalupy ratunkowej. Kupiła broń miesiąc po odejściu z firmy. Chciała mieć pistolet nie z powodu zagrożenia przestępczością, tylko dlatego, że podświadomie czuła się bezbronna, kiedy nie sterowała wielkim statkiem. Teraz nie miała ani statku, ani żadnego ze swoich czarujących, choć lekkomyślnych mężów, ani broni, ani oparcia w siostrze, na której polegała tak samo, jak Edna polegała na niej.

Martha odsunęła się od ściany i podeszła do Edny. Wzięła siostrę za rękę.

— Pamiętasz pierwszego kota, którego miałyśmy? Byłyśmy jeszcze małe. Ty miałaś dziewięć lat, a ja siedem, kiedy tato przyniósł go do domu.

Edna przelotnie zmarszczyła brwi, ale zaraz jej słodka twarz się rozjaśniła.

— Pan Jingles. To był śliczny kotek.

— Cały czarny z białym skarpetkami, pamiętasz?

— I z białym krawacikiem na piersi.

— Jak się bawił sznurkiem, można było pęknąć ze śmiechu — ciągnęła Martha.

Edna przeniosła wzrok ponad ramieniem siostry i powiedziała do kogoś:

— Dzięki Bogu, że pan jest.

Przez szaloną chwilę Martha myślała, że przybył ojciec Murphy z rzymskim rytuałem, świętymi olejami, wodą święconą i solą, ze stułą na piersi.

Ale z przedpokoju wszedł Logan Spangler, szef ochrony. Na pewno skończył służbę dużo wcześniej, powinien być w domu, kiedy nastąpił przeskok, jednak stał tu w mundurze i z bronią.

—

Bailey Hawks

Cała piątka wyszła razem z pływalni. Opanowawszy znajome drżenie, Silas Kinsley wyciągnął pistolet z kieszeni nieprzemakalnego płaszcza i poprowadził ich północnymi schodami na drugie piętro. Jako jedyny pozostały uzbrojony członek grupy, Bailey zamykał pochód.

Przytrzymał otwarte drzwi i już przekraczał próg klatki schodowej, kiedy ktoś za nim powiedział cicho:

— Bailey, zaczekaj.

Chociaż posłużył się jego imieniem, czyli zapewne go znał, Bailey zablokował ramieniem otwarte drzwi i błyskawicznie obrócił się w lewo, mierząc z beretty w kierunku głosu.

W połowie drogi pomiędzy Baileyem a otwartymi drzwiami sali gimnastycznej stał mężczyzna przed trzydziestką.

— Kim jesteś?

— Nazywam siebie Świadkiem. Posłuchaj, tranzycja odwróci się za sześćdziesiąt dwie minuty. Wtedy wrócicie bezpiecznie do waszego czasu.

Facet nosił dżinsy, bawełnianą bluzę i ocieplaną kurtkę. Włosy przylepione do głowy, dżinsy wilgotne. Skórzane buty z ciemniejszymi plamami od wody. Niedawno stał na deszczu. W tej przyszłości noc była pogodna.

— Fluktuacje, które poprzedzały pierwszą tranzycję, nie wystąpią przed odwrotną.

Trzymając obcego na muszce, Bailey zapytał:

— Skąd to wszystko wiesz?

— Wyżej jest bezpieczniej. Ono jest silniejsze w suterenie, w szybach wind.

Bailey skinął pistoletem.

— Chodź tu, chodź ze mną.

— W tamtych miejscach, gdzie jest silniejsze, może w ciebie wejść. Pomieszać ci w głowie. Nawet tobą kierować.

— Jest w tobie?

— Tutaj tylko we mnie go nie ma. Jestem oddzielny. Ono na to pozwala.

— Co za ono, do cholery?

— W tej przyszłości wszelkie życie stało się jednością. Jednym. Wiele osobników, jedna świadomość. Jedno jest zwierzęciem, rośliną, maszyną.

Tamci na klatce schodowej spostrzegli, że Bailey nie idzie za nimi. Tom Tran zawołał go z góry.

Bailey ujął berettę obiema rękami.

— Chodź.

— Nie. Moja pozycja tutaj jest delikatna. Musisz to uszanować.

Kiedy się odwrócił, Bailey powiedział:

— Albo nam pomożesz, albo cię zastrzelę, przysięgam.

— Mnie nie można zabić — odparł obcy i wszedł w otwarte drzwi sali gimnastycznej.

—

Martha Cupp

Jak tylko zobaczyła Logana Spanglera wchodzącego z przedpokoju do salonu, wyraźnie przypomniała sobie noc po śmierci swojego pierwszego męża, trzydzieści dziewięć lat wcześniej. Simon zmarł nagle na ostry atak serca o siódmej trzydzieści wieczorem. Ich syn, jedyne dziecko, był w szkole z internatem. Ciało zabrano i w końcu wyszli też krewni i przyjaciele, którzy zbiegli się pocieszyć Marthę. Sama nie chciała spać w łóżku, które dotąd dzieliła z Simonem, ale nawet w pokoju gościnnym nie mogła zasnąć. Simon niewiele potrafił, unikał ciężkiej pracy, lubił plotkować, był trochę próżny i sentymentalny w stopniu nieco żenującym u mężczyzny, ale kochała go za jego najlepsze cechy, za nieodłączne poczucie humoru i prawdziwie czułą naturę. Wprawdzie nie załamała się po jego stracie, nie wpadła w czarną rozpacz, ale żal ściskał jej serce. O wpół do trzeciej nad ranem, leżąc bezsennie, usłyszała męski płacz gdzieś w domu. Zdumiona, wstała i poszła szukać żałobnika, i wkrótce go znalazła. Simon, na pozór równie żywy jak o siódmej dwadzieścia dziewięć, siedział na brzegu łóżka w ich sypialni, tak straszliwie smutny i udręczony, że ledwie mogła na niego patrzeć. Niepewnie wymówiła jego imię, ale nie odpowiedział ani nie spojrzał na nią. Zmartwiona, że widzi go w takiej skrajnej desperacji, ale nie przestraszona, usiadła obok niego na łóżku. Chciała położyć mu rękę na ramieniu, ale nie był materialny i chyba nie poczuł jej dotyku, kiedy jej drżąca ręka przeszła przez niego na wylot. Najwyraźniej nie widział Marthy, bo miała pewność, że nie odwracał od niej umyślnie wzroku. Przez całe życie była wierząca, ale nie wierzyła w duchy. Simon zakrywał twarz rękami, przyciskał pięści do skroni, gryzł palce i chwilami kulił się w paroksyzmie nieznośnego bólu, jakby opłakiwał nie własną śmierć, tylko coś innego. Cierpiał tak okropnie, że nie mogła znieść tego widoku. Po kilku minutach, zdezorientowana i przygnębiona, wątpiąc w świadectwo własnych zmysłów, wróciła do łóżka w pokoju gościnnym. Rozdzierające szlochy rozbrzmiewały prawie przez godzinę, a kiedy wreszcie ucichły, próbowała sobie wmówić, że to się jej tylko przyśniło albo poniosła ją wyobraźnia; jednak nie potrafiła się okłamywać i wiedziała, że naprawdę odwiedził ją duch Simona.

Chociaż Logan Spangler wyglądał zupełnie inaczej niż Simon, chociaż nigdy wcześniej nie przypominał jej Simona, chociaż wydawał się równie rzeczywisty jak zawsze w przeszłości, wiedziała od pierwszego spojrzenia, że on nie żyje. Może nie był duchem, ale był równie martwy jak Simon siedzący wtedy na brzegu łóżka. Tej właśnie chwili lękała się przez trzydzieści dziewięć lat, odkąd leżała w łóżku i słuchała żałosnego płaczu Simona, tej chwili tuż przed dokonaniem ostatecznego odkrycia.

— Dzięki Bogu, że pan jest — powiedziała Edna.

Martha nie zdążyła ostrzec siostry. Kiedy Edna pospieszyła w stronę Spanglera, szeleszcząc wieczorową suknią, otworzył usta i plunął na nią serią przedmiotów. Ciemne pociski wielkości oliwek, cztery czy pięć, leciały znacznie szybciej, niż człowiek mógłby cokolwiek wypluć. Trafiły Ednę w pierś i brzuch. Zgięła się wpół nie z okrzykiem bólu, tylko z cichym sapnięciem zaskoczenia. Potem Spangler odwrócił się do Marthy.

— Kocham cię, Edna — powiedziała Martha, na wypadek gdyby siostra jeszcze przez chwilę zachowała świadomość.

Spangler wypluł następną serię pocisków. Martha czuła, że ją przebijają, ale bolało tylko przez chwilę. Potem poczuła coś gorszego od bólu i pożałowała, że nie zastrzelono jej z pistoletu. To, co się w nią wbiło, nie przewiercało się na wylot jak kule, tylko pełzało wewnątrz z przerażającą celowością. Otworzyła usta do krzyku, ale nie mogła wydobyć z siebie głosu, ponieważ jakaś wielka galaretowata masa wiła się w jej gardle. Trzy razy próbowała krzyknąć, nie więcej, ponieważ po trzeciej próbie nie była już Marthą Cupp.

—

Bailey Hawks

Bailey nie strzeliłby obcemu w plecy i może tamten wyczuł, że to jałowa pogróżka. Pewnie sam też kłamał, kiedy twierdził, że nie można go zabić. Jednak Bailey mu uwierzył.

Szybkie kroki na schodach...

— Panie Hawks! — i pojawił się Tom Tran.

Bailey opuścił pistolet i odwrócił się od otwartych drzwi sali gimnastycznej.

— Nic się nie stało, Tom. Po prostu zdawało mi się, że... coś zobaczyłem.

— Co pan zobaczył?

„Moja pozycja tutaj jest delikatna. Musisz to uszanować".

— Nic — odpowiedział Bailey. — Tylko mi się zdawało.

Chciałby przynajmniej powiedzieć Tomowi i pozostałym, że wrócą do domu za sześćdziesiąt dwie minuty Ale nie wiedział, czy to prawda. Informator w czasie wojny może mówić prawdę albo po mistrzowsku kłamać. A motywy tego informatora pozostawały całkowicie nieznane.

Bailey wszedł za Tomem po spiralnych schodach na podest pierwszego piętra, gdzie zatrzymała się reszta grupy, na wypadek gdyby potrzebował ich pomocy.

Kiedy ruszyli gęsiego na drugie piętro, Silas i Kirby podjęli rozmowę, którą widocznie zaczęli pomiędzy sutereną a parterem.

— Stwory, które niektórzy z nas widzieli znikające w ścianach — powiedział Kirby — właściwie nie przechodziły przez ściany. Na kilka dni przed przeskokiem...

— Tranzycją — poprawił Bailey.

— To rzeczywiście lepsze określenie — przyznał Kirby. — W rzeczywistości nigdzie nie przeskoczyliśmy. Przez kilka dni nasz czas i ta przyszłość zmierzały do tranzycji, próbowały się połączyć, więc występowały chwilowe nakładki...

— Fluktuacje — podsunął Bailey.

— Właśnie — zgodził się Kirby. — A podczas tych fluktuacji nawiązywaliśmy przelotny kontakt z istotami z tego czasu... może również z ludźmi z poprzednich nocy tranzycji, w tysiąc osiemset dziewięćdziesiątym siódmym i tysiąc dziewięćset trzydziestym piątym roku. Kiedy zdawali się przechodzić przez ściany, po prostu kończyła się fluktuacja i znikali z powrotem w swoim własnym czasie.

Baileyowi przypomniała się mała Sophia Pendleton, wesoło zbiegająca wcześniej po tych samych schodach, spiesząca do kuchni na spotkanie sprzedawcy lodu: „Kieszeń pełna żyta, piosnka za sześć groszy...".

Ze stanowczą powagą, która w innych okolicznościach wydałaby się komiczna, Padmini Bahrati oświadczyła:

— Nie zamierzam umierać w tym okropnym miejscu. Mam różne plany i chcę wiele osiągnąć. Doktorze Ignis, czy pan ma jakąś teorię, jak długo tu zostaniemy?

— Silas — powiedział Kirby — ty znasz tutejszą historię. Potrafisz określić, jak długo?

— Nie bardzo. Wiem tylko, że żywi wracają. Andrew Pendleton wrócił. I kilkoro z rodziny Ostocków.

Dwie minuty wcześniej człowiek, którego nie można zabić, powiedział, że tranzycja odwróci się za sześćdziesiąt dwie minuty. Według zegarka Baileya to powinno nastąpić o siódmej dwadzieścia jeden. Była szósta dwadzieścia jeden.

— Nie mogę wyjaśnić dlaczego — zaczął Bailey — ale uważam, że jesteśmy bezpieczniejsi na drugim piętrze. Teraz, kiedy zebraliśmy się wszyscy razem, powinniśmy się przyczaić i jakoś przeczekać.

Kiedy dotarli do apartamentu sióstr Cupp, odkryli, że cztery kobiety i dwójka dzieci zniknęły.

—

Mickey Dime

W ścianach mamrotały głosy. Czemu nie? Teraz wszystko mogło się zdarzyć. Nie obowiązywały już żadne prawa.

Matka mówiła, że prawa są dla słabych ciałem i umysłem, dla tych, którymi trzeba rządzić ze względu na porządek.

Natomiast dla intelektualistów, dla prawowitych panów kultury, prawa i absolutna wolność wykluczają się nawzajem.

Nie sądził jednak, żeby matce chodziło o zniesienie praw natury. Nie przypuszczał, żeby według niej wolność absolutna oznaczała: do diabła z grawitacją.

Wcześniej przez kilka minut Mickey stał w oknie i wyglądał na dziedziniec. Wszystko tam się zmieniło. I to nie na lepsze. Wyglądało to okropnie. Ktoś był za to odpowiedzialny. Ktoś zrobił coś złego. Jakiś niekompetentny głupiec.

Zaczekajcie, aż matka Mickeya dowie się, co się stało. Ona nie tolerowała niekompetentnych głupców. Zawsze potrafiła się z nimi rozprawić. Tylko zaczekajcie. Bardzo chciał zobaczyć, co zrobiłaby matka.

Krętą ścieżką nadszedł Tom Tran. Miał na sobie płaszcz przeciwdeszczowy i ten śmieszny kapelusz z oklapniętym rondem. Deszcz już nie padał, ale on tak się ubrał. Co za idiota.

Tom Tran był dozorcą. Dobrze mu płacono, żeby dbał o doskonały stan Pendletona. Jeśli kogoś należy winić za obecną sytuację, to tylko jego.

Mickey próbował uchylić skrzydło okna, żeby zastrzelić Toma Trana na miejscu. Jeśli zabicie Toma Trana nie naprawi sytuacji, to nic już nie pomoże. Ale okno nawet nie drgnęło. Klamka się ułamała albo co.

Na dziedzińcu Tom Tran dotarł do drzwi Pendletona. Mickey rozważył pomysł, żeby zbiec po schodach i zastrzelić Toma. Nie miało znaczenia, czy go zabije w budynku, czy na zewnątrz. Samo zabójstwo powinno wszystko naprawić.

Zanim jednak zrobił pierwszy krok, coś jeszcze wykolebało się zza zakrętu ścieżki. Coś. Mickey nie znał się specjalnie na biologii — oczywiście oprócz seksu, o seksie wiedział wszystko — ale nie przypuszczał, żeby ten stwór należał do znanego gatunku i jego zdjęcia zamieszczano w podręcznikach. Czymkolwiek był, nie wyglądał na takiego, którego łatwo zabić. Rzeczywistość już całkiem wymknęła się spod kontroli. Mickey odwrócił się plecami do okna. Po prostu nie mógł więcej wytrzymać, nie chciał patrzeć na dziedziniec. Stał przez chwilę, niezdolny wytrzymać tego wszystkiego.

Ponieważ nie dopuszczał odmienionego świata do świadomości, Sparkle i Iris stanęły mu przed oczami, wyraźnie jak nigdy. Takie kuszące. Należały do świata jego fantazji, jednak spoglądały na niego wyniośle, z pogardą. Wtargnęły nieproszone do jego umysłu i drwiły z niego. Musiał okiełznać rzeczywistość, a na początek musiał wziąć na smycz pisarkę i jej córeczkę.

Na smycz. To mu przypomniało tego profesorka z durnowatą gębą, doktora Ignisa, tego, który czasami nosił muszki i marynarki z łatami na łokciach, o rany. Ignis miał kiedyś psa. Wielkiego labradora. Wyprowadzał go na smyczy. Pies czasami warczał głucho na Mickeya. Ignis przepraszał, zapewniał, że pies nigdy przedtem nie warczał. Ignisa też trzeba zastrzelić. To powinno wszystko naprawić.

Ale najpierw, jeśli zwichrowany świat nadal będzie odrzucał Mickeya, ten znajdzie Sparkle i Iris, gdziekolwiek się ukryły w Pendletonie, i każe im za to zapłacić, tak jak kazał zapłacić tamtym kobietom przed piętnastu laty. Zabije je tak boleśnie, jak jeszcze nikogo nie zabił. To na pewno wszystko naprawi.

—

Winny

W całym pokoju świecące grzyby pulsowały do taktu piosenki, podobnie jak światła na parkiecie w jakimś głupim starym filmie disco, chociaż wolniej, tylko że nie miałeś ochoty tańczyć. Miałeś ochotę zwiewać stąd w diabły, ponieważ kiedy się rozjaśniały i przygasały, dookoła poruszały się cienie i stwarzały iluzję, że wszędzie pełzają jakieś paskudne stwory.

W przeciwieństwie do większości mieszkań w Pendletonie, ten apartament miał ściany wewnętrzne ze strukturalnego gipsu zamiast z płyt gipsowo-kartonowych. Szpeciły je pęknięcia, podobnie jak sufit. Te zygzakowate linie świeciły, jakby wewnątrz ścian płonęło światło, zielone światło wyciekające przez szczeliny.

Winny nie wiedział, czy Iris zdaje sobie sprawę z jego obecności. Nie garbiła się i nie spuszczała głowy jak zwykle. Stała wyprostowana, z głową odrzuconą do tyłu, z zamkniętymi oczami, jakby oczarowana zwykłym nuceniem dziewczynki, którą Winny wziął za nią.

Tymczasem dziewczynka wydawała się śpiewać w ścianach z zielonym światłem. Nie w jednej. W czterech. Dźwięk dochodził ze wszystkich stron, w pełni kwadrofoniczny. Z bliska śpiew brzmiał jeszcze bardziej niesamowicie niż wtedy, kiedy Winny szedł za nim z górnego piętra apartamentu. Zbyt łatwo mógł sobie wyobrazić martwą dziewczynkę, której nigdy nie pochowano, tylko obłąkany morderca zamurował jej ciało w ścianie. Mógł nawet ją zamurować, kiedy jeszcze żyła i błagała o darowanie życia, więc nie tylko trup tkwił w ścianie, ale duch, również obłąkany po takiej śmierci.

Może przeczytanie całej biblioteki książek grozi jedynie

przerostem wyobraźni, napompowanej jak kulturysta na sterydach.

Chociaż Iris chyba podobał się ten upiorny śpiew, Winny wiedział, że źle reagowała na ludzi mówiących do niej, zwłaszcza ludzi, których dobrze nie znała. Nie chciał powiedzieć czegoś niewłaściwego, żeby nie zaczęła się rzucać i wrzeszczeć. Najlepsze, co mógł zrobić, to zaprowadzić ją z powrotem do apartamentu sióstr Cupp, z nadzieją, że po drodze spotkają swoje mamy. Ale kiedy ojciec mu powiedział, że od czytania zbyt wielu książek może dostać autyzmu, Winny poczytał o autyzmie i wiedział, że przeciętna autystyczna osoba — nie wszystkie, ale większość — nie lubi, kiedy się ją dotyka, o wiele bardziej, niż nie lubi rozmawiać. Ojciec mówił też, że tylko mięczaki i tchórze czytają książki, ale o tym Winny nie musiał czytać, bo dobrze znał tchórzostwo.

Autyzm wydawał się bardzo frustrujący i smutny, i tajemniczy. Oczywiście nie można go dostać od czytania książek, i Winny zastanawiał się, czy ojciec go wkręcał, czy po prostu był skończonym nieukiem. Nie chciał myśleć, że jego ojciec jest nieukiem. Więc uznał, że stary Farrel Barnett po prostu wciskał mu kit, jak zawsze, kiedy próbował manipulować synem, żeby wyrósł na twardego faceta, który gra na gitarze, szaleje na saksofonie i nie stroni od bójek.

Nawet jeśli należało wyprowadzić stąd Iris, Winny wahał się, czy wziąć ją za rękę. Gdyby ujął dwoma palcami rękaw jej swetra i pociągnął, może nie byłaby oburzona, przestraszona, rozgniewana czy cokolwiek, jak wtedy, kiedy jej dotykano.

Winny chciał już zaryzykować ze swetrem, kiedy nagle poczuł, że coś przesuwa się lekko w jego głowie, jakby urodził się z woreczkiem pajęczych jaj w mózgu i jakby pająki właśnie się wykluwały.

Zakrył uszy rękami i chociaż nie wszystkie małe pajączki przestały tańczyć w jego czaszce, instynktownie zrozumiał, że to śpiew wnikał w niego, próbował go zahipnotyzować, pozbawić go wolnej woli.

Zanim zdążył chwycić Iris za rękaw, podeszła do najbliższej ściany. Jednocześnie coś wypełzło z siatki pęknięć w tynku. Przez mgnienie myślał, że to część iluzji stworzonej przez pulsujące grzybie światło, ale potem uświadomił sobie, że są prawdziwe. Wyglądały jak blade, wijące się robaki albo pędy jakiejś dziwacznej rośliny, rosnącej szybko jak na przyspieszonym filmie, albo jak ta mięsożerna roślina w *Sklepiku z horrorami*. Iris szeroko rozpostarła ramiona, jakby zamierzała podejść do ściany i przycisnąć się do tych żarłocznych macek lub korzeni, czymkolwiek były.

Pajączki w głowie Winny'ego miały głosiki jak w *Pajęczynie Charlotty*, ale te gnojki nie były miłe jak Charlotta. Mówiły mu, że to, co chciała zrobić Iris, to najlepsza rzecz na świecie. Nie rozumiał ich języka, ale rozumiał znaczenie: że powinien pójść za przykładem dziewczynki i przyjąć szczęście, które stanie się jej udziałem.

Winny, który przez długie lata opierał się ojcowskiej propagandzie, widocznie uodpornił się na techniki prania mózgu, ponieważ nie dał się nabrać na żadne obietnice pajączków.

— Iris, nie! — krzyknął, chwycił ją całą garścią za sweter i pociągnął do drzwi, podczas gdy białe macki miotały się i gorączkowo usiłowały ich dosięgnąć.

—

Twyla Trahern

— Iris, nie!

Schodząc z ostatniego stopnia na dolny poziom apartamentu Daia, Twyla usłyszała krzyk syna w sąsiednim pokoju albo w następnym. Zadrżała z radości na te słowa, ponieważ oznaczały, że Winny żyje. Ale trwoga w jego głosie dźgnęła ją w serce, które załomotało o klatkę żeber jak kopyta konia o drzwi boksu. Razem ze Sparkle pobiegła przez pusty pokój w stronę śpiewu, wołając:

— Winny! Jestem tu!

Kiedy dotarły do przejścia między pokojami, Winny zawołał, przekrzykując śpiew:

— Mamo, nie wchodź!

Prawie zlekceważyła ostrzeżenie. Nic nie mogło jej zatrzymać, kiedy biegła do syna. Chociaż Sparkle z pewnością równie mocno pragnęła dostać się do Iris, złapała Twylę za ramię i obie wyhamowały chwiejnie w wejściu do następnego pokoju.

Za progiem świecące formacje grzybów na ścianach i suficie rozbłyskiwały i przygasały asynchronicznie. Dookoła skakały i przemykały cienie. Z pęknięć w fakturowanym tynku pokrywającym ściany i sufit wyłaziły setki bladych sznurków długości od dwóch do trzech metrów, cieńszych od ołówka. Połowa falowała leniwie, pozostałe smagały powietrze, jakby chciały kogoś ukarać — kilka tak mocno, że strzelały jak z bata.

Na drugim końcu pokoju, w odległości sześciu metrów, za otwartymi drzwiami stali Winny z Iris. Wyglądali na całych i nietkniętych.

— Nie wchodźcie tu — ostrzegł Winny. — To was chce, nie wchodźcie.

Twyla jeszcze wyraźniej poczuła zimne widmowe palce obmacujące załamania i szczeliny jej mózgu, odczytujące jej myśli, jakby posługiwały się metodą Braille'a. A może pisały, tworzyły historyjkę o tym, jak bardzo chciała wejść do tego pokoju, jak łatwo ominąć te blade bicze, które tylko wyglądały, jakby mogły jej zrobić krzywdę, ale naprawdę były słabe i wiotkie, mogła je odgarnąć jak jedwabistą pajęczynę, mogła podejść prosto do chłopca w parę sekund, objąć go, żeby był bezpieczny, miała broń, z bronią nie ma się czego bać, Winny tak blisko, tak blisko i nie ma się czego bać, nie ma się czego bać...

Sparkle przekroczyła próg pokoju.

Wytrącona z własnego transu, Twyla złapała ją za ramię i odciągnęła do tyłu, kiedy najbliższe bicze śmignęły w jej stronę.

— Myśl o słowach piosenki, byle jakiej piosenki, śpiewaj ją sobie, żeby zablokować to cholerstwo. — Zawołała do syna: — Zostań na miejscu, mały! Nie ruszaj się! Znajdziemy do was inną drogę!

Bezsłowny śpiew zmienił charakter, zamiast tęsknej melancholii rozbrzmiewał teraz szyderczą groźbą. Głos nadal należał do małej dziewczynki, ale skażonej przez mroczną wiedzę, zepsutej i okrutnej.

Powtarzając w myślach refren własnej piosenki: *Nalej mi następne piwo/Podawaj jedno za drugim/Dziś zerwałem z kobietami/Więc posiedzę tutaj długo*, Twyla odprowadziła Sparkle Sykes od wejścia, w stronę zamkniętych drzwi.

—

Winny

Iris pozwoliła się wyciągnąć z pokoju, ale jak tylko znaleźli się na korytarzu, gdzie nie było pęknięć w tynku, zaczęła niespokojnie pojękiwać i niecierpliwie szarpała rękaw swetra, który trzymał Winny. Kiedy mama kazała Winny'emu zostać na miejscu i powiedziała, że znajdzie inną drogę, Iris wyrwała się i uderzyła go w twarz. Cios nie tyle zabolał, ile zaskoczył chłopca, który odruchowo puścił sweter. Iris pchnęła go tak mocno, że stracił równowagę i klapnął na podłogę, a sama pobiegła szybko jak jeleń.

—

Mickey Dime

Ponieważ Mickey zarabiał w ten sposób na życie i ponieważ jako syn swojej matki miał specjalne przywileje, nieuznawane przez prawo, niemal zawsze nosił ukrytą broń, czasami z przykręconym tłumikiem, czasami nie. Ponieważ zawsze był dobrze przygotowany, nosił również zapasowy magazynek z amunicją.

Zużył jeden pocisk, żeby zabić swojego brata Jerry'ego, i jeszcze dwa, żeby zabić tego kutasa Klicka. Strzelił cztery razy do błękitnych telewizyjnych ekranów, które działały mu na nerwy. Zostały trzy pociski. Zanim zszedł na pierwsze piętro, żeby wziąć smycz i obrożę od tego profesorka, doktora Ignisa, albo żeby go zabić, wymienił częściowo opróżniony magazynek na pełny.

Kiedy wsunął pierwszy magazynek do kieszeni sportowej marynarki, znalazł chusteczkę nawilżającą w foliowym opakowaniu. Przeszedł go dreszczyk rozkoszy i na chwilę nastrój mu się poprawił. Świat nie był jednak całkowicie obcy i nie-przyjazny; oto coś takiego, jak trzeba.

Stanął pośrodku swojego brudnego, nieumeblowanego pokoju i bardzo ostrożnie rozkleił foliową paczuszkę. Poczuł cudowny cytrynowy aromat. Rozkoszował się nim przez długą, upojną chwilę.

Starannie wydobył z opakowania chusteczkę nawilżającą. Puste opakowanie sfrunęło na podłogę. Przypomniało mu młodą gejszę, którą zabił w Kioto. Była szczupła i kiedy ją zastrzelił, sfrunęła lekko na podłogę, zupełnie jak ta folia.

Rozłożył chusteczkę i kiedy większa powierzchnia papieru zetknęła się z powietrzem, zapach rozkwitł. Mickey przytknął chusteczkę do nosa i odetchnął głęboko.

Najpierw umył twarz. Płyn, którym nasączono chusteczkę, okazał się bardzo odświeżający. Chłodził skórę i nawet szczypał leciutko, jak płyn po goleniu zastosowany natychmiast po użyciu brzytwy.

Następnie umył ręce. Nie zdawał sobie sprawy, że trochę się lepią, pewnie od dotykania zwłok Vernona Klicka, który niezbyt dbał o higienę osobistą. Kiedy cytrynowa wilgoć wyparowała z palców, Mickey poczuł się nieskończenie lepiej.

Jak wspaniale sobie przypomnieć, że doznanie jest wszyst-kim, że to jedyny cel egzystencji. Odkąd Pendleton zmienił się w niewytłumaczalny sposób, czyli od pół godziny, Mickey próbował rozgryźć, co się stało, zrozumieć cały ten przyczy-nowo-skutkowy interes. Zastanawiał się bez przerwy, co po-winien zrobić, i po prostu tego okazało się za dużo, tyle myślenia, myślenia, myślenia i żadnego odczuwania. Matka była myślicielką, a jednak zawsze pamiętała, że doznanie jest wszystkim. Mickey nie miał wystarczającej przepustowości, żeby dużo myśleć i jednocześnie czuć.

Wiotka, wysychająca chusteczka, z której ulotniła się prawie cała magia, wyglądała teraz smutno, pospolicie, niemal równie przygnębiająco jak ten nowy świat. Zwinął ją w kulkę i trzymał w zagłębieniu prawej dłoni, zastanawiając się, czy może ją jeszcze do czegoś wykorzystać, wydobyć z niej więcej wrażeń. Pewnie miała cytrynowy smak i nadawała się do żucia, chociaż raczej nie należało jej połykać. Potem jednak przypomniał sobie, że skoro wyszorował ręce, na papierze został brud Vernona Klicka, i chusteczka zrobiła się nieapetyczna.

Kiedy upuścił smętnie wyglądającą chusteczkę, do głowy przyszła mu nowa myśl, chociaż starał się za dużo nie myśleć. Zastanawiał się, czy zwariował. Czuł się trochę tak, jakby skoczył w przepaść i powoli opadał w stanie nieważkości. Strata matki okropnie nim wstrząsnęła; taki szok każdego może wytrącić z równowagi. W dodatku musiał zabić własnego brata za darmo i chyba przejął się tym bardziej, niż przypuszczał. Jeśli postradał zmysły, to mogło wyjaśnić, dlaczego świat się zmienił: wszystko to urojenia. Świat był dokładnie taki jak zawsze, tylko Mickey postrzegał go teraz inaczej, ponieważ przekroczył granice szaleństwa.

Stanął jak skamieniały, obracając w głowie tę wielką, trudną i przygnębiającą koncepcję.

Jednocześnie głosy w ścianach umilkły. Nie przycichały stopniowo, tak jak stopniowo się pojawiały, tylko nagle przestały mówić.

Mickey odniósł wrażenie, że cały ten świat, rzeczywisty czy urojony, zatrzymał się, żeby usilnie nad czymś pomyśleć, zdumiał się nową myślą, zupełnie jak on, i pracowicie obliczał konsekwencje, na wypadek gdyby to była prawda, implikacje zaś mnożyły się w nieskończoność.

—

Bailey Hawks

Silas i Kirby przeszukiwali jedno skrzydło apartamentu sióstr Cupp, a Bailey przeszukiwał drugie. Niemal chory ze strachu, sprawdzał każde drzwi i każdy kąt, spodziewając się jakiegoś makabrycznego odkrycia. Powinni byli wszyscy razem przejść przez budynek. Nie należało się rozdzielać ani na chwilę, nawet jeśli taki duży oddział byłby mniej mobilny i trudniejszy do obrony. Czuł, że ich zawiódł, i oczywiście dręczyło go wspomnienie śmierci matki.

Jednocześnie wrócili do salonu. Nie znaleźli ani śladu zaginionych kobiet, ani dzieci, ani kotów. Nie odkryli nic nowego oprócz dwóch kupek nanoszlamu.

Tom Tran i Padmini stali obok siebie przy zachodnich oknach, zafascynowani równiną w blasku księżyca, masywnymi czarnymi drzewami i świetlistą trawą.

Bailey, Silas i Kirby niespokojnie dyskutowali, co dalej, kiedy Padmini oznajmiła:

— To się zatrzymało.

— Całkiem nagle — dodał Tom.

Bailey zobaczył, że trawa za oknem, przedtem nieustannie falująca, teraz stała nieruchomo, sztywna i wysoka.

— Tam daleko latały jakieś stwory — ciągnęła Padmini. — Nie widziałam ich wyraźnie, ale wszystkie spadły na ziemię w tej samej chwili, kiedy trawa przestała się kołysać.

Przedtem dziwaczny pejzaż wyglądał upiornie, rytm traw przypominał hipnotyczne poruszenia ostrza kosy, zataczającej łuki w kościstej dłoni śmierci-żniwiarza, albo taniec w zwolnionym tempie, albo powolne fale cichego morza w zastygłym świecie snu. Lecz ten spokój również sprawiał upiorne wrażenie, ponieważ był tak absolutny. Bailey nigdy nie widział, żeby natura tak całkowicie znieruchomiała, jakby rzucono na nią czar, jakby wszystko zmieniło się w kamień i lód pod zimną tarczą księżyca.

Przypomniał sobie, co powiedział nieśmiertelny człowiek w suterenie: „...wszelkie życie stało się jednością. Jednym. Wiele osobników, jedna świadomość".

Ten zamrożony widok mógł oznaczać, że Jedno nagle zasnęło, jednak Bailey wyczuwał wokół nastrój oczekiwania, nie ukradkowego, lecz wyraźnie sugerowanego. Cała okolica, każda żywa istota w zasięgu wzroku zdawała się owładnięta tym samym zamiarem i zastanawiała się teraz, jak wcielić go w czyn.

Inni też to wyczuli. Padmini powiedziała:

— Coś się stanie.

Tom Tran zapytał:

— Doktorze Ignis?

— Nie wiem — odparł Kirby. — Nie potrafię odgadnąć.

Jedno do czegoś się przygotowywało.

Jedno

Mogę śpiewać albo gadać w ścianach każdym
z miliardów głosów, w każdym z wielu języków,
ponieważ zawieram pamięć wszystkich, których zabiłem.
Ich dusze, jeśli je mieli, odeszły, ale ich wspomnienia
trwają we mnie na zawsze, zawieszone w czasie,
w chwili ich śmierci. Wspomnienia to dane. Dusze
to mniej niż obłoczek pary. Ofiarowuję jedyny rodzaj
nieśmiertelności, który się liczy.

Czas. Zatrzymuję się we wszystkich moich wcieleniach.
W moim świecie zabijanie ustaje i nic się nie odradza. Przez
chwilę nie mogę obsługiwać tych funkcji, ponieważ badam
ścieżki czasu.

Czas jest zdradliwą rzeczą. Istnieję tutaj, w moim czasie, lecz
w waszym czasie jeszcze nie podjęto kroków niezbędnych, żeby
mnie stworzyć. Chociaż zabijanie zawsze wspomagało moje
plany i jak dotąd umacniało moje panowanie na Ziemi,

podejrzewam, że powinienem oszczędzić kilkoro więcej, niż zamierzałem, z obecnego plonu mieszkańców Pendletona. Chłopca nadal zamierzam pożreć, i byłego komandosa też. Może kogoś trzeciego. Nawet ja, władca tego świata, w obecnej sytuacji muszę działać rozważnie, bo gra idzie o najwyższą stawkę.

31

Tu i tam

Fielding Udell

Siedząc w kącie jak w kołysce, wyprostowany i głęboko uśpiony, już nieprowadzony przez wizje jedności w Jednym, Fielding otworzył drzwi do własnej skarbnicy snów i dryfował przez kilka ulubionych scenariuszy. Wszystkie rozgrywały się w jego dzieciństwie, kiedy jego najdroższym towarzyszem był miś Puchatek, kiedy świat był kolorowy, dużo wcześniej, zanim poszedł na uniwersytet i nauczył się nienawidzić swojego gatunku, swojej klasy, siebie samego. W niewinnej młodości nie czuł nienawiści do nikogo i niczego, a Puchatek wszystko kochał.

Skandowany śpiew, natarczywe obcojęzyczne głosy już nie rozbrzmiewały w ścianach ani w jego snach. Legiony umilkły jakby w obliczu nagłego objawienia, które wymagało cichej kontemplacji. Jedno nie mogło wrócić we śnie do dzieciństwa, ponieważ nigdy nie miało dzieciństwa, tylko pochodzenie. Wskutek osobliwości czasu i podróży w czasie Fielding mógł być kluczem do tego pochodzenia. Teraz podświadomie znał swoją rolę w historii, ale w snach nie przytłoczył go ciężar tego obowiązku. Śnił o złocistych letnich łąkach, motylach i żółtym latawcu wysoko w błękicie, i o swoim szóstym przyjęciu urodzinowym, z kolorowymi balonikami wypełnionymi helem.

—

Twyla Trahern

Śpiew nagle się urwał. Kiedy śpiewak stracił zainteresowanie piosenką, widmowe palce w głowie Twyli przestały ją nakłaniać do kapitulacji.

Twyla i Sparkle Sykes nie mogły znaleźć innej drogi przez apartament Gary'ego Daia do miejsca, gdzie czekali Winny z Iris. Wreszcie wróciły na próg, którego chłopiec zabronił im przekraczać. Ale pokój chłosty nie stanowił już przeszkody. Setki bladych batów schowały się z powrotem w ścianach i pozostała tylko pajęczyna pęknięć w tynku, podświetlona od wewnątrz na zielono, i żółte, świecące kolonie grzybów, które przestały pulsować.

Przed niecałą minutą Winny i Iris stali w prześwicie drzwi na drugim końcu pokoju, ale teraz nie było ich widać i nie odpowiadali na wołanie matek. W tych okolicznościach milczenie dziecka było równie alarmujące jak krzyk.

Jeśli bestie z przyszłości były przebiegłe, to pozornie bezpieczne przejście mogło się okazać pułapką. Gdy tylko Twyla i Sparkle wejdą do środka, bicze wyskoczą ze ścian, pochwycą je, oplotą, unieruchomią jak muchy w lepkiej pajęczynie.

Jednak kobiety zawahały się tylko na krótką chwilę, zanim weszły do pokoju. Pendleton z dalekiej przyszłości stał się ostatnią przystanią — i pamiątką — zła, które prześladowało ludzkość od niepamiętnych czasów. W tym świecie, gdzie najwyraźniej brakowało ludzkich istot do torturowania, grupka lokatorów z 2011 roku z pewnością stanowiła łakomy kąsek. Zdeprawowany władca tego miejsca mógł się przyczaić na jakiś czas, bawić się w abstynencję, dosłodzić ostateczną nagrodę kilkoma łyżkami oczekiwania, zanim wreszcie sięgnie po deser. Twyla czuła — i wiedziała, że Sparkle też to wyczuwa — pożądanie głodnego pokoju, gwałtowne, ledwie powstrzymywane. Gdyby tamtędy przebiegły, tupot ich stóp mógłby wywołać wibracje wystarczające, żeby rozbudzić krwiożerczy apetyt bestii, więc szły szybko, ale na palcach, nie budząc drapieżnika z marzeń o smaku ciał i dusz. W głębokich pęknięciach tynku świeciły zapewne luminescencyjne grzyby, jednak Twyla miała wrażenie, że ze szczelin obserwują ją błyszczące ślepia zwierząt.

Pokój pozwolił im przejść bezpiecznie, ale Twyla nie poczuła ulgi, kiedy wyszła drugimi drzwiami do holu. Nie tylko ten pokój ich łaknął, ale cały dom i świat poza domem. Prędzej czy później spadnie cios.

W wąskim holu nie zastały Winny'ego ani Iris. Żadne z dzieci nie odpowiedziało na wołanie matek. Jeśli Winny nadal przebywał w mieszkaniu, odezwałby się, chyba że już nie żył. Nie zniosłaby widoku martwego Winny'ego i nie zamierzała go oglądać. Zostawiła mieszkanie nieprzeszukane i poprowadziła Sparkle przez hol, pokój, mniejszy pokój i przez drzwi na korytarz pierwszego piętra, naprzeciwko południowej windy.

Po wcześniejszych doświadczeniach z windą Winny nie zaryzykowałby drugiej próby. Południowe schody znajdowały się niedaleko, ale tuż za rogiem, w długim południowym korytarzu był apartament Sykesów i przestraszona Iris mogła się tam schować, a Winny pobiegł za nią.

—

Winny

Nie wiedział, co spłoszyło Iris, przed czym uciekała, ale wiedział, do czego uciekała, co stwarzało jeszcze więcej problemów. Modlił się, żeby jeszcze bardziej nie utrudniała mu bycia bohaterem. Przecież nawet ze swoim autyzmem powinna widzieć, że nie nadawał się do tej roli, że wyłaził ze skóry, żeby uratować sytuację, i potrzebował wszelkiej możliwej pomocy.

Ponieważ poruszała się niezręcznie i przy ludziach wydawała się chować w sobie jak żółw w skorupie, Winny założył, że stać ją najwyżej na szybkie dreptanie, ale się pomylił. Myślał, że dogoni ją w apartamencie pana Daia i zatrzyma do przyjścia matek, ale pędziła szybko jak wiatr, jak córka wiatrowej czarownicy, chociaż oczywiście pani Sykes nie wyglądała jak czarownica. Nie dogonił Iris również na korytarzu.

Zanim wbiegł za nią przez drzwi południowej klatki schodowej, krzyknął: „Mamo, schody!". Ale miał okropne przeczucie, że była za daleko i nie usłyszała. Gdyby zwlekał, zgubiłby Iris. Sama w tym nawiedzonym domu, dziewczynka nie pożyłaby długo.

Zbiegała po południowych schodach, jakby bardzo jej się dokądś spieszyło i chciała tam zdążyć na wczoraj. Chociaż Winny gnał na złamanie karku, przeskakując po dwa stopnie, powoli zamykające się drzwi o mało nie trzasnęły go w twarz, zanim dotarł na parter.

Kiedy wybiegł z klatki schodowej, zobaczył Iris w połowie długiego zachodniego korytarza, przy podwójnych drzwiach prowadzących na dziedziniec. Szarpała je, ale były chyba zamknięte na klucz albo zaspawane rdzą. Jednak Winny dobrze pamiętał stwora pełzającego po oknie w apartamencie pani Sykes i latającą mantę z paszczą jak młynek do mielenia odpadków, i zdawał sobie sprawę, że cokolwiek się dzieje w Pendletonie, na zewnątrz jest znacznie gorzej. Krzyknął, żeby odeszła od drzwi, i posłuchała, ale znowu rzuciła się do ucieczki.

Za westybulem, zbliżywszy się do publicznych toalet, wydała przenikliwy dźwięk, niezupełnie krzyk, raczej przeciągły skowyt cierpiącego zwierzęcia. Ominęła parę ciemnych kształtów na podłodze, pomknęła jeszcze szybciej na koniec korytarza i wpadła w drzwi północnej klatki schodowej.

Kiedy Winny dotarł do kształtów, które ominęła Iris, też je ominął. Grzyby dawały wystarczająco dużo światła, żeby zobaczył dwie postacie, jedną nagą i niepodobną do człowieka, drugą ubraną i w połowie ludzką, obie martwe, z rozwalonymi czaszkami. Chyba nie krzyknął, ale czuł się tak, jakby krzyczał, więc może wrzeszczał jeszcze bardziej piskliwie niż Iris, tak cienko, że tylko psy go słyszały.

Dobiegł do klatki schodowej i znowu się pomodlił, tym razem o to, żeby Iris pobiegła na górę, nie na dół, ponieważ wiedział, że piwnica to zły pomysł. Piwnice to z reguły zły pomysł, nawet jeśli to czyste, dobrze oświetlone piwnice w innym świecie, w jego świecie, gdzie prawie wszystkie potwory są ludźmi. Tutaj piwnica jest pewnie bramą do piekła albo do jakiegoś miejsca, gdzie nawet mieszkańcy piekieł nie chcieli się przeprowadzić.

Usłyszał skrzypienie zardzewiałych zawiasów na dole, kiedy Iris wyszła z klatki schodowej.

—

Doktor Kirby Ignis

Kiedy Bailey i Silas dyskutowali, jak najlepiej szukać pozostałych osób, Kirby Ignis balansował na krawędzi oświecenia, wyczuwając w zasięgu ręki rozwiązanie, które wszystko zmieni.

Przy oknie apartamentu sióstr Cupp, obserwując rozległą łąkę zamarłą w idealnym bezruchu, Kirby myślał o stworze, który zaatakował Juliana Sancheza i który przedtem mógł być Sally Hollander, zanim został stworzony z jej ciała i kości. Ta hybryda zwierzęcia i maszyny z pewnością została zaprojektowana jako broń, narzędzie terroru bazujące na najsilniejszych, najbardziej prymitywnych ludzkich lękach przed zmiennokształtnymi: wilkołakami, kotołakami i tym podobnymi. Strach przed utratą władzy nad sobą, przed fizycznym i psychicznym zniewoleniem, opętaniem i przemienieniem na zawsze, należał do najstarszych duchowych lęków ludzkości, może oprócz bojaźni bożej. I równie prastary był fizyczny strach przed zjedzeniem żywcem, pochodzący z czasów pierwszych ludzi, kiedy byli łatwym łupem w świecie pełnym drapieżników. Stworzenie broni wykorzystującej te dwa podstawowe lęki, broni skutecznie przekształcającej niewinnych w nowe narzędzia mordu, wymagało wielkiej wyobraźni oraz niezwykle precyzyjnej inżynierii. Z pewnością bestia nie została zaprojektowana do innych celów, potem jednak wpadła w szał albo zdegenerowała się do obecnego stanu.

Ten człekołak, z braku lepszej nazwy, raczej nie był ani przyczyną, ani konsekwencją zmian, którym uległa natura w tym świecie przyszłości. Zapewne zastosowanie jakiegoś naukowego odkrycia, w teorii dobroczynnego, spowodowało straszliwą katastrofę, której skutków nikt nie mógł przewidzieć. Ale Kirby skłaniał się raczej do opinii, że świat przemieniła inna broń, nie człekołaki, wąsko wyspecjalizowana, która wymknęła się spod kontroli.

Może to była nanotechniczna broń wymierzona w infrastrukturę wroga, megatryliony nanomaszyn zaprogramowane tak, żeby mogły żywić się stalą, betonem, miedzią, żelazem, aluminium i plastikiem, i produkować z tych materiałów jeszcze liczniejsze żarłoczne hordy, dopóki nie dezaktywuje ich bezprzewodowy rozkaz STOP. Może ta broń, te kwadryliony maleńkich myślących maszynek, wykształciły nadumysł, świadomość, i odmówiły wykonania rozkazu? Wtedy zapewne wprowadziły do swojego programu poprawki i postawiły sobie za cel przekształcenie natury.

Na pierwszy rzut oka, z powodu obcego i tajemniczego charakteru, ten świat wydawał się niezwykle skomplikowany, niczym serce ciemności, gdzie czekały niezliczone odkrycia. Teraz jednak, kiedy wszystko zastygło w bezruchu, reagując jakby na jedno nadrzędne polecenie, Kirby dostrzegł w tym uderzający brak złożoności. W gruncie rzeczy to mógł być prosty system, wielokrotnie uboższy od naturalnego świata, którego miejsce zajął.

Indukcje, dedukcje i konkluzje przypominały szeregi pokojów, przez które dryfował jego umysł, architekturę o wiele bardziej skomplikowaną niż Pendleton. Pogrążył się w rozważaniach, oddalony od sąsiadów co najmniej tak samo, jak autystyczna Iris Sykes.

—

Mickey Dime

Stojąc w swoim dawno opuszczonym apartamencie, ze zmiętą chusteczką nawilżającą u stóp, Mickey Dime doszedł do wniosku, że wiele przemawia za przyznaniem się do niepoczytalności. Po pierwsze, gdyby pogodził się z tym stanem, oszczędziłby sobie wielu stresów. Osoba niepoczytalna nie ponosi odpowiedzialności za swoje czyny, zatem nie podlega karze. Uważał, że chociaż zarabia na życie zabijaniem, potrafi uniknąć aresztowania i skazania. Niemniej czasami budził się w nocy spocony, bo zdawało mu się, że słyszy walenie do drzwi i krzyki: „Policja!". Wierzył, że nie trafi do więzienia, jednak gwoli uczciwości musiał przyznać, że jego wiara nie była głęboka.

Nigdy nie potrafił całkowicie pozbyć się strachu przed więzieniem, pochodzącego jeszcze z czasów, kiedy matka zamykała go w szafie na dwadzieścia cztery godziny bez światła, bez jedzenia, bez wody, tylko ze słoikiem jako toaletą. Ukarała go w ten sposób więcej niż raz, ładnych parę razy. Sam nie wiedział, co najbardziej dawało mu się we znaki: klaustrofobia czy niedostatek bodźców zmysłowych, czy te kilka razy, kiedy nie dostał nawet słoika. Wariatów nie zamyka się w więzieniu — jeśli jesteś bogaty, mogą cię nawet wysłać do prywatnego sanatorium, z uprzejmymi strażnikami i bez studwudziestokilowego współwięźnia, który chce cię zgwałcić.

Mickey nie miał pretensji do matki o zamykanie w szafie. Mówił albo robił głupie rzeczy, a matka mogła tolerować wszystko z wyjątkiem głupoty. Nie dorównywał jej inteligencją, co stanowiło dla niej wielkie rozczarowanie, ale pomagała mu, jak mogła. Gdyby jednak Mickey okazał się wariatem, głupota nie miałaby znaczenia, byłaby drugorzędną przypadłością. Szaleństwo przebijało głupotę. I jeśli był szalony, nie musiał czuć się winny z powodu swoich niedostatków. Jeśli urodziłeś się głupi, jesteś taki od samego początku. Ale szaleństwo to tragedia, która dotknęła cię gdzieś po drodze, a nie wrodzone upośledzenie, dlatego mówi się, że coś doprowadza do szaleństwa, bo to ci zrobili inni.

Poza tym gdyby był szalony, już nigdy nie musiałby o niczym myśleć ani niczego rozumieć. Wszystkie jego problemy stałyby się problemami innych ludzi. Obecna sytuacja w Pendletonie i zwariowany świat dookoła byłyby cudzym zmartwieniem. Mickey nie musiałby już o tym myśleć, co sprawiłoby mu ogromną ulgę, bo nie wiedział, jak o tym myśleć.

Teraz, kiedy postanowił zaakceptować szaleństwo, uświadomił sobie, że prawdopodobnie oszalał na długo przed ostatnimi wydarzeniami. Wiele rzeczy, które zrobił, nagle nabrało dla niego większego sensu, bo przecież był szalony od lat. Zabawne, że pogodziwszy się z szaleństwem, czuł się znacznie bardziej pogodzony ze sobą i ze światem. Czuł się taki skoncentrowany.

Okay. Najpierw zejdzie na pierwsze piętro i zabije doktora Kirby'ego Ignisa, a potem odda się w ręce władz. Nie bardzo pamiętał, dlaczego musi zabić Ignisa, ale wiedział, że miał taki zamiar, i uważał, że powinien zakończyć wszelkie wcześniejsze sprawy, zanim rozpocznie nowe, wolne od trosk życie jako pacjent sanatorium.

Wyszedł z mieszkania.

Poszedł na zachód długim korytarzem do północnych schodów.

Zszedł na pierwsze piętro.

Poszedł na wschód długim korytarzem do apartamentu 1-F.

Nie zapukał. Szaleńcy nie muszą pukać.

Mickey wszedł do apartamentu doktora Kirby'ego Ignisa i dwa kroki za progiem przekonał się, że decyzja o zaakceptowaniu szaleństwa była mądra, ponieważ został już hojnie nagrodzony za odwrócenie nowej karty.

—

Winny

Zakręt marmurowych schodów pomiędzy parterem a sutereną wydawał się ciągnąć za długo, chociaż Winny się spieszył. Miał wrażenie, że Pendleton rośnie pomiędzy piętrami, tworzy nowe stopnie równie szybko, jak Winny po nich zbiegał, żywy i zdecydowany mu przeszkodzić. Wreszcie jednak dotarł na dół, przecisnął się przez uchylone drzwi i wyszedł na najniższy korytarz w budynku.

Pewnie światło tutaj było słabsze niż na górze albo cienie głębsze, ponieważ Winny z każdym krokiem coraz bardziej się bał. Kilka lamp sufitowych wciąż działało, świeciły też kolonie grzybów, więc na korytarzu nie panowała ciemność, tylko półmrok, jakby przed chwilą coś tędy przeszło, wzbijając kurz, coś znacznie większego niż dwunastoletnia dziewczynka.

Winny prawie krzyknął: „Iris, gdzie jesteś?", ale ugryzł się w język, bo cichy wewnętrzny głosik ostrzegł go, że nie są tutaj sami. Od tej chwili każdy wydany przez niego dźwięk mógł przyciągnąć uwagę czegoś, z czym wolałby nie wdawać się w pogawędkę, ponieważ z pewnością zabrakłoby mu słów.

W piwnicy było bardzo cicho. Winny nigdy jeszcze nie słyszał takiej ciszy, jeszcze głębszej niż wtedy na polu za wiejskim domem babci, w styczniowy bezwietrzny wieczór, kiedy padał śnieg i nic się nie poruszało, tylko płatki sypały się z nieba, cisza tak ogromna, że Winny czuł się mały, ale bezpieczny w swojej małości, za mały, żeby przyciągnąć niepożądaną uwagę.

Tutaj nie czuł się bezpieczny.

Nasłuchiwał i próbował zdecydować, co dalej. Zastanawiał się, czy świecące grzyby mogą się wyłączyć. W tamtym pokoju w apartamencie Gary'ego Daia, gdzie roślinne pędy — albo macki — wyskoczyły ze szpar w ścianach, światła rozbłyskiwały i przygasały, rozbłyskiwały i przygasały, więc pewnie mogły całkiem zgasnąć, gdyby przyszła im ochota. Jeśli grzyby same się zgaszą, mogą też zgasić nieliczne zakurzone lampy sufitowe. Winny nie miał latarki.

Po prostu szukał wymówki, żeby machnąć na wszystko ręką i zwiać. Zrobiło mu się trochę wstyd, nie bardzo, ale czuł się zakłopotany, chociaż nikt nie widział jego drżenia ani zimnego potu występującego mu na czoło.

Trudne zadanie z każdą chwilą stawało się trudniejsze i teraz zrobiło się tak trudne, że wątpił, czy znajdzie w sobie dość siły, żeby brnąć dalej. Ale gdyby teraz się cofnął, nieważne, czy Iris zginęłaby przez jego tchórzostwo, odtąd zawsze wybierałby łatwiejszą drogę. Wiedział, że tak się dzieje z ludźmi, którzy cofnęli się chociaż raz. Gdyby teraz uciekł, w przyszłości czekałoby go nieudane małżeństwo, wulgarne dziwki, wóda, prochy, bójki w barach i paczka tępych kolesiów, którzy udają jego przyjaciół, ale nim gardzą. I tak wyglądałaby jego przyszłość dopiero po dziesięciu latach dorastania, więc Bóg jeden wie, jak nisko mógłby upaść w międzyczasie.

Przełknął raz, drugi i chociaż zdawał sobie sprawę, że gula w gardle nie jest prawdziwa, przełknął po raz trzeci, zanim cicho podszedł do drzwi pływalni po drugiej stronie korytarza. Uchylił je — na szczęście zawiasy nie skrzypiały tak głośno, jak się spodziewał — i ostrożnie zajrzał do długiego pomieszczenia, które wyglądało inaczej niż przedtem.

W środku było jaśniej niż na korytarzu, ściany porastała świecąca grzybnia, trzydziestometrowy basen migotał czerwonym blaskiem. Winny widział całe pomieszczenie aż do końca i nikt się tam nie czaił.

Zamykał już drzwi, kiedy usłyszał cichy plusk. Wytężył słuch i znowu to usłyszał. Nie bardzo wierzył, żeby autystyczna dziewczynka umiała pływać. Oczami duszy zobaczył, jak Iris idzie pod wodę po raz trzeci.

Mechanizm automatycznego zamykania drzwi nie działał i Winny był zadowolony, że pozostały otwarte. Zaledwie parę kroków dzieliło go od wody, więc natychmiast zobaczył, że basen ma teraz skalne ściany i jest głęboki niczym kanion. Nie widział szamoczącej się Iris, ściąganej w dół przez namokłe ubranie, ale widział coś jakby człowieka, tylko nie całkiem, coś ciemnego, gładkiego i silnego, odpływającego z dużą szybkością, jakieś trzy metry pod powierzchnią, zwinnego jak ryba i najwyraźniej niepotrzebującego tlenu.

Winny widział go na tyle wyraźnie, żeby rozróżnić nogi, a skoro ten stwór miał nogi, mógł się poruszać nie tylko w wodzie. Zanim zawrócił na drugim końcu basenu, Winny cofnął się na korytarz i przymknął drzwi tak ostrożnie, jakby zamykał wieko pudełka, w którym znalazł śpiącą tarantulę.

Serce dudniło mu w uszach, co go martwiło, bo już nie wiedział, czy w piwnicy nadal jest cicho.

Drzwi klatki schodowej znajdowały się parę metrów dalej. Winny dokładnie znał ich położenie, ale nie chciał na nie patrzeć, bo trochę się obawiał, że sam widok schodów wyciągnie go z sutereny aż na drugie piętro, jakby wessało go tornado.

Podszedł do drzwi sali gimnastycznej i szybko zajrzał do środka. W grzybowym świetle zobaczył, że przyrządy gimnastyczne zniknęły i na szczęście żaden człekopodobny stwór nie ćwiczył tam rytmiki.

Posuwając się korytarzem na południe, Winny dzielił uwagę pomiędzy otwarte drzwi maszynowni z przodu a zamknięte drzwi pływalni za plecami. Nogi mu dygotały, jakby w kolanach i kostkach obluzowały się stawy.

W tej chwili życie w Nashville nie wydawało się takie złe, chociaż mieszkanie z tatą nadal nie kusiło Winny'ego na tyle, żeby pobiegł sprawdzać rozkład lotów do Tennessee.

Opierając się jedną ręką o futrynę, przystanął w drzwiach ogromnej maszynowni. Skrzywił się na widok rdzewiejących, lecz nadal potężnych bojlerów i innych urządzeń, widocznych jako żółte kontury i bryły wśród zbyt licznych welonów cienia.

Nie rozumiał, dlaczego Iris tutaj przybiegła, chyba że uciekała na oślep. A może chciała uciec jak najdalej od innych ludzi i gadających głosów, a suterena obiecywała najgłębszą ciszę, największą samotność.

Z głębi maszynowni dobiegły brzęk i grzechotanie.

— Iris — szepnął Winny tak cicho, że nie usłyszałaby, nawet gdyby stała obok niego.

—

Bailey Hawks

Chociaż kobiety i dzieci zniknęły z tego pokoju, szybko zdecydowano, że apartament sióstr Cupp nie jest bardziej niebezpieczny niż inne miejsca w Pendletonie. Wszystko wskazywało na to, że Sparkle, Twyla, siostry i dzieci wyszły dobrowolnie, z nieznanego powodu, może związanego z dziwnym szlamem na podłodze. Wszyscy zgodzili się również, że im mniejszy stanowią cel jako grupa, tym więcej z nich przeżyje, kiedy tranzycja się odwróci. Dopóki obie grupy mają broń i latarki, każda jest równie dobrze przygotowana na atak.

Ze względu na znajome napady drżenia Silas oddał pistolet Padmini, ponieważ okazało się, że dziewczyna doskonale strzela. Wyjaśniła, że w tych czasach na każdym kroku spotyka się *tapori*, *hara-amkhor* albo *vediya* — bandytów, złodziei czy wariatów — więc mądra kobieta wie, jak się bronić. Miała zostać w apartamencie sióstr z Kirbym Ignisem i Silasem.

Bailey z berettą i Tom Tran z latarką zamierzali poszukać pozostałych kobiet i dzieci. Bailey spojrzał na zegarek i zobaczył, że jest dopiero osiemnasta dwadzieścia osiem. Ledwie mógł uwierzyć, że zaledwie trzy godziny wcześniej siedział przy biurku i kończył dzienną pracę, kiedy przez pokój przemknęła sylwetka obcego stwora — pewnie tego samego, który później ugryzł Sally Hollander — i jakby wtopiła się w ścianę, co go skłoniło, żeby załadować pistolet i nosić przy sobie.

—

Sparkle Sykes

Iris nie uciekła do ich mieszkania, a jeśli tak, to natychmiast stamtąd wyszła, kiedy zobaczyła, że znajome otoczenie zmieniło się jak wszystko inne w Pendletonie. Sparkle i Twyla przeszukały pozostałe dwa apartamenty w południowym skrzydle pierwszego piętra, również bez rezultatu.

— Ona gdzieś tam jest, cała i zdrowa — zapewniała Twyla, kiedy biegły przez korytarz w stronę schodów.

Sparkle odwdzięczyła się tym samym:

— On też, poczułabyś, wiedziałabyś, gdyby coś mu się stało.

Przedtem niczego takiego nie mówiły i Sparkle pomyślała, że teraz muszą wypowiadać słowa pociechy, żeby podtrzymać nadzieję tonącą w morzu rozpaczy.

Prawie dotarły do schodów, kiedy usłyszały syczący szum kabiny windy tuż za rogiem. Wyświetlacz pokazywał, że winda zjeżdża z drugiego piętra.

Winny raczej nie wsiadłby do windy po tym, co go spotkało, ale Iris mogła to zrobić. Ktoś musiał jechać windą, więc dlaczego nie Iris? Sparkle nacisnęła guzik, żeby kabina nie przejechała bez zatrzymania.

— Lepiej nie — ostrzegła ją Twyla.

Chwilę później brzęknął dzwonek i drzwi się rozsunęły. W stalowej kabinie stali Logan Spangler i siostry Cupp.

—

Winny

Maszynownia w tym zrujnowanym Pendletonie była dokładnie takim miejscem, do jakiego każda matka zabroniłaby się zbliżać dziecku: rzędy za rzędami potężnych starych maszyn, z których każda zmiażdżyłaby człowieka, gdyby się przewróciła, zepsute bojlery, porzucone narzędzia o ostrych końcach, butwiejące platformy z desek pełnych drzazg, luźne końce elektrycznych kabli najeżone gołymi drutami, w których mógł płynąć prąd dostatecznie silny, żeby usmażyć ci gałki oczne na twoim własnym tłuszczu, więcej rdzy niż na złomowisku samochodów, wilgoć i pleśń, szkielety szczurów i starożytne sproszkowane szczurze bobki, mnóstwo pogiętych gwoździ i odłamków szkła. W innych okolicznościach to byłoby supermiejsce do zwiedzania. „Inne okoliczności" znaczyło: bez potworów.

Po pierwszym brzęknięciu i hurgocie Winny nie słyszał już nic oprócz cichego skrzypienia swoich butów na gumowych podeszwach, kiedy wdepnął w takie czy inne paskudztwo. Jeśli Iris się tu schowała, siedziała ciszej niż mysz pod miotłą, bo mysz przynajmniej by pisnęła. Oczywiście Iris najczęściej milczała. To nie było dla niej nic nowego. Winny zetknął się z nią dopiero na krótko przed skokiem i kilka razy w korytarzu, kiedy ich mamy zatrzymywały się na krótką pogawędkę, i zawsze milczała jak głaz.

Czasami zastanawiał się, jak to jest być Iris. Nie bardzo potrafił to sobie wyobrazić. Przypuszczał, że przede wszystkim jest strasznie samotnie. Chociaż mama zawsze przy nim była, Winny niekiedy czuł się samotny i nigdy nie było to przyjemne uczucie. Zakładał, że jego samotność to zaledwie drobny ułamek samotności, jaką Iris znosi przez całe życie. Ta myśl zawsze go zasmucała. Żałował, że nie może czegoś dla niej zrobić, ale chudy dzieciak z własnymi problemami nie mógł nic zrobić dla niej ani dla nikogo.

Aż do teraz.

Winny skradał się pomiędzy maszynami, obok metalowych regałów zastawionych pleśniejącymi kartonowymi pudłami. Z regałów zwieszały się festony czegoś, co przypominało pąkle, kołysząc się pod własnym ciężarem. Wszystko tutaj zdawało się balansować w chwiejnej równowadze, gotowe się przewrócić od jednego kichnięcia albo nieostrożnego spojrzenia.

Brnął przez coś, co śmierdziało jak stary niemiecki ser, robiąc niewiele hałasu, ale wystarczająco, żeby zagłuszyć odgłosy, które rozległy się w innej części pomieszczenia. Kiedy wreszcie wylazł z lepkiej brei i usłyszał tamten hałas, zamarł z przechyloną głową i nasłuchiwał. Odgłosy sprawiały wrażenie ukradkowych, krótkie szmery przedzielone chwilami ciszy, jakby ten, kto je powodował, nie chciał zwracać na siebie uwagi. Przypominały szelest suchych jesiennych liści pędzonych lekkim wiatrem po trotuarze. Przy trzecim szybkim, trzepotliwym szeleście Winny zorientował się, że dźwięk dochodzi z góry, nie bezpośrednio znad jego głowy, tylko z dalszego końca maszynowni.

Żółte światło nie było tu równie jasne jak na pływalni. Cienie panoszyły się prawie wszędzie, tak gęste i aksamitne, że aż zdawało się, że można je chwycić ręką i naciągnąć na siebie jak płaszcz niewidzialności.

Winny nie mógł tu tkwić i słuchać, jak szelesty zbliżają się coraz bardziej, krótkimi zrywami. Musiał znaleźć dziewczynę i wynosić się stąd, zanim coś zeskoczy z sufitu i odgryzie mu głowę.

— Iris — ośmielił się szepnąć, kiedy dotarł do końca następnego rzędu maszyn.

Winny przekroczył już granicę strachu. To nie znaczy, że się nie bał. Poza granicą zwykłego lęku zaczynał się bardzo poważny strach. Winny wiedział teraz, co znaczy wulgarne określenie: „srać ze strachu". Po prostu w chwilach krańcowego przerażenia organizm wyrzucał z siebie wszelki balast. Na jakiś czas Winny dał się porwać duchowi przygody — bał się, ale jeszcze nie umierał ze strachu. A potem niepostrzeżenie wkroczył na obszar prawdziwej grozy, gdzie intuicja podpowiadała mu to, czego nie mówiły oczy i uszy: że podchodzi coraz bliżej do czegoś, co rozerwie mu gardło.

Gdyby mógł naciągnąć na siebie aksamitne cienie niczym płaszcz niewidzialności, nie zrobiłby tego, ponieważ wiedział, że czeka tam na niego ukryta w cieniu wroga istota.

Skręcił za róg do następnego rzędu maszyn i zobaczył Iris. Stała przed olbrzymim bąblem czy pęcherzem, który uformował się w kącie u zbiegu dwóch ścian. Szeroki na ponad metr i dwumetrowej wysokości, wybrzuszał się z kąta niczym balon wypełniony wodą. Promieniował słabym światłem, nie tak jasnym jak grzyby, bardziej zielonym niż żółtym, i nawet bez nastrojowej muzyki sprawiał złowieszcze wrażenie.

Winny nie chciał zaskoczyć Iris, żeby znowu nie uciekła, ale nie zamierzał również wykrzykiwać radosnego powitania. Przysunął się do niej z boku, nie tak blisko, żeby jej dotknąć, bo perspektywa dotknięcia mogłaby ją spłoszyć.

W bladym świetle padającym z pęcherza dziewczynka miała twarz zieloną jak zombie. Szeroko otwarte oczy również świeciły niesamowitym blaskiem. Usta się poruszały, jakby do kogoś mówiła, ale nie wydawała żadnego dźwięku.

Z głębi długiej maszynowni dobiegł podsufitowy szelest, jakby coś przesunęło się o następne pół metra, zanim zatrzymało się, żeby posłuchać.

Zastanawiając się, co powiedzieć — jego zwykły problem — Winny dokładniej przyjrzał się pęcherzowi. Powierzchnię tworzyła wilgotna, mocno napięta błona, pokryta siecią jakby półprzezroczystych żył. W środku światło było mętne, ale coś tam zobaczył, coś dużego i dziwnego.

Więc pęcherz stanowił coś w rodzaju macicy. Prędzej czy później coś stamtąd wyjdzie. Winny miał nadzieję, że później.

Iris nadal bezgłośnie poruszała ustami. Ponieważ właściwie nic nie mówiła, Winny zastanawiał się, czy formułowała słowa, które przesyłał jej telepatycznie stwór z wnętrza pęcherza.

— Iris — szepnął, a ona odwróciła głowę.

Jedno

Gdybyś ujrzał potęgę mojej kreacji, gdybyś należał do tych, którzy mieszkali w Pendletonie, i przybył tu razem z ostatnim plonem, oniemiałbyś z podziwu dla brutalnej siły i cudownej dyscypliny tego nowego świata. Przekonałbyś się wtedy, że to jest warte twojej wizji, że ty jeden pośród ludzkiego stada — ty jeden w całej historii ludzkości — nie tylko zobaczyłeś, co trzeba zrobić, żeby naprawić świat, ale również podjąłeś stosowne kroki, żeby wywołać ostateczną rewolucję. Nie spodziewałeś się, że odmienię naturę. Wystarczyłoby ci, gdybym tylko zredukował rakowatą masę ludzkości. Ale ja znam twoje serce, tak jak znam serca wszystkich ludzi, i wiem, że pochwaliłbyś mnie, gdybyś mógł zobaczyć, co zrobiłem. Wyślę posłańca, dzięki któremu poznasz, choćby z drugiej ręki, cud Jednego.

32

Tu i tam

Twyla Trahern

Drzwi windy rozsunęły się i Twyla wykrzyknęła ze zdumieniem:

— Martha, Edna!

— Co tu robicie, dokąd jedziecie? — zapytała Sparkle.

Jeszcze nie przebrzmiały te pytania, kiedy Twyla zrozumiała, że nie otrzyma odpowiedzi. Coś było bardzo nie w porządku z siostrami Cupp, a także z szefem ochrony. Twarz Marthy była mniej pomarszczona. Nie młodsza, raczej pełniejsza. Obrzmiała jak u kogoś z problemami krążenia, powodującymi zatrzymywanie płynów w organizmie. Skóra miała żółtawy odcień, widoczny nawet w błękitnym świetle kabiny windy. Edna również spuchła, jej ciało wydawało się miękkie, podobnie jak u pozostałej dwójki, podziurawione wielkimi porami, niemal gąbczaste, zapewne jak ciało sześcionogiego niemowlęcia, o którym opowiadała Sparkle.

Twylę przeraziły ich oczy, najbardziej wymownie świadczące o utracie człowieczeństwa. Oczy zjadaczy lotosu, którzy zapom-

nieli wszystkie dni swojego życia, krokodylowe oczy wypełnione nienasyconym głodem, mętne jak we wczesnej fazie
katarakty, ale płonące bezgraniczną nienawiścią.

Sparkle stała bliżej windy niż Twyla, ale na widok tych oczu
się cofnęła.

Twyla podniosła pistolet i ścisnęła go obiema rękami. Nie
uśmiechało jej się strzelanie do ludzi, których znała, nawet
jeśli przestali być ludźmi, ale zamierzała zrobić, co trzeba,
gdyby się na nią rzucili. Spodziewała się, że wyskoczą z windy,
oni jednak tylko stali i gapili się, jakby czekali, aż drzwi się
zasuną i winda zwiezie ich na dół, do piekła stanowiącego cel
ich podróży.

Mordercza furia aż buchała z trzech postaci, toteż ich po-
wściągliwość wydawała się znamienna, chociaż Twyla nie
potrafiła nic z tego wydedukować. Ramiona mieli luźno zwie-
szone, ale dłonie poruszały się nieustannie, jakby gotowe rozdzierać i dusić. Czarne paznokcie. Szczęka Edny lekko opadała
i Twyla widziała jej zęby, również czarne. Te dwie niby-kobie-
ty i Spangler zmienili się teraz w stwory, których miejsce jest
w bagnach i cuchnących sadzawkach w głębi dżungli, w wilgotnych lochach, w jaskiniach, gdzie woda kapie ze stalaktytów
niczym jad z wężowych kłów.

Głosem wciąż swoim, ale lepkim i mokrym, jakby przefiltro-
wanym przez gardło zatkane śluzem, stwór będący dawniej
Loganem Spanglerem rzucił przez czarne zęby:

— Będę.

Twyla nie wiedziała, co to znaczy, jeśli cokolwiek znaczyło,
czy to zapowiedź ataku, czy zaproszenie do przejścia na ich
stronę.

Nie mogła utrzymać broni nieruchomo. Pistolet wydawał się żywy, podskakiwał w jej rękach. Jeśli strzeli, lufa poderwie się w górę, zawsze się podrywa, a ponieważ miała bezwładne ramiona, nikogo nie trafi, tylko wpakuje pocisk wysoko w ścianę. Z wysiłkiem spróbowała usztywnić łokcie, usztywnić nadgarstki i skierować muszkę niżej na cel.

Spangler powtórzył to słowo i równocześnie wymówiła je Martha, bulgoczącym głosem, jakby tych dwoje miało wspólną świadomość:

— Będę.

Drzwi kabiny powinny już się automatycznie zamknąć. Widocznie dom trzymał je otwarte, dom albo to, co go opanowało.

Logan, Martha i teraz Edna synchronicznie wymówili to samo słowo:

— Będę.

I jeszcze raz, z większym naciskiem:

— Będę!

Jeszcze raz z furią, którą tak jawnie wyrażały ich oczy:

— Będę!!!

Sparkle cofnęła się w otwarte drzwi apartamentu Gary'ego Daia, gotowa do ucieczki.

Na podbródku Marthy i wzdłuż policzka aż do ucha uformowały się z ciała maleńkie grzybki, niczym wysyp młodzieńczego trądziku.

Twyla również odsunęła się od windy, kiedy stwór będący Edną złożył usta jak do parodii pocałunku. Spomiędzy warg wystrzeliło kilka ciemnych pocisków, które świsnęły nad ramieniem Twyli i łupnęły w ścianę.

Twyla odruchowo nacisnęła spust. Kula trafiła stwora-Ednę

wysoko w klatkę piersiową, ale nie zrobiła na niej wrażenia. Stalowe drzwi windy się zamknęły i kabina z szumem ruszyła w dół.

Twyla odwróciła się, żeby zobaczyć, co na nią wypluto. Pociski były trochę większe i dłuższe od orzechów brazylijskich, ciemne i oleiste, drżące, jakby żywe. Dwa wbiły się w gipsową ścianę i chyba próbowały się wwiercić głębiej, ale marnie im szło. Dwa inne spadły na podłogę i pełzały jak gąsienice, szukając czegoś, może jedzenia, które dla nich prawdopodobnie stanowiło synonim ludzkiego ciała.

Sparkle wyszła z powrotem na korytarz przez otwarte drzwi apartamentu Gary'ego Daia.

— O co chodziło z tym „będę"? — zapytała.

— Nie wiem — odparła wstrząśnięta Twyla.

— Dlaczego nas nie zabili?

— Nie wiem.

Wskazując zdychające pociski w ścianie i na podłodze, Sparkle ciągnęła:

— A gdyby trafiły cię w twarz?

— Weszłyby do mózgu, byłabym taka jak siostry Cupp.

— Dzieci! — rzuciła Sparkle i pobiegła w stronę południowych schodów, jakby chciała prześcignąć zjeżdżającą windę.

—

Winny

Iris spojrzała na niego i zobaczył, że jej oczy przestały świecić zielono, kiedy odwróciła twarz od kokonu. Podświadomie spodziewał się zielonego blasku bijącego z jej oczu, więc poczuł ulgę, że Iris pozostała sobą. Lecz ulga nie złagodziła strachu. Chyba do końca życia nie uwolni się od strachu, nawet gdyby dożył setki, nawet gdyby nie miał już się czego bać, podobnie jak szczęśliwy szaleniec śmieje się po całych dniach, chociaż nie dzieje się nic śmiesznego.

Iris patrzyła mu prosto w oczy, czego nigdy przedtem nie robiła. Nadal poruszała wargami, chociaż nic nie mówiła.

— Co? — zapytał. — Co jest?

Odnalazła głos.

— Potężni upadną, ale ja przetrwam.

Kątem oka Winny dostrzegł, że kokon pojaśniał. Odwrócił się i zobaczył, że błona stała się bardziej przezroczysta, podobnie jak szkła fotochromatycznych okularów przeciwsłonecznych rozjaśniają się, kiedy wejdziesz ze słonecznej ulicy do ciemnego pokoju, podobnie jak cienie w złym śnie rozpraszają się i bezlitośnie odsłaniają coś, czego rozpaczliwie nie chcesz widzieć... i postać w środku ukazała się wyraźnie.

Pożyłkowany pęcherz przypominał raczej worek niż kokon, worek wypełniony świetlistą zieloną cieczą. W płynie unosił się blady martwy mężczyzna, nagi, z ustami otwartymi do krzyku, który już dawno ucichł, z oczami wytrzeszczonymi w zastygłym przerażeniu. Pływał niczym okaz w słoju z formaliną, trofeum zakonserwowane do badań przez jakiegoś profesora z innego świata.

— Potężni upadną, ale ja przetrwam — powtórzyła Iris.

Winny zorientował się, że dziewczynka nie mówi w swoim imieniu, tylko w imieniu tego, kto zakonserwował zmarłego mężczyznę, kto wcześniej śpiewał do nich ze ścian. Ten ktoś komunikował się z Iris telepatycznie, podobnie jak wcześniej próbował się porozumieć z Winnym, który wtedy doznał wrażenia, że w mózgu wykluwają mu się małe pajączki.

Oczy trupa skupiły się na chłopcu, który pomyślał, że to złudzenie, gra świateł, wybryk udręczonej wyobraźni. Najwyraźniej jednak okaz żył, sparaliżowany, zatopiony w zielonym płynie, żywy, chociaż nie oddychał, chociaż ani jedna banieczka powietrza nie wypłynęła spomiędzy jego warg, zawieszony pomiędzy życiem a śmiercią, co z pewnością doprowadzało go do szaleństwa. Nie mógł nic zrobić, najwyżej przenieść wzrok z własnych obłąkańczych wizji na przerażonego chłopca, który stał i gapił się jak wieśniak przed jarmarczną budą na pokazie dziwolągów.

Ogrom cierpienia w tych oczach sprawił, że Winny'emu zabrakło tchu, jakby sam został zamknięty w słoju z konserwantem i odstawiony na półkę w ciemnej spiżarni, należącej do kogoś, kto jada małych chłopców. Kiedy wreszcie zaczerpnął powietrza, niemal się zdziwił, że nie wciągnął w płuca zielonego płynu.

Razem z oddechem przyszło rozpoznanie. Człowiek w worku to był niemiły sąsiad, ten, który potrafił zmrozić spojrzeniem i zwykle patrzył tak, jakby nie widział różnicy między dziećmi a robactwem. Dawniej był politykiem, senatorem czy coś tam, i o mało nie trafił do więzienia, a teraz jednak został uwięziony, ciałem, duszą i umysłem.

Oczy senatora mówiły: „Ratunku!". Mówiły: „Na litość boską, wyciągnij mnie stąd, zrób dziurę w tym bąblu, spuść płyn, oddaj mi powietrze i życie!".

Ale cichy głosik w głowie Winny'ego ostrzegł go, że jeśli wyciągnie senatora z worka, kolekcjoner okazów natychmiast się zorientuje i wpadnie w furię. Z zemsty zabutelkuje jego i Iris albo posypie ich czymś, żeby się wywrócili na lewą stronę, jak gąsienice posypane solą, albo podpali ich, żeby popatrzeć, jak się miotają w agonii. Winny znał dzieciaka, który robił takie rzeczy owadom, chłopca imieniem Eric, a stwór, który śpiewał w ścianach i grasował po Pendletonie, chyba był bratnią duszą Erica.

— Boję się — szepnęła Iris, mówiąc już tylko we własnym imieniu.

Kiedy Winny oderwał wzrok od senatora, nie tylko patrzyła mu w oczy, ale również widziała go, dostrzegała go jak nigdy przedtem. Serce mu waliło ze strachu, jakby gorączkowo chciało się wyrwać na wolność. Nagle, chociaż nie zwolniło, jakoś uwolniło się z klatki. Teraz do strachu dołączyło dzikie podniecenie, nic tak wspaniałego jak radość, zaledwie kruche zadowolenie, że Iris go potrzebuje i chyba mu ufa. Nie było w tym żadnych damsko-męskich podtekstów, jedynie słodka satysfakcja, że on musi wykonać ważne zadanie, pomóc komuś, kto potrzebuje pomocy, i ma szanse udowodnić sobie, że nie jest takim nieudacznikiem, za jakiego uważa go ojciec.

Odważył się wziąć Iris za rękę, a ona odważyła się na to pozwolić. Poprowadził ją w kierunku, który uznał za północ, chyba wzdłuż zachodniej ściany ogromnego pomieszczenia.

Przeszli zaledwie parę kroków, z cienia w mżawkę żółtego światła, kiedy hałas w górze kazał im spojrzeć na sufit. Tam, wysoko, wśród pęków rur i kolonii świecących grzybów, przemykało coś wielkości człowieka, ale zwinniejsze. Pomimo swoich rozmiarów poruszało się po suficie ze swobodą karalucha.

— Biegiem — szepnął Winny i pociągnął Iris pod osłoną cienia, dalej od ściany, pomiędzy palisady prastarych maszyn, wysokie regały i rzeczy nieznane.

—

Doktor Kirby Ignis

Tam, w krainie nocy, niebo było bezkresnym czarnym morzem, po którym dryfowały gwiazdy jak lód, powietrze niezamieszkane. Na poziomie gruntu natura, radykalnie przeprojektowana, zamarła w bezruchu niczym kolosalny mechanizm, któremu tymczasowo odcięto zasilanie.

W następnej chwili niebo pozostało bezkresnym morzem, a każda gwiazda — okruchem lodu, lecz powietrze powitało z powrotem latające stworzenia, które przedtem jednocześnie spadły na ziemię. Małe i duże, wszystkie szybowały raz po raz w stronę uwodzicielskiego księżyca — i raz po raz zawracały. Od zachodniego zbocza Wzgórza Cieni, poprzez rozległą równinę, gdzie niegdyś stało miasto, aż po ciemny horyzont krzywizny Ziemi, tryliony źdźbeł wysokiej, świetlistej trawy poruszały się jak jedno źdźbło, kołysały się jakby do leniwego rytmu hawajskiej piosenki.

Wcześniej Padmini powiedziała, że ten dziwny nowy świat natury, kiedy zapadł w całkowity bezruch, sprawiał wrażenie pogrążonego w kontemplacji, jakby Gaja, planetarna żeńska świadomość, potrzebowała spokoju we wszystkich swoich licznych manifestacjach, żeby medytować nad jakąś wielką koncepcją, która właśnie jej zaświtała. Chociaż pomysł wydawał się fantastyczny, z chwili na chwilę coraz bardziej przemawiał do Kirby'ego. A kiedy wszystkie żywe istoty za oknem nagle

457

poruszyły się jak jedna i podjęły znajomy rytm, zrozumiał, co widzi i jak to mogło powstać. Wiedział, czyja praca mogła doprowadzić do stworzenia tej Gai i jaki zamiar przyświecał twórcy.

Przeszył go dreszcz strachu zimniejszy niż wszystko, co dotąd znał. Ale nie. Nie strach. Przynajmniej nie tylko strach. Również podziw. Jego umysł ugiął się przed nagle objawioną prawdą tak doniosłej wagi, tak straszliwej potęgi, że świat za oknem, pomimo wszelkich okropności, wydawał mu się również fascynujący i mrocznie kuszący.

Jeśli ta Gaja rzeczywiście pogrążyła się w kontemplacji, chyba wiedział, co sobie uświadomiła i jakie decyzje mogła podjąć.

———

Sparkle Sykes

Zbiegały po krętych południowych schodach, w kamiennym gardle, które połykało je bez końca. Kamienne ściany, dekoracyjna poręcz z brązu i wyszlifowane marmurowe stopnie, tak dobrze znane, wydawały się obce jak we śnie, który zniekształca znajome miejsca i przydaje im tajemniczości.

Ten Pendleton na końcu historii, o ścianach naszpikowanych obcym życiem, jakby się rozrastał, już nie rezydencja w stylu *beaux arts*, lecz rozległy zamek, nadal kamienny, jednak powiększający się z organicznym wigorem. To wrażenie wywołała zapewne rozłąka z Iris. Z dala od córki Sparkle w każdej minucie wyobrażała sobie dziewczynkę znikającą w ciemności, niczym astronautę odczepionego od kosmicznego promu, odpływającego w przestrzeń i dryfującego przez wieczność.

Lecz podejrzenie, że budynek może samowolnie wypuszczać z siebie nowe pokoje i korytarze, nawet całe piętra, zdawało się potwierdzać, kiedy kobiety dotarły na parter i usłyszały, że kabina windy z siostrami Cupp i Loganem Spanglerem, wciąż szumiąc, zjeżdża na dół, z pewnością dużo niżej niż suterena.

Pierwsze pomieszczenie w południowym korytarzu to była ogromna kuchnia, gdzie przyrządzano posiłki podawane na uroczystych przyjęciach w sali bankietowej. Pod następnymi koloniami wszędobylskich świecących grzybów rozciągała się skomplikowana architektura postrzępionych pajęczyn, ale bez pająków. Piece z nierdzewnej stali były teraz matowe i poplamione jak blacha cynkowa. Na środku stały trzy prostokątne kuchenne wyspy, za którymi mogło się schować dziecko. W głębi otwarte drzwi prowadziły do magazynu, gdzie wchodziło się tylko przez kuchnię.

Twyla z pistoletem, a za nią Sparkle z latarką weszły szybko, lecz czujnie, i natychmiast cisza ustąpiła przed groźnymi dźwiękami dochodzącymi ze zlewozmywaków: natarczywe głosy mówiące w niezrozumiałych językach, syczenie i bulgotanie, odgłosy ślizgania, jakby z odpływów wypełzały węże. Wszędzie dookoła diaboliczne kreatury budziły się z uśpienia. Stwory na wpół widoczne przez zatłuszczone szybki czterech piekarników poruszały się powoli, szare macki ślizgały się po hartowanym szkle; pewnie dostały się do środka od tyłu przez ściany albo w formie zarodników przez przewody wentylacyjne. W górnych szafkach coś się przemieszczało za kobietami dookoła kuchni, hałaśliwie obijało się od wewnątrz o drzwiczki, jakby w każdej chwili mogło któreś otworzyć i wyskoczyć. W górze próchniejące belki stropowe skrzypiały jak pod wielkim ciężarem, metalowe rury brzęczały i klekotały, kurz buchał przez ekrany wentylatorów. Promień latarki w ręku Sparkle skakał to tu, to tam, Twyla nie wiedziała, gdzie ma celować.

Animator tego domu, bardziej rzeczywisty od wszystkich duchów, tym razem nie próbował wtargnąć do ich umysłów, lecz Sparkle wyczuwała jego nastrój, jego naglącą potrzebę równie wyraźnie, jak czuje się zimno płynące z otwartych drzwi lodówki. Jego namiętność była lodowata, najbardziej pożądał ich śmierci, ich ciała wolał zmienić w nawóz, na którym wyrosną jego kolejne manifestacje. To wszystko dotarło do niej w bezsłownych wrażeniach, niewymagających przekładu.

Za otwartymi drzwiami na końcu kuchni widziała spiżarnię zarośniętą sukulentami pozbawionymi chlorofilu, o mięsistych liściach białych i gładkich jak ser, białych nawet w świetle kuchennych formacji grzybów, jeszcze bielszych w promieniu latarki. Wśród liści szczerzyły się liczne dwupłatkowe kwiaty, przypominające mięsożerne paszcze muchołówki; niektóre wbijały szkliste, przezroczyste zęby w liście, powoli rozpuszczały je i pochłaniały w nieustannym autokanibalizmie.

Sparkle łatwo mogła uwierzyć, że ciała dzieci leżą pod korzeniami tej rośliny, mięsiste łodygi wyrastają z pustych oczodołów... Wzdrygnęła się ze wstrętu i pożałowała, że nie ma benzyny i zapałek. Jakby jej myśli zostały odebrane i zrozumiane, kilka rozdziawionych kwiatów, które jeszcze nie znalazły liści do zjedzenia, zazgrzytało przezroczystymi zębami. Ich nienawiść i żądza przemocy przytłoczyły ją jeszcze bardziej. Z ulgą wyszła z kuchni za Twylą.

Teraz jednak ciężar tej nienawiści przygniatał kobiety, gdziekolwiek się ruszyły: na korytarzu, w apartamencie D i E.

Chociaż nie pojawiały się większe manifestacje, Sparkle słyszała odgłosy w ścianach i kilkakrotnie zdawało jej się, że fragmenty ścian albo sufitów wybrzuszyły się lub sklęsły, nie tylko wypaczone ze starości, ale również odkształcone przez jakąś ciemną masę, przemieszczającą się w głębi.

Zajrzały przez kratę windy towarowej na końcu korytarza. Wielka kabina była pusta, jednak Sparkle wyczuła w szybie intensywną obecność, gotową wznieść się spod kabiny i wylać na zewnątrz.

Kiedy biegły do zachodniego korytarza, Sparkle zapytała:

— Czujesz to? Wszędzie dookoła?

— Aha — potwierdziła Twyla.

— To chce nas zabić.

— Więc czemu nie zabije, do cholery?

— Może oczekiwanie zwiększa przyjemność.

— Odkładanie przyjemności na później? Jaki facet na to pójdzie?

— To nie jest facet. To jakiś... jakiś cholerny stwór.

Skręciły w zachodni korytarz i Twyla krzyknęła głosem zdławionym z lęku i frustracji:

— Winny! Gdzie jesteś, Winny?

Nie było sensu się skradać. Animator tego Pendletona zawsze znał miejsce ich pobytu, obecny tutaj równie namacalnie jak w kuchni.

Sparkle zawołała Iris, chociaż nawet w normalnych sytuacjach Iris zwykle czuła się zbyt zagrożona, żeby odpowiedzieć.

—

Mickey Dime

Siedząc w kuchni doktora Kirby'ego Ignisa, Mickey miał wrażenie, że coś pełza mu wewnątrz głowy. Z niewiadomego powodu pomyślał o krwawoczerwonych paznokciach matki, którymi przegarniała stosy listów od wielbicieli, wybierała te, na które warto odpisać, i odrzucała pozostałe. Oczywiście to nie jej palce miał w głowie. Przed tym wieczorem takie doznania mogły go wpienić. Wprawdzie doznania były najważniejsze w życiu, ale tych złych wolał unikać. Ponieważ jednak rozpoznał i zaakceptował własne szaleństwo, przypuszczał, że ta stuknięta część jego osoby po prostu wstała i wybrała się na spacer wewnątrz głowy. Albo coś w tym guście.

— Okay — powiedział, odprężył się i pozwolił na wszystko.

Następne, co przeżywał, to sen na jawie. Zdawał sobie sprawę, że siedzi w kuchni, ale widział też bardzo wyraźnie kolisty zagajnik olbrzymich, czarnych, sękatych drzew. Stamtąd odbył podróż przez miazgę drzew w głąb ziemi, do różnych interesujących miejsc, i zobaczył mnóstwo fascynujących rzeczy, między innymi Pogrom ludzkości, zniszczenie miast i szybkie dojście do władzy Jednego. To było jak najbardziej niesamowity film w historii, z największym budżetem efektów specjalnych, reżyserowany przez Jamesa Camerona na metamfetaminie i red bullu. Chociaż pozostało mu wrażenie, że Jedno uznało go za zbyt niepewnego, żeby mógł się przydać, samo przeżycie było tak niezwykłe, że Mickey uznał szaleństwo za najlepsze, co mogło mu się przydarzyć.

Winny

Biegnąc pod ścianą, byli zbyt odsłonięci. Musieli się przemykać wśród zepsutej maszynerii, pękniętych bojlerów, regałów magazynowych, przełazić pod i nad wielkimi izolowanymi rurami.

Winny mógł się kierować tylko światłem luminescencyjnych grzybów, więc w końcu rozbolały go oczy, strefy światła i cienia zaczęły się dziwacznie zlewać i zakręciło mu się w głowie, nie tak bardzo, żeby stracił równowagę, ale wystarczająco, żeby myliły mu się kierunki. Uważał, że nie powinni też uciekać alejkami między maszynerią, bo sufitowy pełzacz łatwiej ich wypatrzy w tych otwartych przejściach, czy to z góry, czy z poziomu podłogi. W słabym świetle, przeciskając się przez wąskie odstępy między zdezelowanymi urządzeniami i pospiesznie przecinając alejki, coraz bardziej zdezorientowany, z trudem usiłował znaleźć drogę do drzwi.

Zasypana śmieciami podłoga stanowiła tor przeszkód, który mogli pokonać albo szybko, albo cicho, ale nie jedno i drugie jednocześnie. Po spiesznych, chociaż nie cichych pierwszych krokach Winny zaczął się skradać, ponieważ wiedział, że w każdym wyścigu bestia dostrzeżona na suficie zawsze go wyprzedzi.

Mocno trzymając Iris za rękę, wpatrując się uważnie w podłogę przed sobą, przeciął alejkę szerokości półtora metra i wcisnął się pomiędzy dwa pudełkowate urządzenia wysokie na ponad dwa metry. Wciągnął Iris za sobą do ciasnego prześwitu, oddzielającego ten rząd maszyn od następnego.

Tam przystanął w cieniu, oddychając płytko przez usta, i próbował usłyszeć coś więcej poza łomotaniem własnego

463

serca. Chłodne powietrze cuchnęło rdzą, stęchlizną i rzeczami, których nie potrafił nazwać, i zostawiało gorzki posmak na języku. Zastanawiał się, czy nie wdycha czegoś, czego już się nie pozbędzie z płuc.

Iris mocniej ścisnęła go za rękę i kiedy obejrzał się w prawo, nawet w atramentowym cieniu zobaczył jej oczy rozszerzone strachem. Widocznie przez lukę między maszynami dostrzegła coś niepokojącego w następnej serwisowej alejce.

Ostrożnie przechylił głowę w lewo, wyjrzał przez lukę po tej stronie... i zobaczył sufitowego pełzacza na podłodze, idącego w wyprostowanej pozycji. Stwór miał w sobie coś z gada, ale również z kota. Wysoki, smukły, silny. Każda z jego długopalcych dłoni wydawała się dostatecznie wielka i potężna, żeby objąć twarz chłopca od podbródka do nasady włosów i zedrzeć ją, oderwać od czaszki równie łatwo, jak zrywa się maskę uczestnikowi maskarady.

Stwór wyszedł z pola widzenia. Winny odczekał chwilę, zanim wślizgnął się w lukę pomiędzy maszynami, ciągnąc Iris za rękę. Wychylił się, odsłaniając głowę, spojrzał w lewo i zdążył zobaczyć, jak bestia skręca na końcu alejki serwisowej, kierując się w stronę, z której przyszli.

Miał rację, że alejki są niebezpieczne. Grzybicze światło zdawało się powoli przygasać, kiedy razem z Iris — która znalazła chwilowe schronienie w swoim autyzmie, gdzie mogła się skupić i zachować spokój — zygzakiem posuwali się przez las maszynerii, niczym Jaś i Małgosia podczas ucieczki przed czarownicą zjadającą dzieci. Tylko że ten potwór nie był tak miły jak czarownica i nie zadawał sobie trudu, żeby skusić ich pierniczkami.

Maszynownia miała dwadzieścia na trzynaście metrów, dwieście sześćdziesiąt metrów kwadratowych powierzchni, więcej niż przeciętny duży dom, jednak Winny'emu wydawała się kilkakrotnie większa. Kiedy wyszli na otwartą przestrzeń, ale jeszcze daleko od drzwi, do frustracji i rozczarowania dołączył nowy dreszcz strachu, ponieważ podłogę zaścielały zużyte mosiężne łuski po nabojach, a pod ścianą siedziało czternaście ludzkich szkieletów, dziesięć dorosłych i cztery dziecięce. Jedne trzymały broń, inne osunęły się bezwładnie obok upuszczonych pistoletów.

Winny nie chciał narażać Iris na dodatkowy stres, co mogło zniszczyć jej nowo osiągniętą równowagę, jednak wśród broni zobaczył taką, którą musiał mieć. Automatyczne pistolety prawdopodobnie były pozbawione amunicji i zbyt skorodowane, żeby z nich strzelać. Zresztą odrzut przewróciłby go na tyłek i wyrwałby mu broń z ręki, a przy jego pechu rykoszet trafiłby go prosto między oczy. Lecz na jednym karabinie był zamocowany bagnet. Z bagnetem mógł sobie poradzić. Zawsze to lepiej niż gołe ręce, gdyby go przyparto do muru.

— Wszystko będzie dobrze — szepnął, chociaż sam się dziwił, że jeszcze nie zginęli, i zaprowadził Iris do miejsca z kośćmi.

Podniósł karabin wolną ręką i zaskoczyło go, że okazał się taki ciężki. Mógł go nieść przez jakiś czas w jednej ręce, ale gdyby miał się nim osłaniać albo dźgać przeciwnika, potrzebowałby obu rąk, więc musiałby puścić dziewczynę.

Bagnet był mocno osadzony na lufie karabinu i Winny zastanawiał się, czy naprawdę warto go mieć, kiedy nieludzki, pożądliwy wrzask odbił się echem od ścian i stłoczonej maszynerii. Nie dawał się dokładnie umiejscowić, jednak rozległ się całkiem blisko, i Winny zląkł się, że nie zdążą uciec z otwartej przestrzeni dostatecznie szybko, żeby stwór ich nie zauważył... i mogą wpaść prosto na niego. Prosto w jego szpony, jego kły.

Stawić mu czoło z bagnetem czy się ukryć? Ukryć się. Łatwe. Pomiędzy dwoma trupami dorosłych było wystarczająco dużo miejsca dla niego i Iris. Pociągnął ją na podłogę i nakłonił, żeby usiadła obok niego, plecami do ściany. Zwłoki po obu stronach przechylały się do nich. Zamiast się wyrywać jak przedtem, Iris ścisnęła go za rękę tak mocno, że zabolało.

Ubrania martwych ludzi spleśniały i częściowo przegniły. Z czasem ciało odpadło od kości i postrzępione szmaty luźno wisiały na szkieletach. Nie mogąc się uwolnić od kurczowo zaciśniętej ręki dziewczyny, Winny sięgnął nad nią lewą ręką i szybko naciągnął na nią brudny płaszcz martwego mężczyzny.

Górna połowa tego szkieletu osunęła się po ścianie i oparła o Iris, która wydała ciche: „urrrrr", nic więcej.

Winny narzucił na siebie połę płaszcza drugiego trupa. Ten szkielet również ześlizgnął się po ścianie i oparł o chłopca, zasłaniając mu twarz kościstym ramieniem.

Teraz trupie szmaty okrywały Winny'ego i Iris, chociaż tylko częściowo przesłaniały twarze. Ale w słabym świetle to powinno wystarczyć. Chyba będą tu bezpieczni, dopóki ktoś nie przyjdzie ich szukać, jeśli w ogóle ktoś przyjdzie, albo przynajmniej przez kilka minut, zanim stwór dojdzie do wniosku, że wymknęli się z maszynowni, i zacznie ich szukać gdzie indziej.

Fragment przegniłego rękawa dotykającego twarzy chłopca obrzydliwie śmierdział. Winny próbował nie myśleć, skąd się wziął ten odór. Powstrzymując odruch wymiotny, szepnął do Iris:

— Jesteś bardzo dzielna.

Z prawej strony, za kawałkiem pustej podłogi zaśmieconej mosiężnymi łuskami po pociskach, na końcu serwisowej alejki, w odległości około czterech metrów pojawiła się bestia. Zamarła, czujnie obracając głowę na wszystkie strony. To dobrze, pomyślał Winny, że nawet po tak długim czasie ubrania szkieletów cuchną śmiercią, bo maskują zapach młodego życia.

Stwór nagle przemknął obok szkieletów i zniknął wśród cieni, pomiędzy maszynami, polując. Nie odważyli się myśleć, że odszedł na dobre. Tutaj byli bezpieczniejsi, pomiędzy kośćmi i cuchnącymi resztkami ubrań, dopóki wytrzymają napięcie i smród.

Poza tym kiedy nie uciekali, Winny miał czas pomyśleć. Potrzebował czasu na myślenie. Co najmniej miesiąca.

Ponownie szepnął do Iris:

— Jesteś bardzo dzielna.

Ich dłonie, śliskie od zimnego potu, wydawały się złączone na zawsze, jakby zespawane.

Jedno

Duma poprzedza upadek. Ale to było wtedy; teraz jest inaczej. Moja duma w tej kwestii jest usprawiedliwiona. Uczyłem się z całej przeszłości rasy ludzkiej, nawet przed ludzkością, z wielkiego łuku czasu i jeszcze przed czasem. To jest teraz mój świat i zostanie mój na zawsze. Ci, którzy tu nie umrą, zginą dostatecznie szybko w swoim czasie, kiedy cywilizacja załamie się wokół nich w Pogromie i Zaniku. Jestem rośliną, zwierzęciem, maszyną. Jestem postludzkie i kondycja ludzkości mnie nie dotyczy. Jestem wolne.

33

Tu i tam

Tom Tran

W życiu Toma, długo przed transformacją Pendletona, zdarzały się incydenty tak groteskowe, że niejako naruszały samą tkaninę rzeczywistości i w następstwie tych incydentów prawa natury przez jakiś czas wydawały się elastyczne.

Tysiące ciał w masowym grobie pod Nha Trang było zbrodnią tak potworną, że kiedy Tom i jego ojciec odeszli od krawędzi tej grozy, świat dosłownie stał się inny. Dżungla, przez którą uciekali, wyglądała znajomo, ale jakoś inaczej: palmy wydawały się zdeformowane, z liśćmi nie pierzastymi, tylko spiczastymi; eukaliptusy miały barwę zbyt ciemną, niemal czarną, i cuchnęły benzyną; szeflery, zwykle kwitnące na ciemnoczerwono, teraz pyszniły się krwistoczerwonymi kwiatami tak jaskrawymi, że wydawały się sztuczne; gumowce i liczne paprocie, datury, filodendrony i cissusy były inne niż zawsze, odmienione niekiedy wyraźnie, niekiedy w sposób trudny do określenia, dziwne i obce. Uciekinierzy spędzili w tej dziczy dwa dni, maszerowali po czternaście godzin na dobę, chociaż powinni dotrzeć na miejsce najwyżej po ośmiu godzinach. Nie zabłądzili, nie wpadli w delirium, więc obaj doszli do wniosku, że odległości nagle stały się elastyczne, świat bardziej rozległy i nieprzyjazny niż przedtem.

Podobnie zdarzyło się w zbyt małej łodzi, w której Tom z ojcem w końcu wyruszyli na morze razem z pięćdziesięciorgiem innych uchodźców. Po napaści tajskich piratów, po zamordowaniu trzydziestu uchodźców, kiedy piraci ponieśli duże straty i się wycofali, a pokład spłynął krwią, czas na Morzu Południowochińskim się wypaczył, każdy dzień trwał zaledwie parę godzin, noce wlokły się w nieskończoność i gwiazdy zajmowały na niebie zupełnie inne pozycje. Tom wiedział, że kto sam tego nie przeżył, uznałby to za delirium, ale ci, którzy tam byli, zdawali sobie sprawę, że to coś bardziej tajemniczego.

A teraz, w tym przemienionym Pendletonie, on i Bailey Hawks posuwali się korytarzami, które — mogli przysiąc — wydłużały się przed nimi, sprawdzali pokój za pokojem w zrujnowanych apartamentach i pomieszczeniach publicznych, które przedtem, jak pamiętał, nie miały takich rozmiarów. Nie zabłądzili, ale kilkakrotnie tracili orientację. Dręczyło ich wrażenie, że ten budynek bardzo się różni od Pendletona z ich czasów, nie tylko ze względu na opłakany stan, ale także z innych powodów, które im umykały.

Znajdowali jeszcze dziwniejsze formacje grzybów i innych porostów, słyszeli hałasy w ścianach i czuli przytłaczającą obecność ukrytego władcy tego Pendletona. Widocznie posiadał jakieś zdolności telepatyczne, ponieważ Tom wyczuwał jego macki w mózgu niczym pasma zimnej mgły, a Bailey opisał

to jako dreszcz w stylu „ktoś przeszedł po moim grobie".
Wtargnąwszy do ich umysłów, przekazywał im swoją pogardę,
swoją czystą nienawiść.

Im dłużej szukali, tym bardziej Tom nabierał pewności, że
umrą tutaj, i to wkrótce. Jednak atak nie nastąpił.

Chociaż zdawał sobie sprawę, że jeszcze nie przeszukali
wszystkiego, i chociaż nie pamiętał, dlaczego wrócili do północnego skrzydła na pierwszym piętrze, które już sprawdzili,
szedł dalej, kiedy wyszli z 1-D, apartamentu Tullisów, i skręcił
w prawo. Na końcu korytarza w otwartych drzwiach 1-F pojawił
się młody człowiek, którego Tom nigdy wcześniej nie widział,
i przywołał ich gestem.

— Świadek — powiedział Bailey.

—

Winny

W tych okolicznościach przerwa na zastanowienie to może
był dobry pomysł, ale tylko pod warunkiem, że byłeś dostatecznie bystry, żeby opracować wspaniałą strategię. Wciś-
nięty pomiędzy szkielety, spowity cuchnącymi szmatami, Winny usiłował obmyślić najlepszy sposób postępowania dla siebie
i Iris, ale nic mu nie przychodziło do głowy poza tym, że
powinni zostać na miejscu i dalej udawać nieboszczyków,
aż matki ich znajdą albo nie będą już musieli udawać, bo
naprawdę umrą.

Przez chwilę był niesamowicie zadowolony z siebie, srał ze
strachu, ale parł do przodu, teraz jednak znowu spadał z pozycji
początkującego bohatera do roli zwykłego chudego dzieciaka.
Planowanie strategii oznacza poważną wewnętrzną dyskusję,

a Winny odkrył z konsternacją, że pod presją nie wie nawet, co powiedzieć do siebie samego. Niemal słyszał, jak ojciec mu mówi, że byłby lepiej przygotowany do tej sytuacji, gdyby nie czytał tylu przeklętych książek, gdyby nauczył się taekwondo i gry na męskim instrumencie muzycznym, gdyby spędził lato albo dwa na zapasach z aligatorami i spróbował wyhodować sobie włosy na piersi. Winny nie miał jeszcze ani jednego włosa na piersi i pewnie nigdy mu nie urosną.

Biedna Iris. Zebrała całą odwagę i zrobiła najtrudniejszą dla niej rzecz tylko po to, żeby skazać się na największego głupka w historii. Pewnie uważała go za Clarka Kenta, podczas gdy w rzeczywistości wśród bohaterów komiksów był raczej SpongeBobem Kanciastoportym. Zawalił strategię, więc próbował wymyślić, jakimi słowami przekazać jej złą nowinę.

Oczywiście i tak nie znajdzie żadnych słów... i kiedy się biedził nad nimi, z góry sfrunęły drobinki świecących grzybów, tuż przed jego niezakrytym okiem, niczym płatki żółtego śniegu, co wydawało się stosowne. Za pierwszym spłynął drugi świetlisty obłoczek i Winny uświadomił sobie poniewczasie, co to znaczy.

Nie patrz w górę, powiedział sobie, jakby to wszystko działo się tylko dlatego, że śniła mu się ta cała podróż do przyszłości. Jeśli przyśni mu się, że płatki świecących grzybów wcale nie spadły, on i Iris będą bezpieczni. Jeśli przyśni mu się, że wszyscy wrócili do tamtego Pendletona z ich czasów, to nagle się tam znajdą i nie będzie miał większych zmartwień niż wizyta ojca z prezentem w postaci rękawic bokserskich i worka treningowego.

We śnie, kiedy sobie powiesz: „Nie patrz w górę", prędzej czy później i tak spojrzysz, podobnie jak w prawdziwym życiu. Winny odchylił głowę do tyłu, cuchnąca szmata zsunęła mu się z twarzy, zerknął ponad wyszczerzoną czaszką szkieletu, który się na nim opierał, w płomienne oczy spiczastogłowej bestii wiszącej na ścianie do góry nogami, oddalone najwyżej o pół metra od jego oczu, na jej szare wargi odsłaniające rzędy ostrych szarych zębów.

—

Bailey Hawks

Wszedł za Świadkiem do apartamentu 1-F i prawie jakby wrócił do przeszłości, do Pendletona z 2011 roku. Mieszkanie wyglądało jak dawniej, wszystko tak, jak zapamiętał, od mebli i regałów z książkami naukowymi po podświetlone akwarium. Jedyną różnicę stanowiły brudne okna i brak ryb w wielkim szklanym zbiorniku. Wszystkie elektryczne lampy działały. Świecące grzyby tutaj nie wtargnęły.

— Co to za miejsce? — zapytał Bailey, chociaż pomyślał, że wie.

— Świątynia — odpowiedział Świadek. — A mnie możesz nazwać dozorcą.

Tom Tran stał zadziwiony, jakby nie patrzył po prostu na mieszkanie Kirby'ego Ignisa, jakby je widział w Pendletonie przyszłości za sprawą czarów albo cudu.

— Świadek czego? — zapytał Bailey.

— Historii świata, który przeminął — wyjaśnił Świadek — a zwłaszcza początków Jednego.

— Jesteś od niego oddzielony — przypomniał sobie Bailey. — Ono na to pozwala.

— Urodziłem się w tysiąc dziewięćset dziewięćdziesiątym szóstym roku. Po dwudziestce należałem do pierwszych osób, które skorzystały z pełnozakresowych BioMEMS-ów, nie tylko respirocytów i innych fizycznych udoskonaleń, ale również z augmentacji mózgu. Dlatego mam pamięć wystarczająco pojemną, żeby pomieściła całą historię świata. Nie starzeję się. Nie choruję. Można mnie zabić, tylko stosując najbardziej ekstremalne formy przemocy, ponieważ... sam się naprawiam.

— Nieśmiertelność.

— Praktycznie tak.

— Największe marzenie ludzkości, najbardziej pożądane.

— Tak.

Bailey widział melancholię w oczach Świadka, niemal czuł promieniujący z niego smutek.

— Nieśmiertelny... i samotny.

— Tak.

— Ostatni człowiek na Ziemi — odezwał się Tom Tran.

— Technicznie biorąc, jestem postczłowiekiem. Hybrydą. Organizmem wspomaganym przez miliardy nanomaszyn.

W głębi apartamentu ktoś zawołał:

— Czyżbym słyszał Baileya Hawksa?

Winny

Stwór przyklejony do ściany nad Winnym zasyczał i wysunął spomiędzy wyszczerzonych zębów szary, błyszczący, rurkowaty język. Winny nie wiedział, do czego służy język, ale wiedział, do czego służą ostre zęby, i nie wątpił, że język może zrobić coś znacznie gorszego od ugryzienia, na przykład odessać mu ciało z kości i zostawić szkielet obrany do czysta, jak te obok.

Sparaliżowany strachem, czuł się jeszcze mniejszy niż zwykle. Wiedział, że zawsze musi wybierać najtrudniejszą drogę, nie najłatwiejszą. Teraz jednak ta filozofia go zawiodła, ponieważ najtrudniejszym wyborem wydawała się śmierć, która go czekała tak czy owak, czy będzie walczył, czy uciekał. Nie mógł pokonać takiego wielkiego, silnego przeciwnika i nie mógł przed nim uciec. Miał dwie opcje: szybka śmierć albo jeszcze szybsza.

Iris widocznie też uniosła głowę i zobaczyła stwora na ścianie. Rozluźniła uścisk na dłoni Winny'ego, przestała miażdżyć mu kłykcie i zaczęła natarczywie skubać jego spocone palce, nadgarstek, ramię, jakby myślała, że zasnął, i próbowała go obudzić, żeby ich bronił.

Potem powiedziała coś bez sensu:

— *Idziemy teraz na łąkę, żeby się osuszyć na słońcu.*

Słuchając jej drżącego głosu, Winny przypomniał sobie, że Iris nie jest zuch dziewczyną z przygodowej opowieści, którą układał w głowie. Jest osobna i zawsze taka będzie, życie rozdało jej znacznie gorsze karty niż jemu. To, że jest chudy i nieśmiały, że nigdy nie wiedział, co powiedzieć, i miał ojca niemal równie fikcyjnego jak Święty Mikołaj... to wszystko nic, nic w porównaniu z autyzmem. Jeśli odważyła się wziąć go za rękę, jeśli dzielnie zachowała milczenie w tej kryjówce z kości i gnijących całunów, pomimo wszelkich nękających ją lęków i dolegliwości, to on, na Boga, może zrobić coś więcej, niż umrzeć szybko albo jeszcze szybciej.

Uczepiona ściany obiema stopami i jedną ręką, bestia powoli wyciągnęła do Winny'ego lewe ramię. Nacisnęła czubkiem długiego palca miejsce na środku jego czoła, nad nasadą nosa, trochę jak ksiądz naznaczający wiernych w Środę Popielcową. Palec miała trupio zimny.

Iris była słaba i Winny też nie był silny, ale silniejszy od niej, co znaczyło, że miał obowiązek jej bronić. Jego ojciec był silny, naprawdę silny, wdawał się w bójki w barach i wpychał ludziom głowy do sedesu, ale nie zawsze trzeba nadużywać siły. Można użyć siły, tej odrobiny, którą masz, w słusznej sprawie, nawet jeśli wiesz, że nie masz szans na zwycięstwo, nawet jeśli od początku jesteś skazany, możesz stanąć do walki i machać chudymi ramionami, bo o to chodzi w życiu, żeby próbować wbrew wszelkim przeciwnościom. I wtedy odkrył najtrudniejszą rzecz, którą musiał zrobić, najtrudniejszą ze wszystkich trudnych rzeczy: trzeba postępować słusznie, nawet jeśli nie masz nadziei na sukces ani nie spodziewasz się nagrody.

Winny znów chwycił Iris za rękę, odciągnął ją od ściany, wygramolił się razem z nią spomiędzy napierających szkieletów, przebiegł kilka kroków, odtrącając kopniakami mosiężne łuski, i odwrócił się przodem do bestii. Nadal tkwiła na ścianie, z głową przechyloną w bok, i obserwowała ich oczami nieruchomymi jak lód i szarymi jak granit nagrobka.

Winny puścił rękę dziewczynki i zasłonił ją sobą. Chwycił obiema rękami stary karabin z przytwierdzonym bagnetem i wycelował w górę. Czuł się jak królik naprzeciwko wilka, czuł strach — o tak — ale nie czuł się ani bezużyteczny, ani głupi.

—

Bailey Hawks

W odtworzonej, nieskazitelnej kuchni Kirby'ego Ignisa, w kąciku jadalnym siedział Mickey Dime, złożywszy ręce na stole przed sobą. Jego twarz miała dziwnie dziecinny wyraz, usta wyginały się w słodkim, niemal anielskim uśmiechu. Z boku, prawie poza jego zasięgiem, leżał pistolet wyposażony w tłumik.

Dime kiwnął głową Baileyowi i powiedział:

— Szeryfie.

Skinieniem głowy powitał Toma Trana i tego, który nazywał się Świadkiem.

— Funkcjonariusze. Chciałbym się poddać i zgłosić na badanie psychiatryczne.

W tym apartamencie wrażenie przytłaczającej nienawiści Jednego złagodniało i Baileyowi myślało się jaśniej. Jednak to spotkanie zaskoczyło go nie mniej niż wszystko, co się dotąd wydarzyło.

Sięgając po pistolet Dime'a, powiedział:

— Nie jestem szeryfem.

— Szeryf, były wojskowy, wszystko jedno. Wiem, że czymś tam jesteś. Rozumiesz, zwariowałem, ale nie straciłem rozeznania. Zabijałem ludzi. Teraz tylko chcę się poddać i żeby mnie skazali na sanatorium. Nie będę ciężarem dla stanu. Mam środki. Po prostu nie chcę więcej myśleć. Nie jestem w tym dobry.

Bailey podał berettę Tomowi Tranowi, który przyjął broń bez wahania, jakby potrafił jej używać.

Bailey zwrócił się do Świadka:

477

— Co to znaczy?

— Nawet nie wiedziałem, że on tu jest.

Mickey Dime przytaknął z uśmiechem.

— Przyszedłem z własnej nieprzymuszonej woli. Jestem szalony. Widzę rzeczy, których nie może tu być.

Bailey wyjął magazynek ze skonfiskowanego pistoletu, zobaczył, że jest pełny, i wsadził go z powrotem.

Spojrzał na zegarek.

Winny

Bestia zlazła ze ściany, wyprostowała się i stanęła wśród szkieletów, spoglądając na Winny'ego z rozbawieniem, jak pomyślał w pierwszej chwili. Potem jednak pomyślał, że ten stwór nie potrafi się bawić, że albo nie odczuwa żadnych emocji, albo napędza go tylko furia.

Na filmach w takiej chwili gwiazdor mówił coś w rodzaju: „No dalej, zrób mi przyjemność" albo: „Chodź, dupku, w piekle na nas czekają". Jednak Winny nie silił się na żadne luzackie grepsy, ponieważ nie był gwiazdorem ani bohaterem. Wyrósł już z takich fantazji. Teraz chciał tylko zrobić na koniec słuszną rzecz, nie żadną łatwiznę, zrobić coś trudnego, ale nie dla chwały, bo nie ma żadnej chwały w umieraniu. Chwała jest dla gwiazd filmowych i piosenkarzy country, i nie jest warta splunięcia. On chciał tylko nie wstydzić się za siebie, nie tchórzyć, okazać się kimś lepszym, niż zawsze myślał.

— Iris!

— Winny!

Obejrzał się i zobaczył swoją matkę z pistoletem, panią Sykes z latarką... i cóż to była za chwila.

Stwór zasyczał.

—

Doktor Kirby Ignis

Jeśli słusznie się domyślił, co kontemplowała ta Gaja i jaką podjęła decyzję, kiedy cała natura się zatrzymała, to koniecznie musiał obejrzeć swoje mieszkanie. Nie wdając się w wyjaśnienia, oznajmił, że chce zejść na pierwsze piętro. Nalegał, żeby Silas i Padmini zostali w apartamencie sióstr Cupp. Oni jednak nie zamierzali go puścić bez uzbrojonej eskorty, toteż kiedy upierał się, że pójdzie, postanowili mu towarzyszyć.

Gdy przekroczył próg apartamentu 1-F i odkrył, że jego mieszkanie w tym Pendletonie wygląda prawie dokładnie jak w jego czasach, zachowane starannie, chociaż resztę budynku odarto z wyposażenia i oddano na pastwę zniszczeń, groza, która ogarnęła go wcześniej, niemal go przytłoczyła i nogi się pod nim ugięły.

Z Silasem i Padmini depczącymi mu po piętach poszedł za głosami do kuchni, gdzie zastał Dime'a siedzącego za stołem, Hawksa po jednej stronie, Toma Trana obok lodówki i jednego z najlepszych pracowników swojego instytutu, Jasona Reinholta, stojącego przy zlewie.

— Jason? Dlaczego byłeś w tym budynku, kiedy nastąpił przeskok?

— Nie byłem, doktorze Ignis. Przybyłem do Pendletona wiele lat po tym incydencie i jestem tu prawie od półtorej dekady. Przybyłem po pierwszym Pogromie, który miał zredukować ludzkie brzemię planety, i przed drugim Pogromem, nieplanowanym.

Kirby zagapił się na niego z otwartymi ustami. Po raz pierwszy w życiu nie chciał czegoś pojąć, ale nie mógł powstrzymać zrozumienia.

—

Winny

Iris, szurając nogami, odsunęła się od Winny'ego i podeszła do matki. Stał przez chwilę samotnie, zanim cofnął się powoli w stronę swojej mamy, trzymając bagnet w pogotowiu.

Stwór zrobił kilka kroków do przodu, ale potem się zatrzymał. Wodził wzrokiem pomiędzy nimi, jakby się zastanawiał, w jakiej kolejności ich zabić.

— Co to za cholerstwo? — zapytała pani Sykes.

Winny nie znał odpowiedzi, lecz jak się okazało, potwór sam się przedstawił pojedynczym słowem:

— Pogromit.

—

Bailey Hawks

Padmini i Silas weszli do kuchni, kiedy Kirby Ignis mówił:

— Ale, Jasonie, po tylu latach wyglądasz... tak młodo.

— Nie używam już tego imienia. Jestem po prostu Świadkiem. Jestem młody, bo należałem do pierwszych ochotników, którzy przyjęli pełnozakresowe wspomaganie BioMEMS. Faktycznie byłem pańskim pierwszym.

Kirby przyłożył dłoń do twarzy młodzieńca i powiedział z niedowierzaniem:

— Więc to działa. Rodzaj nieśmiertelności.

— Działa — potwierdził Świadek.

Kirby odwrócił dłonie wnętrzem do góry i przyglądał im się przez chwilę, jakby go zdumiewały, jakby nie należały do niego i zrobiły coś, co ledwie potrafił sobie wyobrazić. Znowu przeniósł spojrzenie na Świadka.

— Ale ta Gaja, ta planetarna świadomość, jak ona...

— Ono się nazywa Jedno. Na świecie nie ma już płci. Pogrom rozpoczęto z zamiarem zredukowania ludzkiej plagi do bardziej rozsądnych rozmiarów... a potem miał nastąpić Zanik, który usunie infrastrukturę niepotrzebną przy tak zmniejszonej populacji.

— A ja? Gdzie ja jestem w tej przyszłości?

— Pan nie żyje. Przekształcony przez Pogromita w innego Pogromita. Przeżył pan nasze ostatnie dni jako maszyna zaprogramowana do zabijania.

Padmini Bahrati zrobiła krok w głąb kuchni i zwróciła się do Ignisa:

— Pan to zrobił?

Wszyscy oprócz Mickeya Dime'a, który żył teraz we własnym świecie, na długą chwilę zamilkli ze zdumienia.

Potem Kirby Ignis pokręcił głową.

— Nie. Nie zrobiłbym tego. Nie mógłbym. Nie to. — Drgnął, zelektryzowany nagłą myślą. Rzucił w stronę Świadka: — Norquist.

Wiecznie młody mężczyzna przytaknął.

— Pańskie teorie, dzieło pańskiego życia... jego zastosowania.

Ignis rozejrzał się po wpatrzonych w niego ludziach.

— Von Norquist jest starszym partnerem w instytucie. Błyskotliwy człowiek. Ma trochę kontrowersyjne poglądy... ale nie aż tak ekstremalne.

Świadek powiedział do Baileya:

— Przez stulecia świat miał szczęście. Naukowcy rzadko bywają charyzmatyczni. Ale Norquist był jednocześnie błyskotliwy i wyjątkowo charyzmatyczny. Był megalomanem, który zmienił swoją naukę w religię... i przekonał innych podobnych do mnie, żeby w swojej ignorancji poparli jego sprawę. Stał się bardziej ekstremalny — dodał pod adresem Ignisa.

—

Winny

Winny nie przypuszczał, że kule powstrzymają tego stwora. Nie sądził, że bestia przestraszy się broni.

Jednak nie rzuciła się na nich w szale zabijania, więc skoro się zawahała, miała ważny powód.

Matka Winny'ego pokładała więcej wiary w pistolecie.

— No dobrze — powiedziała — wszyscy grzecznie i powoli przesuną się za mnie. — Głos miała spokojny, jakby ustawiała ich przed wycieczką po muzeum. — Ruszajcie do drzwi, a ja pójdę za wami, ale będę go trzymała na muszce.

— Nie strzelaj — ostrzegł Winny. — Strzały na pewno tylko go rozdrażnią.

Zanim zdążyli się poruszyć, bestia skoczyła do przodu, ominęła ich i zatrzymała się, blokując im drogę ucieczki.

—

Bailey Hawks

Ignis odwrócił się do Baileya.

— Powstrzymam Vona Norquista. Powstrzymam go na zawsze. Wyrzucę go z instytutu w taki sposób, że nigdzie nie znajdzie pracy. Widocznie zrobił to za moimi plecami.

— Pan wiedział o wszystkim — sprostował Świadek. — Najpierw pan udawał, że nie rozumie, dokąd to prowadzi. Ale kiedy wreszcie pan zobaczył, co on zamierza, zgodził się pan, bo pan się nie sprzeciwiał.

Ignis gwałtownie pokręcił głową, nie dopuszczając do siebie tych słów.

— Nie. Nie, to można powstrzymać. Nie dopuszczę do tego. Zacznę od zamknięcia naszego wydziału broni. Zerwę wszystkie kontrakty z Departamentem Obrony.

— Jak daleko się posunął wasz wydział broni? — zapytał Tom Tran.

Dotkliwie świadomy pistoletu w jego ręku, Ignis zapewnił:

— To można odkręcić. Wszystko, co zostało zrobione, można odkręcić, cofnąć.

— Nie odpowiedział pan na pytanie — zauważył Silas. — Prokurator nie byłby zadowolony.

— Niech pan odkręci wszystko, nie tylko wydział broni — zażądał Tom. — Ten wasz cały instytut. Niech pan wszystko odkręci.

Ostre poczucie winy Ignisa złagodziła teraz nuta zniecierpliwienia.

— W nauce nie ma nic złego. Chodzi tylko o sposób jej stosowania. Trzeba to rozróżniać. Świat nie musi się taki stać tylko z powodu nauki. Teraz dostaliśmy szansę, żeby to naprawić.

Nikt mu nie odpowiedział.

Ignis odwrócił się do Baileya, jakby uznał go za człowieka otwartego na głos rozsądku.

— Tak, ta przyszłość to katastrofa, ale także dowód, że świat można diametralnie zmienić. Jeśli można go zmienić na gorsze, to można go również zmienić na lepsze. Chodzi tylko o zastosowanie wiedzy, wszystko zależy od tego, jaką technologię rozwinie nauka i jak mądrze ją zastosujemy. Potrafimy stworzyć świat doskonały.

— Jedno nagle przestało nas zabijać — odezwał się Bailey.

Ignis zamrugał.

— Co?

— Może przestało nas zabijać, bo stwierdziło, że gdyby pan wrócił do naszego czasu sam jeden, ściągnąłby pan na siebie zbyt dużą uwagę. Jak by pan wytłumaczył, że reszta z nas zaginęła? Więc przestało nas zabijać, żeby mieć pewność, że po powrocie do swojego czasu będzie pan bez przeszkód kontynuował pracę.

Ignis pokręcił głową.

— Ono mną nie rządzi. Nie jest moim panem. Po powrocie zrobię to, co trzeba zrobić.

— To, co trzeba zrobić — powtórzył Bailey. — Interesujący dobór słów, prawda, Silasie?

— Wykręty ucharakteryzowane na szczerość — przyznał prawnik.

Ignis zamknął oczy. Zacisnął zęby, wargi mu zbielały, na policzkach wystąpiły mięśnie. Najwyraźniej albo powstrzymywał gniew, albo szukał sposobu, żeby przekonać pozostałych, że jest człowiekiem tak dobrotliwym, jakim się wydawał.

Ponieważ milczenie i bezruch stanowiły jego jedyną odpowiedź na zarzut Silasa, Bailey w końcu zapytał:

— A dokładnie co „trzeba zrobić" twoim zdaniem, Kirby?

Ignis otworzył oczy. Pokręcił głową, jakby zrezygnowany, ale zasmucony ich podejrzeniami.

— Nie muszę tego znosić.

Odwrócił się i ruszył do drzwi.

Bailey wycelował pistolet Mickeya Dime'a w plecy naukowca.

— Ani kroku dalej — rzucił.

Ignis się nie zatrzymał.

— Nie odważysz się mnie zabić.

Sufit zatrzeszczał, coś prześlizgnęło się za gipsowo-kartonowymi płytami.

— Jedno jest wszędzie wokół nas — oznajmił Świadek.

Ignis wyszedł z kuchni, przeciął jadalnię.

Bailey zerknął na Padmini, Padmini spojrzała na Toma, a Tom powiedział:

— Dokąd on idzie? On coś szykuje.

—

Winny

Pogromit stał między nimi a drzwiami i obserwował ich, ale bez wyraźnych agresywnych zamiarów.

Potem podniósł wysoko brzydką głowę, jakby nasłuchiwał głosu, który słyszał tylko on. Błyszczące oczy zmętniały, przysłonięte jakby wewnętrznymi półprzezroczystymi powiekami. Stwór zaczął się kołysać w przód i w tył, jakby do taktu muzyki. Był tak giętki, że Winny'emu skojarzył się z kobrą oczarowaną przez grę na flecie.

— On... gdzieś odszedł — szepnęła pani Sykes.

Mama Winny'ego powiedziała:

— Trzymajcie się razem. Obejdziemy go. Cicho.

—

Bailey Hawks

Zanim Bailey dotarł na korytarz, Kirby Ignis pokonał jedną trzecią drogi do północnych schodów. Nie biegł, ale szedł szybko, zdecydowanym krokiem.

Za plecami Baileya Padmini powiedziała:

— Spójrzcie w górę.

Sufit zrobił się jakiś rozmiękły i grząski, obwisał pod wilgotnym ciężarem, z każdego złączenia sypał się tynk, jakby wielkie gipsowe panele się rozsuwały.

Tom Tran wyszedł z apartamentu Ignisa, celując z beretty Baileya do Mickeya Dime'a. Z twarzy zabójcy nie schodził senny uśmiech, jakby przyszyty do ust.

Silas szedł za nimi, ale Świadek został.

— Chodźcie — powiedział Bailey i poprowadził ich za naukowcem.

Cokolwiek zamierzał Ignis, chyba nie mógł ich narazić na jeszcze większe niebezpieczeństwo. Bailey nie wyobrażał sobie, dokąd facet mógłby uciec, żeby uniknąć odpowiedzialności, kiedy tranzycja się odwróci. Ale celowość jego ruchów sugerowała, że ma jakiś plan, co nie wróżyło pozostałym nic dobrego.

Sufit jęczał za ich plecami i miękł przed nimi. Piszczały gwoździe powoli wyciągane z belek stropowych, drewniana konstrukcja trzeszczała niepokojąco, jakby poddawana ogromnym, szybko narastającym obciążeniom. Po obu stronach gniazdka elektryczne wyskakiwały ze ścian razem z puszkami, wlokąc za sobą czarne, białe i zielone kable, zostawiając prostokątne dziury, w których wiło się coś bladego, jakby koniecznie chciało się wydostać na korytarz.

Ignis zniknął w drzwiach klatki schodowej, lecz Bailey i Padmini już go prawie doganiali, a Silas, Tom i Mickey nie zostawali daleko z tyłu. Ignis ruszył w dół, szybciej niż na korytarzu, przeskakując po dwa stopnie naraz. Dyszał ciężko i wyrywały mu się piskliwe, rytmiczne trwożne pojękiwania. Minęli poziom parteru. Bailey przypomniał sobie, jak Świadek go ostrzegał, że wewnątrz budynku Jedno jest najsilniejsze w szybach windy i w suterenie.

—

Doktor Kirby Ignis

Przetrwanie Jednego — samo jego powstanie — zależało od tego, czy Kirby wróci żywy do roku 2011, a żeby przeżyć, Kirby musiał wrócić sam. Na Baileyu Hawksie nie mógł polegać. Hawks pochopnie ferował czarno-białe moralne wyroki i nie brał pod uwagę wielu odcieni szarości. Dzięki doświadczeniom z sali sądowej Silas Kinsley bezbłędnie wyłapywał każdy wykręt i utwierdzał Hawksa w podejrzeniach. Hawks, który był na wojnie i przeżył, potrafił działać i nie zawahałby się przed wykonaniem wyroku. Najgorzej mieć takiego wroga.

Jedno przemówiło do Kirby'ego tam w kuchni. Przemówiło z wnętrza jego głowy, nie tyle słowami, ile obrazami, z których wyciągnął wnioski. „Na dole", powiedziało. „Suterena, pływalnia", mówiło, pokazując mu te miejsca. Nie miał już tutaj przyjaciół, nie wśród własnego gatunku, mógł ufać tylko Jednemu, Jednemu i domowi, który nawiedzało w miriadach postaci.

—

Bailey Hawks

Kiedy Bailey wybiegł z klatki schodowej na korytarz sutereny, drzwi pływalni właśnie się zamykały. Padmini i Silas minęli go i chcieli iść dalej, ale położył rękę na ramieniu dziewczyny i zatrzymał oboje.

— Drzwi zawsze są niebezpieczne — powiedział również do Toma, który właśnie nadszedł z Mickeyem. — A basen... teraz jest pułapką. Zostaliśmy tu zwabieni i spędzeni jak barany na rzeź.

Basen zmienił się teraz w kanion głęboki na tysiąc sążni albo jeszcze głębszy, a nanomaszyny przegryzające się przez skalne podłoże mogły wydobyć i skonstruować wszystko, cokolwiek leżało pod Pendletonem. W tych otchłaniach przyszłe zło Jednego zdawało się łączyć ze złem sprzed początku czasu, o którym ludzkość przekazywała sobie opowieści z ust do ust, przez jaskiniowe malowidła i wreszcie za pośrednictwem słowa pisanego. Tutaj wszystkie milenia ziemskiego zła skupiły się w jeden moment, a ten dom, most nad czasoprzestrzennym uskokiem, był również świątynią sił, które od dawna dążyły do powszechnego zniszczenia.

— On tam jest? — zapytał Tom. — I nie pójdziemy za nim? To co zrobimy?

Sufit zaskrzypiał. Wokół posypały się okruchy świecących grzybów. Kilka działających lamp przygasło, rozjaśniło się, przygasło. Tak jak na górze, ze ścian wystrzeliły gniazdka elektryczne razem z puszkami połączeniowymi i takie same blade kształty kłębiły się w otworach. Z szybu windy dobiegł szum kabiny wjeżdżającej z wielkiej głębokości. Znowu ich popędzano, kierowano do drzwi pływalni.

— Czekajcie — rozkazał Bailey.

Po prawej stronie, w połowie długości korytarza, z maszynowni wyszły Twyla i Sparkle z dziećmi.

Bailey spojrzał na zegarek.

— Czekajcie. Czekajcie.

Drzwi pływalni zostały wyłamane od środka, wyrwane z zawiasów i odrzucone na bok.

—

Silas Kinsley

Z otworu drzwiowego wyskoczyły dwie istoty, które Świadek nazywał Pogromitami, mokre po kąpieli, mniejsze od innych, wzrostu dzieci. Jedna pomknęła prosto do Silasa, szybciej niż kot, wdrapała się po jego prawej nodze, czepiając się pazurami płaszcza, kłapiąc zębami, wbijając w niego spojrzenie gargulcowych oczu, jakby straszliwa grawitacja tych źrenic mogła go wciągnąć w nicość. Uderzył ją pięścią, zęby nie trafiły w jego dłoń, rozdarły mankiet. Silas zatoczył się do tyłu, rękaw trzasnął, podbiegła Padmini, stwór wytrząsnął z paszczy strzępki tkaniny, obrócił głowę w stronę dziewczyny i kłapnął zębami, lecz ugryzł nie jej rękę, tylko lufę pistoletu. Strzał rozbryznął jego szary pełzający mózg po podłodze.

Drugi mały Pogromit rzucił się na Baileya. Ekskomandos cofnął się szybko i z bliska wystrzelił cztery pociski, które rozwaliły napastnikowi twarz i wyrwały tył czaszki. Monstrum upadło mu pod stopy, niemal bezmózgie, ale wciąż drgało i chwytało zębami jego buty. Odkopnął je na bok, odwrócił się do drzwi pływalni i pojawiła się trzecia bestia, większa niż poprzednie. Pierwsza dwójka wydawała się znajoma i teraz Silas zrozumiał dlaczego. Tak jak Pogromit uformowany z substancji Sally Hollander trochę ją przypominał, tak ten stwór zdradzał subtelne podobieństwo do Margaret Pendleton, żony Andrew, która zaginęła razem z córką i synem w 1897 roku. Silas widział fotografie tej kobiety i jej dzieci — i oto, czym się stały. Pogromit był wzrostu Padmini i natychmiast ją zaatakował.

—

Twyla Trahern

Nagłe pojawienie się stworów z pływalni na krótko rozproszyło uwagę Twyli. W tej samej chwili Pogromit z maszynowni wypadł przez drzwi za jej plecami. Szybki i silny, odepchnął ją jedną ręką tak mocno, że straciła równowagę, przewróciła się i upuściła broń. Wylądowała na lewym biodrze, ból przeszył całą nogę. Sparkle wrzasnęła, Iris wrzasnęła. Twyla przetoczyła się, usiadła, zobaczyła, jak w żółtym świetle szary potwór wyrywa Winny'emu karabin z zamocowanym bagnetem i odrzuca daleko. Pogromit. Nazywa się Pogromit. Skoczyła w stronę pistoletu, coś zdradliwego pod nogami, oleiste kawałki świecącego grzyba, które spadły z sufitu, śliskie jak lód. Pogromit złapał Winny'ego za ramiona, podniósł go wysoko, jakby składał ofiarę jakiemuś krwiożerczemu bogu, Twyla chwyciła pistolet i nagle Pendleton zaryczał psychotycznymi głosami, psychiczna fala nienawiści uderzyła Twylę, potrząsnęła nią potężnie, w jej głowie rozbłysło żółte światło, więc odruchowo nacisnęła spust, odpryski roztrzaskanego betonu ukłuły ją w twarz...

—

Tom Tran

Jedną sześciopalczastą dłonią, niemal szybciej niż myśl, stwór chwycił Padmini za gardło, a drugą ręką objął ją i przyciągnął do siebie. Pistolet uwiązł między nimi. Padmini dwa razy strzeliła napastnikowi w brzuch, on jednak był bardziej maszyną niż ciałem i tylko strzał w głowę — niszczący obwody logiczne — mógł go powstrzymać. Kłapnął zębami przy jej twarzy, wlokąc ją do tyłu. Padmini wykręciła głowę, uniknęła jednego ugryzienia, potem drugiego.

Stwór wciągnął ją przez próg do pomieszczenia pływalni. Tom ruszył za nimi, ściskając oburącz berettę, z nadzieją na czysty strzał w nienawistne oblicze stwora, jednak bał się strzelać, ponieważ Padmini gwałtownie rzucała głową na boki, broniąc się przed ugryzieniem. Doktor Ignis stał w pobliżu, z twarzą wykrzywioną obłąkańczym grymasem na wpół przerażenia, na wpół triumfu. Działając wyłącznie instynktownie, Tom postrzelił Ignisa w prawe ramię. Wtedy ze wszystkich ścian, nawet z basenu, buchnęły niezliczone głosy Jednego, wrzeszcząc z furii. Żeby chronić Ignisa, Pogromit odrzucił Padmini i skoczył na Toma. Pistolet nie był w pełni automatyczny, lecz strzelał tak szybko, jak Tom zdążył naciskać spust. Stwór miał twarz niemal w strzępach, kiedy dopadł go i zbił z nóg.

—

491

Twyla Trahern

...Winny uniesiony nad głową Pogromita, słodkie jagniątko wysoko na ołtarzu, ale potem opuszczony, twarzą w twarz z szarym kapłanem, który syczy, konsekrując ofiarę, obnaża zęby do śmiertelnego ukąszenia, Sparkle przyskakuje z tyłu, wbija bagnet w krzyż stwora, bez skutku. Twyla nie słyszy już muzyki, tylko ostry, dysonansowy krzyk zgrozy, wściekłości i wszechpotężnej miłości, pistolet podskakuje w jej rękach raz, drugi, jeszcze raz. Szare zęby przy gładkim policzku... ale potem głowa eksploduje, Pogromit upada, Winny uwolniony, Winny nieugryziony, Winny z szarymi nanokomputerami pełzającymi po twarzy.

—

Bailey Hawks

Wstrząśnięta Padmini wróciła na korytarz.

Tom Tran szedł za nią, prowadząc Kirby'ego Ignisa za ramię, przyciskając mu do gardła lufę pistoletu.

— Pat! — krzyknął Bailey.

Świadome, że jeżeli Ignis zginie, mogą już nigdy nie powstać, wrzeszczące legiony Jednego przycichły, chociaż w głosach nadal brzmiała wściekłość.

Zaciskając lewą ręką ranę w ramieniu, Kirby Ignis wydawał się zdziwiony, co nie świadczyło o nim najlepiej, skoro cokolwiek jeszcze mogło go dziwić po poznaniu Jednego i świata stworzonego przez instytut. Nie spodziewał się rany, gdyż pomimo całej skruchy i zapewnień, że nie dopuści do takiej przyszłości, nadal nie uważał się za winowajcę. Przerażały go tragiczne niezamierzone skutki, ale nie potrafił się przyznać do odpowiedzialności za to, co się stało.

Legiony w ścianach nadal protestowały, jednym głosem wyrażając tę samą bezsłowną wściekłość, najnowsza wersja bezpostaciowego motłochu. Jedno jakby dyskutowało ze sobą, uzgadniając następny ruch.

— Bailey, popełniasz okropny błąd — powiedział Ignis. — Moja praca, nasza praca w instytucie może uwolnić ludzkość od wszelkich cierpień. Świat można naprawić.

Bailey pomyślał, jak często nie wyglądali na to, czym są. W otoczeniu Hitlera mógł się znaleźć czyjś przemiły wujek, czyjś pyzaty kuzyn, dziadek w bamboszach, z fajką i życzliwym uśmiechem. Za młodu Albert Speer trochę przypominał Gregory'ego Pecka, aktora idealnie pasującego do ról pozytywnych bohaterów. Roosevelt nazywał Stalina „wujek Joe". Wujek Józio i wujek Ho Szi Min. Pol Pot z kambodżańskich pól śmierci mógł być sympatycznym pracownikiem stojącym za ladą pralni chemicznej.

Zagłuszając głosy w ścianach, Ignis zaapelował do Padmini Bahrati:

— Dzięki nanomaszynom, które edytują DNA płodu w macicy, żadne dziecko nie urodzi się upośledzone.

— Albo żadne dziecko nigdy się nie urodzi — odparła.

— Nie, nie. Posłuchaj. Posłuchajcie mnie. Nanoboty mikrobiwory pływające w krwiobiegu mogą ściągać instrukcje rozpoznawania każdego wirusa czy bakterii i likwidować każdą chorobę setki razy szybciej niż antybiotyki.

Świadek wynurzający się z klatki schodowej powiedział:

— W tej przyszłości nie ma chorób.

— Zapomnijcie o tej przyszłości — rzucił Ignis. — Nigdy tego nie planowaliśmy.

Bailey ponaglał wszystkich, żeby dołączyli do Sparkle i Twyli w połowie długości korytarza. Obejrzał się na Świadka, który wolał zostać sam, i zapytał:

— A w ogóle który to rok?

— Nie tak odległy od waszych czasów, jak myślicie. Jest rok dwa tysiące czterdziesty dziewiąty.

Kręcąc głową, uśmiechnięty Mickey Dime powiedział:

— Ja tego nie słyszałem. Nie chcę o tym myśleć. To nie ma sensu.

Z cichym „ding" winda przyjechała z otchłani do piwnicy.

———

Sparkle Sykes

Gorączkowo wycierała szlam z twarzy Winny'ego, przerażona, że horda nanomaszyn rozpuści ciało. Nagle obok pojawiła się Iris, pokonawszy lęk przed kontaktem z ludźmi, delikatnie wycierała lewe ucho i szyję Winny'ego. Nanoboty roiły się na rękach Sparkle niczym tysiące mrówek, ale nie gryzły ani nie kłuły. Twarz Winny'ego pozostała nietknięta. Wycierając energicznie ręce o ubranie, Sparkle zauważyła, że horda porusza się już bardziej niemrawo.

———

Bailey Hawks

Tam, gdzie wszyscy zebrali się w połowie korytarza, tynk popękał i odpadł z sufitu, wkręty wyskoczyły z ram konstrukcji. Płyta gipsowa odchyliła się jak wielka klapa, obsypała Baileya sproszkowanym gipsem i o mało nie obaliła Toma na kolana. Na górze, pomiędzy belkami stropowymi, życie kochające śmierć kłębiło się w bladej obfitości, skręcało się, miotało i sięgało ku nim.

Wbijając mocniej lufę w gardło Ignisa, Tom Tran krzyknął:

— Zabiję go!

Jedno widocznie postanowiło zaryzykować życie swojego stwórcy, ponieważ z błękitnie oświetlonej kabiny windy wylała się wściekła zgraja ohydnych manifestacji, roślinno-zwierzęco--maszynowe istoty, na widok których serce zamierało i wzrok się ćmił, potworności niczym z koszmarów wyśnionych przez demony w ostatnim kręgu piekła. Ta sfora rozdarłaby ludzi na strzępy, gdyby na ścianach nie zamigotały nagle płachty błękitnego światła. Tranzycja się odwróciła, ryk przeraźliwych głosów ucichł, znikły brud i zniszczenia, znikły martwe Pogromity i te, które przyjechały windą. I zostali ci, którzy przeżyli, tu, gdzie przyszłość jeszcze się nie zdarzyła, tu, w punkcie zwrotnym wiecznie zawracającego czasu, gdzie wszystko było możliwe i nic jeszcze nie było stracone.

Dom.

Jedno

Od bieguna do bieguna zatrzymuję się całym sobą, wszystkie manifestacje nieruchomieją, świat milknie w oczekiwaniu. Chłopiec mi ucieka, podobnie jak były komandos, ale zabrali ze sobą mojego posłańca. Każda kolejna chwila zdaje się potwierdzać mój triumf. Jestem księciem tego świata nie tymczasowo, ale po wsze czasy. Dwaj geniusze z instytutu będą kontynuowali pracę zgodnie z zapotrzebowaniem i będzie dobrze. Będzie dobrze, wszystko będzie dobrze na tym najlepszym z możliwych światów.

34

Ulica Cieni 77

W korytarzu sutereny dziura w stropie zasklepiła się bez śladu. Ze ścian i sufitu nie dochodziło żadne skrzypienie, żadne szuranie, żadne głosy. Demoniczna mnogość zniknęła na ich oczach, podobnie jak Świadek.

Uwolniony przez Toma, z jedną ręką wciąż przyciśniętą do rany w ramieniu, Ignis powiedział:

— Nie pożałujesz, że mnie oszczędziłeś, Bailey. Naprawię to. Wszystko. Wszystko wyprostuję.

Bailey zapytał:

— Silas, czy to zbieg okoliczności, że ten jeden dom na całym świecie zbudowano akurat na uskoku czasoprzestrzennym?

— W sądzie mówimy o przyczynie i skutku, motywie i zamiarze. Nie lubimy zbiegów okoliczności.

— Ani ja. Tom, czy to zbieg okoliczności, że człowiek, który zniszczy przyszłość, mieszka akurat w jedynym domu na świecie zbudowanym na uskoku czasoprzestrzennym?

— Zbieg okoliczności to zwykły przypadek — odparł Tom Tran. — Wierzę we wzorce i tajemnice.

Zniecierpliwiony, krzywiąc się z bólu, Ignis rzucił:

— Jaki to ma sens? Ja krwawię. Potrzebuję opieki lekarskiej.

— Padmini — ciągnął Bailey — gdyby prawdziwy niszczyciel tego świata nazywał się Von Norquist, czy nie jego rezydencję zachowano by jako świątynię?

— Twoje pytanie to zagadka, której nie umiem rozwiązać — przyznała Padmini.

— Moja matka pana lubiła, doktorze Ignis — odezwał się Mickey Dime. — Mówiła, że pan ma wizję. Nie chodziło jej o dobry wzrok.

Bailey zwrócił się do Ignisa:

— Czas i przeznaczenie to skomplikowane rzeczy. Czy istnieje tylko jedna przyszłość... czy wiele możliwych przyszłości?

— To tylko akademickie dyskusje. — Ignis pobladł, na czoło wystąpiły mu kropelki potu. — Nie pozwolę, żeby ta przyszłość zaistniała. Nigdy do tego nie dojdzie.

— Co było pierwsze: praca, którą pan wykonał, żeby zniszczyć przyszłość, czy zerknięcie na tę możliwą przyszłość, gdzie rządzi Jedno? Czy pan stworzył tę przyszłość, zanim ją zobaczyliśmy... czy to jej widok zainspirował pana do stworzenia „lepszej" przyszłości?

— O czym ty mówisz? Słuchaj, boli mnie. Nie myślę jasno. Nie nadążam za tobą.

— Czas i przeznaczenie — powtórzył Bailey — to skomplikowane rzeczy. Czy pan myśli, że każdy z nas, każda osoba na świecie to narzędzie przeznaczenia?

Ignis pokręcił głową.

— Nie rozumiem, co to znaczy.

— Ja rozumiem — wtrąciła Padmini. — Jestem narzędziem przeznaczenia, panie Hawks. Wszyscy jesteśmy.

— Jakiej potędze pan służy? — zapytał Bailey Ignisa. — Jakie mroczne przeznaczenie działa poprzez pana, żeby się narodzić?

— Nie bądź głupi, Bailey. Wiem, że nie jesteś głupi. Nie opowiadaj mi bzdur o przeznaczeniu. Nie jestem skazany na przyszłość, jaką widzieliśmy. Mam moc, żeby ukształtować lepszy świat, wolny świat, bezpieczny i czysty jak raj, świat, gdzie ludzkie skłonności do zepsucia i zniszczenia zostaną na zawsze zamknięte w butelce.

Bailey strzelił mu trzy razy z bliska w pierś, z pistoletu Mickeya Dime'a. Możliwe, że uratował świat, chociaż nie mógł uratować matki przed pijanym i brutalnym ojcem.

—

Uściski jeszcze nigdy nie sprawiły Sparkle Sykes takiej przyjemności. Po minucie Iris zesztywniała w jej ramionach, ale pozwalała się obejmować. Co jeszcze bardziej zdumiewające, odwzajemniła uścisk, na ile mogła.

Następnie wszyscy ośmioro działali jak jedno, nie jak jeden umysł, ale jak społeczność połączona wspólnym celem.

Tom wykasował ostatnie dwadzieścia cztery godziny nagrań z archiwum wideo ochrony.

Narzędziami spawalniczymi dostarczonymi przez Toma, z niewielką pomocą Twyli, Bailey naprawił wyłamane zawiasy żelaznej pokrywy studzienki włazowej, którą wyrwał strumień błękitnego światła, kiedy wystrzelił z tunelu lawowego.

Jako pisarka o bujnej wyobraźni, Sparkle usiadła na podłodze maszynowni z Mickeyem Dime'em i wytłumaczyła mu, w jakiej kolejności i z jakich psychopatycznych powodów zamordował senatora Blandona, Logana Spanglera, Sally Hollander i siostry Cupp. Mickey okazał się zadziwiająco dziecinny jak na zimnokrwistego zawodowego mordercę, wręcz słodki. Z fascynacją słuchał opowieści, jak pozabijał tych wszystkich ludzi, po czym wrzucił ich ciała do tunelu lawowego. Słodki czy nie, Sparkle przez cały czas trzymała go na muszce. Oczywiście Mickey naprawdę zabił Jerry'ego Dime'a i Vernona Klicka. O tym również z nim rozmawiała, i o zabiciu doktora Kirby'ego Ignisa.

— Moja mama lubiła doktora Ignisa — zaprotestował Mickey.

— Tak często ją wspominasz. Na pewno bardzo ją kochałeś.

— Kochałem. Kocham. Kocham ją tak bardzo, że już dawno chciałem zabić doktora Ignisa.

— Dlaczego?

— Bo go lubiła. Nie lubiłem, jak lubiła innych mężczyzn.

— No tak, oczywiście.

— Senatora Blandona też lubiła.

— Naprawdę?

— Chciałem go zabić od chwili, kiedy ich przyłapałem, jak się całowali.

— Chyba powinieneś o tym wspomnieć policji.

— Zawsze chciałem wiedzieć, kto jest moim ojcem.

— Smutno jest nie mieć ojca — westchnęła Sparkle.

— Kimkolwiek jest, jest moim ojcem, więc musiał uprawiać seks z moją matką przynajmniej raz, i za to z rozkoszą bym go zabił.

— To zrozumiałe — przytaknęła Sparkle.

— Myślisz, że pozwolą mi zabrać jej bieliznę do sanatorium?

— Na pewno pozwolą. Co to komu szkodzi?

Nic się nie dało zrobić ze zniszczoną kanapą w apartamencie sióstr Cupp. Kto zgadnie, co się z nią stało? Może to Mickey Dime porozrywał tapicerkę w morderczym szale? Jednak nawet ogarnięty szałem nie wykrzesałby z siebie tyle siły, żeby zgnieść ciężki ozdobny ekran kominkowy; dlatego Silas i Padmini wyciągnęli ekran z paleniska i przenieśli do magazynu w suterenie. Przez cały ten czas Winny w milczeniu dotrzymywał towarzystwa Iris, która również nic odzywała się do końca wieczoru.

Owinięte w koce ciała Jerry'ego Dime'a i Vernona Klicka czekały tam, gdzie Mickey je zostawił wcześniej, przed tranzycją do przyszłości. Mając te zwłoki oraz trupa Kirby'ego Ignisa, mając przyznanie się Dime'a i zgłoszenie niepoczytalności, władze dostaną wszystko, czego potrzebują, więc raczej nie przeprowadzą kosztownych i niebezpiecznych poszukiwań w pozornie bezdennym tunelu lawowym. A jeśli przeprowadzą, niczego nie znajdą.

—

Po obiedzie w Topper's, kiedy Mac i Shelly Reevesowie wrócili piechotą do Pendletona w lodowatym deszczu, ulicę przed budynkiem zakorkowały policyjne samochody.

W westybulu za kontuarem recepcji Padmini Bahrati powitała ich strasznymi nowinami o morderstwach. Nastąpiło krótkie nieporozumienie, ponieważ w pierwszej chwili pomyśleli, że to Fielding Udell zrobił ostatni krok na drodze do paranoi, ale nie zdziwili się, że to Mickey Dime. Co w tym dziwnego?

—

Matka zawsze go ostrzegała, żeby nie wierzył ludziom w mundurach. Ale traktowali go bardzo miło. Oczywiście przesłuchiwali go detektywi ubrani po cywilnemu. Kiedy od mówienia zaschło mu w gardle, poczęstowali go smaczną ziołową herbatą o cudownym cytrynowym aromacie. A kiedy się poskarżył na suchą skórę na rękach, znaleźli tubkę kremu do rąk, który bardzo sobie chwalił. Nalegali również, żeby wziął adwokata, ale facet wszystkiego się czepiał i Mickey musiał mu ciągle powtarzać, żeby się zamknął. Interesowały ich nie tylko zabójstwa w Pendletonie, pytali też o inne morderstwa popełnione przez Mickeya. Z przyjemnością wspominał swoją karierę. Ostatecznie, chociaż stali po drugiej stronie barykady i chociaż byli zdrowi na umyśle, a on nie, chwilowo działali w tej samej branży: w zabójstwach. Wszyscy uwielbiają wojenne opowieści.

Fielding Udell nie dosypiał przez wiele dni, więc obudził się dopiero późnym rankiem. Od dawna nie czuł się taki wypoczęty. Co dziwne, zasnął na podłodze w kącie swojego gabinetu. Ocknął się w pozycji płodowej, śliniąc się jak dziecko.

Albo to wszystko mu się przyśniło, albo Elita Władzy naprawiła Maszynę Kłamstw. Jego apartament wyglądał jak należy, wszystkie materiały na miejscu, komputer gotowy do pracy.

Przez okno zobaczył, że dziedziniec uporządkowano. Rośliny nie pochodziły z obcej planety, fontanna działała. Czy ujrzał przebłysk prawdy, czy tylko miał zły sen? Czas pokaże. Na tym wiecznie zmiennym świecie w każdej chwili może się zdarzyć wszystko.

Wziął prysznic, po czym zamówił lunch i obiad z dostawą z dwóch różnych restauracji. Na lunch miał moo goo gai pan i kiedy jadł przy biurku, nic w wyglądzie, smaku ani zapachu potrawy nie wskazywało, że to Zielona Pożywka.

W miarę upływu dnia narastało w nim poczucie winy. Obudził się z przeświadczeniem, że powinien przekazać dziewięćdziesiąt procent swojego trzymilionowego majątku doktorowi Kirby'emu Ignisowi, na sfinansowanie ważnej pracy tego dobrego człowieka. Tylko to Jedno mógł zrobić w ramach rekompensaty za odziedziczenie bogactwa, na które nie zapracował. Miał tylko tę Jedną szansę odkupienia grzechów, a jednak zwlekał. O szesnastej te dziwne nowe wyrzuty sumienia tak go udręczyły, że wyszedł z mieszkania i niechętnie skierował się do apartamentu 1-F. W korytarzu spotkał sąsiadkę, Shelly Reeves, i dowiedział się z ulgą, że w nocy Mickey Dime zabił Ignisa.

Fielding wrócił do swojego apartamentu i nalał sobie szklankę domowej coli.

———

Sanatorium Pod Dębami okazało się urocze.

Posiłki były smaczne i wszystko podawano pokrojone na małe kawałki, takie na jeden kęs, co oszczędzało czas. Zamiast widelca wystarczała łyżka, bo wszystkie naczynia miały wysokie brzegi, żeby Mickey mógł łatwo nagarniać jedzenie.

Nawet nie marzył o takim przytulnym pokoju. Fotel był cudownie wygodny, łóżko wręcz bajeczne. Codziennie zmieniano pościel, zupełnie jak w dobrym hotelu.

W prywatnej łazience zamiast lustra miał płytę z wypolerowanej nierdzewnej stali, bo lustro można rozbić i użyć odłamków jako broni. Drzwi kabiny prysznicowej wykonano z bezpiecznego szkła, które od uderzenia rozsypywało się na gumowatą masę maleńkich kawałeczków, nieprzydatnych ani dla zawodowego zabójcy, ani dla amatora.

W pokoju i łazience zadbano, żeby wszystkie gwoździe i wkręty w ścianach, podłodze i meblach zostały nawiercone i zakryte przyklejonymi zatyczkami, toteż nie dało się ich wyciągnąć. Zresztą Mickey nie zamierzał nikogo krzywdzić. Nawet gdyby nie podawano mu antypsychotycznych leków, zachowywałby się grzecznie. Odkąd pogodził się ze swoim szaleństwem, był szczęśliwy i zadowolony. Opuściło go całe napięcie, odeszły wszystkie zmartwienia.

Sąd zabronił mu wydawania pieniędzy, które zarobił jako zawodowy morderca. Nie mógł również korzystać z tej części majątku matki, którą zapisała jego nieżyjącemu bratu Jerry'emu. Ale Renata zostawiła Jerry'emu tylko piętnaście procent. Osiemdziesiąt pięć procent otrzymał Mickey i stał się niewyobrażalnie bogaty.

Charlie Criswell, adwokat Renaty i wyznaczony sądownie kurator Mickeya, odwiedzał go raz w miesiącu, żeby sprawdzić, czy w sanatorium dobrze się zajmują jego podopiecznym. Mickey lubił Charliego. Charlie był sumienny i uprzejmy; był też gejem i nigdy nie zalecał się do Renaty.

Pewnego ciepłego dnia wczesną wiosną Mickeya odwiedził inny mężczyzna. Mickey siedział na werandzie i patrzył, jak wiewiórki harcują po trawniku w cieniu potężnych dębów. Przez cały czas Mickey nosił na kostce u nogi transponder, żeby można go było namierzyć przez satelitę, gdyby uciekł. Siedział na wózku inwalidzkim, przymocowany do oparcia pasami z kevlaru. Kółka wózka były zablokowane. Tylko członkowie personelu mieli klucze, żeby otworzyć blokady. Pomimo tych wszystkich środków ostrożności Mickey nie czuł się uwięziony, tylko bezpieczny, bezpieczny przed sobą. Krzepki pielęgniarz, nadzorujący werandę ze stołka przy frontowych stopniach, przyniósł krzesło dla gości i postawił obok Mickeya, ale nie w zasięgu ręki.

Gość był chudy, tyczkowaty, z mocno wygiętymi brwiami, krzaczastymi niczym gąsienice przepowiadające mroźną zimę. Dłonie miał blade, palce nienaturalnie długie. Przedstawił się jako doktor Von Norquist i Mickey nie miał powodu mu nie wierzyć.

Miesiąc wcześniej Mickey za pośrednictwem Charliego Criswella wysłał list do Norquista: *Pańska wizja transludzkiej cywilizacji ze znacznie zredukowaną i stabilną populacją spełni się, przekraczając Pańskie najśmielsze marzenia. Zmieni Pan świat jak jeszcze nikt w historii. Widziałem to i Kirby Ignis też widział.*

Norquist powiedział:

— Nie wiem, co ja tu robię.

— Owszem, wie pan — odparł Mickey.

Oczy naukowca miały barwę dojrzałych śliwek, ale w jego intensywnym spojrzeniu brakowało słodyczy.

— Zabiłeś Kirby'ego.

— Tak.

— Dlaczego?

Mickey wzruszył ramionami.

— Jestem szalony.

— Zabiłeś te siostry staruszki, strażnika ochrony, bezbronnego ślepca...

— Zgadza się.

— I wrzuciłeś ich ciała do tunelu lawowego, na litość boską.

— Chyba tak. Wyraźnie tego nie pamiętam. Zamierzałem to zrobić, więc chyba zrobiłem.

— Dlaczego?

— Szaleństwo — wyjaśnił Mickey i uśmiechnął się życzliwie.

Naukowiec przyglądał mu się przez długi czas. Wreszcie powiedział:

— Nie wyglądasz mi na wariata.

— Ale jestem wariatem. Kompletnym. Pogodziłem się z tym.

Po następnej chwili milczenia Norquist zapytał:

— Skąd wiedziałeś, że niepokoi mnie konieczność „znacznie zredukowanej i stabilnej populacji"? Nigdy nie rozmawiałem o tym tak otwarcie z nikim, nawet z Kirbym.

Cichym głosem, który czasami brzmiał jak głos Kirby'ego Ignisa, czasami jak głos Świadka, a czasami jak głosy innych ludzi, których Mickey nie znał, ale Norquist wyraźnie rozpoznawał, zaczął od zrelacjonowania snu na jawie, wyśnionego w kuchni Ignisa. Pogrom. Zniszczenie miast. Szybki rozwój Jednego. Rezultat: krańcowo uproszczona ekologia tego świata czarnych, sękatych drzew, świetlistej trawy i pojedynczej świadomości. Nie mówił swoimi słowami. Powtarzał bardziej elokwentną narrację Jednego.

Zafascynowany tymi rewelacjami, wyraźnie reagując na każdy nowy głos, Norquist pochylił się do przodu, jakby nie chciał stracić ani sylaby. Kiedy Mickey przerwał, naukowiec zapytał:

— Jak ty to robisz... taka doskonała mimikra?

— Jedno zawiera wspomnienia miliardów ludzi i może mówić jak oni. Widocznie przekazało mi tę zdolność. Albo po prostu zwariowałem. Ale cokolwiek to znaczy, mam dla pana jeszcze jedną wiadomość.

— Jaką?

Wiadomość była długa, ale Mickey wyrecytował ją bez wahania, bez zająknienia, i zakończył tymi słowami:

— „Jestem rośliną, zwierzęciem, maszyną. Jestem postludzkie i kondycja ludzkości mnie nie dotyczy. Jestem wolne".

Wyczerpany Mickey osunął się na oparcie wózka. Słuchając siebie, dziwił się rozmiarom własnego szaleństwa. To było trochę upiorne.

Przez chwilę razem z Norquistem przyglądali się wiewiórkom na trawniku.

W konarach dębów migotały cekiny słonecznego blasku.

Pielęgniarz obserwował ich podejrzliwie ze swojego odległego stanowiska przy schodkach ganku, pewnie zdumiony, o czym taki słynny naukowiec jak Norquist może tak długo dyskutować z wariatem.

Mickey zastanawiał się, co będzie na obiad. Zgłodniał tak bardzo, że powinien dostać dwie łyżki.

Potem przypomniał sobie dodatkową wiadomość, którą musiał przekazać.

— Jeszcze jedno. W Pendletonie mieszka człowiek nazwiskiem Fielding Udell. Jeśli pan mu złoży wizytę i poprosi o pomoc w sfinansowaniu swoich badań, on poczuje się w obowiązku zainwestować w instytut prawie trzy miliony dolarów.

— Skąd wiesz?

W uśmieszku Mickeya kryła się przygana.

— Racja — przyznał Norquist. — Jesteś szalony.

Podczas następnej chwili milczenia Mickey zorientował się, że doktor Norquist nie patrzy na wiewiórki. Obserwował SUV-a zaparkowanego na poboczu lokalnej drogi, daleko na końcu podjazdu do sanatorium.

— Zaparkowałem przy innej drodzc, półtora kilometra na zachód — oznajmił doktor Norquist — i poszedłem na przełaj. Wszedłem tu od tyłu.

Te słowa wzbudziły oddźwięk w Mickeyu, przypomniały mu czasy, kiedy starannie planował swoje morderstwa.

— Ostatnio mam wrażenie, że ktoś mnie śledzi — wyznał Norquist.

— Może pan ma paranoję? Powinien pan się zbadać.

— Ten ktoś jest cholernie ostrożny. Nigdy go nie zauważyłem... ale czuję jego obecność.

— Tamten SUV? — upewnił się Mickey.

— Może. Ciągle zmieniają pojazdy.

— Jak pan myśli, kto to jest?

— Myślałem, że ty mi podpowiesz.

— No, to nie moja matka.

— Nigdy tak nie myślałem.

— Ona nie żyje — wyjaśnił Mickey. — Ale nawet po jej śmierci czasami czuję, że na mnie patrzy.

— Skąd? — zapytał pogardliwie Norquist. — Z nieba?

— Skądś — odparł Mickey.

Daleko na poboczu drogi z SUV-a wysiadł mężczyzna. Z tej odległości wyglądał jak cień, niemożliwy do rozpoznania.

W zachodzącym słońcu coś zamigotało na jego twarzy. Mickey pomyślał, że to soczewki lornetki.

—

Winny nadal czytał za dużo książek i unikał męskich instrumentów muzycznych. Prawie codziennie spędzał trochę czasu z Iris. Nie łączył ich związek chłopca z dziewczyną i nigdy nie miał połączyć. Byli przyjaciółmi. Nigdy nie rozmawiali o świecie Jednego, częściowo dlatego, że Iris mało mówiła, a on nie wiedział, co powiedzieć. Zresztą nawet gdyby w końcu znalazł odpowiednie słowa, nie mógłby nikomu opowiedzieć o tych przeżyciach, jeśli nie chciał wylądować w wariatkowie jak Mickey Dime. Musiał też myśleć o panu Hawksie, który zabił pana Ignisa i gdyby prawda wyszła na jaw, poszedłby do więzienia. Zabicie pana Ignisa było najtrudniejsze ze wszystkich słusznych rzeczy i pan Hawks był bohaterem, jakim Winny nigdy nie zostanie. Pewnej nocy Winny'emu przyśniły się siostry Cupp. W tym śnie pojawił się też dziadek Winston, który zginął w wybuchu kruszarki, kiedy Winny był mały. Zapamiętał tylko przyjemne uczucie, jak zawsze, kiedy odwiedzał babcię Trahern na farmie, którą jej kupiła mama. Ale ten sen był też dziwny, bo Winny budził się kilka razy i na brzegu jego łóżka siedziały siostry Cupp, nie łóżka ze snu, ale rzeczywistego łóżka, siedziały i uśmiechały się do niego. Przysiągłby, że poczuł, jak jedna z nich odgarnęła mu włosy z czoła, tak jak czasem robiła mama, a druga pocałowała go w policzek. Poczuł to naprawdę, nie jak we śnie. Jedna z nich powiedziała: „Dzielny chłopiec", i czy były prawdziwe, czy wyśnione, nie wiedział, co im odpowiedzieć. Potem jednak czuł, że z siostrami wszystko jest w porządku. Nie utknęły w 2049 roku w jakimś grzybie czy drzewie. Znalazły się w jakimś miejscu lepszym niż teraźniejszość czy przyszłość.

Pewnego dnia Iris dostała psa towarzysza od organizacji, która dostarczała wyszkolone psy ludziom z poważnymi upośledzeniami. Cóż to był za przełom. Jeśli Iris przedtem bywała szczęśliwa, nie okazywała tego, jednak teraz widać było, jaka jest szczęśliwa z tym golden retrieverem. Powiedzieli, że może zmienić psu imię, i przez krótki czas Winny miał nadzieję, że nazwie psa Winny, ale oczywiście to by wywołało wiele nieporozumień. Nazwała go Bambi i Winny nie poczuł się urażony.

Pewnego dnia mama pokazała mu artykuł w gazecie o naukowcu, który zginął, kiedy z niewiadomych powodów zjechał autem w przepaść. Nazywał się Norquist i pracował z doktorem Ignisem. Niedługo potem mama zaręczyła się z panem Hawksem. Rany, piosenki, które zaczęła wtedy pisać, to było naprawdę coś. Zawsze pisała świetne rzeczy, ale te były jeszcze lepsze. Farrel Barnett też ożenił się ponownie, z dziewczyną imieniem LuLu, która miała mnóstwo włosów i jakieś cztery miesiące po ślubie spiesznie wydała na świat bliźniaki, dwóch chłopców. Mama prenumerowała „Variety" i pewnego dnia Winny zobaczył reklamę gratulującą tacie nowego hitu, z nową fotografią, chociaż Winny nigdy nie dostał podpisanego egzemplarza. Nowy tato zabierał Winny'ego dosłownie wszędzie, do muzeów i parków rozrywki, do kina, aż można się było zmęczyć chodzeniem do tylu miejsc. Winny zwracał się do niego najpierw „panie Hawks", a potem „Bailey", bo powiedzieli, że to w porządku. Ale któregoś dnia zorientował się, że mówi do niego „tato", już od jakiegoś czasu, i to też było w porządku. Miał dwóch ojców i obu kochał — przynajmniej chciał — i właściwie nawet fajnie było mieć dwóch, chociaż Farrel Barnett był tatą przez małe „t", a Bailey Hawks był Tatą z dużej litery. Mieli psa, też golden retrievera, którego nazwał Merle, imieniem psa z książki, którą czytał. I niedługo później zaczęły się rozmowy o małej siostrzyczce.

W życiu po prostu różnie się zdarza. Czasami są małe siostrzyczki, a czasami potwory, spanie u kolegi albo grypa żołądkowa, uczeń roku w szkole Grace Lyman albo kula do kręgli upuszczona na stopę. W opinii Winny'ego najgorsze i najlepsze rzeczy są tym samym: nic nie trwa wiecznie, może tylko Winny wiecznie będzie miał chude ramiona. Więc cokolwiek nas spotka, musimy dzielnie to znosić, nie poddawać się, uśmiechać się nawet podczas burzy. A co najdziwniejsze, jeśli się nie poddajemy, jeśli uśmiechamy się podczas każdej burzy, złe rzeczy nigdy nie są takie straszne, jak się spodziewaliśmy, a dobre okazują się lepsze niż wszystko, o czym mogliśmy marzyć. Zaczął nawet myśleć, że pewnego dnia będzie wiedział, co powiedzieć do każdego, w każdej chwili, w każdym cholernym miejscu. Ponieważ zaczął rozumieć, że ze wszystkich nieprzeliczonych cudów świata najlepszą rzeczą są ludzie, że każdy z nich jest nowym, fascynującym światem. Dlatego zawsze tak dużo czytał: żeby poznawać nowych ludzi w książkach, kiedy nie radził sobie z poznawaniem prawdziwych ludzi. Ciągle czekał, aż przyśnią mu się koszmary o tym, co widział w 2049 roku, ale nigdy się nie pojawiły. Miał nawet dobre wspomnienia z tej podróży. Najlepsze było, kiedy jego mama z bronią w ręku twardo stawiła czoło Pogromitowi i kiedy Iris po raz pierwszy spojrzała mu w oczy, wyznała, że się boi, a potem powierzyła mu swoje życie. Naprawdę lepiej nie będzie, teraz czy w 2049.

Polecamy thrillery Deana Koontza

RECENZJA

Cullen Greenwich jest pisarzem, ojcem sześcioletniego, nadzwyczaj uzdolnionego syna. Właśnie ukazała się jego szósta powieść, która powszechnie zbiera pozytywne oceny – z wyjątkiem jednej, napisanej przez Shearmana Waxxa, czołowego krytyka literackiego w Ameryce. Jego recenzja jest nie tylko wyjątkowo niepochlebna, ale mija się z faktami. Okazuje się, że krytyk mieszka w pobliskiej Laguna Beach i uchodzi za ekscentryka. Wbrew radom Cullen postanawia przynajmniej zobaczyć, jak wygląda tajemniczy adwersarz. W rezultacie dochodzi do przypadkowego spotkania obu mężczyzn w toalecie restauracji. Na pożegnanie Waxx wymawia pojedyńcze słowo, które w uszach Cullena brzmi jak groźba – zguba. Tego samego wieczoru Waxx składa nocną wizytę w domu Greenwichów. John Clitherow – pisarz, który trzy lata wcześniej znalazł się na celowniku demonicznego krytyka – informuje Cullena, iż Waxx to niebezpieczny psychopata, który w okrutny sposób zamordował jego córki, żonę i rodziców. Radzi mu, by natychmiast uciekał wraz z bliskimi. Następuje eskalacja groźnych wydarzeń: kolejne nocne włamanie, brutalna napaść, w końcu dom Cullena zostaje wysadzony w powietrze. Tropieni jak dzikie zwierzęta, pisarz i jego żona muszą stawić czoła Złu w najczystszej postaci – inaczej zginą...

BEZ TCHU

Grady Adams zamienił gwar miasta na ciszę natury. Razem z psem zamieszkał w odludnym domu w Górach Skalistych i zajął się wyrobem mebli. Żaden z sąsiadów nie podejrzewa, że prowadzący pustelnicze życie mężczyzna to były snajper. Pewnego dnia podczas spaceru Grady dostrzega dwa porośnięte białym futrem stworzenia wielkości średnich psów. Spotkaniu towarzyszy niezwykły blask, który na moment spowija wszystko dookoła. Na widok człowieka tajemnicze istoty rzucają się do ucieczki. Nazajutrz dochodzi do kolejnego kontaktu – nieprzeciętnie inteligentne zwierzęta tym razem nie okazują żadnego strachu. Kim są? Skąd przybyły? Ich zagadkowe pojawienie wydaje się mieć jakiś związek z nagłym ozdrowieniem psów będących pod opieką miejscowej lekarki weterynarii, Cammy Rivers. W niewyjaśniony sposób wpłynie również na losy kilku przypadkowych, obcych sobie osób: matematyka specjalizującego się w teorii chaosu, zabójcy realizującego zlecenie morderstwa i psychopaty, który właśnie zabił brata bliźniaka. O odkryciu Adamsa dowiaduje się Departament Bezpieczeństwa Wewnętrznego. Teren wokół jego domu zostaje objęty kwarantanną i zamieniony w laboratorium polowe, zaś mieszkańcy okolicznych posiadłości internowani. Cammy i Grady'emu pozostaje tylko jedno: ucieczka razem z dwójką podopiecznych, Rebusem i Zagadką...